편집자 일러두기

- 처음 나오는 인명에는 '탁영(濯纓) 김일손(金馹孫, 1464~1498)'과 같이 생몰 연대를 한 번만 표기하는 것을 원칙으로 했으나, 문장의 이해를 돕기 위해서 추가한 곳도 있다. 두 번째 이후에는 '탁영(濯纓) 김선생(金先生)', '탁영 김선생', '탁영 김일손', '탁영' 등으로 표기했다.
- 본문 속의 도서명은 《 》을 이용하여 표시하는 것을 원칙으로 했다. 《남명집(南冥集)》, 《남명집》, 《南冥集》 등과 같다.
- 시문(詩文)과 그림을 포함한 각종 문서의 제목은 〈 〉을 이용하여 표시하는 것을 원칙으로 했습니다. 〈유두류록(遊頭流錄)〉, 〈유두류록〉, 〈청학동도〉, 〈청학동변증설〉, 〈용유담에서 네 절구를 짓다(龍遊潭曲四絕). 이때 극기(克己와 정숙(貞叔)이 따라왔다〉 등이다.
- 중요한 단어나 어귀, 혹은 강조할 곳 등은 상황에 따라 ' '로 표시했다. '청학동', '입덕문(入德門)', '광암연(廣巖淵)' 등이다.
- 인용문, 특정인이 한 말 등은 " "로 표시했다. "1518년(중종 13)에는 진주까지 거리가 멀어 백성들이 조세 수납 등에 힘들어하자 악양현에 화악창(花岳倉)을 설치했다.", "진주 청암의 묵계동에서 피란했다.", "아, 이곳이야말로 용이 노는 계곡이로구나!" 등이다.
- 용어의 설명 등 참고할 사항을 부가 기록할 때는 [ ]로 묶어서 표기했다. '진주목[진주부, 진주군]', '청암면[시천향: 矢川鄕]', '절골[寺洞]', '악양이 하동군의 속현(屬縣)일 때[675~1018년, 343년 동안]는', '오대사(五臺寺)는 살천현(薩川縣) 남쪽에서 고개 하나를 넘으면[自薩川縣南踰一嶺]……' 등이다.
- 본문의 서체는 'KoPubWorld바탕체, 11포인트, 장평 100, 자간 -25'로 하였으며, 인용문은 본문과의 차별화를 위해서 11포인트로 문장의 좌우 폭을 줄여서 구분했으며, 강조할 부분은 'KoPubWorld돋움체'로 눈에 띄게 했다.
- 각주와 그림, 표 등의 '설명문'은 'KoPubWorld돋움체, 9포인트, 장평 98, 자간 -25, 개체와의 간격은 2.0'을 원칙으로 했다.
- 각주 번호는 새 번호 '1번'부터 다시 시작한다.
- 사진은 대부분 직접 촬영한 것을 사용했으나, 인용하였을 때는 그 출처를 밝혔다.

꽃이 피면 봄인줄 알고
낙엽지면 가을인줄 아는 이상향

묵계동천과 학로계

제1부
묵계동천과 청학동

오세현 편저

각종 자료 조사 및 제공자

- 각종 마을 자료 조사 및 제공: 청학동 학로계 계장 김삼주,
  총무 양점동
- 본문 사진 제공: 오세현, 양영욱, 기타
- 드론 사진 제공: 이영근

표지 사진 작가 소개

- 청파(靑波) 강태진
  현) 하동문화원장
  대한민국 사진 대전 초대작가
  한국사진작가협회 이사
  청파 예술촌 대표

  저서: 《섬진강의 숨결》, 《섬진강 장시 발달과 추이》(논문)
  사진집: 《내 고장 하동》,
  《물길 따라 꽃길 따라 하동포구 팔십리 사진집》

한글 제자(題字) 캘리그라피 작가

- 서령(書嶺) 이진욱
  현) 백상 서화협회 추천작가
  아이디어스 작가
  아트앤서령 대표

  수상: 2017 백상서화예술대전 캘리그라피 금상 수상
  2018 한국에너지공단 〈에너지 작품 공모전〉 캘리 최우수상
  2019 백상서화예술대전 캘리그라피 금상 수상
  2019 백상서화협회 캘리그라피 추천작가 인증

축간사

지역의 문화가 사라지면 그 지역도 소멸합니다.

자연환경과 역사와 전통이 어우러진 하동은 더욱더 문화에서 미래의 답을 찾아야 합니다.

하동의 문화예술이 생활 속에 자리 잡아 군민이 행복해진다면 자연스럽게 지역소멸 극복의 길도 열릴 것으로 생각합니다.

오랜 역사와 전통을 자랑하는 '학로계'가 《묵계동천과 학로계》라는 귀중한 책을 발간하게 된 것을 축하드리며, 이 책이 지역문화 발전에 큰 물줄기가 되길 기원하며, 미래의 답을 찾을 수 있는 귀중한 문헌 자료가 될 수 있기를 소망합니다.

학로계는 1961년 창계 이후 묵계동의 중심적인 커뮤니티로 자리매김하며 1976년 자력으로 청학루를 건립하는 등 지역 사회를 위한 많은 이바지해 왔습니다. 이번 책 발간은 그러한 학로계의 노력과 헌신을 집대성한 것으로, 후세에도 길이 남을 소중한 유산이 될 것입니다.

이 책은 묵계동과 청학동의 역사와 문화를 폭넓게 담아내어 청학동을 넘어 별천지 하동의 정체성을 재확인하고 자긍심을 고취하는 중요한 역할을 할 것입니다.

책자 발간에 애써주신 김삼주 학로계 계장님과 회원님, 묵계리 5개 마을 주민과 향우님, 특히 자료 수집과 집필을 위해 5년여 동안 심혈을 쏟아주신 오세현 박사님께 존경과 감사의 마음을 전합니다.

다시 한번 《묵계동천과 학로계》 발간을 진심으로 축하드리며, 학로계원 여러분들의 노력들이 한데 모여 별천지 하동의 문화가 비상하길 기원합니다.

2024. 07.

하동군 군수 하승철

축간사

기분 좋은 바람과 적당한 햇살,

수확의 계절인 풍성함과 넉넉함의 상징, 가을 즈음하여 《묵계동천과 학로계》 책자가 발간됨을 뜻깊게 생각하며, 진심으로 축하드립니다.

하동군의회 의장 강대선입니다.

지난 코로나19 여파와 자료수집의 방대함 등 긴 시간 동안 어려운 여건하에서도 심혈을 기울여 본지 발간을 위해 노력해 주신 청암면 학로계 임원님들과 김삼주 계장님을 비롯하여 오세현 박사님, 그리고 묵계리 5개 마을 주민과 향우님들께 그간의 노고에 깊이 감사드리며, 격조 높은 집필에 많은 도움을 주신 모든 분께도 격려와 함께 감사의 말씀 전합니다.

이번 《묵계동천과 학로계》 책자 발간을 통해 지역의 유래, 역사적 사건 등 단순한 기록을 넘어, 우리 지역의 소중한 문화유산을 후세에 전하고자 하는 의지가 담겨있으며, 미래 세대에 소중히 전해줄 역사적 기록인 동시에 오늘날 우리 지역의 공동체와 정체성 확립에 기여 할 수 있을 것이라 기대합니다.

과거를 돌아보며 미래를 향해 나아갈 길을 찾는 것은 우리 모두의 책임이며 번영된 미래의 약속이자 새것에만 맘을 두는 현세대에 많은 교훈이 될 수 있기를 희망하며,

끝으로 집필에 참여하여 많은 시간과 노력을 할애해 주신 모든 분께 다시 한번 감사드리며, 독자 여러분의 관심과 사랑이 우리의 지역의 역사와 문화를 더욱 빛나게 할 것입니다.

감사합니다.

2024. 09.

하동군 의회 의장 강대선

축간사

《묵계동천과 학로계》 출간(出刊)을

하동교육 가족을 대표하여 진심으로 축하드립니다. 학로계에서 오랜 기간 심혈(心血)을 기울여 학로계와 묵계 청학동의 역사와 문화를 담은 책을 발간하신 노고(勞苦)에 대하여 깊이 감사드립니다. 이번에 발간하는 책자는 우리가 후대(後代)에 길이 전해야 할 지역의 문화유산을 정리하여 책자로 남긴다는 점에서 큰 의의(意義)가 있다고 하겠습니다. 특히 학로계의 유래뿐만 아니라 묵계동 전체의 역사와 문화 그리고 선현(先賢)들의 발자취를 모두 책자에 담아 지역과 후세가 참고할 수 있는 좋은 역사 자료가 되리라 생각합니다.

묵계동은 우리 교육 가족에게 특별한 곳입니다. 현재 묵계초등학교와 묵계초등학교 청암분교장, 그리고 청암중학교가 있는 곳입니다. 개인적으로도 젊은 교사 시절 묵계동에 터를 잡고 오랜 기간 생활하면서 몸에 배어든 묵계동의 정서(情緖)와 향수(鄕愁)를 아직도 가지고 있습니다. 마치 별천지(別天地)에 온 듯한 아름다운 자연환경과 인정 많은 묵계동 사람들의 정취를 아직도 잊지 않고 있습니다.

하동교육지원청은 학생들이 저마다의 꿈을 키울 수 있도록 학교 지원과 장학활동에 힘을 쏟고 있습니다. '배움이 즐거운 학교, 함께 가꾸는 하동교육'을 교육 비전으로 하여 미래 사회에 필요한 역량을 함양할 수 있도록 하고 있으며 지역에 대한 사랑과 '하동얼' 계승을 위해 특색 사업으로 '오감길 체험활동'을 실시하고 있습니다. 그리고 우리 교육지원청 내에도 역사관을 만들어 우리가 잊지 않고 남겨야 할 가치 있는 교육(敎育)문화 유산들을 정리하고 있습니다.

학로계의 노력으로 《묵계동천과 학로계》를 발간하게 된 것을 다시 한번 축하드리며 앞으로도 학로계가 지역 사회 발전(發展)에 크게 기여해 주시기를 부탁드립니다.

2024. 07.

하동교육지원청 교육장 최수경

축간사

오랜 세월 베일에 가려져 있던

지리산의 이상향(理想鄕) '묵계 청학동'의 역사와 문화를 정리한 《묵계동천과 학로계》의 출판을 진심으로 축하드립니다. 그동안 김삼주 묵계 청학동 학로계 계장님과 지난 5년 동안 꼼꼼한 자료 수집과 집필을 해 오신 오세현 박사님, 그리고 묵계 청학동 주민 여러분께도 진심으로 축하와 감사의 말씀을 드립니다.

한반도 백두대간 지리산 주령 따라 우뚝 솟은 삼신산과 그 아래 최적의 자연조건을 선물 받은 묵계 청학동은 인간의 태동인 점지, 출산, 장수의 전신인 三神 할매, 老姑 할매의 숨결이 살아 숨 쉬는 곳입니다.

동서양을 막론하고 인간은 태어나서부터 끊임없이 이상향을 꿈꾸며 사람이 생각할 수 있는 최적의 상태를 갖춘 상상의 세계를 찾아 헤맸습니다. 섬나라 영국의 유토피아 사상과 중국의 무릉도원이 그랬고, 우리나라에서도 고려 시대 이인로가 화개동에서 '삼재팔란(三災八難))'이 없는 이상향 청학동을 찾아 나선 이후, 그곳을 찾는 조선 시대 선비들의 지리산 유람은 유행처럼 이어졌습니다.

고운 최치원 선생은 "동국의 화개동은(東國花開洞) 속세 떠난 별천지라(壺中別有天), 선인이 옥 베개를 밀치니(仙人推玉枕) 이 몸의 세월이 문득 천년이 되었네(身世欻天年)"라고 하는 시문(詩文) 그 자체가 이상향 청학동이라 생각해 봅니다.

오랜 시간 동안 묵계 청학동을 사랑하는 집념 하나로 《묵계동천과 학로계》의 출판을 마무리해주신 김삼주 위원장님과 청암 묵계 향우인 오세현 박사님을 비롯한 모든 분께 다시 한번 감사의 말씀을 올립니다.

2024. 07.

하동문화원 원장 강태진

축간사

지역문화와 향토자원의 보존 전승

및 발굴을 통한 지역문화의 창달과 지역의 후생을 크게 선도해 나갈 학로계의 《묵계동천과 학로계》 발간을 진심으로 축하드리며 청암면민과 더불어 매우 기쁘게 생각합니다.

지역의 향토자료에 대한 가치가 더욱 중요하게 인식되는 오늘날, 《묵계동천과 학로계》 발간은 지역의 정체성을 확립하고 이를 후손에게 계승함으로써 애향심과 자긍심을 고취하는 데 큰 역할을 할 것으로 기대되는바, 무척 가치 있는 일로 여겨집니다.

이번 《묵계동천과 학로계》의 발간으로 각종 문헌 자료의 꼼꼼한 수집과 고증을 통해 기존에 알려진 청암면 역사의 오류를 바로잡을 수 있었고, 묵계동과 청학동의 상관관계, 묵계동의 역사와 문화를 세세하게 기록하여 더욱 풍성한 자료집을 만듦으로써 우리 고장의 역사와 문화를 제대로 알고 발전시킬 수 있는 계기를 마련하게 되어 청암면장으로서 뿌듯함과 가슴이 벅차오름을 느낍니다.

또한, 기존에 발간한 학로계록을 국역한 자료는 한자와 거리가 먼 젊은 세대와의 심리적 거리감을 좁혀, 후세에 지역문화 전수를 쉽게 하고 새롭게 조명하는 한편 더욱 발전시키는 데 큰 도움이 되리라 확신합니다.

아무쪼록 우리 지역의 문화와 역사가 담긴 《묵계동천과 학로계》가 면면히 이어져, 선인들의 숨결을 느끼게 해주는 귀중한 자료로 계승 발전되기를 기대하며, 발간에 심혈을 기울여 주신 고산 김삼주 선생님을 비롯한 오세현 박사님, 그리고 묵계리 주민 여러분들과 관계자분들께 다시 한번 감사드리면서 축간사에 갈음합니다. 감사합니다.

2024. 07.

청암면 면장 이광재

축간사

청암면 묵계리 학로계에서

《묵계동천과 학로계》 발간을 지리산청학농협 전 조합원과 함께 진심으로 축하드립니다.

지역문화와 향토사의 보존 전승 및 발굴을 통한 향토 자료에 대한 가치가 절실한 지금, 지역의 정체성을 확립하여 후손에게 전달함으로써 뿌리에 대한 자긍심을 고취하는 데 큰 역할을 할 것으로 기대됩니다.

《묵계동천과 학로계》의 발간을 위하여 각종 문헌 자료의 수집과 고증을 통해 기존 청암면 역사의 오류를 수정할 수 있고, 청학동 형성 과정과 묵계동과 청학동의 상호관계 및 역사와 문화를 세밀하게 기록하여 발간함으로써 우리 지역 고장의 역사와 문화에 대하여 제대로 발전 계승시킬 수 있는 근간을 마련하였습니다.

한 지역의 생성과정과 지역 형성의 역사와 문화가 담긴 《묵계동천과 학로계》가 초석이 되어 귀중한 자료로 후대에 계승 발전되기를 기원하며,

발간에 심혈을 기울여 주신 학로계 고산 김삼주 계장님과 임원님, 묵계리 5개 마을 주민과 향우님들께 감사드리며, 자료 수집과 집필을 위해 긴 시간 심혈을 기울이신 오세현 박사님께 다시 한번 감사드립니다.

2024. 07.

지리산청학농업협동조합 조합장 오홍석

추천사

우리 민족의 靈山인 智異山은

그 둘레가 5백여 리나 되어 3개 道, 5개 고을에 걸쳐 있는데, 그 사방 산자락 각 고을에는 수많은 마을이 있어 아득한 옛날부터 헤아릴 수 없는 사람들이 살고 또 살았다. 그들 사이에서는 수많은 일이 있었을 것이고, 수많은 말들이 오고갔을 것이다. 이런 일이나 말들이 기록으로 남아 있으면 역사가 되지만, 기록이 없으면 단순히 지리산 자락의 한 줌 흙과 물이 되고 말 것이다. 기록이 있어야 우리 조상들의 삶과 생각이 복원될 수 있는 것이다. 그만큼 기록은 중요한 것이다.

내가 黙溪洞에 처음 간 것은 1978년 겨울이었다. 지도교수를 모시고 同學 10여 명이 방언 조사와 민요채집을 목적으로 외지와 왕래가 빈번하지 않은 靑鶴洞을 지정하여 일부러 찾아갔다. 청학동은 묵을 곳이 없어, 묵계동 버스 정류장 뒤의 어떤 집을 빌려 3일 동안 머무르면서 조사를 하였다. 낮에는 마을 각 가구를 찾아가 이야기를 듣고 녹음하였다. 밤이면 머무르는 집의 주인 아주머니가 불러 모은 동네 사람들이 하는 이런 이야기 저런 이야기를 밤새도록 들었다. 그것을 녹음기로 채록하기도 하고, 또 받아 적어 간단하게 줄거리를 정리하기도 하였다. 그 기록들이 뒤에 책으로 나오지 못하고, 사장되고 말아 아쉽다. 이야기하는 분들은, 동네 할아버지 할머니 아저씨 아주머니들이었는데, 지금은 이 세상에 존재하지 않겠지만, 아련한 인상만은 뚜렷이 남아 있다. 묵계동에서 좀 떨어진 두어 집 있는 마을에 사시는 어떤 漢學者로부터 글 읽는 소리도 듣고 漢文 經傳 등에 대해서 이야기도 한참 나눈 기억도 있다.

그 뒤 청학동이 많이 변하여 漢文書堂이 많이 생겼고, 서울 등 도시에서 많은 학생들이 와서 성황을 이룬다는 소문을 자주 들었다. 심지어 우리 慶尙大學校 漢文學科 대학원생들 가운데서도 서당에 가서 조교 역할을 하고 와서 보고 들은 이야기를 하는 학생도 있었다.

그러나 무슨 연유인지 나는 그 뒤 청학동에 다시 한번 갈 기회가 나지 않아 40년 동안 청학동이나 묵계동에 못 갔다. 그러다가 2015년경에 한 번 가봤더니, 너무나 변하여 옛날 모습을 도저히 찾을 수가 없었다. 내가 머릿속으로 기억하던 그 당시 모습은 거의 하나도 남아있지 않아, 완전히 다른 지역 같다는 느낌이 들었다. 당시에는 묵계동에서 청학동으로 차가 들어갈 수 있는 길이 아예 없었다. 정말 今昔之感을 느꼈고, 그래서 기록이 반드시 필요하다는 것을 절실히 느꼈다. 그러나 청학동 묵계동 이야기는 자주 듣지만, 거기에 대해서 종합적으로 알 수 있는 잘 정리된 서적이 하나도 없는 실정이라 알려고 해도 자세히 알 수도 없었다.

그런 생각을 하는 중에 2010년경 묵계동 출신의 姜東毅 同學이 慶尙大學校 大學院 漢文學科에 입학했고, 그가 靑鶴洞 일대에 대해서 논문을 한 번 써 보겠다고 하기에, 쓰면 좋을 거라고 권유를 한 적이 있었다. 그가 논문을 잘 완성하였고, 마침 내가 심사위원을 맡아 한번 통독해 본 덕분에, 청학동의 유래에 대해서 어느 정도 알 수 있었지만, 청학동 묵계동에 대한 포괄적인 내용을 담은 책자에 대한 갈망은 늘 머리 속을 떠나지 않았다.

근년부터 우리 東方漢學硏究院에서 함께 공부하는 慶南科學高等學校 前 校長 吳世現 박사가, 묵계동과 청학동 일대에 관한 자료를 정리하고 있다는 사실을, 가끔 질문을 하거나 자료를 찾기에 알고 있었다.

책이 거의 다 편집되어 인쇄에 들어갈 요즈음, 그 책에 대한 추천사를 요청하며 편집된 책자를 들고 왔다. 살펴보니, 책이 아주 방대하면서 내용이 정확하였고, 필요한 자료는 거의 다 들어 있는 것 같았다. 黙溪洞 靑鶴洞의 연혁과 역사, 南冥先生을 비롯한 先賢들의 발자취, 지리, 명승, 詩文, 전설, 지명, 민요, 방언 등은 물론이고, 현대의 역사와 현대의 상황까지도 다 수집하여 담았다. 아울러 묵계동 청학동 선비들의 모임인 鶴老契의 관계 기록까지도 포괄하고 있었다. 가히 묵계동 청학동의 고금의 사실에 대한 百科全書라 할 수 있을 정도였다.

오박사는 경남 과학교육을 반석 위에 올려놓은 물리학자로 지금도 연구를 계속하고 교재를 저술하고 있다. 교육행정가로서의 경륜을 가진 분으로 경남과학고등학교를 전국 최우수 과학고등학교로 발전시킨 업적이 있다. 어떤 한 가지 일을 맡으면 대가나 칭찬을 바라지 않고 자신의 정성을 다 바쳐 끝까지 책임지는 선비정신을 가진 분인데, 이번 이 책의 편찬과정에서도 그런 면모가 확실히 나타났다.

이 책은 단순히 黙溪洞 靑鶴洞 주민들을 위한 책이 아니고, 智異山의 역사, 우리나라의 역사의 한 부분을 새롭게 밝히는 큰 역할을 할 책이라고 가치를 부여할 수 있을 것이다. 묵계동 청학동은 물론이고 지리산이나 우리나라 역사에 뜻 있는 분들이 한번 읽는다면, 많은 도움이 많이 될 것이라 확신하고 일독을 정중하게 권한다.

2024.10.

東方漢學硏究院長 文學博士 許捲洙

발간사

학로계(鶴老契) 발기 취지문에

"청학(青鶴)은 고철인(古哲人)이 말하기를 천하 명승(天下名勝)으로 삼재(三災)가 불입(不入)하며 인재(人才)가 계출(繼出)하여 가히 많은 사람을 살릴 땅이라 하였다. 우리 조상(祖上)들은 이 명구(名區)를 택하심인지 두류산(頭流山) 삼신봉(三神峰) 아래 청학동(青鶴洞)에 복거하여 자손계(子孫計)를 삼으시니, 이 전통(傳統)을 이어받은 우리들은 솔선(率先) 선심선행(善心善行)으로 선조(先祖)의 고귀한 정신(精神)을 숭배(崇拜)하고, 후생(後生)을 선도하여 향리(鄕里)를 화평(和平)케 함이 임무(任務)라고 자부(自負)하여 이 계를 조직(組織)한다."라고 하였다.

1961년에 창립하여 1976년에는 자력으로 청학루(青鶴樓)를 건립하였으며 그동안 세 번에 걸쳐 학로계록(鶴老契錄) 발간 작업이 있었으나, 한자 · 한문이 혼용되어 있어 한자를 모르는 이들이 읽기가 매우 불편하였다. 지난 2020년 4월 25일 학로계 임원 회의에서 한글로 번역된 학로계록을 만들어서 학로계의 60주년이 되는 2021년 5월 계일(契日)에 보급하자는 결의를 하고, 구 학로계록은 본인이 번역하고 집필과 편집은 본동 출신인 진주 오세현 박사에게 의뢰하기로 하였다.

그 뒤 학로계의 유래만 편찬할 것이 아니라 묵계동 전체의 역사 · 문화 · 관광 · 전설 · 지명 · 공공기관 · 종교단체 · 마을회관과 선현들의 발자취 등을 함께 수록하자는 여론이 형성되어 그렇게 하기로 추진하던 중, 코로나19의 영향과 자료 수집의 번다함으로 인하여 출판 시기가 3년이나 늦어졌음을 송구하게 생각합니다.

그동안 자료 수집과 발간에 협조하여 주신 학로계 임원과 묵계리 5개 마을 주민 및 향우 여러분들과 특히 본지 발간을 위하여 물심양면으로 협조하여 주신 하승철 하동군수님과 강대선 하동군 의회 의장님, 최수경 하동교육지원청 교육장님, 강태진 하동문화원장님, 이광재 청암면장님과 오홍석 지리산 청학농협장님, 집필과 편집을 위하여 5년여 동안 심혈을 쏟아주신 오세현 박사님께 심심한 감사를 드린다.

2024. 07.

학로계 계장 김삼주

머리말

원고 집필에만 2년여를

씨름했다. 이 고행의 시작은 2020년 봄, 《청백사 시집(靑白社詩集)》의 편집 · 출판을 무사히 마치고, 평소 존경하는 고산(高山) 김삼주(金杉柱) 선생으로부터 《학로계록(鶴老溪錄)》의 국역작업을 해 보자는 권유였다. 일이 시작될 즈음, "기왕에 하는 일이니, 묵계동의 각 마을 이야기까지 넣자"라는 고산 선생의 말에 적극적으로 동의했다.

이미 하복도 선생께서 쓴 《청암(靑岩)》이라는 책이 있으니 이를 저본(底本)으로 조금 보완하면 될 것이라는 의견이었다. 이에 고산 선생으로부터 10권 이상의 자료를 받았다. 삼거리 양점동 학로계 총무를 통해서 《회천 유고》를 확보했고, 부산의 이상길 친구는 《청암(靑岩)》을 보내주었다. 풍교헌 강동의 훈장의 경상대 한문학과 석사학위 논문 《智異山 黙溪 靑鶴洞의 形成過程》과 수소문 끝에 원묵계 노병엽 후배로부터 《운당유고》를 빌렸다. 그리고 틈틈이 묵계동과 화개, 악양, 진교, 진주, 산청, 함양, 삼가, 진안, 구례, 삼신봉, 칠성봉 등 관련 지역을 찾아 사진을 찍었다.

첫 작업은 '학로계록'이었는데 순탄했다. 그런데 《청암(靑岩)》에 나온 묵계동의 각 마을과 관련된 자료를 입력하면서 확인 · 보완해야 할 곳이 많았다. '묵계동'과 '묵계사'를 키워드로 자료를 찾고 또 찾으며 많은 시행착오를 거쳤다.

그러던 중, 어느 날 한국고전번역원의 한국고전종합DB를 알게 되었고, 뒤이어 서울대 규장각 한국학연구원 원문검색서비스, 한국학중앙연구원의 디지털 장서각, 경상대 남명학고문헌시스템, 국사편찬위원회의 한국사 데이터베이스까지 점차 알게 되어 서지정보를 얻는 채널이 대폭 확대되었다. 이런 경험은 큰 즐거움이요 큰 자산이 되었다.

이리하여 〈제1부: 묵계동천과 청학동〉, 〈제2부: 학로계록〉, 〈제3부: 묵계동의 역사와 문화〉를 합하여 일천 페이지가 넘는 묵계동의 대서사가 완성되었다.

〈제1부〉에서는 '청암면의 역사 기록에 오류가 많았다'라는 사실을 여러 문헌을 통해서 확인할 수 있었다. 청암면은 조선조 초기에 진주목 서면 오대리 · 전대리였으나 임진왜란 후 오늘날 옥종지역인 운곡리에 합해졌다가 나중에 진주목 서면 청암리, 청암면으로 변천해 갔다. 청암면이 하동군에 편입된 것은 불과 1세기 전인 1906년이었다.

또, 묵계사는 '지리산 최고의 명승경[智異最名勝境]'이라는 찬사로 넘쳐났지만, 여전히 수수께끼 같은 절이었다. '송정 하수일' 선생이 임진년 세모(歲暮)에 진주암에서 쓴 시와 계사년 여름 진주암 뒷산의 바위틈과 밀림 속에서 1주일 동안 피란한 사실을 확인했을 때, '남명 선생이 3번이나 찾은 용유동이 청암계곡이었다'라는 논문과 고문헌을 찾았을 때, 특히, 현대 과학 · 기술로 작성된 디지털 지도를 바탕으로 작성한 지리산과 묵계동 일대의 주요 지맥도를 보는 순간, 호리병과 가장 닮은 지형은 묵계동이라는 사실을 한눈에 알아볼 수 있다. 또, 묵계동은 옛 선인들이 안전하고 복된 이상향을 갈구하며 그리고 간직했던 '청학동도'와 싱크로율(synchro 率)이 대단히 높다는 사실을 확인했을 때는 정말 보람 있었다.

더 나아가 고려 시대 이인로((李仁老)가 《파한집》에서 처음으로 이상향 청학동의 비밀을 공론화한 이후, 조선 시대 선비들이 나름대로 주장한 각종 청학동설의 특성을 비교 분석해 보는 재미도 쏠쏠했다. 그가 제시한 청학동의 조건에 가장 근접한 청학동은 역시 묵계 청학동이었다.

특히, 사림파의 젊은 선비 탁영 김일손이 1489년 봄, 오대사에서 자고 묵계동을 거슬러 올라간다. 그가 묵계사에 도달하기 약 5리 전 마을에서 그는 짧지만 매우 인상적인 글을 남겼다.

이곳 거민들은 나무를 휘어 농기구를 만드는 일로 업(業)으로 삼고, 쇠를 달구어 생계를 유지하고 있다. 꽃이 피면 봄인 줄 알고, 낙엽 지면 가을인 줄 안다더니, 여기가 바로 그곳이로다. **유목위업(揉木爲業) 단철위생(鍛鉄爲生) 여왈(予曰) 화개위춘(花開爲春) 엽락위추(葉落爲秋) 유시부(有是夫).**

이곳 산촌 백성들의 생활 모습을 본 그는 21글자에 불과하지만 분명한 메시지를 담은 쇼츠(shorts)를 날렸다. 탁영은 '이곳이야말로 (청학동과 같은) 이상향이로구나!'라고 직접 발설(發說)하지는 않았지만, 그가 남긴 문장 속의 함의(含意)가 무엇을 말하고 있는지 충분히 느낄 수 있었다. 탁영 선생의 〈속두류록〉에서 이 문장을 발견하는 순간은 그야말로 감동이었다.

〈제2부〉는 이미 출판된 3권의 '학로계록'을 번역 · 정리하는 일이라 어려움은 없었으나, 1961년 창계 때부터 남긴 학로계 운영 장부를 모두 디지털화하여 깔끔하게 수정해서 실었다. 앞으로 당시의 사회상을 이해하는 좋은 연구 자료가 될 것으로 생각한다.

〈제3부〉에서는 지리산 유람 중에 묵계동을 들린 네 분의 선비가 남긴 유람록과 각종 지리지나 진양지 등에서 볼 수 있는 묵계동과 묵계사 관련 기록, 주로 풍교헌 강동의 훈장의 논문에서 따온 묵계 청학동 형성의 역사, 묵계동의 재실(齋室), 선인들의 상부상조하는 지혜를 엿볼 수 있는 각 마을의 각종 계(契)와 묵계동의 구전설화 · 세시풍속 · 민요까지 챙겼다. 특히, "묵계리에는 하동군 내 지리산권 어느 지역 보다 방언이 들어간 지명이 풍성하다"라는 곽재용 교수의 연구 논문 또한 우리 묵계동 선인들의 예사롭지 않은 언어생활 문화를 엿볼 수 있는 소중한 자료이다. 그 내용을 감사한 마음으로 인용하여 실었다.

백암과 송정 선생 이후 묵계동은 휴양처, 피난처로 알려져 왔다. 그런데 1949년 7월, '14연대 반란군'의 잔당이 지리산에 입산하면서부터 묵계동은 7년 동안 전쟁의 소용돌이에 휘말렸다. 그 고통스러운 피란 생활의 시종(始終)을 운당 노용제 선생은 일기를 쓰듯 시(詩)로 남겼다.

중국 당나라의 시성(詩聖) 두보(杜甫)가 안녹산의 난 중에 백성들이 겪은 괴로운 심정을 읊은 '석호리(石壕吏)'라는 시 한 편이 오늘날까지 그 어떤 유명한 역사서보다 더 큰 감동을 주고 있듯이, 묵계동 역사에서 가장 참담했던 '빨치산 공비들에 의한 피난 시절'의 참상과 60년대 초에 연이은 '보리 흉년' 등 한(恨) 많은 묵계동의 역사를 기록한 운당 선생의 시(詩)가 큰 울림으로 다가온다. 이를 통해 그동안 베일(veil) 속에 가려졌던 묵계동의 가슴 아픈 7년 역사를 '평화의 터전, 지리산 묵계동을 울린[鳴 · 泣] 총성' 편에 그 일부나마 담으려고 노력했다.

또, 70대에 문맹을 탈출한 전나무동 대전댁 이복순 할머니가 쓴 주옥같은 시와 묵계초등학교 총동창회의 약사(略史)를 정리하며 대미를 장식했다.

오늘날 '관(官) 주도의 관광지'라는 오명 속에 '묵계 청학동'을 바라보는 일부 학자들의 부정적인 시각이 있는 것은 사실이다. 이를 전적으로 부인할 수는 없지만, 묵계동 선주민의 한 사람으로서는 그 비판에 공감할 수 없는 면도 적지 않다. 필자는 그들이 보지 못했거나 보려고 하지 않은 묵계동과 청학동을 가꾸어온 이 땅의 역사와 문화를 조금이나마 정리하고 싶었다.

이 길고 긴 레이스의 중심에는 항상 학로계 계장 고산 김삼주 선배와 총무 양점동 후배, 휴암 양영욱 후배가 함께했었다. 그 외 음으로 양으로 응원해 주신 여러분들께도 감사드린다.

끝으로, 나름대로 노력하였으나 불민(不敏)한 탓으로 아직 미치지 못한 부분이 많다. 나머지는 묵계동의 훌륭한 후학들에게 맡긴다.

2024.10.

편저자 오세현(교육학박사, 묵계초 11회)

차 례

01
별천지 하동

가. 하동군[1] 연혁

(1) 고대

- 삼한시대: 변한(弁韓) 12국 중의 하나인 낙노국(樂奴國)에 속하였다.
- 삼국시대: 다사성 또는 다사군으로 불리었다.
- 통일신라시대: 신라시대 신문왕 5년(585) 한다사군이라 하고 통일신라시대 경덕왕 16년(757) 하동군으로 개칭되었다.
- 고려 시대: 하동현(河東縣)이라 불리면서 진주목에 속하였다.
- 조선 시대: 숙종 30년(1704)에는 하동도호부로 승격되어 도호부사를 두었고 1895년에는 진주부 하동군이 되었다.

(2) 현대

- 1895.05.26: 칙령 제98호로 23부제 실시에 따라 진주부 하동군이 됨
- 1906.01.19: 진주군 청암면, 옥종면을 편입하였고,
- 1915.01.01: 부령 제175호로 전남 광양군 다압면 섬진리 일부를 편입
- 1933.01.01: 금양면의 일부 및 남면을 통합하여 금남면으로 개칭
- 1938.10.01: 부령 제197호로 하동면이 하동읍으로 승격되어 1읍 11면이 됨
- 1955.07.01: 법령 제360호로 옥종면 원계리를 진양군에 편입시켰으며,
- 1966.05.12: 군조례 제100호로 화개면 신흥출장소 설치 1읍 11면 1출장소
- 1969.10.02: 군조례 제156호로 청암면 위태출장소 설치 1읍 11면 2출장소
- 1983.02.15: 대통령령 제11027호로 옥종면 중태리를 산청군 시천면에 편입
- 1986.01.13: 군조례 제957호 금남면 갈사출장소 설치, 1읍 11면 3출장소
- 1989.01.01: 군조례 제1053호로 금남면 술상리를 진교면에 편입시킴
- 1989.04.01: 군조례 제1076호로 갈사출장소가 금성면으로 승격되어 1읍 12면 2출장소
- 1996.03.12: 군조례 제1418호로 화개면 신흥출장소 폐지, 1읍 12면 1출장소
- 1998.09.04: 군조례 제1494호로 청암면 위태 출장소 폐지로 1읍 12면이 됨
- 2002.12.18: 군조례 제1632호로 청암면 위태리, 궁항리, 회신리 옥종면 편입

---

1) 하동군 홈페이지에서 인용

나. 하동군 도시 브랜드

(1)【별천지 하동】

명칭

- 지리산과 섬진강 · 남해 바다를 품고 있는 하동의 지역적, 문화적 특성을 함축하고 있음
- 누구나 쉽게 기억하고 친근하게 느낄 수 있는 하동의 잠재적 가치를 표현함

이미지

- 13개 읍면의 명소와 특산물이 하나의 동그라미로 어우러진 하동군을 형상화

(총 24개: 재첩, 화개장터 십리벚꽃, 금오산 일출, 하동읍성, 지리산/하동3봉, 최참판댁, 삼성궁, 쌍계사 단풍, 형제봉 철쭉, 북천 코스모스, 섬진강, 하동녹차, 하동마늘, 하동배, 하동밤, 하동 딸기, 하동 참다래, 하동대봉, 하동포구/평사리, 솔잎한우, 노량대교, 부부소나무, 하동녹차참숭어, 하동전어

(2) 서브 도시 브랜드

❶ 세상에 하나뿐인 하동

❷ 산 강 바다 보석같은 하동

❸ 대한민국 힐링수도 하동

❹ 대한민국이 숨겨둔 보석 하동

❺ 천년 다향 하동

❻ 내 삶이 꽃피는 곳 하동

❼ 예쁘고 넉넉한 고을 하동

❽ 마음이 아름다워지는 곳 하동

❾ 언제나 감동 하동

다. 하동군의 자연환경[2]

(1) 위치

하동군은 한반도 남단, 경상남도의 서남단에 위치한다. 지구상 위치는 경도와 위도상의 위치로서 천문적인 위치를 의미하는데, 하동군의 최서단 은 동경 127°35'(화개면 범왕리), 최동단은 127°56'(옥종면 방화리), 최남단은 북위 34°55'(금남면 대도리), 최북단은 35°19'(화개면 대성리)이다. 동서 간 경도 차는 21'로 연장거리 28km이며, 남북간 위도 차는 24'로 연장거리는 44km에 달하며, 동서는 좁고, 남북이 길게 형성되어 있다.

지리적인 위치를 살펴보면 동으로는 진주시 · 사천시, 서로는 섬진강을 경계로 전라남도 광양시, 구례군과 접한다. 남으로는 남해를 경계로 연육화된 남해군과 접하고, 북으로는 함양군과 산청군, 전라북도 남원시에 접하는 등 2개 도, 8개 시 · 군과 접하고 있다. 현재 1읍 12면에 108개 법정리, 319개 행정리, 520개 반, 580개 자연마을이 있다.

(2) 면적

하동군의 면적은 675.5km2로서 남한 총면적 99,272.70km2의 0.68%이며, 경상남도 총면적 11,773.77km2의 6.4%를 차지한다. 하동군의 면적 중, 임야가 495.69km2 (73.46%)로 가장 많이 차지하고 있으며, 농경지는 119.60km2 (17.82%)인데, 그중 논(畓)이 88.40km2(73.91%), 밭(田)이 31.20km2 (26.09%)이다. 하동군의 행정 읍 · 면별 면적을 보면 화개면이 134.35km2(하동군 면적의 19.91%)로 1읍 12개면 중 가장 넓고, 금성면이 22.32km2(3.31%)로 가장 좁다.

2) 하동군 홈페이지 및 《하동군 지명지(河東郡 地名誌)》(하동문화원, 1999, p.37)에서 인용, 작성

(3) 기후

하동군의 기상개황을 보면 봄에는 만주 지방에서 동쪽으로 이동해 오는 온대성 저기압이 발달하여 강한 바람이 불고, 화북지방에서 날아오는 황사현상이 나타난다. 여름에는 북태평양 고기압 세력과 오츠크 해양에 중심을 둔 해양성 한대 고기압 세력으로 인해 장마전선이 형성되어 7~8월에 집중호우를 동반한 태풍이 잦다. 가을에는 맑고 청명한 날씨가 이어지며, 겨울에는 북서 계절풍이 발달하여 추운 날씨가 이어지는 곳이다.

기온은 연평균 14℃로 최저기온 영하 13.3℃, 최고기온 영상 37.3℃이며 강우량은 월평균 259㎜, 연평균 1,409㎜에 달한다.

(4) 지형

하동군의 지세는 소백산맥이 북에서 남으로 흘러내려 북쪽으로는 지리산과 서쪽으로는 백운산이 맞대어 솟아있고, 남부지역에는 많은 섬과 만을 포용하는 다도해를 이루고 있다.

백두대간이 마지막으로 치솟아 올라 생겨난 지리산과 수많은 다도해를 품고 있는 남해에는 한려해상국립공원이 있다. 따라서 군북지역인 화개, 청암지역은 높은 산악지대로 토끼봉(1,533m), 영신봉(1,652m), 삼각고지(1,586m), 내삼신봉(1,355m), 삼신봉(1,284m), 외삼신봉(1,288m), 가는봉(1,171m), 거사봉(1,133m) 등 1천 미터가 넘는 높은 산과 형제봉, 벽소령 등이 있고, 지리산을 돌아 남해에 이르는 섬진강은 하동의 젖줄이며 생명선이다.

백운산과 지리산 사이로 섬진강이 흘러 충적 평야를 이루고 있으며 화개와 악양 사이에 형제봉이 솟아 있고 적량면과 악양면 사이에는 구재봉, 청암에는 삼신봉과 칠성봉, 옥종에는 주산이 지리산의 위용을 자랑하고 있어 남해를 향한 금오산과 적절한 조화를 이루고 있다.

해안은 약 60㎞로 진교만 서안의 진교리에서 한려해상국립공원을 거쳐 섬진강 입구 금성면 고포리에 이르고 있는데 이처럼 우리 하동군은 지리산의 위용과 넓은 남해와 섬진강의 유유함이 조화를 이루는 곳이다.

라. 하동군의 상징물

하동군 상징

● 푸른색 하늘과 새의 표현은 청정 하동의 맑은 하늘과 청결한 공기를 상징하며 높이 나는 군 조인 비둘기는 평화와 군민의 도약을 의미

● 녹색 타원은 준도시로서 살기 좋은 녹지대를 상징하며, 중심에 뻗은 선은 섬진강과 희망찬 미래를 향한 군민의 의지를 의미함.

● 푸른 하늘과 녹색지대 사이의 3선봉인 산의 형태는 지리산의 정기와 군민의 꿋꿋한 정신, 그리고 지리산 관광권의 지역적 특성을 의미함.

● 전체 도안의 하늘과 땅은 음과 양의 상호작용에 의한 대자연의 진리를 표현한 것으로 창조와 발전을 의미함

캐릭터-다사돌

● 지정 연월일: 2000. 6. 10

● 삼국시대(신라)에는 하동군을 '한다사군'이라 하였음. 그래서, 한다사군에서 '다사'와 귀여운 어감의 '돌'이란 호칭을 합쳐서 지었음.

● 모든 사람에게 깜찍한 이미지로 사랑을 받을 수 있게 어린 '청학동자'에다 화개면의 찻잎을 심어 친밀감과 상냥한 표정을 강조!

● 하동문화의 역사성과 세계화를 표현하기 위하여, 고유의 전통을 고수하고 있는 청학동자 머리에 찻잎의 모자를 씌우고 하동이란 지명 첫 글자를 새겨 하동군민의 일체감을 형성할 수 있도록 함

꽃-철쭉

● 지정 연월일 : 1982. 6. 14

● 분포지역 : 우리나라 전역에 자생

● 특징 및 지정 사유

- 꽃의 빛깔이 아름답고 정열적이며, 번식성이 강하여 어느 곳에서나 자생함.
- 번성, 끈기, 풍요

나무-은행나무

● 지정 연월일 : 1982. 6. 14

● 분포지역 : 우리나라 전역에 자생

● 특징 및 지정 사유

- 수명이 길고 사철이 뚜렷하며, 가로수 및 정자 목으로 최상급임
- 풍요, 영광 온순, 강인, 협동

새-비둘기

- 지정 연월일 : 1982. 6. 14
- 분포지역 : 한국, 일본, 태평양 등지
- 특징 및 지정 사유
  - 평화의 상징으로 여겨지며, 통신용, 애완용으로 키워짐
  - 평화, 사랑, 책임

군민헌장

- 공포 연월일 : 1986. 11. 1
- 장엄한 지리산의 정기가 어려 아름다운 산하를 열었고 섬진강 푸른 물 굽이 흘러 복된 삶을 이어온 우리 하동은 구국의 얼과 유서 깊은 문화의 전통을 자랑하는 정의롭고 평화로운 고장.
- 번영의 내일을 바라보며 슬기와 긍지로 힘을 모아, 보다 나은 향토발전을 위해 이 헌장을 만들어 우리 모두의 지표로 삼는다.

1. 부지런히 일하여 풍요한 내 고장을 만든다.
2. 어른을 공경하고 어린이를 사랑한다.
3. 서로 믿고 서로 돕는 풍토를 이룬다.
4. 자연과 문화를 사랑하는 군민이 된다.

郡民의 노래

〈하동군민의 노래〉 하동군 홈페이지에서 인용

02

낙토 청암면과 용유동

가. 낙토 청암면

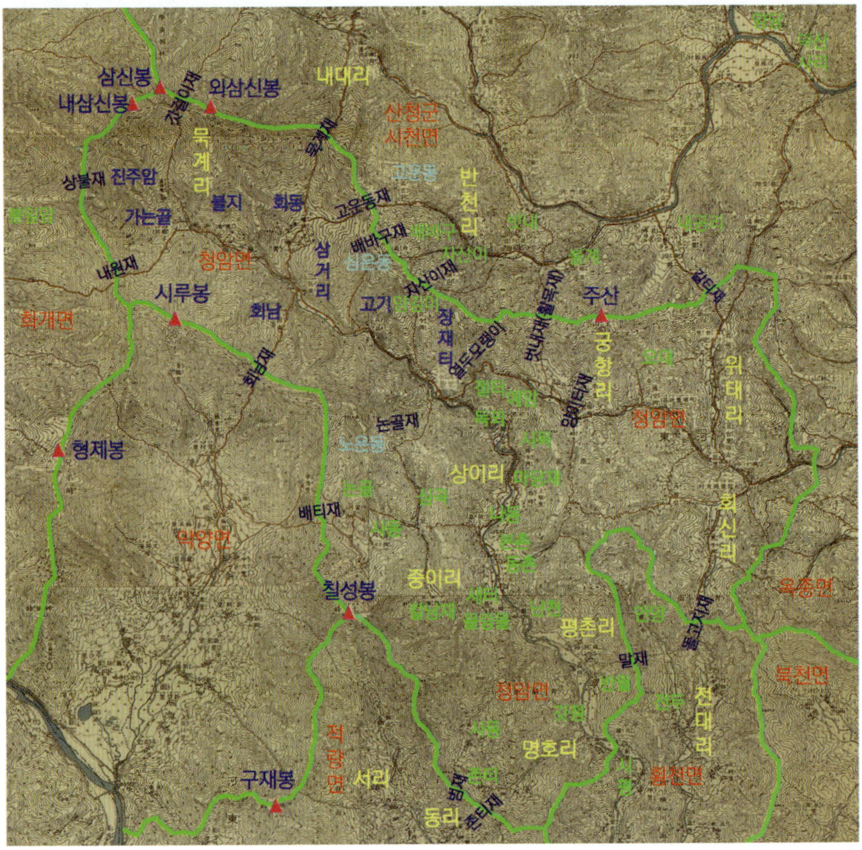

〈1917년에 제작된 하동군 청암면 전도〉 이 지도는 '국립중앙박물관 소장 조선총독부 박물관 문서'에서 찾은 1:50,000(제3차 지형도) 지도 4장을 합성하여 필자가 작성했다. 따라서 **이음새 부분에 약간의 어긋남이 있을 수 있다.** 이들 지도는 1916년에 측도하여 1917년에 제판한 것으로 당시 청암면 전체는 4장의 도엽에 걸쳐있었다. 합성에 사용한 지도는 **'① 도엽명 단성(丹城), 도엽번호 순천1(J023-017-004)**, **'② 도엽명 진교(辰橋), 도엽번호 순천2(J023-018-004)'**, **'③ 도엽명 화개장(花開場), 도엽번호 순천5(J023-021-004)'**, **'④ 도엽명 하동(河東), 도엽번호 순천6(J023-022-004)'**이다. 1차 지형도는 일본 육군참모본부가 1894~1906년 비밀리에 제작한 것으로, 약도(略圖) 혹은 군용비도(軍用祕圖)라고 부른다. 한일합병 이후에는 삼각측량법에 의해 2차 지형도가 제작되었으나, 삼각점망이 완성된 후 중단되었다. 한반도 전역을 포함한 3차 지형도는 1914년~1918년 사이에 제작되었다. 그런데 제1차 지형도 제작 당시에 묵계리의 '학동'을 '불지'라 했다. 그 외 '장재터', '고기', '삼거리', '회남', '회동', '진주암', '가는골' 등의 지명이 보인다(이 지도 자료의 최초 제공자는 청학동 고산 김삼주 선생인데, 도엽명이 '화개장'으로 된 일제강점기의 지도 1장이었다. 이를 근거로 조사하던 중, '국립중앙박물관'에서 소장 중인 '조선총독부박물관 문서-지도'에서 이를 발견하고, 필요한 4장의 지도를 모두 내려받았다.)

(1) 청암면 연혁

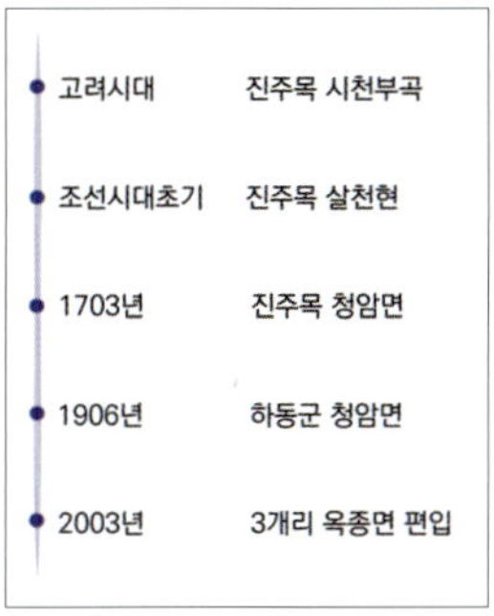

〈청암면 연혁〉
(2024년 7월 현재 하동군 홈페이지)

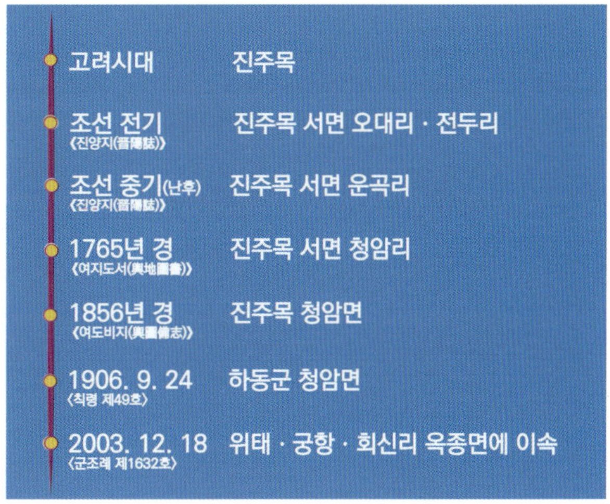

〈청암면 연혁〉(필자의 수정 안)

(2) 청암면의 역사 재탐색

하동군청 홈페이지에서 〈하동 소개-읍면 안내-청암면〉 순으로 따라 들어가 '우리면 이야기'를 보면 '청암면의 연혁'에 아래와 같이 소개되어 있으나 여기에 의문이 갔다.

- 고려 시대–진주목 시천부곡
- 조선 시대 초기–진주목 살천현
- 1703년–진주목 청암면

이것은 1978년 여재규(1906~?) 선생이 편찬한 《하동군사(河東郡史)》와 이를 그대로 인용하여 1992년에 편찬한 하복도 선생의 《청암(靑岩)》, 1999년에 하동문화원에서 편찬한 《하동군지명지(河東郡地名誌)》를 근거로 작성한 것으로 보이는데 여기에는 오류가 많다. '청암면'은 1906년(대한제국 광무 10, 고종 43) 이전까지 진주목[진주부, 진주군] 소속이었다. 하동군에 편입된 역사는 100여 년에 불과하다. 따라서 청암면의 역사는 《진양지》나 《진주목 정사》, 《진양군사》 등 진주목의 역사 기록을 통해 판단하는 것이 타당하다고 본다.

현재 '청암면의 연혁'은 1972년에 하동군지 편찬위원회에서 편찬한 《증보 하동군지》의 내용과도 다르고, 또 1632년에 완성한《진양지》, 1757년(영조 31)부터 1765년(영조 41) 사이에 편찬한《여지도서(輿地圖書)》, 1851년(철종 2)부터 1856년(철종 7) 사이에 편찬한《여도비지(輿圖備志)》, 1862년(철종 13)부터 1866년(고종 3) 사이에 편찬한《대동지지(大東地志)》, 1991년에 편찬된《진양군사(晋陽郡史)》,《진양지명사(晋陽地名史)》, 1994년의《진주목지리지(晋州牧地理志)》의 기록과도 전혀 맞지 않는다.

먼저 1972년에 하동군지 편찬위원회에서 편찬한《증보 하동군지》의 '각 면의 연혁-청암면' 조(條)를 보면 아래와 같다.

> 이조(李朝) 때에 진주목(晋州牧)의 치하(治下)에 속(屬)하여 전두리(田頭里), 오대리(五臺里), 청암리(靑巖里)라 칭하였는데 고종(高宗) 병오(丙午)에 행정구역의 변경으로 하동에 귀속되어 청암면(靑岩面)이라 칭(稱)하였다.

여기서 조선 시대를 '이조(李朝)'라고 한 기술은 잘못이다. 이것은 일본이 조선(朝鮮)을 '이씨조선(李氏朝鮮)', 즉 '이조(李朝)'라고 얕잡아 일컫는 표현이기 때문이다. 또한 1906년 고종 병오년에 "하동군에 귀속되어 청암면이라 칭했다"라는 기록도 사실과 다르다. 그것은 청암면은 1850년대에 이미 진주목의 한 방면(坊面)으로 존재했기 때문이다.

다음으로 1978년에 도정(島亭) 여재규(余宰奎) 선생이 쓴《하동군사(河東郡史)》에 의하면 청암면은 단군(檀君) 시대 이후 진국(辰國), 변한(弁韓), 대가야(大伽倻), 백제(百濟), 신라(新羅), 고려(高麗) 시대에 이어 조선(朝鮮) 시대인 1703년까지 지금의 산청군 시천면을 지칭하는 '살몰, 살천부곡, 시천부곡'의 속방 마을이었다고 기록하고 있다. 또한 하복도 선생도 이 내용을《청암(靑岩)》에 그대로 인용했다.

이 책 '인물' 편(제3편 제6장)에 의하면, 이 책을 쓴 도정 선생은 1906년생으로 일본 와세다대학(早稲田大学) 상학연구과(商學硏究科), 즉 대학원을 수료한 분이다. 따라서 당시 하동지역 최고의 엘리트였다는 것은 틀림없는 사실이다. 그 후 부산 건국대 교수, 동아대학 사무과장 등을 역임했다고 한다. 그는 당시 하동의 대부호(大富豪)로 알려진 여종엽(余琮燁)의 조카로 알려진 인물이다.

서울대 문리대학장을 지낸 동빈(東濱) 김양기(金庠基) 교수가 1973년 10월에 쓴 이 책의 〈서문〉에 의하면, "……군지로서는 1830년에 만든《하동부읍지》와 1930년에 간행된《속수 하동지》가 있으나 연혁 등 여러 가지로 불충분한데다 온통 한문으로 되어 있어서……한글판 군사(郡史)의 필요성이 절실하였는데 사인(士人) 도정(島亭) 여재규(余宰奎) 선생이 홀로 40여 년이란 세월을 들여 한글판 군사의 원고를 완성하고……"라고 한 것으로 보아,

저자인 여재규 선생의 초인적인 노력으로 방대한 자료를 모아 평생에 걸쳐 집필한 역작으로 평가된다. 하동군의 역사상 전무후무(前無後無)한 업적에 대해 깊은 경의를 표한다.

필자가 이 책에서 주목하는 것은 〈청암면의 연혁(p.179)〉 부분이다. 이 책에서는 앞서 언급한 것처럼 단군 시대 이후 청암면의 〈연혁〉을 자세히 기술하고 있지만, 그 근거가 된 참고 문헌에 관한 정보를 전혀 제시하고 있지 않았다는 점은 아쉽다.

〈만유인력의 법칙〉을 발견한 영국의 물리학자 아이작 뉴턴(Isaac Newton)은 "내가 다른 사람보다 더 멀리 앞을 내다볼 수 있다면, 그것은 거인의 어깨를 딛고 서 있기 때문이다"라는 명언을 남겼다. 여기서 '거인의 어깨'는 바로 선배 자연 과학자들의 저서, 논문 등을 말한다. 그가 찾아낸 '운동의 법칙'이며, '중력의 발견', 더 나아가 우주 행성들의 조화로운 운동을 설명하는 만유인력의 법칙과 같은 과학적인 지식은 모두 그에 앞서 연구해온 선인들의 객관적이고 논리적인 연구업적을 바탕으로 탄생한 것임을 분명히 밝힌 것이다.

따라서 우리 후학들이 《하동군사(河東郡史)》에 수록된 방대한 정보를 신뢰하고, 그것을 학술 논문 수준 이상으로 계승・발전시키려면 그 정보자료의 출처에 관한 객관성이 담보되어 있어야만 한다. 한마디로 여재규 선생이 청암면의 연혁을 이렇게 다양하고 심도 있게 기술하면서 그가 참고하고 인용한 논문이나 서적, 즉 '거인의 어깨'가 무엇이었는지 전혀 밝히지 않았다. 출처가 분명하지 않은 역사 기록은 그 기록에 대한 객관성이 담보되기 어렵다. 따라서 이런 자료가 설령 사실이라고 할지라도 자신 있게 인용, 채택하는 것은 망설여질 수밖에 없다. 왜냐하면 명확한 출처가 없는 기록은 객관적이지도, 과학적이지도 못하기 때문이다.

이제, 《하동군사(河東郡史)》에 수록된 청암면의 발자취와 관련된 내용에 대해 검증을 해 보고자 한다. 다음 자료에서 밑줄과 ㉠, ㉡ 등의 원문자는 논의의 편의상 필자가 임의로 추가한 것이다.

첫째, 《하동군사(河東郡史)》의 하동군 〈건치 연혁〉[3]에 의하면 청암면과 관련된 기록은 신라 조(條)[4]에 처음 등장한다. 그 내용은 다음과 같다.

> ㉠옥종면과 청암면[시천향: 矢川鄕]은 옛날부터 강주(康州) 땅이었다.

위 ㉠에서 강주(康州)는 통일 신라 시대 진주의 옛 이름이다. 《하동군사(河東郡史)》에는

3) 여재규(余宰奎), 《하동군사(河東郡史)》, 제1장 2편 1장 1절 〈건치 연혁〉 조(條), p.165~187

4) 여재규(余宰奎), 위 책, 제1장 2편 1장 1절 〈건치 연혁〉 신라 조(條), p.166

위의 ㉠이 수록된 시기를 "675년 10월에서 757년 12월까지"라고 명시하고 있다. 이 시기는 나당 연합군에 의해 이미 백제가 멸망(660년)하고 고구려도 멸망(668년)한 이후이니, 사실상 통일신라 시기의 기록이다. 그런데 국사편찬위원회[5]에서 제공하는 《삼국사기》, 《삼국유사》를 비롯한 어디에도 '시천(향)', 혹은 '살천(향)'이라는 기록은 발견할 수 없었다. 따라서 《하동군사(河東郡史)》에서 고려 시대 이전 "청암면 지역이 시천향이었다"라는 기록은 검증할 수 없었다.

둘째로, 《하동군사(河東郡史)》의 하동군 〈건치 연혁〉 고려 조(條)[6]에 다음과 같은 기록이 있다.

> ㉡고려 이후 화개부곡과 살천(薩川)부곡의 부곡장(部曲長)은 머리를 깎았고 승수(僧首)라고 불렀다. ㉢**살천부곡은 현 청암면과 산청군 시천(矢川)면을 합한 지역으로서 신라와 고려 때 절이 많았던 곳**인데, ㉣1906년 그 1/2인 청암면이 진주에서 하동으로 넘어왔다.

국사편찬위원회의 《한국사 데이터베이스》에 의하면 《고려사》(지리 2)의 경상도 진주목 연혁 조(條)에 "진주목(晉州牧)은 본래 백제(百濟)의 거열성(居列城)으로……, 경덕왕(景德王) 때 강주(康州)로 고쳤다가, 혜공왕 때 다시 청주(菁州)가 되었다. 성종(成宗) 2년(983)에 처음 12목(牧)을 두었는데, 진주(晋州)는 그중 하나였다. 〈성종〉 14년(995)에 12주 절도사(節度使)를 두면서 진주(晉州) 정해군(定海軍)이라 부르고……, 화개(花開)와 살천(薩川)의 두 부곡(部曲)이 있다[우두머리는 모두 머리를 깎았으며, 승수(僧首)라 부른다]"라는 기록이 있다.

이런 기록으로 보아 위의 ㉡은 검증이 되었다. 그러나 이 자료만으로 "㉢이 사실인지 검증할 수 없었다. 다만, 청암면 관내에는 오대사(五臺寺), 안양사(安養寺), 묵계사(默契寺), 청암사(靑巖寺) 등 유명한 절이 있었다. 그래서 '절이 많았던 곳'은 맞지만, 이것이 "청암면이 살천부곡의 일부였다"라고 하는 《하동군사(河東郡史)》의 주장을 뒷받침하는 근거는 될 수 없다. 그리고 ㉣은 구한말(舊韓末)의 사건이므로 뒤에서 자세히 다루겠지만, 산청군 시천면과 하동군 청암면은 그보다 훨씬 이전부터 진주목 서면의 속방 리(里) 혹은 면(面)으로 함께 공존했었다. 따라서 1906년에 청암면이 시천면에서 분리되었다는 주장은 잘못이다.

---

5) 한국사 데이터베이스-한국 고대 사료 DB

6) 여재규(余宰奎)의 위 책, 제1장 2편 1장 1절 〈건치 연혁〉 고려 조(條), p.167

셋째, 《하동군사(河東郡史)》의 청암면과 관련된 기록은 다음 [표][7]같다. 이 [표]에 의하면 "ⓜ조선 건국 이후부터 1703년까지 311년간 청암면은 진주목 소속 '시천 부곡', ⓑ1703년부터 1895년까지 192년간 진주목 소속의 '청암면', ⓢ구한말인 1895년부터 1906년 9월까지 11년간은 진주부 '청암면'이었고, ⓞ1906년에 비로소 진주에서 하동군으로 이속되었다."라는 의미가 된다.

[표] 〈청암면 연혁〉(《하동군사》, p.179에서 인용, 다만 ⓜ~ⓞ 등 원문자는 필자가 임의로 넣었다)

국조	연대	기간	면 명	관적 및 소속
단군		1,211	살몰	속 고다몰
진국		1,014	시천촌	촌장, 古陀村
변한		150	矢川村	촌장, 古淳是國
대가야	42. 3.15~562. 1	520	(薩)矢川村	촌장, 속 거열성
신라	562. 1~655. 1	93	**(살)矢川村**	〃 〃
백제	655. 1~660. 7.18	5	〃	〃 〃
(단군정)	660. 7~662. 7	2	〃	〃 **현**
신라	662. 7~675. 10	13	〃	**촌주, 속** 〃
〃	675.10~686. 2	11	〃	**촌대감, 속 거열주**
〃	686. 2~757. 12	71	**살내향** **矢川鄕**	**향장,** 〃
〃	757.12~900.10	143	시천부곡	부곡장, 속 청주
태봉	900.10~918. 6	18	**矢川部曲**	〃 〃
신라	918. 6~920. 2	2	**(薩)** 〃	〃 〃
고려	920~ 2~925.10	5.8	**(살)** 〃	〃 **속 강주**
후백제	925.10~936. 9	11	〃	〃 **속 청주**
고려	936. 9~1392. 7.16	456	〃	〃 **속 진주목**
ⓜ **이조**	1392. 7.16~1703	311	시천 부곡	부곡장, 속 진주목
ⓑ 〃	1703~1895. 11. 3	192	청암면	집강, 속 진주목
ⓢ 〃	1895. 11. 3~1906. 9. 1	11	靑岩面	면장, 속 진주부
ⓞ 〃	1906. 9. 1~1910. 8. 29	4	〃	〃 **, 속 하동군**

7) 여재규(余宰奎)의 위 책, 제1장 2편 1장 1절 〈청암면 건치 연혁〉, p.179

(왜정)	1910.10. 1~1945. 8.15	45	〃	〃 〃
(미군정)	1945. 8.15~1948. 8.15	3	〃	〃 〃
대한민국	1948. 8.14~현재		〃	〃 〃

《진양지명사(晉陽地名史)》, 《진주목지리지(晉州牧地理志)》, 《진양군사》 등 어디서나 임진왜란 이전을 '조선조 전기'라고 분류한다. 이 조선조 전기에 현재의 청암면 지역은 진주목 서면 오대리(五臺里)[8]와 전두리(田頭里)[9]였다. 물론 이 시기에 진주목 서면에는 오늘날 산청군 시천면과 삼장면 지역에 해당하는 시천리[10]와 삼장리[11]가 별도로 존치되어 있었다. 따라서 "ⓜ조선 건국 이후부터 1703년까지 311년간 청암면은 진주목 소속 '시천부곡'이었다"라는 《하동군사(河東郡史)》의 기록은 오류임이 분명하다.

또한, 《진양지》나 《진양지명사》 등에 의하면 임진왜란 후에 오대리와 전두리는 오늘날 옥종지역인 '운곡리(雲谷里)'에 통합된다.

한편, 《하동군사(河東郡史)》에 의하면 "악양이 하동군의 속현(屬縣)일 때[675~1018년, 343년 동안]는 크게 번성하였으나, 고려 때부터 진주목에 속하였을 때[1018~1702년, 684년 동안]는 현민(縣民)들의 원성이 잦았다. 그래서 '1702년(숙종 28)에 적량리(赤良里), 진답리(陳畓里), 악양리(岳陽里), 화개현리(花開縣里)를 하동현(河東縣)에 이속(移屬)했다."[12]라는 기록이 있다.

이 내용을 뒷받침하는 기록도 있다. 먼저, "1518년(중종 13)에는 진주까지 거리가 멀어 백성들이 조세 수납 등에 힘들어하자 악양현에 화악창(花岳倉)을 설치했다."[13]라는

8) 성여신, 《진양지》(권 1), 각리(各里) 조(條), 서면-五臺里, "五臺里 在州西六十里 東宗化 南田頭 西岳陽 北矢川 東西四十五里, 南北二十五里 屬坊四 蘆峴(갈티) 加里岩(가리바구) 三街(묵계동) 會仁(회신) 此里四山回抱 居民鮮小自古無士族 風俗蠢愚_亂後合于雲谷里"

9) 성여신, 《진양지》(권 1), 각리(各里) 조(條), 서면-田頭里, "田頭里 在州西六十里 東矢灘 南河東 西岳陽 北五臺 東西三十里 南北十五里 風土與五臺同 亂後合于雲谷里"

10) 성여신, 《진양지》(권 1), 각리(各里) 조(條), 서면-矢川里, "矢川里 在州西七十里 東栢谷 南五臺 西天王峯 北三壯 東西七十里 南北三十里 屬坊十 絲綸洞(사륜동) 加乙串 兩堂(양당) 東上院谷(동상원곡), 樊川(반천), 蒙臺, 坪館, 公田(공전이), 大葛 此里土地僻 在山中居民朴野 風俗事農桑尙淳朴"

11) 성여신, 《진양지》(권 1), 각리(各里) 조(條), 서면-三壯里, "三壯里 在州西九十里 東西負山 南矢川 北山陰界 栗旨峴 東西四十里 南北三十里 屬坊七 德山(덕산), 臺低, 陳橋, 塔洞, 弘濟洞, 石南, 楡坪. 此里土地風俗與矢川"

12) 《진양속지》(권 1), 《하동군사(河東郡史)》, 《진양지명사》, 《진양군사》 등에서도 같은 내용을 소개하고 있다.

13) 성여신, 《진양지》(권 1), 〈속현〉 조(條)

기록이다. 또, 1683년(숙종 9)에는 '판부사(判府事) 이상진(李尙眞, 1614~1690) 등이 입시(入侍)하여 악양(岳陽)과 화개(花開)를 하동(河東)과 구례(求禮)에 분속(分屬) 하는 문제를 다룬 기록'[14] 등을 보면《하동군사(河東郡史)》의 이 기록은 어느 정도 사실로 보인다.

끝으로 1999년에 하동문화원에서 편찬한《하동군지명지(河東郡地名誌)》에 아래와 같은 기록이 있다. 여기에도 역사적 사실과 논리적으로 맞지 않는 기록이 눈에 띈다.

①**청암면은 단군시대에는 살몰**이라 하고 ②**신라 시대에는 살천촌(薩川村) 또는 시천촌(矢川村), 시천부곡(矢川部曲)이라 하다가** 서기 ③**1703년 전국에 면을 둘 때 청암면이 되었고,** ④**1906년 진주부의 청암면이 하동군에 편입될 때 산청군 시천면과 갈리어졌다.**

먼저, ①의 단군 시대에 이곳 지리산 산중에 어떤 사람이 살았는지 알 수가 없다. 올해가 서기 2024년이니, 단군 기원으로 치면 4357년이다. 한반도의 고고학적인 시대 구분에 따르면 빗살무늬토기 시대를 신석기 시대라 하는데 기원전 8200년부터 기원전 1500년에 이르며, 진주 대평의 청동기시대는 기원전 1000년이라고 알려져 있다. 따라서 단군 시대는 한반도의 석기시대에 해당한다. 이 시기에 지리산과 묵계동에 사람이 살고 있었는지도 의문이지만, 그 마을 이름이 '살몰'이라는 지명이었는지, 또 그런 기록이 남아 있는지 의문이다. 석기시대에 한반도에서 문자 생활을 한 기록은 아직 발견하지 못했으며, 우리나라에 한자가 도입된 연대는 기원전 2~3세기로 알려져 있다.[15]

참고로 울산 반구대에 암각화가 있다. 이 암각화는 신석기 시대에서 청동기시대에 걸쳐 당시의 생활상을 바위에 새긴 것으로 추정하고 있다. 이곳에는 동물들과 이를 사냥하는 사람들 등이 그림으로 새겨져 있으며, 이 중 고래의 비중이 크다.[16]

이처럼 비슷한 시기에 인근 울산 사람들은 배를 타고 바다로 나가 고래를 잡거나 들짐승을 잡고 이를 벽화에 그림으로 새겼다. 이것은 문자생활을 하지 않았다는 증거이다. 그런데 비슷한 시기의 우리 청암 사람들은 마을 이름을 '살몰'이라 하고, 이를 문자로 기록을 남겼다는 사실은 믿기 어렵다.

또, ②의 '신라 시대에는 살천촌(薩川村) 또는 시천촌(矢川村)이라 하다가'라는 부분도

14) 《승정원일기(承政院日記)》, 숙종 9년 8월 5일 자 10/13 기사(1683년 康熙(淸/聖祖 22년)

15) 한자가 한반도에 전래 된 것은 고조선 후기, 즉 위만조선[기원전 2세기] 즈음으로 추정된다. 그 이후로 낙랑군이 400년 이상 존속해 있었다는 점으로 인해 한반도 전역에 점차 확산하였을 것으로 생각되며, 이후 삼국시대에 들어서 공문서에서 한자 사용이 보편화되었을 것이라고 추정된다(《나무위키》, 〈한국의 한자 사용〉에서 인용).

16) 〈울주 대곡리 반구대 암각화〉, 위키백과에서 인용

문헌상으로 확인되지 않는 기록이다. 한편 '살몰' 혹은 '시천(矢川)'은 '계곡물의 흐름이 화살처럼 빨라서 붙여진 이름'인데 이것은 산청군 시천면 일대를 지칭하는 말이다. 따라서 "아무리 물이 많이 흘러도 잠잠하다"라고 해서 붙여진 '묵계(默溪)'라는 이름을 가진 청암계곡과는 전혀 어울리지 않는다. 이 또한 면밀한 재검토가 필요하다.

또한, ③만일 '1703년에 전국에 면을 둘 때 청암면이 되었다'라고 하면 18세기 초에 이미 시천에서 분리된 것이다. 따라서 "④1906년에 청암면이 하동군으로 이관되면서 시천면과 갈리었다"라는 기록 또한 논리적으로도 맞지 않고 무엇보다 역사적 사실과 전혀 맞지 않는다. 그럼 각종 자료에 근거하여 구체적으로 살펴보자.

첫 번째, 1632년(인조 10)에 편찬된 《진양지》에 의하면 임진왜란 이전, 즉 조선 전기에 진주목 주내(州內)에는 대안리 등 19개 리(里)가 있었고, 동면(東面)에 저동리 등 24개 리, 남면(南面)에는 정촌리 등 27개 리, 서면(西面)에는 평거리 등 32개 리, 북면(北面)에는 신당리 등 13개 리가 있는 등 진주목 관내에 모두 110개의 리가 있었다.

진주목의 역사를 다룬 대부분 자료에 의하면 이 시기를 '조선조 전기'라고 구분했다. 당시에는 '청암'이라는 지명이 공식적으로 등장하지 않았고, **오늘날 청암면에 해당하는 지역은 진주목 서면(西面) 오대리(五臺里)와 전두리(田頭里)**였으며, 그 당시에 이미 시천리와 삼장리가 별도로 존치되어 있다는 사실도 확인했다. 이것은 청암지역이 시천(살천)부곡의 속방(屬坊) 마을이 아니었다는 명백한 증거이다.

특히 진주목 서면 **오대리(五臺里)에는 4개의 속방(屬防) 마을이 있었는데, 가리암(加里岩), 삼가(三街), 노현(蘆峴), 회인(會仁)**이 그것이다. 이 중 가리암은 청암면 상이리와 중이리 일대, 삼가[삼거리]는 청암면 묵계리 일대이며, 노현(蘆峴)과 회인(會仁)은 구(舊) 청암면 궁항리, 위태리, 회신리 일대이다. 또, 진주목 서면 전두리(田頭里)에는 속방 마을이 명시되어 있지 않았으나 오늘날 횡천면 전대리와 시평은 물론 **청암면의 평촌리와 명호리 일대는 전두리**에 속했던 것으로 보인다.

진주목 서면 수곡리에 살았던 송정(松亭) 하수일(河受一, 1553~1612) 선생 일가족은 청암면 명호리 절골[寺洞]에 있었던 '청암사(青岩寺)'를 자주 찾았고, '청암(青岩)'이라는 지명이 들어간 여러 편의 시(詩)와 여행기(記)를 남겼다. 이 내용은 뒤에서 자세히 소개한다. 또, 삼우당 문익점 선생의 후손으로 단성현에서 태어나, 그곳에서 살던 연강재(練江齋) 문후(文後, 1574~1644)라는 선비는 1592년 4월, 임진왜란이 일어나자 양부모를 모시고 "진주 청암의 묵계동에서 피란했다."[17]라는 기록을 남겼다. 이것으로 보아 '청암(青岩)'이라는 지명이 행정지명으로 채택되어 통용되지는 않았지만, '청암'이라는

17) 문후, 《연강재선생문집(練江齋先生文集)》, 〈연보〉, 壬辰年 四月 奉二親避亂 于晋州靑巖之默溪洞'

지명은 조선 초기에 이미 존재했었고, 진주와 그 인근 지역의 선비들은 잘 알고 있었던 것으로 보인다.

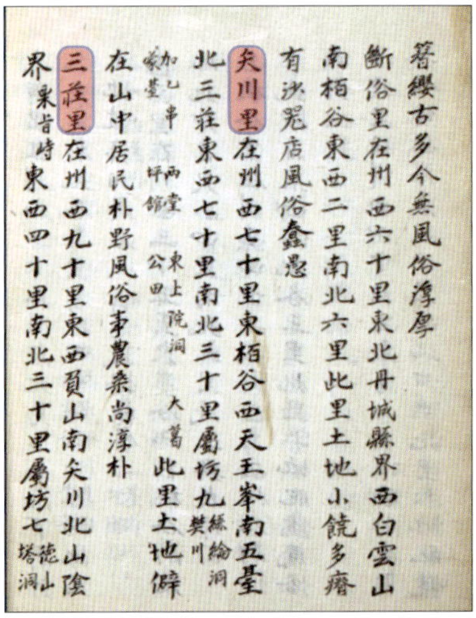

《진양지》 진주목 서면(西面) 시천리(矢川里)와 삼장리(三莊里)
(규장각한국학연구원 인용).

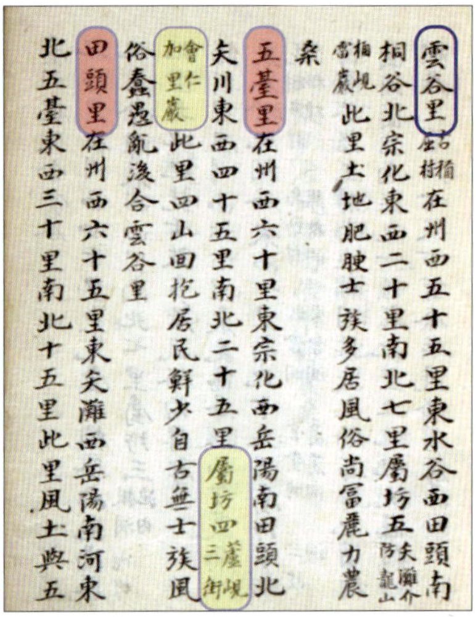

《진양지》 오대리(五臺里)와 전두리(田頭里)
오대리 속방(屬坊) 마을에 '삼가(三街)'가 보인다(규장각한국학연구원에서 인용).

두 번째, 임진왜란 이후, 대대적인 행정 개편이 이루어졌다. 진주목의 중심마을인 주내(州內)에는 19개의 방리가 3개, 즉 대안리(大安里), 중안리(中安里), 성내리(城內里)로 대폭 줄었고[18], 서면(西面)에는 임진왜란 전에 평거리 등 32개 리가 있었으나 임진왜란 이후에는 21개 속리로 줄어들었다. 특히, 오늘날 청암면에 해당하는 진주목 서면(西面) 오대리(五臺里)와 전두리(田頭里)는 지금의 옥종면 지역인 '운곡리(雲谷里)'와 통폐합되었는데, 이 내용은 《증보 하동군지》의 내용과 유사하다. 그 후 '청암리'가 등장하면서 '오대리'와 '전두리'는 역사 속으로 사라진다.

그 후, 1675년(숙종 1) 9월에는 격심한 흉작으로 전국적으로 유랑민(流浪民) 사태가 벌어지자 비변사에서는 호구 파악의 실효성을 높이기 위해 21개 조문으로 된 〈오가작통사목(五家作統事目)〉을 제정했다. 이것은 5가(家)를 1통(統)으로 하고, 5~10통(統) 규모의 촌락을 소리(小里), 11~20통(統) 규모의 촌락을 중리(中里), 20~30통(統) 규모의 촌락을 대리(大里)로 규정하면서 리(里)마다 리정(里正) 1명과 유사(有司) 2명을 임명하여 리내(里內)의 사무를 관장토록 하였으며, 리행정(里行政)을 면(面)에 귀속시켜 면(面)에는 도윤(都尹) 혹은 면윤(面尹) 1명과 부윤(副尹) 1명을 임명했다.

18) 《진주목정사》, 《진주목지리지》 및 〈임진왜란 후 진주목 방리〉 편 참조

그런 한편, 1702년 (숙종 28)에는 진주목 서면의 적량리(赤良里), 진답리(陳畓里), 악양리(岳陽里), 화개현리(花開縣里)를 하동현(河東縣)에 이속(移屬)하고, 종래의 방리(坊里)를 다소 분치(分置)했다.

세 번째, 1724~1776년(영조 연간)에 간행된 《해동지도(海東地圖)》, 1737년(영조 13)에 편찬을 시작한 《광여도(廣輿圖)》, 1757년(영조 33)에 편찬을 시작한 《여지도서(輿地圖書)》에 의하면 진주목에는 69개의 방리(坊里)가 있었다. 이 시기에 '청암리'가 등장하면서 '오대리'와 '전두리'는 사라졌다(다음 《여지도서》 그림 참조). 물론 이때도 운곡리, 청암리, 시천리, 삼장리 등이 함께 존재한다. 이것은 《진양지》에서 보았듯이 **임진왜란 후에 운곡리에 통합되었던 오대리와 전두리가 청암리(靑巖里)로 통합되어 되살아난 것**으로 보인다. 이것은 횡천면 전대나 안양지역 등이 청암리였다는 기록과도 일치한다. 따라서 청암리는 그 당시에도 시천리의 속방 마을이 아니었다.

네 번째, 1851년(철종 2)부터 1856년(철종 7)에 편찬한 것으로 알려진 **《여도비지(輿圖備志)》에 비로소 청암면이 나타난다**. 진주목 관내에 금산면 등 73개 방면(坊面)의 이름에 운곡면, 청암면과 살천면, 삼장면 등이 동시에 등장하는 것으로 볼 때, 이 시기에도 이미 청암면은 살천면의 속방이 아니었다.

다섯 번째, 1862년(철종 13)에서 1866년(고종 3) 사이에 김정호가 편찬한 《대동지지(大東地志)》에 진주목의 70개 방면(坊面)이 등장하는데 여기서도 청암면과 살천면은 동시에 존재한다.

여섯 번째, 작자와 간행연도가 미상인 《조선지도(朝鮮地圖)》의 진주목 지도에 청암면, 시천면, 운곡면 등이 보이는데, 이것은 19세기 중반에 작성된 것으로 보인다. 또 1893년에 편찬한 지리서 《여재촬요(輿載撮要)》의 〈진주목지지도(晉州牧之地圖)〉에 의하면 청암면과 시천면, 삼장면 등이 별도로 존재하며 오늘날 옥종면은 운곡면, 정수면, 종화면 등이 있었다는 사실을 보여 주고 있다.

일곱 번째, 1895년(고종 32)에 전문 6조로 된 칙령 제98호에 의거 1413년(태종 13) 이래 482년간 시행해온 팔도제(八道制)를 폐지, 전국을 23부(府)로 구분하고, 그 아래에는 종전의 5부(府), 20목(牧), 75도호부(都護府), 77군(郡), 148현(縣)을 통틀어 군(郡)이라는 이름으로 통일하여 전국을 336개 군(郡)으로 하는 획기적인 개편을 단행했다. 이리하여 부(府)에는 관찰사(觀察使)를 두고, 군(郡)에는 군수(郡守)를 두었는데, 이때 진주에는 지금의 도(道) 격인 진주부(晉州府)가 설영(設令)되어 21군(郡)을 소관 했고, 원래의 진주목은 진주군으로 개칭되어 군수를 두었다. 이때까지 청암면은 진주군 소속이었다.

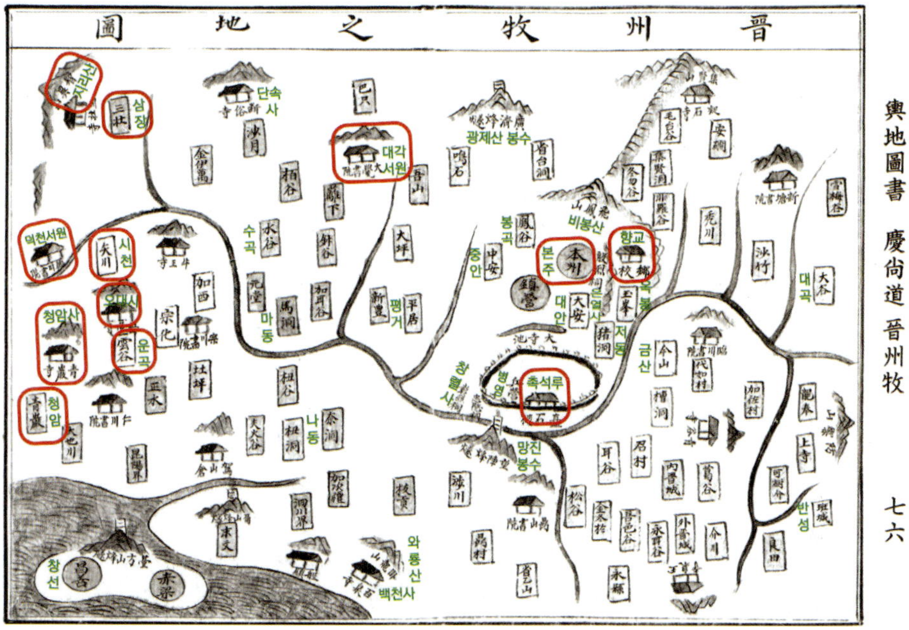

《여지도서(輿地圖書)》(1757~1765년에 편찬) 진주목 지도. 69개 방리(坊里) 중에 청암리, 시천리, 삼장리, 운곡리가 각각 별도로 존재하고 있으며 청암사도 보인다(점선 내 참조).

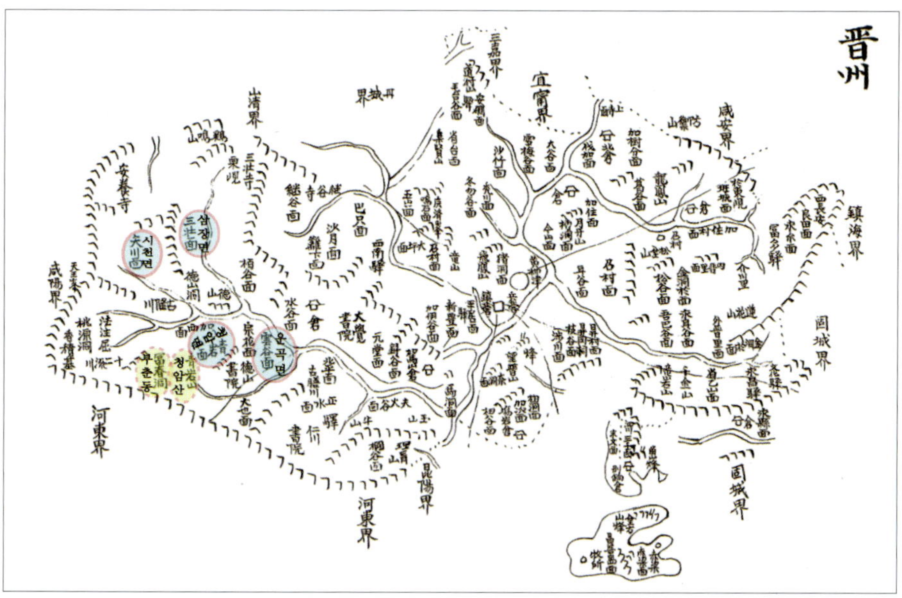

《여재촬요(輿載撮要)》(1893) 진주목 지도 '청암면'과 시천면, 삼장면, 운곡면이 따로 존치되어 있고 '청암산'과 '부춘동'이 보인다(한국고전번역원 한국고전종합DB에서 인용).

여덟 번째, 그러나 이러한 23부제(府制)의 지방 조직은 그다음 해인 1896년(건양 원년) 8월 4일 자로 칙령 제35호로 이를 폐지하고, 같은 날 칙령 36호로 다시 전국을 13도로 개편하여 각도에는 관찰사를 두고, 그 아래로는 1목, 9부, 329군으로 하였다. 이리하여 진주는 경상남도의 도청 소재지가 되었고, 경상남도는 1부(府) 29군(郡)을, 진주군은 75개 면(面)을 맡았다. 이때도 청암면은 진주군 소속이었다.

아홉 번째, 1897년(광무 원년) 8월 14일에 연호를 광무(光武)로 고치고, 10월 3일에는 왕은 황제로, 10월 11일에는 국호를 대한제국(大韓帝國)으로 결정했다. **1906년(광무 10) 9월 24일에는 칙령 제49호에 의하여 진주군의 75개 면(面) 중에서 25개 면을 주변 군에 이속** 시킨다. 이때, 삼장면, 시천면 등 6개 면을 산청군에, **북평면, 종화면, 가서면, 운곡면, 청암면, 대야면, 정수면 등 7개 면을 하동군에**, 문선면, 남양면, 영현면, 개천면 등 6개 면을 고성군에, 삼천포를 사천군에, 창선면, 적량면을 남해군 등으로 이속했다. 이때부터 청암면, 옥종면, 북천면 지역의 하동군 시대가 열린 것이다.

열 번째, 1991년에 편찬한《진양군사(晋陽郡史)》에 의하면 고려 시대 진주목의 속읍은 속군 2, 속현 7인데 "강성군, 하동군과 사천, 악양, 영선, 진해, 곤명, 반성, 의령현"이 그것이다. 그 외에 특수행정구역으로 2개의 부곡(화개, 살천)과 창선도(彰善島)가 있었다.

그런데 "**살천은 지금의 산청군 시천면, 화개는 하동군 화개면에 해당하는 듯하다**"라는 기록이 있다는 점에 주목할 필요가 있다. 또,《신증동국여지승람》 등에서 구 청암면의 오대리에 있었던 '오대사'를 소개할 때 '오대사(五臺寺)는 살천현(薩川縣) 남쪽에서 고개 하나를 넘으면[自薩川縣南踰一嶺]……'이라는 식으로 기술하고 있는데, 이것은 "(오대사가 있는) 오대리가 살천현에 속하지 않는다"라는 사실을 간접적으로 말하고 있다고 생각한다. 만일 오대사, 즉, 오대리가 살천현의 한 마을이었다면 "살천현의 남쪽에서 운운(云云)"이라는 식의 표현은 할 필요가 없었을 것이다.

아무튼 고려 시대와 조선 시대에 '살천부곡(薩川部曲)'은 존재했지만, '살천현(薩川縣)'이 공식적으로 존재했다는 근거는 찾지 못했다. 그러나 한국고전번역원의 한국고전종합 DB에서 "살천현"을 검색해 보면《신증동국여지승람》,《여지도서》,《여도비지》에 등장한다.

1611년에 간행된《신증동국여지승람》에 의하면 진주목의 속현 조(條)에 "살천부곡(薩川部曲)은 주 서쪽 81리에 있다. 부곡의 장(長)은 머리를 깎았는데 승수(僧首)라 부른다"라고 하였고, 또, 같은 책의 〈불우(佛宇)〉 조에서 "오대사(五臺寺)는 살천현(薩川縣) 남쪽에서 고개 하나를 넘으면 다섯 봉우리가 벌여 서서 그 모양이 대 같은데 절이 그 복판에 있으므로 절 이름으로 되었다[**自薩川縣南踰一嶺 有五峯列立 其狀如臺**

寺在其中]"라는 기록으로 보아 공식적으로는 살천부곡이었지만 동시에 살천현과 혼용되고 있었던 것으로 보인다.

1760년에 간행된 《여지도서》에서도 마찬가지였다. 진주목의 속현(屬縣)에 살천부곡(薩川部曲)이 있고, 또 그 방리(坊里) 중에 '살천리(薩川里)'를 명시하였으며, 〈산천(山川)〉 조에서 '덕산(德山)'을 소개하면서 "덕산은 지리산 아래에 있다. 서쪽은 살천부곡, 북쪽은 삼장 입구[在智異山下 西則薩川部曲 北則三壯洞口]"라고 표현했지만, 〈사찰〉 조에서 "오대사(五臺寺)는 살천현(薩川縣) 남쪽에서 고개 하나를 넘으면……"이라고 한 것으로 보아 이 시기에도 공식적으로는 '살천부곡'이었지만 '살천현'도 혼용되고 있었던 것 같다.

또, 1853년에 간행된 《여도비지》에서도 위에서 본 《여지도서》에서와 같았다. 여기서도 진주목의 방면(坊面)에 살천면(薩川面)이 있다. 다만 진주목의 5개 고읍(古邑) 중에 살천현(薩川縣)이 있었다고 소개하고 있다. 그런데 〈사찰〉 조에서는 역시 "오대사(五臺寺)는 살천현(薩川縣) 남쪽에서 고개 하나를 넘으면"이라는 표현이 있는 것으로 보아 이 시기에도 '살천면'과 '살천현'이 혼용되고 있었다.

이상과 같이 여러 자료를 검토한 결과를 정리해 보면 다음과 같다.

첫째, 고려 시대는 물론 조선 중기 이후인 1760년까지도 살천부곡이 존재했으나 오대사가 포함된 청암면 지역이 살천부곡 혹은 살천현의 속방이었다는 근거는 없다. 특히 《진양군사》에서는 시천(살천)부곡을 오늘날 시천면으로 보는 의견도 있는 만큼, **"청암면이 고려 시대 진주목 시천부곡이었다."라고 한 청암면의 연혁은 수정되어야 할 것**으로 본다.

둘째, 《진양지》 등에 의하면 임진왜란 이전은 물론 그 이후에도 청암면 지역[오대리와 전두리]은 오늘날 옥종면 지역인 운곡리에 통합된 적은 있어도 시천리나 시천면에 예속된 적이 한 번도 없다. 따라서 **"청암면이 조선 시대 초기-진주목 살천현이었다."라는 연혁도 수정**되어야 할 것으로 본다.

셋째, 1765년에 간행된 《여지도서(輿地圖書)》의 진주목 조에 청암리, 시천리 등 방리(坊里)가 동시에 등장하며, 1865년에 간행된 《여도비지(輿圖備志)》에서 비로소 청암면, 살천면이 동시에 존재하는 것으로 보아 **"1703년 진주목 청암면"**이라는 연혁도 수정되어야 한다.

끝으로, 만일 청암면 지역이 살천 혹은 시천의 속방이었다면 산청군 《시천면지(矢川面誌)》[19] 등에 그 기록이 있을 것이다. 이들 기록에는 과연 청암면 지역의 역사가 어떻게 언급되어 있을까? 《하동군사》, 《증보 하동군지》, 《하동군지명지(河東郡地名誌)》처럼 "청암면 지역은 단군 이래 시천 혹은 살천의 속방이었다"라는 기록이 있는지 조사해 보기로

19) 시천면지편찬위원회, 《시천면지(矢川面誌)》, 2015, p.139~141

했다.

《시천면지(矢川面誌)》에 등장하는 '시천의 연혁'은 다음과 같다. 이를 보면 삼국시대는 물론 통일 신라 시대, 고려 시대, 조선 시대에도 청암리 혹은 청암면 지역이 시천 혹은 살천의 속방이었다는 기록은 어디에서도 찾아볼 수 없었다. 따라서 2024년 7월 현재, 하동군 홈페이지에서 제시하고 있는 '청암면의 연혁'은 수정되어야 할 것으로 사료된다. 그 수정안의 하나를 앞서 제시했으니 참고가 되었으면 한다.

2절 시천면(矢川面)의 연혁(沿革)

1. 선사시대(先史時代)

고대(古代)의 시천면은 인근의 삼장면 덕교리에서 마제석기가 발견되었고, 단성면 백운리에서도 기원전 2세기경으로 추정되는 청동기 유물(세형동검, 동투검창 등)이 발견되었다. 신석기와 청동기 유물의 발견으로 보아 신석기 무렵부터 사람이 살기 시작했을 것으로 추정되고 있다.

2. 삼한시대(三韓時代)

기원전 3세기(世紀) 이전에 성립된 삼한시대(三韓時代)에는 변한(弁韓)에 속하고 그 변한 12국 가운데 하나인 고순시국(古淳是國)으로 추정되고 있다.

3. 삼국시대(三國時代)

기원전 3세기(世紀) 이전에 성립된 삼한시대(三韓時代)에는 변한(弁韓)에 속하고 그 변한 12국 가운데 하나인 고순시국(古淳是國)으로 추정되고 있는데, 고순시국의 위치는 대체로 진주, 고성, 사천 등지로 추정된다.

4. 통일신라시대(統一新羅時代)

신라는 문무왕 3년(663) 2월에 거열성을 취하여 거열주(居列州)라고 했다. 신문왕 5년 봄에는 처음으로 9주(州)를 정비하면서 거열주를 높여 청주(菁州)라 하고 총관을 두었다. 경덕왕 16년(757) 12월에는 전국의 지명을 개명(改名)하였는데, 이때 강주(康州)로 개명하었다. *청주(菁州), 강주(康州)는 진주의 옛 이름임.

5. 고려시대(高麗時代)

고려 태조 23년(940) 3월에 강주(康州)를 진주(晋州)로 개명하였다. 성종 14년(995) 5월에는 12주(州)의 목(牧)을 12주(州)의 절도사(節度使)로 고쳤다. 그리하여 진주목은 진주가 되었고 아울러 진주 정해군(晋州定海軍) 절도사(節度使)라고 불렀다. 현종 9년(1018) 2월에 도제(道制)를 폐지하고 전국을 4도호(都護) 8목(牧) 56 지주군사(知州郡事) 28 진장(鎭將) 20 현령(縣令)으로 나누었다.

그리하여 전국 8목 중 하나인 진주목이 되었다.

6. 조선시대(朝鮮時代)

조선조 전기(前期)에 진주목(晋州牧) 방리(坊里)는 4면(面) 111리(里) 482촌(村로) 이었으며, 이때 우리 고장은 진주목 서면(西面) 살천부곡(薩川部曲)이었으며, 진주목 읍치에서 서쪽 81리 지점에 위치하였다. 1561년(명종 10) 남명 조식이 산천재를 세웠다. 고종 32년(1895) 5월 26일 칙령 제98호에 의거 8도제(道制)를 폐지하고, 전국을 23부로 구분하였는데, 이때 우리 면은 진주군(晋州郡) 속면(屬面)이 되었다. 1906년 지방제도 개편조치로 인해 진주서부 6개면(사월, 금만, 파지, 백곡, 시천, 삼장)이 산청군에 소속되게 된다.

(3) 청암면의 개황[20]

'낙토(樂土) 청암(青岩)' 청암면 사무소와 '청암면사무소' 표지석(사진 합성)

청암면은 군의 북쪽에 위치하여 지리산을 등지고 있으며, 지리산 영신봉에서 흘러내린 남부능선이 삼신봉에서 우뚝 솟은 다음 두 갈래로 나뉘어 동쪽으로는 청룡이 되어 낙남정맥이 되고, 서쪽으로는 백호가 되어 삼신지맥이 힘차게 흐른다. 북(北)으로 삼신봉(三神峰), 동(東)으로는 주산(主山), 서(西)로는 칠성봉(七星峰), 남(南)으로는 갈모봉이 병풍처럼 감싼 가운데 삼신봉에서 발원한 시냇물은 면의 심장부를 지나 횡천면(橫川面), 적량면(赤良面), 하동읍(河東邑), 고전면(古田面)을 지나 섬진강(蟾津江)에

20) 《하동군 지명지(河東郡 地名誌)》, 하동문화원, 1999, p.535에서 인용

합류하여 남해로 유입된다.

청암면은 하동군 1읍 12면의 하나이며, 면적은 75.6km2(11.2%)이다. 이중 임야가 65.34km2(86.43%)로 대부분을 차지하며, 농경지는 4.51km2(5.97%)에 불과하고, 기타는 5.75km2(7.61%)이다. 동(東)은 옥종면, 서(西)는 악양 · 화개면, 남(南)은 횡천면과 적량면, 북(北)은 화개면, 산청군 시천면과 접한다.

'청암(青巖)'이라는 지명이 행정적으로 공식적으로 등장한 것은 18세기 중반이다. 임진왜란 이전에는 오늘날 청암면 지역이 진주목 서면 오대리와 전두리에 속했다. 임진왜란 후에 진주목 서면 운곡리에 통합되었다가 《여지도서》가 발간된 1765년 무렵부터 진주목 '청암리'가 등장한다. 지금부터 250여 년 전의 이야기다. 그런데 그 훨씬 이전부터 '청암'이라는 지명이 사용된 것으로 보인다.

공식적으로 '청암(青岩)'이라는 지명이 등장하기 2세기 전에 송정 선생은 '청암동(青岩洞)'이라는 지명을 사용했다. 이런 흐름은 1632년 부사 성여신 선생이 《진양지》에 용유동을 소개하면서 '청암산(青岩山)'이라는 말을 썼으며, 또 같은 책에서 현재 하동군 북천면 지역인 선천리(鐥川里)의 위치를 소개하면서 "서쪽은 청암[西 青巖]"이라는 기록을 남겼다.

또, 석계(石溪) 하세희(河世熙, 1647~1686) 선생의 《석계유고(石溪遺稿)》에 '청암동의 세 절경', 즉 '가례암(家禮岩), 백암(白岩), 공암(孔岩)'을 노래한 시가 있으니, 17세기 말로 보인다. 그다음에 등장하는 '청암동'은 눌암(菴先) 박지서(朴旨瑞, 1754~1821) 선생이 지은 〈소은(素隱) 처사(處士) 강공(姜公) 강식준(姜式儁, 1734~1800)의 행장(行狀)〉에 "방장산 남록의 청암동[方丈南麓青巖洞也]"이라는 문장이 등장한다.

이렇게 보면 16세기에 송정 선생이 쓴 〈유청암서악기(遊青岩西岳記)〉에 나타난 '청암'이라는 지명이 현재로서는 가장 오래된 기록이 아닌가 생각된다.

1914년 행정구역 개편 시 청암면을 8개 법정리, 즉 평촌(坪村), 명호(明湖), 중이(中梨), 상이(上梨), 묵계(黙溪), 궁항(弓項), 위태(葦台), 회신(檜信)으로 나누었으나, 2003년 궁항(弓項), 위태(葦台), 회신(檜信)이 옥종면에 이속 되고, 현재는 5개 법정리 13개 행정마을, 즉 평촌(坪村), 화월(花月), 명호(明湖), 명사(明寺), 금남(錦南), 심답(深畓), 나본(螺本), 시목(柹木), 묵계(黙溪), 장고(長高), 회동(檜洞), 학동(鶴洞), 청학동(青鶴洞)을 담당하고 있다. 횡천면의 전대리(田垈里)와 시평(矢坪)은 청암 땅이었으나 1914년 행정구역 개편 시 횡천면으로 넘어갔고, 2003년에는 궁항, 위태, 회신이 옥종면에 편입되었다.

청암면사무소는 처음에는 구(舊) 위태리의 위태초등학교 뒤편에 있었으나 1910년에 평촌리 에린내[難川]로 옮겼다가 1920년 평촌마을 현 위치로 옮겼으며, 두 번의 개축 후 현재에 이르렀다.

도로는 횡천 삼거리에서 면사무소에 이르는 지방도로 약 6km는 1930년에 개통[21]되었다. 그런데 필자가 중학생 시절만 해도 묵계 삼거리까지 신작로는 있었으나 버스가 통행할 수는 없었다. 당시 버스는 상이리 시목, 즉 감나무골까지만 운행했다. 그러던 것이 1972년 10월, 시목에서 묵계 구간의 버스가 개통[22]되었고, 청학동에 버스가 운행한 것은 1984년 3월 11일이었으며, 청학동까지 도로포장이 된 것은 1998년이었다. 현재 횡천면 횡천 삼거리에서 묵계리 삼성궁까지의 도로는 왕복 2차로인데 총 연장은 26.1km에 달한다.

옥종에서 열두모랭이를 넘어온 지방도 1014호와 장재마을 입구에서 만나 삼성궁 주차장까지 이어지며, 삼신봉터널과 지금 공사 중인 회남재 터널이 이어지는 지방도 1047호도 개설되어 있다. 도로명은 청학로[23]인데, 이것은 청학동 마을에서 유래했다.

1920년 7월에 청암지서가 설치되고, 청암우체국은 1962년 5월 16일 별정우체국(別定郵遞局)으로 출발했으며, 청암농협은 1972년 9월 3일 설립되었으나, 1999년 횡천농협과 통합하였고, 2013년부터 '지리산청학농협(조합장 오흥석) 청암지점'으로 개명했다.

교육기관[24]은 청암중학교, 묵계초등학교, 묵계초등학교 청암분교장이 있다. 청암초등학교 묵계분교장[25]은 1932년 4월 26일 청암 공립보통학교로 개교하였고, 1996년 3월 1일 청암국민학교에서 청암초등학교로 명칭을 변경하였으며, 2014년 3월 1일 묵계초등학교 청암분교장으로 개편하였다. 2024년 2월 9일 제83회 졸업생까지 총 3,457명(심곡, 명사, 상이분교 포함)의 졸업생을 배출하였다. 2024년 8월 20일 현재 3학급(1학년 2명, 3학년 2명 · 4학년 2명, 5학년 2명 · 6학년 1명) 9명이 재학[26]하고 있다.

'청암(青岩)'이란 이름은 이 일대 계곡에 '푸른 바위', 즉 '청암'이 많아서 붙여진 이름으로 알려져 있다.

---

21) 《하동군 지명지(河東郡 地名誌)》, 하동문화원, 1999, p.535에서 인용

22) 묵계동의 도로와 전기, 전화 관련 자료는 고산 김삼주 선생이 제공한 자료에 근거하였다.

23) 청학로(하동), 나무위키(https://namu.wiki/w/청학로(하동)에서 인용

24) 《하동군 지명지(河東郡 地名誌)》, 하동문화원, 1999, p.535에서 인용

25) 묵계초등학교 청암분교장, 《디지털 하동문화대전》에서 인용

26) 묵계초등학교 청암분교장 홈페이지에서 인용

나. 청암골은 남명 선생이 세 번이나 다녀간 용유동이다

묵계동천과 용유동(구글 어스를 바탕으로 작성)

2023년 10월, 우연한 기회에 남명학 연구자인 오이환 교수로부터 〈남명유적삼동변증(南冥遺跡三洞辨證)[27]〉이라는 논문을 받았다. 이 논문에는 놀랄만한 내용이 실려있었다. 한마디로 청암계곡이 남명 선생이 세 번이나 다녀간 "용유동(龍遊洞)"이라는 결론이었기 때문이었다.

남명 선생은 48살에 김해 산해정(山海亭) 생활을 청산하고, 고향인 합천 삼가 토동으로 돌아온다. 그리고 58살에 지리산을 유람하고 〈유두류록(遊頭流錄)〉을 남길 때까지 약 10년 동안 10번 이상 지리산 골짝 골짝을 누빈다. 그 내용을 〈유두류록〉의 마지막에 다음과 같이 남겨 놓았다.

27) 오이환, 《남명학 연구(제10집)》, 〈남명유적삼동변증(南冥遺跡三洞辨證)〉, p.63~98

> 내 일찍이 이 산에 왕래하여, 덕산동(德山洞)으로 들어간 적이 세 번, 청학 · 신응동(青鶴 · 神凝洞)으로 들어간 적이 세 번, **용유동(龍遊洞)으로 들어간 적이 세 번**, 백운동(白雲洞)으로 들어간 적이 한 번이요, 장항동(獐項洞)으로 들어간 적이 한 번이었다.

여기서 덕산동은 '산천재'를 짓고 말년을 보낸 산청군 시천면 일대이며, 청학 · 신응동은 〈유두류록〉의 주 무대인 하동군 화개면 일대이고, 장항동은 산청군 삼장면 대원사 계곡 입구이며, 백운동은 단성면의 백운동계곡이라는 사실은 널리 잘 알려져 있었지만, 용유동이 설마 청암계곡이라는 사실은 꿈에도 생각하지 못했다. 그런데 용유동이 청암계곡임을 입증하는 또 다른 책이 등장한다. 바로 《진양지(晋陽誌)》이다. 《진양지(晋陽誌)》 산천 조(條)에서 "용유동"을 찾아보면 다음과 같다.

> 용유동(龍遊洞)은 전두리(田頭里)의 서쪽 청암산(靑巖山)에 있다. 동천(洞天)이 깊숙하며 **산수의 경치가 아름다운데, 남명 선생(南冥 先生)의 〈두류록(頭流錄)〉에서 '용유동(龍遊洞)으로 들어간 적이 세 번'이라 하신 것이 이곳**이다.
>
> 용유동 재전두리서청암산 동천심수천석기려 남명선생두류록소위입용유자삼차야
> [龍遊洞 在田頭里西靑巖山 洞天深邃泉石奇麗 南冥先生頭流錄所謂入龍遊者三此也]

"용유동이 전두리 서쪽 청암산에 있단다". 그렇다면 전두리(田頭里)와 청암산(青巖山)이 어디인가? 우리에겐 비교적 익숙한 지역이 아닌가? 《진양지(晋陽誌)》는 남명의 문인인 부사(浮查) 성여신(成汝信, 1546~1632) 선생이 중심이 되어 진주지역 선비들이 1622년부터 편찬을 시작하여 1632년에 완성한 사찬(私撰) 읍지이다.

청암산의 위치에 대해서 오 교수는 《진양지》, 《대동여지도(大東輿地圖》, 송정 하수일의 〈유청암서악기(遊靑巖西岳記)〉 등을 종합하여 용유동을 대체로 청암산 기슭이자 전두리 서쪽에 해당하는 현재의 명호리나 그 위쪽 평촌리 · 중이리 근처의 청암천[28] 일대를 가리키는 것으로 간주함이 무난할 것으로 보았다.

그런 한편, **남명의 회남재 전설을 근거로 "남명의 발길이 반드시 전두리에서 그친 것이라고 보아야 할 이유는 없을 것이다."라고 하여 묵계동을 포함한 청암계곡 전체를 용유동으로 보는 견해**를 밝혔다.[29] 〈남명 선생과 용유동〉에 대해서는 별도로 자세히

---

28) "횡천천" 혹은 "횡천강"은 지리산 묵계동 삼신봉(1,289m)에서 발원하여 남동쪽으로 흐르다가 하동호에 이르러 중이천과 합류한다. 또 청암면을 벗어나기 직전 명호리 명호교 부근에서 명호천을 받아들인 뒤 횡천면 횡천리에서 여의천, 남산리에서 남산천과 합류한다. 횡천강은 총 길이 30㎞, 유역 면적 155.01㎢의 지방 하천으로 시점은 하동군 청암면 묵계리, 종점은 고전면 신월리이다(한국학중앙연구원-《향토문화전자대전》에서 인용). 본서에서는 횡천강을 "묵계동 관내에서는 묵계천"으로, 그 아래 "청암면 관내에서는 청암천"으로 표현하였다.

29) 오이환, 《남명학의 새 연구 하》, 한국학술정보, p.236~239

소개한다.

물론 전국 곳곳에 '용유동'이라는 이름의 계곡은 많을 것으로 짐작된다. 그래서 한국고전번역원의 한국고전종합DB에서 검색을 해 보았다.

먼저, 조선 중기 한문사대가(漢文四大家) 중 한 사람으로 알려진 계곡(谿谷) 장유(張維, 1587~1638) 선생이 〈벼슬을 그만두고 남쪽으로 돌아가는 친구 임동야(林東野)를 전송하며[送林東野謝事南歸]〉라는 시에서 "지리산 기슭 용유동 마을[頭流之麓龍游洞]"이라고 하였으며, 《동주집(東州集)》의 〈남정부 병서(南征賦 幷敍)〉에서 '가벼운 걸음으로 용유동을 지나(散輕策於龍游兮)'라는 시구(詩句)도 보이는데, 여기서 용유동은 함양의 용유담 근처를 말하고 있다.

또, 실학자인 성호(星湖) 이익(李瀷, 1681~1763)의 《성호사설(星湖僿說)》(6권) 〈만물문(萬物門)〉 조(條)에 〈용유동(龍游洞)〉이라는 제목의 글에서 "속리산 옆에 용유동이 있는데 …떨어져 내리는 폭포가 아주 깊고 그 밑에는 위아래 두 개의 용추(龍湫)가 있다[俗離之旁有龍游洞 … 瀑落甚高下有上下二湫]"라고 했다. 이 속리산 기슭의 상주[문경]에 있는 '용유동'에 관한 기록은 《동춘당집(同春堂集)》, 《정조실록》[정조 10년 4월 20일 기사], 《대동지지(大東地志)》, 《여재촬요(輿載撮要)》, 《손재집(損齋集)》 등에 자주 등장한다.

그러나 중요한 사실은 남명 선생이 〈유두류록〉에서 '세 번 들어간 적이 있다'라고 스스로 고백한 '남명의 용유동'은 '함양의 용유동[용유담]'도 아니며, 속리산 근처 상주(尙州)의 '용유구곡'으로 널리 알려진 '용유동'도 아니고, '지리산 남쪽의 청암계곡'이라는 사실이다.

다. 청암을 노래한 시문(詩文)

(1) 습재 최제학 선생의 〈청암산수곡〉

암울했던 일제시대, 전 가족을 솔가(率家)하여 묵계 청학동으로 거처를 옮기며 항일운동에 앞장선 애국지사 습재(習齋) 최제학(崔濟學, 1882~1959) 선생이 중심이 되어 해방 후 오늘날 청암 유도회(儒道會)의 전신인 선비계, 즉 '청학루(青鶴樓) 유계(儒契)'를 결성했다. 그리고 청암면 중이리 '까매소[釜沼]' 마을에서 묵계 방향으로 올라가는 모퉁이에 있었던 높은 암벽을 다듬고, 여기에 '소상대(沼上臺)'라는 각자(刻字)를 새기고, 계원(契員)들의 이름도 새겼다. 그리고 〈청학루유계 기문〉, 즉 〈청학루창설발기취지서(青鶴樓創設發起趣旨書)〉를 남겼다.

수몰되기 전 경천묘. 당시 중이리 '새터' 마을에 있었는데, 마을 입구에는 한지 공장이 있었다. 경천묘는 현재는 평촌리 청암몰로 이전했다.

중이리 까매소[釜沼] 마을 전경. 다리를 건너면 곧 경천묘가 있는 '새터' 마을이다. 점선 원내 바위에 '소상대' 각자(刻字)가 있었다.

묵계에서 내려오는 묵계천과 깊은골[짚은골, 深谷]과 칼남재[錦南]에서 내려오는 심곡천이 까매소에서 합수(合水)하여 청암천을 이룬다. 이 까매소 건너편 칠성봉 아래 새터[新基] 마을에는 신라의 마지막 임금 경순왕(敬順王)의 어진(御眞)을 봉안한 '경천묘(敬天廟)'와 성리학자 목은(牧隱) 이색(李穡, 1328~1396) 선생 등을 모신 '금남사(錦南祠)'가 있었으니, 이곳에 '소상대'와 '청학루 유계'의 흔적을 남긴 것은 '이곳 까매소 일대가 청암골 선비문화의 상징이었다'라고 해도 과언이 아닐 것이다. 그런데 애석하게도 이 지역은 모두 하동호에 수몰되고 말았다.

습재 최제학 선생이 지은 〈청학루 유계 기문〉을 일명 〈청암 산수곡(靑巖山水曲)〉이라고 하는데, 이글은 지리산 전체를 조감(鳥瞰)하면서 그 중심에 청암골을 두고 그려낸 아주 스케일이 큰 그림을 문장으로 풀어낸 노래다. 마치 오늘날 네이버나, 카카오, 구글 지도처럼 인공위성에서 내려다보며 그려낸 듯한 공간적인 안목이 놀랍다.

지리산 영신봉에서 시작된 낙남정맥이 삼신봉에서 삼신지맥과 갈라진다. 낙남정맥은 청암 골의 동쪽을 감싸며 유유히 흘러, 오봉산을 거쳐 주산(主山)을 지나 남명 선생의 유적지 덕산으로 이어지고, 또 하나는 포은 정몽주 선생의 넋이 어린 옥종의 옥산(玉山)으로 이어지면서 청암골의 좌청룡을 이룬다는 것이다. 또, 삼신산에서 낙남정맥과 분기한 삼신지맥은 청암 골의 서쪽으로 감싸며 흘러가다가 거사봉에서 분지하여 악양과 화개의 경계를 이루면서 형제봉을 지나 섬진강까지 그 산맥이 이어진다. 그 주변에 화개의 쌍계사며, 악양의 동정호를 품고 있고, 섬진강 건너 백운산 줄기까지 하나 되어 청암 골의 우백호가 된다는 그림은 장쾌한 느낌이 든다. 더 나아가 거사봉에서 시루봉을 지나 남쪽으로 뻗어나간 삼신지맥은 회남령을 지나 칠성봉까지 이어지면서 '삼산복지(三山福地)'의 땅, 청암 골을 품고 있다고 하니, 놀라움을 금할 수가 없다.

습재 최선생의 '청암 산수곡(靑巖 山水曲)'은 다음과 같다. 원문은 하복도 선생님의 《청암(靑岩)》에서 따왔다. 다만, 문맥상 오자(誤字)로 보이는 일부 한자(漢字)는 이 문장을 처음 필사(筆寫)한 고산 김삼주 선생의 자문을 얻어 수정했으며, 몇 군데에 각주를 달았다.

〈청암(靑巖) 산수곡(山水曲)〉

묻노라, 古今探勝名士들이여, 千萬疊方壺山水 水水山山佳景이며, 層岩碧溪自然景은, 別開天地分明하다. 天王峰[30] 높이 솟아 東走山脉[31]五峯山과 冥翁之德門下[32]에 圃老之玉山嶺[33]은 百里許金鰲臥龍 左靑龍陳列하고, 西行山脉內原嶺은 花開之雙溪下에 岳陽樓 洞庭湖며, 鳳凰臺[34]蟾津江은 白雲山이 案對로 右白虎 羅列이라. 南來山脉回南嶺은 七星峰이 卓屹하여

---

30) 하복도 선생의 《청암(靑岩)》에는 '천황봉(天皇峯)'이나 현재에 공식 지명인 '천왕봉(天王峯)'으로 바꾸었다.

31) 보통 '산맥'을 '山脈'이라고 쓰지만, 원문에 그 이체자(異體字)인 '산맥(山脉)'으로 되어 있어서 원문에 따랐다.

32) 남명(南冥) 조식(曺植) 선생의 학덕을 기리기 위해 세운 덕천서원(德川書院)은 산청군 시천면 원리에 있다.

33) 포은(圃隱) 정몽주(鄭夢周) 선생의 학덕을 기리는 옥산서원(玉山書院)은 하동군 옥종면 정수리에 있다.

34) '봉황대(鳳凰臺)'는 악양면 봉대리 마을 앞에 있다. 대의 전면에는 20여 명이 앉을 수 있는 바위가 있어서 주민들의 휴식처 혹은 회의장으로 이용되었으며, 후면에는 울창한 송림이 무성하게 자라 절경을 이루고 있다(이상은 《악양면지》에서 인용). 섬진강에서 멀지 않다.

하동읍기(河東邑基) 열어놓고 崔牧翁之老隱洞[35]과 玉女峰抱兒洞[36]은 박효정려(朴孝旌閭)[37] 자리했네. 錦川玉溪石橋洞下[38] 敬天廟錦南祠[39]는 壯嚴한 新羅風景, 三山福地完然하다. 銅岩石佛 千年古庵 毘盧甑峯 佛日臺는 曺許兩先生[40] 遊息處라. 東日檜洞이요, 西是鶴洞也라. 二水가 合流하야 百折千回 굽이굽이, 白石洞天 靑白社[41]는 此間名士此間遊라. 韓錄事之富春이며, 危奇千丈 鳶峰下에 芝芳岩坮 百日紅樹[42] 姜孝俊傑棲息處[43]라. 飄飄流水落花 싣고 泛泛玉溪 梨花洞口, 沼上臺壯觀處라. 遙遙相望蓬來山水, 百源蘭川[44] 감돌아서 長河橫江蟾流하여 忠武露梁成海하니 萬古名勝 내 고장은 壺中別界 아닐런가. 沼上岩子鶴一樓[45]는 喚鶴千年鶴不來라

---

35) 중이리 논골(沓洞)은 심은동(深隱洞), 고은동(高隱洞)과 함께 청암 삼은동의 하나인 노은동(老隱洞), 혹은 농은동(農隱洞)이라고 한다. 이 삼은동은 피란지로 알려져 있는데, 옛날부터 피란지로서 전하는 말에 의하면 '진주의 청암이요[晉州之靑巖], 청암의 노은동(靑巖之老隱洞)'이란 말이 있다(이상은 《청암(靑岩)》 및 〈하동짱의 河東 알리미〉-우리동네 이야기-'청암면 중이라 심답마을' 편에서 인용).

36) 청암면 중이리 '깊은골[深谷]'일대의 산세가 '마치 옥녀(玉女)가 아이를 안고 있는 듯한 형상'의 길지라고 해서 붙여진 이름으로 주변에 옥녀봉도 있다(《청암(靑岩)》에서 인용).

37) 효자 박흥장의 효자비각을 말하는데, 청암면 중이리 심곡마을 입구에 있다.

38) 《청암(靑岩)》에 의하면 청암면 중이리 '새터에서 칼남재로 들어가는 길목에 돌다리(石橋)가 있었던 곳'이라고 되어 있으나, 다리 하나를 두고 그 주변을 '○○동(洞)이라고 부른다는 것은 이해하기 어렵다.'석교동'은 '석교'와 '석다리골'을 포함한 지역이 아닌가 생각된다.

39) 경천묘는 신라의 마지막 임금인 경순왕의 영정 봉안소로 1904년에 건립하였는데, 경남지방 유형문화재 제133호로 지정되었다. 원래 중이리 새터에 있었으나 하동호에 수몰되어 1988년 평촌리 현재 위치로 옮겼다(이상은 《청암》 지(誌)에서 인용).

40) '조허 양선생'은 남명(南冥) 조식(曺植) 선생과 미수(眉叟) 허목(許穆) 선생을 지칭한 것으로 보인다. 이 두 선생은 불일폭포 근처를 청학동이라고 추정했다.

41) 청백사는 1941년에 결성된 청암골 선비들의 시모임. 백바위(白巖)에서 봄, 가을에 시회(詩會)를 열었으며, 1956년 백바위 절벽에 '白石洞天'과 강변 암반에 회원명단을 각자(刻字)했다. 《청백사시집》이 있다.

42) 하동호 최상류에 있는 '지암교'에서 내려다보이는 곳이 바로 '지방암(芝芳岩)'이다. 그 언덕 위는 2004년 당시 수령이 250년이 넘은 고목 '백일홍'이 있는데, 효자 강도연(姜道燕)이 심은 것으로 알려져 있다. 이 백일홍은 최근에 고사하고, 지금은 제2세목이 성장하고 있다(이상은 《청암》 지(誌)에서 인용).

43) 효자 강도연(姜道燕)은 '볼기 살을 베어 부친을 구완'하는 등의 효자로 알려져 있다. 청암면 상이리 마당재 길가에 1948년에 세운 효자비가 있다(이상은 《청암》 지(誌)에서 인용).

44) 백원정(百源亭)은 효자 김난발(金爛發)의 묘소와 효자각. 청암면 난천(蘭川)에 있었으나 하동호에 수몰되었다.

45) 청암면 중이리 까매소에 있던 바위와 정자 이름. 현재는 하동호에 수몰되어 흔적을 찾을 수 없다.

(2) 우정 강재헌 선생의 〈청암팔경(靑岩八景)〉

〈청암팔경〉-〈제1경: 사동폭포〉(청암면 명호리) 폭포 오른쪽 바위 경사면의 키 작은 풀이 '창포'

청암팔경(靑岩八景)은 우정(愚亭) 강재헌(姜在憲, 1899~1974) 선생이 쓴 〈청암팔경(靑岩八景)〉이라는 시(詩)를 통해 알려졌다. 이곳은 하나같이 청암 사람들의 추억의 명소이다.

먼저, 명호리 절골에 있는 〈사동 폭포(寺洞 瀑布)〉를 제1경으로 삼고 있다. 1820년 무렵에 결성된 폭포계(瀑布契)에서 폭포제(瀑布祭)를 모셔왔는데, 그 아름다운 전통을 이어가기 위해 1991년 '폭포정(瀑布亭)을 세웠다. 특히, 예로부터 '부부(夫婦)가 같이 이 폭포수를 맞으면 금실이 좋아진다.'라는 소문이 나서 '금슬 폭포'로 알려져 있단다.

제2경은 명사리 갓점마을 아래 용소에서 물고기들의 뛰어노는 목가적인 풍경을 노래한 〈용추 어약(龍湫 魚躍)〉이다.

제3경은 적량과 악양에 걸쳐있으면서 청암의 안산(案山)이라고 해도 과언이 아닌 칠성봉[舊 靑巖山]의 〈성봉 일출(星峰 日出)〉을 들고 있다. 이어서 칠성봉 아래에 '옥녀직금(玉女織錦)'이라는 전설적인 명당 터에서 옥녀(玉女)가 짜낸 비단처럼 아름다운 자연 속에 꽃과 어우러져 새가 노래하는 풍경을 묘사한 〈금수 화조(錦峀 花鳥)〉를 제4경으로 하고 있다.

또, 제5경은 고려 시대 은자(隱者) 녹사 한유한(韓惟漢)의 전설이 서린 부춘동(富春洞)과 남명 선생이 세 번이나 다녀간 용유동(龍游洞)의 맑고 상쾌한 바람을 노래한 〈부춘 청풍(富春 淸風)〉이며, 따로 설명이 필요 없을 정도로 유명한 청암 골 최고의 명승지 〈백석 동천(白石 洞天)〉을 제6경으로 삼았다.

제7경은 묵계동의 단풍을 노래한 〈묵계 단풍(默溪 丹楓)〉이며, 제8경은 학처럼 하얀 눈으로 뒤덮인 학동의 비경을 노래한 〈학동 백설(鶴洞 白雪)〉이다.

이 청암 8경은 청학동의 고산(高山) 김삼주 선생이 찾아 알려주었다. 최초의 청암면 공의(公醫)로 알려진 우정 강 선생은 청백음사(靑白吟社) 창립자 중 한 분인데, 《우정유고(愚亭遺稿)》가 있다. 이 유고집에 〈청암팔경(靑岩八景)〉이 실려있다.

제1경 〈사동 폭포(寺洞 瀑布)〉

활 원 투 출 벽 산 간
活源透出碧山間 맑은 물줄기 푸른 산 사이에서 솟아나
급 도 암 애 후 중 만
及到岩崖吼重巒 암벽에 이르러 중첩된 산속에서 소리 높여 외치네
백 곡 도 주 청 상 의
百斛跳珠淸爽意 일백 말의 구슬이 튀어 마음이 상쾌하고
감 타 주 야 잠 무 한
感他晝夜暫無閑 밤낮으로 남을 감동시키며 잠시도 쉼이 없네

제2경 〈용추 어약(龍湫 魚躍)〉

양 양 발 발 부 우 우
洋洋潑潑復優優 넘실대며 콸콸 흘러와 다시 가득하니,
약 피 평 호 반 국 류
躍彼平湖半局琉 저 평호(平湖) 반국에 유리알이 뛰는 듯하네
상 하 소 저 원 일 리
上下昭著元一理 상하가 소명(昭明)함은 근원이 같은 이치여서이니
여 천 연 익 만 두 류
戾天鳶翼謾逗遛 하늘을 나는 솔개 날개 느긋하게 멈추었네

제3경 〈성봉 일출(星峰 日出)〉

대 야 욕 명 벽 자 동
大夜欲明闢自東 긴 밤이 밝으려 동(東)쪽부터 트이니
몽 롱 서 색 점 생 홍
朦朧曙色漸生紅 희미한 새벽빛에 점점 붉은 기운 생기네
성 왕 교 화 여 사 부
聖王敎化如斯否 성왕(聖王)의 교화(敎化) 또한 이러한 것인가?
경 각 구 광 만 국 동
頃刻晷光萬國同 별안간 햇빛이 만국(萬國)에 동일(同一)하네

제4경 〈금수 화조(錦峀 花鳥)〉

성 삭 고 봉 란 부 참
成削高峰亂復參 깎은 듯한 고봉(高峰) 어지럽다가 다시 나란하니

중 형 각 부 자 연 심
衆形各賦自然心 중형(衆形)이 제각각 자연(自然)의 본성을 품부 받았네!

화 풍 춘 기 래 무 한
和風春氣來無限 따뜻한 바람과 봄기운이 한없이 불어오니

화 토 방 향 조 송 음
花吐芳香鳥送音 꽃들은 향기를 뿜어내고 새들은 즐겁게 노래하네

제5경 〈부춘 청풍(富春 淸風)〉

행 도 부 춘 숙 기 유
行到富春淑氣幽 부춘동에 도달하니 맑은 기운 그윽하고

탄 어 암 류 자 침 부
灘魚岩柳自沉浮 여울 고기 바위 버들 저절로 잠겼다 떴다 하네

엄 한 고 취 상 승 접
嚴韓高趣相承接 한녹사의 엄하고 높은 자취는 서로 이어 접하니

개 제 청 풍 만 고 류
愷悌淸風萬古流 화락하고 맑은 바람 만고에 이어지네

제6경 〈백석 동천(白石 洞天)〉

수 마 백 석 축 원 붕
誰磨白石築垣棚 누군가 백석 갈아 원장 선반 축조했나?

화 력 신 공 신 불 경
化力神功信不輕 자연의 힘과 신비한 공덕은 진실로 가볍지 않네

신 립 허 명 담 박 리
身立虛明淡泊裡 허명하고 담백한데 이곳에 서 있으니

구 망 총 욕 자 위 청
俱忘寵辱自爲淸 영예와 치욕 모두 잊고 스스로 맑아지네

제7경 〈묵계 단풍(默溪 丹楓)〉

소 소 추 우 세 진 애
蕭蕭秋雨洗塵埃 쓸쓸한 가을비가 티끌 먼지 다 씻어내니

염 득 상 림 촉 백 재
染得霜林蜀帛裁 상림은 촉나라 비단을 짜서 물들인 듯하네

대 기 자 연 진 가 완
大氣自然眞可玩 대기의 자연은 참으로 구경할 만 하구나

정 거 만 창 승 화 개
停車謾唱勝花開 수레 멈추고서 꽃 필 때보다 더 좋은 풍경을 노래하네

제8경 〈학동 백설(鶴洞 白雪)〉

양 학 백 청 별 유 천
兩鶴白靑別有天 백학동은 청학동 과는 다른 세상이니

야 래 옥 설 산 여 면
夜來玉屑散如綿 밤이 되자 옥가루 솜처럼 흩어지네

추 창 의 시 공 정 월
推窓疑是空庭月 창을 여니 빈 뜰에 달이 비친듯한데

掛在花枝影不遷(괘재화지영불천) 꽃가지에 걸린 그림자는 옮겨지지 않았네

(3) 송정 하수일 선생의 〈유청암폭포기(遊靑巖瀑布記)〉

언제 지었는지는 불분명하나 송정 선생의 〈유청암폭포기(遊靑岩瀑布記)〉가 있는데 이것은 《진양지》의 〈불우(佛宇)〉 청암사(靑岩寺) 조(條)와 하복도 선생의 《청암》 지(誌)에도 그 내용의 일부를 소개하고 있다.

나중에 자세히 소개하겠지만, 송정이 청암사에서 쓴 기(記)와 시(詩)의 내용을 종합해 보면 〈유청암폭포기〉를 쓴 시기를 대략 짐작할 수 있다. 이 폭포기(瀑布記)에 '돌아가신 선친을 모시고 이 폭포를 즐겁게 감상하던 때를 회상하면서 슬퍼하는 장면'이 다음과 같이 나온다.

> 옛날에 선군(先君)을 모시고 와서 놀 때는 산빛과 물소리가 모두 아름다웠는데, 지금은 눈으로 보고 귀로 듣고 있으나 슬프지 않은 것이 없다.

《송정문집》(권지2)의 〈연보〉에 의하면 송정의 부친인 정랑공(正郎公)[46]은 1580년에 졸(卒)했다. 송정이 28살 때였다. 그가 1582년 6월에 선군의 삼년상을 마친다. 이 무렵 송정은 계속 불우한 일을 겪는다. 선군과 같은 해에 아들이 요절했고, 1584년(선조 17)에는 할머니 조씨(趙氏)의 상을 당해 그의 나이 34세가 되는 1586년 8월이 되어서야 비로소 상복을 벗었다. 특히, 송정 선생이 《송정세과》에 〈차중제별서(次仲弟別墅)〉[47]라는 시(詩)를 남겼는데, 시 제목의 끝에 "병술작(丙戌作)"이라고 기록해 놓았다. 병술년(丙戌年)은 1586년이다.

이것으로 볼 때, 송정은 1586년 병술(丙戌) 8월에 할머니 3년 상을 마치고, 휴양차 중제(仲弟)인 수긍재(守肯齋)의 별장에 간 것으로 보인다. 따라서 이 시기에 가까운 곳에 있는 청암사를 둘러보면서 그 인근의 절골 폭포도 들렀을 것으로 보인다. 이때 살아생전

---

46) 정랑공은 조선 전기의 선비. 이름은 하면(河沔), 본관은 진주. 자는 혼원(混源). 1537년(중종 32)에 출생. 진주목 수곡리에서 살았다. 과거에 여러 번 응시하였으나 합격하지 못하여 사람들이 모두 애석해하였다. 그러나 그의 세 아들인 하수일, 천일, 경휘는 모두 사마에 합격하고, 하수일은 문과에까지 오르자, "나는 비록 공부를 못했지만, 아자(兒子) 삼랑(三郞)은 공부한 사람이다"라고 하였다는 일화가 있다. 1580년(선조 13)에 별세. 《진양지(晋陽誌)》 권3 〈인물조(人物條)〉에 이름이 올랐다(한국향토문화전자대전에서 인용).

47) 송정(松亭), 〈차중제별서운(次仲弟別墅韻)〉 三呵山下有孤村(삼가산하유고촌), 籬落蕭條半掩門(리락소조반엄문), 林茂未昏歸宿鳥(림무미혼귀숙조), 谷深當午見飛暾(곡심당오현비돈), 門前種秫堪爲酒(문전종출감위주), 窓外收鰕足供飡(창외수하족공손), 眞樂不徒飽喫著(진락부도포끽저), 莫敎漁釣負羲軒(막교어조부희헌)

선친과 즐겁게 폭포를 감상하던 시절을 추억하면서 〈유청암폭포기〉를 지었을 것으로 짐작된다. 그의 문집에 있는 〈청암사에서 옛날 유람을 생각함[青巖寺感舊遊]〉이라는 시도 같은 맥락에서 이해할 수 있을 것으로 보인다.

필자는 2024년 7월 18일 오후 1시경, 고산 김삼주 선생과 함께 이 폭포와 청암사 유적지(遺蹟地)를 찾았다. 직접 현장을 보고 나니 송정 선생의 〈유청암폭포기(遊青岩瀑布記)〉의 기록이 예사롭지 않다는 사실을 확인할 수 있었다. 그 이유는 폭포의 위치와 규모가 구체적이며, 특히 폭포 주변의 식생(植生)에 대해서도 자세히 소개하고 있기 때문이다. 그 내용을 살펴보면 다음과 같다.

첫째, 송정 선생은 청암사에서 '1리'인 곳에 폭포가 있다고 했다. '10리'가 4km이므로 1리는 400m이다. 실제로 폭포에서 구 청암사 절터의 '돌구시'(크기 230×160×100cm^3)[48] 유물이 있는 곳까지 거리가 약 500m였다. 이것은 네이버 지도에서 폭포에서 도로를 따라 측정한 거리이다. 당시 절의 규모를 정확하게 알 수는 없으나 명사마을의 '돌문거리'가 옛 청암사의 입구로 알려져 있다. 2025년 1월 21일, 친구 강동승, 휴암 양영욱 후배와 함께 청암면 중이리 배티재에서 출발하여 칠성봉에 올라, 송정 선생이 보았듯이 지리산, 섬진강, 목도, 와룡산 등지를 찾아보고, 옛 청암사 지(址)가 있는 청암면 명사리로 하산하면서 '돌문거리'을 찾았다. 이 돌문은 청암사 터에서 약 100여m 아래에 있었는데, 이 돌문 아래쪽 동구 입구에 청암폭포가 있다. 또 돌문과 청암사지 사이에 '사미대(沙彌臺)'와 '방아간 유적'이 남아있다. 따라서 절에서 폭포까지의 거리를 '1리'라고 한 송정의 표현은 정확했다고 생각된다.

구 청암사 입구로 알려진 '돌문'. 남쪽을 향해 본 모습
(논 가운데 놓인 거대한 두 바위 사이가 '돌문'. 문의 규모는 폭이 약 1.5~2m, 높이 약 3~4m)

둘째, 송정은 시내의 폭이 좁은 곳은 7~8보, 넓은 곳이 10보라고 했다. 보통 성인 1보를 76cm라고 본다면 좁은 곳은 5~6m요, 넓은 곳은 7~8m인 셈이다. 실제로 폭포 아래쪽 개울의 폭을 재어 보면 우기인 7월에 약 6~9m 정도였다. 이곳 폭포의 지형이 암반이라 450년 전과 큰 변화는 없었을 것으로 보이나 그동안 약간의 변화를 고려해 본다면 이 또한 정확하다고 볼 수 있다.

셋째, 필자가 이 폭포를 방문했을 때는 마침 여름 장마철이라 2단으로 구성된 바위

48) '돌구시'의 크기는 하복도 선생의 《청암(青岩)》에서 인용

위를 계곡물이 타고 흐르듯 쏟아지는 폭포수 수량이 풍부하여 그야말로 우레와 같은 폭포 소리를 들을 수 있었으니 이는 송정 선생이 '한여름 장마 때는 우렛소리와 같다[盛夏雨潦則奔若雷轟]"이라고 한 표현과 다름이 없었다.

넷째, 송정 선생은 "(바위로 된) 물가에는 '포(蒲)'와 '선(蘚)'이 많다"라고 했다. 장삼식의 《한자대사전》에 의하면 '포(蒲)'는 '부들', '창포', '갯버들' 등의 의미가 있단다. 그런데 대개 '포(蒲)'는 '부들'로 번역하며, '갯버들'이라고 번역한 곳도 있었다.[49] 이에 대해 '동방한학연구원장'인 실재 허권수 선생은 "'포(蒲)'는 '부들'이며, '갯버들'은 '포류(蒲柳)'[50]이다."라는 의견을 주셨다.

그런데 직접 '절골 폭포'를 방문하여 폭포와 연못 주변을 살펴보니 대부분 암반으로 되어 있었고, 군데군데 이끼가 보이며, 폭포 주변 암반 위에는 춘란(春蘭)과 비슷한 풀이 무성하게 자생하고 있었다. 동행한 고산 선생이 "이것이 바로 창포인데, 옛날부터 단오절에 머리를 감을 때 사용했다."라고 일러주었다. 아, 그렇구나. 그렇다면 '포(蒲)'를 '부들'이나 '갯버들'이 아니라 여기서는 '창포'로 보는 것이 잘 어울리겠다고 생각했다. 왜냐하면 청암 폭포 주변은 대부분 바위이다. 이런 환경에서 잘 자랄 수 있는 식물이라면 역시 '창포'일 가능성이 크다고 보았기 때문이다. 이처럼 바위 위에서 자라는 창포를 '석창포(石菖蒲)'라고 한다. 석창포는 뿌리줄기를 약재로 사용한다. 만일 송정 선생이 말한 '포(蒲)'를 '창포'로 보는 것이 맞다면, 이곳 창포는 지금부터 약 500년 전인 조선 시대 초기부터 자생하고 있었다는 증거가 된다. 따라서 이곳 석창포 자생지를 보호할 가치가 있다고 본다.

다섯째, 송정 선생의 폭포기에 의하면 '폭포 좌우에는 도토리나무[橡], 닥나무[楮], 단풍나무[楓], 녹나무[枏] 등이 섞여 있어 울창하다'라고 했었다. 그렇다면 500여 년이 지난

---

49) 한국고전번역원의 한국고전종합DB에서 '포(蒲)'를 '부들' 혹은 '갯버들'로 번역을 달리하는 사례가 있다. 예를 들면, 《일두집(一蠹集)》(제1권)의 시(詩) 〈악양(岳陽)〉에서는 "물 위 부들 잎은 바람 따라 흔들리고[風蒲泛泛弄輕柔] 라고 번역했고, 또, 《성호전집(星湖全集)》의 〈옥천서문(玉川集序)〉에서는 같은 시를 '정문헌(鄭文獻)'의 시 〈두류(頭流)〉라고 했는데, 그 각주에서 "갯버들은 바람에 날려 가벼이 흔들거리고[風蒲泛泛弄輕柔]라고 했다.

50) 한국고전번역원의 《연행록 선집-계산기정(薊山紀程)》(제1권, 계해년 11월 27일)에 〈건자포(乾子浦)〉라는 시의 첫 구절이 "갯버들 돌배나무 울타리 이뤘는데[蒲柳山梨繞作藩]"라는 사례가 있고, 또 '몸이 약하다"라는 의미로도 쓰이는데, 《계원필경집》(제2권, 표(表)) 중에 〈어제 진찬을 하사한 것에 대해 사례한 표문[謝賜御製眞贊表]〉 중에 "우로(雨露)에 몸을 적시면서 포류(蒲柳)처럼 먼저 쇠하는 걱정이 없도록 해야 할 것입니다[身霑雨露 , 免憂蒲柳之先衰]"라는 예문도 보인다. 《매산집(梅山集)》(제2권) 〈감회를 기록하며 양관체를 쓰다[識感用陽關體]〉라는 시(詩)에 "가을을 바라보는 포류 절로 쓸쓸하니[望秋蒲柳自蕭踈]'라는 시구가 있는데, 여기서 '포류(蒲柳)는 "동진(東晉)의 고열지(顧悅之)가 간문제(簡文帝)와 동갑이었는데도 머리칼이 하얗게 세자, 황제가 그 이유를 물으니, 대답하기를 "신은 포류와 같은 체질이라서 가을이 바라보이기만 해도 벌써 지고 맙니다[蒲柳之姿, 望秋而落]"라고 대답한 일을 원용하여, 자신의 허약한 체질을 말할 때 쓰는 문구라는 설명도 있다.

오늘날, 폭포 주변의 식생(植生) 변화가 궁금했다. 그래서 휴암 양영욱 후배와 현지 주민의 협조로 식생을 조사해 본 결과, 현재 닥나무와 녹나무는 거의 볼 수 없고, 도토리나무, 단풍나무는 여전히 많이 있으나, 그 외에도 자귀나무, 참나무, 초피나무, 뽕나무, 느티나무(기목나무), 산죽 등이 무성하여 식생이 많이 바뀐 것을 알았다. 석창포와 각종 이끼류 이외에 부처손도 자생하고 있었다. 그런데 500년 전과 비교한다면 온난화가 더 진행된 만큼 녹나무가 이곳에 자랄 가능성은 더 크다고 생각되지만, 현재 녹나무가 보이지 않는다는 점은 수수께끼로 남는다.

여섯째, 송정 선생은 그가 시묘(侍墓)살이하던 골짜기를 '효도동(孝道洞)'이라고 불릴 정도로 효자로 알려져 있다. 그래서인지 "옛날, 선친과 함께 청암 폭포를 구경할 때는 초록빛 산천도 폭포 소리도 그저 아름답고 행복했지만, 이제 홀로 다시 찾아보니 떠오르는 추억들 하나하나가 그저 슬프기 짝이 없다."라고 한 그 마음이 충분히 이해된다.

앞서 보았듯이 절골에 있는 〈사동 폭포〉는 우정 강재헌 선생이 쓴 '청암 팔경' 중에서도 제1경을 자랑한다. 그렇다면 당시 송정 선생이 보았던 〈사동 폭포〉의 모습은 어떠했을까? 송정 선생이 이끄는 대로 500여 년 전의 '절골 폭포'로 유람가 보자.

유청암폭포기(遊青岩瀑布記)

폭포가 청암동 동구에 있는데 청암사(青巖寺) 절에서 1리쯤에 있다. 내 일찍이 여러 번 이곳을 지났으나, 시선(詩仙) 이태백처럼 시를 짓는 뛰어난 재주 없어 오랜 세월 시냇물에 부끄러웠는데, 지금 여러 그대들과 함께 글을 짓네

폭포 재청암동구 거사일리허 여상루과 무적선지재 구이계간지괴 금인제군
瀑布 在青岩洞口 踞寺一里許 余嘗屢過 無謫仙之才 久貽磎磵之愧 今因諸君
시기지왈
詩記之曰

두 산골짜기에서 한 시내(溪)가 흐르니 시내 너비(廣)가 혹 열 걸음, 혹은 7~8 걸음이라. 그 가운데 담 돌이 많고 물가에는 버들과 이끼가 많다. 그 좌우에는 도토리나무, 닥나무, 단풍나무, 녹나무 등이 섞여 있어 울창하다. 폭포는 암석 뿌리가 드러나 우뚝 솟아 융성하고, 산언덕이 끊어진 것 같다. 그 아래는 깊이가 수십 척이다. 물이 그 위를 타고 흐르며, 가을과 겨울에 물이 떨어지면 그 소리가 금 옥 소리처럼 쇠(金)가 우는 것 같고, 한여름 장마 때는 우레와 같다

양 산 협 일 계 계 지 광 혹 십 보 혹 칠 팔 보 기 중 다 원 석 기 저 다 포 선 기 좌 우 상 저 풍 남
兩山夾一溪 溪之廣 或十步 或七八步. 其中多垣石 其渚多蒲蘚 其左右橡楮楓枏
잡 식 이 회 울 언 지 폭 포 암 석 근 로 융 연 약 단 롱 상 부 기 하 심 수 십 척 수 가 류 기 상
雜植而薈蔚焉 至瀑布 岩石根露隆然 若斷壟狀 俯其下 深數十尺 水駕流其上
추 동 수 락 칙 장 약 금 명 성 하 우 료 칙 분 약 뢰 굉
秋冬水落則 鏘若金鳴 盛夏雨潦則 奔若雷轟

지금 산에 비가 적고 물이 맑아 흐리지 않으니 관상하기 좋다. 내 이를 대하며 크게 느낀 바는 그 옛날에 선군(先君)을 모시고 와서 놀 때는 산빛과 물소리가 모두 아름다웠는데, 하물며 지금은 눈으로 보고 귀로 듣고 있으나 슬프지 않은 사물이 없으니 유감이 없으려 해도 그럴 수 있겠는가?

금 산 우 미 청 수 불 락 불 료 심 의 유 자 관 언 희 여 대 차 대 유 소 감 석 자 배 선 군 래 유 산 광
今山雨微 晴水不落 不潦 甚宜遊者觀焉 噫余對此 大有所感 昔者 陪先君 來遊 山光
수 성 총 위 가 황 금 목 우 이 득 무 비 쇄 루 지 물 수 욕 무 감 득 호
水聲摠爲佳 况今 目遇 耳得 無非灑淚之物 雖欲無感 得乎

각재(覺齋) 숙부의 일찍이 남간(南磵) 시(詩)에 이르기를 근심과 슬픔 토해내 함께 흘려보내니, 근심과 슬픔 도리어 부딪쳐 시냇물 소리로 들려오네 라고 한 것은 바로 이를 이름이라. 드디어 기문 지어 나의 회포를 펼치노라

각 재 숙 부 상 부 남 간 시 운 위 사 수 애 양 양 행 수 애 환 격 청 계 성 정 위 차 야 수 작 기
覺齋叔父 嘗賻 南磵詩云[51] 爲瀉愁哀兩兩行 愁哀還激聽溪聲 正謂此也 遂作記
이 서 여 회
以叙余懷

지금까지 애국지사 습재 최제학 선생의 〈청암 산수곡〉, 우정 강재헌 선생의 〈청암 팔경〉, 송정 하수일 선생의 〈유청암폭포기〉 등을 살펴보았다. 이처럼 청암면에는 그야말로 아름다운 가경(佳境)이 많다.

이와 함께 묵계 청학동의 '진주암'과 삼신봉의 '송정굴'과 '천년 주목', '쇠통바위와 열쇠 바위', '어거정과 용소', '청암산수곡', 열두모랭이를 넘나드는 나그네들의 오아시스 '서서 묵는 꼬랑', '백바위와 구무바위', '청암 팔경', '남명 선생의 회남재와 용유동', '청암 폭포와 500년을 이어온 석창포 군락지', 그리고 '옥종의 황절부정려비(黃節婦旌閭碑)', 백암 김대명 선생과 송정 하수일 선생, 애국지사 습재와 회천 선생 등 묵계 청학동의 선각자들이 가꾸어 온 '충절과 효도의 일화'를 스토리텔링으로 엮어 보자. 무궁무진하게 이어지는 스토리는 많은 감동을 줄 것이다.

---

51) 〈남간기(南磵記)〉는 1581년, 송정 선생이 선친(先親)의 상중(喪中)에 있을 때, 숙부이자 스승인 각재(覺齋) 하항(河沆, 1538~1590) 선생이 찾아와 송정의 형제들과 함께 집 근처에 있는 '남간(南磵)'이라는 곳을 찾는다. 남간은 하씨들이 살던 옛터였다. 여기서 각재가 읊은 시가 〈남간기(南磵記)〉인데, '근심과 슬픔 토해내 함께 흘려보내니[爲瀉愁哀兩兩行], 근심과 슬픔 도리어 부딪쳐 시냇물 소리로 들려오네[愁哀還激聽溪聲], 돌아와 정좌하고 슬픔을 감내하니[歸來凝坐堪惆悵], 귓가에 잔잔함 남아 벽옥처럼 맑아지네[耳在潺潺碧玉淸]'

03
묵계동천과 청학동

묵계동천과 용유동(①삼신봉, ②내원재, ③삼성궁, ④진주암(도인촌), ⑤묵계사, ⑥묵계재(한찰재), ⑦고운동재, ⑧청학루, ⑨헤내미(회남), ⑩회남재, ⑪심은동, ⑫덴비리, ⑬내석문, ⑭외석문(백바위, 구무바위), ⑮가례암(부춘동), ⑯모시고개, ⑰질매재(열두모랭이), ⑱지방바위, ⑲고운동, ⑳노은동(논골) 등이 있다(카카오 지도 제공: 이영근 교장)

가. 묵계동천은 이상향

(1) 묵계동천은 어디인가?

동천(洞天)의 사전적인 의미는 '산천으로 둘러싸인 경치가 빼어나게 아름다운 곳'이며, 이것은 '깊고 큰 골짜기'를 의미하는 '동학(洞壑)'과 비슷한 말이다. 특히 도교에서는 동천을 '신선이 사는 뛰어난 경치의 명산', '신선이 사는 동네'라는 뜻으로 성스럽게 여기니 그렇게 간단히 붙일 수 있는 이름은 아닌 것 같다. 이렇듯 동천(洞天)은 호리병 속의 하늘과 마찬가지로, 하나의 한정된 공간 중에 전 우주가 존재한다는 생각에서 나온 것인데, 동시에 그것은 지하의 영계와 관련된 성스러운 장소로서의 동굴, 석굴, 계곡 등 반지하 공간을 말한다.[52] 이런 생각에 따라 중국에는 10대 동천, 36 소동천, 72 복지(福地)의 이름이 정해졌다고 한다. 우리 주변에서 볼 수 있는 동천은 '화개동천(花開洞天)', 가야산 해인사의 '홍류동천(紅流洞天)' 등이 유명하다.

지리산 영신봉(1,652m)에서 힘차게 뻗어내린 남부 능선이 삼신봉(1,284m)에서 갈라져 한줄기는 동쪽으로 흘러 외삼신봉(1,288m), 천주봉(1,088m) 묵계재, 고운동재, 오봉산을 지난다. 이것이 낙남정맥인데 묵계동을 청룡(青龍)으로 감싸 안고 흘러간다. 다른 한 줄기는 서쪽으로 흘러 내삼신봉(1,354.7m), 송정봉(1,336m), 상불재, 가는봉(1,153m), 거사봉(1,133m), 시루봉(993m), 회남재(740m), 깃대봉(956m)과 칠성봉(906m)에 이어 구재봉(767.6m)까지 이어진다. 이것이 삼신지맥인데 묵계동을 백호(白虎)로 감싸 안고 있다.

이처럼 호리병 모양의 분지로 된 묵계동에는 내·외삼신봉에서 발원된 묵계천이 묵계동의 삼거리에서 합류하고 약 10km를 흘러 공암(孔巖)과 백암(白巖), 그리고 그 아래 묵계천이 머리핀처럼 곡류하며 수구(水口)가 꽉 막힌 부춘동(富春洞) 일대까지를 예로부터 진주 선비들은 묵계동[53]이라고 불렀다.

묵계동은 지리산 삼신봉 아래에 위치하고 동북(東北)은 산청군 시천면 내대리와 반천리, 서북(西北)은 화개면 대성리와 운수리, 서(西)는 악양면 등촌리와 중대리, 남(南)은 청암면 상이리와 접해 있다. 이곳은 한유한의 전설이 있는 가례암과 최고의 명승지 백바위(白岩)가 있고, 바로 그 위에는 백암 김대명의 유적인 구무 바위(孔巖)가 있으며, 삼신봉 근처에는 송정 하수일의 이름을 딴 송정굴까지 있으니 동천이라 불러도 좋을 것이다.

1487년에 묵계동을 스쳐 지나간 추강(秋江) 남효온(南孝溫, 1454~1492) 선생은 〈지리산일과〉에서 "묵계동은 물이 맑고, 기암괴석이 많다"라는 기록을 남겼다. 눌암(訥庵) 박지서(朴旨瑞, 1754~1821) 선생은 〈백암수석기〉에서 "묵계동에서 발원한 계곡물은 백암 앞에 이르러서는 굽이굽이 합하여 맑게 흘러 대천이 되니 얕은 것은 계(溪)가 되고 깊은 곳은 못[淵]이 되며, 그 바로 아래에 폭포가 되어 분주히 달아나 여울이 되니 각각 그 형세로 인하여 천 백의 형상이 나타난다.", "나는 중국 여산(廬山)의 호계(虎溪)와 서호(西湖)의 영은(靈隱)은 알지 못하나 또한 이 같지 않았을까?"라며 칭송하였다.

또한 이번에 남명 선생이 청암계곡을 세 번이나 다녀갔다는 사실을 알게 되었다. 남명(南冥) 조식(曺植, 1501~1572)선생은 1558년에 쌍계사, 불일암, 신응사 등의 화개동

52) 위키백과

53) 박지서, 〈백암수석기〉, 《눌암선생문집》, 경상국립대 고문헌 시스템

일대를 여행하고 〈유두류록(遊頭流錄)〉을 남긴다. 그의 나이 58세 때이며, 덕산으로 들어오기 3년 전의 이야기다. 이 유람록의 끝에 "지리산 용유동(龍游洞)으로 세 번 들어갔다"라고 고백하고 있었지만, 사실 용유동이 어디인지 불분명했다.

그런데 남명의 문인인 성여신(成汝信, 1546~1632) 등이 쓴 《진양지》에서 "용유동은 전두리 서쪽에 있고, 청암산 아래에 있는데, 이곳이 바로 남명 선생이 세 번이나 다녀간 곳"임을 이미 밝히고 있었다.

더 나아가 경상국립대학 오이환 교수가 쓴 〈남명유적삼동변증(南冥遺迹 三洞辨證)〉이라는 논문이 이 사실을 뒷받침하고 있다. 청암면 상이리 부춘동 일대에서 머리핀처럼 용틀임하는 청암천을 자세히 살펴본 사람이라면 남명 선생뿐만 아니라 누구든지 "아, 이곳이야말로 용이 노는 계곡이로구나!"라는 느낌을 받을 것으로 확신한다.

이렇게 박진감 있게 용틀임하는 계곡의 시작 부분인 청암면 상이리 '모시 고개' 일대에서부터 내·외삼신봉까지 약 10km 구간이 '묵계동천'이다.

(2) 묵계동천을 찾은 조선의 선비들

조선 시대에 지리산 유람 중에 묵계동을 찾은 선비는 무수히 많을 것이다. 그런데 이들 중에 유람록을 남긴 선비는 많지 않다. 조선 전기인 15세기 말에 지리산을 유람하고, 그 유람록을 남긴 선비는 모두 4명[54]이다. 이 중 김종직(金宗直, 1431~1492)을 제외한 3명이 묵계사·묵계동을 지나갔다. 당시에는 묵계사가 지리산 유람에서 필수 코스였나 보다.

가장 먼저 묵계동을 찾은 사람은 청파(靑坡) 이륙(李陸, 1438~1498)이다. 1463년, 그의 나이 28세 때였다. 그가 남긴 〈유지리산록(遊智異山錄)〉은 현재까지 알려진 조선 시대 선비들의 지리산 유람록 중에서 가장 오래되었다. 그는 "묵계사(默契寺)는 지리산에서 가장 경치가 뛰어난 곳이다.[55]"라는 기록을 남겼다.

두 번째로 묵계동을 찾은 사람은 추강(秋江) 남효온(南孝溫)이다. 그는 1487년 가을, 진주에서 출발하여 덕산사를 거쳐 천왕봉에 오른 다음, 화개동으로 하산한다. 또, 불일암 뒤에 있는 불지령(佛智嶺)을 넘어 묵계동과 오대사를 거쳐 진주로 돌아간다. 그는 "묵계동(默溪洞)으로 내려가니 물과 바위가 매우 맑고 기이하였다."라는 기록을 남겼다.[56]

54) 최석기 외, 《선인들의 지리산 유람록 6》의 부록 〈지리산 유람록 목록〉

55) 이륙, 《청파집(靑坡集)》(권2)〈기(記)〉, 〈유지리산록〉

56) 남효온, 《추강집(제6권 잡저)》, 〈지리산일과〉

세 번째로 묵계동을 찾은 사람은 탁영(濯纓) 김일손(金馹孫, 1464~1498)이다. 그는 1489년에 일두(一蠹) 정여창(鄭汝昌, 1450~1504)[57]과 함께 함양에서 출발하여 마천, 수동, 산청, 신안, 단성, 옥종을 거친 다음 오대사에서 자고, 묵계사를 거쳐 지리산 천왕봉을 향한다. 그는 묵계사를 향하면서 그 근처에 있는 묵계동 거주민의 생활을 엿볼 수 있는 상당히 의미 깊은 기록을 남겼다.[58]

그리고 임진왜란이 일어나기 전인 16세기 말, 진주목에 속했던 묵계동은 이미 진주지역 사회에서 휴양과 치료, 피난처로 널리 알려져 있었던 것 같다. 임진왜란 직전에 백암 김대명 선생이 질병 치료와 요양을 위해 묵계동을 찾았다는 기록이 있고[59], 임진년에는 송정 하수일이 묵계동의 진주암에서 피란하면서 쓴 시가 여러 편 보인다.[60]

또 17세기 중반 반계(磻溪) 유형원(柳馨遠)이 편찬한 《동국여지지(東國輿地志)》에 의하면, '묵계동(默契洞)에는 근래에 민가 수십 가구가 입거하였다.'라는 기록[61]이 있으며, 18세기 중반에는 광산노씨와 하동정씨들이, 19세기 초에는 백암 김대명의 후손인 울산김씨들이 복지와 피신처를 찾아 묵계동에 입거했다.[62]

그 후 병인양요[1866년, 프랑스와 전쟁], 신미양요[1871년, 미국과의 전쟁], 운요호[雲揚號] 사건[1875년, 일본군과 전투]과 거문도 사건[1885년, 영국군에 의한 불법 점령] 등 서구열강의 이양선(異樣船) 출몰과 일본의 야욕으로 연안(沿岸) 지역은 물론 조선 사회가 극도로 불안해진 시기[63]에 남원양씨와 면천박씨 등이 묵계동으로 이거했다.[64]

뒤이어 구한말 나라를 잃고 일본의 식민지로 전락할 무렵부터 학송재 정구용, 자학(子鶴) 정준영(鄭俊泳, 1890~1966), 습재 최제학, 회천(晦川) 이규진(李圭鎭, 1877~1948) 선생을

---

57) 일두 정여창 선생은 조선 성리학의 대가로서 1610년(광해2) 동방 5현으로 칭송받아 문묘에 배향되었다.

58) 김일손, 《속동문선(제21권 록)》 〈속두류록〉

59) 김대명, 《백암선생유고(제2권, 부록)》의 〈행장(行狀)〉, 〈묘갈명〉, 〈가장(家狀)〉

60) 하수일, 《송정선생문집》 및 《송정세과》의 시 〈진주암우제야(真住庵遇除夜)〉 등

61) 유형원(柳馨遠), 《동국여지지(東國輿地志)》, 경상도-진주목-산천 조(條) 묵계동(默契洞), "近有民數十家入居之"

62) 하동정씨 재실 〈덕원재(悳元齋)〉 연혁 및 강동의의 석사학위 논문에서 인용

63) 신미양요 이후 대원군은 "서양의 배에서 나는 연기와 먼지가 온 천하를 뒤덮어도, 동방국의 광채는 의연하게 영원토록 빛나누나.[西舶烟塵天下晦 東方日月萬年明]"라는 시를 짓고, "양이가 침범하는데 싸우지 않으면 즉 화친하는 것이요, 화친을 주장하는 것은 나라를 파는 일이다.[洋夷侵犯非戰則和 主和賣國]"라는 척화비를 1871년 경향 각지의 교통 요충지 200여 개소에 세웠다(이상은 《한국민족문화대백과사전》에서 인용).

64) 강동의, 〈지리산 묵계 청학동의 형성 과정〉, 경상국립대학교 대학원 한문학과 석사 논문에서 인용

비롯한 뜻있는 우국지사들이 묵계동을 찾았다.[65]

이처럼 묵계동은 오랜 기간에 걸쳐 은둔과 피란, 동천복지의 땅으로 인식되어왔다.

그런데 해방 이후, 빨치산의 준동으로 지리산 일대가 전쟁의 소용돌이에 휘말리게 되자 묵계동은 안전한 피란처가 아니었다. 이곳 주민들은 빨치산 활동이 본격화된 1949년 7월부터 정부의 소개 작전에 따라 정든 고향을 등지고 7년 이상 고난의 피난 생활을 강제당했다. 오랜 세월 평화로운 피란처로 소문난 묵계동이 이번에는 가장 불안하고 위태로운 공간으로 역전되고 말았으니 얼마나 통탄할 일인가? 천지개벽이 아니고서야 어찌 이런 피눈물 나는 떠돌이 피란 생활을 할 줄 알았겠는가! 이에 운당(雲堂) 노용제(盧庸濟, 1913~1986)선생은 이때의 가슴 아픈 심정을 도연명(陶淵明)의 〈귀거래사(歸去來辭)〉를 본뜬 것으로 보이는 〈망고향사(望故鄕辭)〉[66]에서 다음과 같이 남겼다.

> 산에 올라 고향을 바라봄이여, 구름은 고향으로 날아가나 전원은 묵어가네. 어찌 돌아가 가꾸지 못하는고? 지리산이여, 지리산이여! 누가 이곳을 피난처라 했는고? 난리를 만남이여, 집은 불타고 들판은 묵었네! 집 없는 떠돌이여 어느 곳에 살고? 동족끼리 전쟁의 지루함이여, 사람 죽이길 삼대 치듯 함이여, 슬퍼 눈물뿐. 사람이 도탄에 빠짐이여, 하늘이 어찌 불쌍히 여기지 않는고! 〈후략〉

악몽 같은 피란 생활 7년여 만에 비로소 묵계동에 평화가 찾아왔다. 운당이 1955년 을미년 봄에 고향에 돌아와 묵밭을 일구고 그해 겨울에 집안일을 시작하며 즐거워하며 쓴 시가 있다.[67]

---

65) 강동의 위 논문 및 자학 정준영 선생의 《자학유고》

66) 〈망고향사(望故鄕辭)〉는 《운당유고(雲堂遺稿)》에 〈신묘 2월 집을 난리 통에 불사르고 금성으로 피난 와서 집 한 칸 없이 지내다가 또 완사로 옮겨 계사년 모춘에 산과 물가에서 고향을 바라보며 한 수 지음[辛卯二月 失屋於兵火 避亂於金城 而未成一間屋 又接於浣紗 而癸巳暮春 或山或水望故鄕 而作一首]〉이라는 시와 함께 실려있다. 그 시작이 '登山而望故鄕兮'로 시작되는 것으로 보아 '歸去來兮'로 시작되는 도연명의 〈귀거래사〉를 본떠서 지은 것으로 보인다. 여기서는 이 시를 〈망고향사(望故鄕辭)〉라고 했다. 본문에서 소개한 이 시의 첫머리 일부를 소개하면 다음과 같다. '登山而望故鄕兮 白雲飛而田園歸 田園將蕪兮 胡不歸而理荒穢 智異山智異山兮 孰謂此間避亂處 偶逢兵火兮 燒失人家田野廢 無依無家兮 飄泊東西何處居 同族鬪爭交離兮 殺人如麻亦何心 殺人如麻兮 慷慨無量淚不禁 蒼生陷於塗炭兮 天胡不弔至於斯哀 〈後略〉'(《운당유고(雲堂遺稿)》에서 인용한 이 시는 〈제3부〉 '5. 평화의 터전, 지리산 묵계동을 울린(泣 · 鳴) 총성' 편에서 전문을 소개한다).

67) "〈을미년 삼월에 가족과 고향에 돌아와 일가들 만나 칠 년간 객지에 허다한 풍상을 추억하면서 느낌을 적다〉[乙未春 聞智異山下 平和來歸 故鄕開墾荒田 孟冬着家役感而題]". "〈을미년 삼월에 가족과 고향 돌아와 일가들 만나 칠 년간 객지에 허다한 풍상을 추억하며 느낀 감정〉[乙未三月率眷歸故土喜逢族親之餘七周年客裡許多風霜故感而題] 등의 시는 〈제3부〉 '5. 평화의 터전, 지리산 묵계동을 울린(泣 · 鳴) 총성' 편에서 자세히 소개한다(이상은 노용제(盧庸濟)의 《운당유고(雲堂遺稿)》에서 인용).

이렇게 1950년대 말이 되어서 묵계동에 평화가 찾아오자, 이번에는 갱정유도인(更定儒道人)들의 집단적인 이주가 있었다. 이들이 묵계동으로 이주한 이유는 교주 강대성의 죽음과 종단의 분열, 국가의 탄압 때문이었다고 하니, 이들 또한 안전한 복지동천을 찾아 집단적으로 들어온 은둔성 이주였다.[68] 따라서 이들의 묵계동 입거 또한 과거 수백 년 동안 묵계동을 찾아온 이들과 크게 다르지 않다.

필자는 유년 시절에 묵계동의 중심마을인 삼거리에서 살았었다. 당시에는 좁은 신작로가 삼거리까지만 개설되어 있어서 간혹 외지에서 트럭이 들어오면 온 동네 아이들이 다투어 몰려나왔다. 필자는 그들이 트럭을 타고 이주해 오던 당시를 생생하게 기억하고 있다. 분명 그들은 심산유곡에 살고 있던 우리 선주민보다 야지(野地)에서 들어왔었다. 왜냐하면 그들은 당시 묵계동에서는 귀했던 하얀 껌(gum)을 씹고 있었기 때문이다.

이상향의 원형으로 알려진 청학동은 고려 시대 말기부터 대개 화개동과 불일암 근처로 비정했으나 시간이 흐르면서 악양, 세석평전 등지로 공간적인 변이를 거듭해 오다가 현대에 이르러서는 묵계동이 '청학동'으로 고착되었다는 주장도 있다.[69]

전국적으로 청학동이라는 행정지명이 45곳[70]에 달하지만, 묵계동이 지리산 청학동의 대표 주자로 고착된 데에는 묵계동의 위치가 청학동도와 가장 닮았다고 하는 지형적인 특수성과 빨치산에 의해 폐허가 된 진주암 마을에 갱정유도인들이 들어와 거주하면서 도인촌을 형성한 것이 계기가 되었었다고 생각한다.[71]

삼신봉 아래에 있는 진주암은 묵계동의 최북단 마을이다. 이들의 특이한 생활 모습[72]이 1970년대에 진주의 '한국문화재보호협회'의 답사에 의한 보고서가 대중매체의 주목을 받아 알려지기 시작했고, 때마침 행정에 의해 도로 등 개발이 촉진되면서 묵계 청학동은 선경지에서 주거촌과 관광지로 쇄신 · 전개되었다는 시각도 있다.[73]

그리고 청학동 이상향의 장소 정체성을 선경지(仙境地) · 승지촌(勝地村) · 관광지(觀光地)로

---

68) 문찬인, 〈청학동의 도인촌〉, 《한국인의 이상향 靑鶴洞》

69) 최원석, 〈한국 이상향의 성격과 공간적 특징-청학동을 사례로-〉, 《대한지리학회지》, 제44권 60호, 2009. 및 최원석, 《지리산과 이상향(지리산 인문학 대전 11)》, 도서출판선인, 2016.

70) 최원석, 위 논문과 책

71) 갱정유도(更定儒道)는 한국의 대표적인 민족종교이다. 정권의 탄압을 피해 일부 신자들은 지리산 산기슭 하동군 청암면 묵계리에 은둔하여 폐쇄적인 자급자족형 공동체를 이루었다. 이것이 도인촌의 시작이다(이상 위키백과).

72) "치렁치렁한 머리채와 흰 한복을 입은 모습이 1세기 이상 거슬러 올라간 듯한 착각을 일으키게 한다"(이상은 1973년 진주의 〈한국문화재보호협회의 답사 보고서〉를 인용한 문찬인의 《한국인의 이상향 靑鶴洞》에서 재인용)

73) 최원석, 위 논문

포착한 연구[74]가 주목된다. 여기서 최원석의 연구를 간략히 소개하면 다음과 같다.

첫 번째, 선경지 청학동으로 "화개면 운수리와 악양면 매계리"를 들고 그 형태를 "자연적 골짜기(洞天)"라고 했다.

두 번째, 승지촌 청학동에는 "화개면 대성리, 의신 덕평, 세석평전, 악양 매계, 청암면 학동 등"이라고 하면서 그 형태를 "산촌(山村)"으로 분류했다.

세 번째, 관광지 청학동에는 유일하게 묵계 청학동을 들고 그 형태를 "관광촌"으로 분류했다.

그러나 이런 분류는 묵계 청학동을 관광지 중심으로만 조명한 측면이 강하다. 특히 묵계동을 훌륭한 경관을 지닌 선경지로 분류하지 않은 점은 연구자가 묵계 청학동에 대한 이해가 충분하지 않았기 때문으로 생각된다.

삼신봉에서 발원된 묵계천은 남명 선생이 용유동[75]이라고 불렀을 정도로 절경이다. 이런 묵계동을 동천으로 인식하지 않은 점은 아쉽다. 앞에서도 잠깐 언급했다시피 묵계동의 지형적 특수성과 과거 수백 년 동안 묵계동을 피난처나 동천 복지의 땅으로 생각하고 이주해 온 이주의 역사는 다양하고 오래되었기 때문이다. 오늘날 묵계 청학동은 도인촌과 갱정유도인들에 의해서만 형성된 것이 결코 아니다.

현대에 불기 시작한 관광지로서 청학동의 역할과 위상 또한 현실적으로 무시할 수 없지만, 그들 이전에 묵계동에 이주하여 형성된 묵계 청학동의 역사 또한 중요하다. 앞에서도 보았듯이, 구한말까지 수백 년 동안 동천복지나 피난처를 찾아 묵계동으로 들어온 사람들은 꾸준히 이어졌다.

특히 일제시대, 일본 제국주의에 항거하며 교육에 열중했던 학송재 강구용 선생, 애국지사 습재 최제학 선생, 회천 이규진 선생, 자학 정준영 선생이 있었고, 이들에 이어 운당 노용제 선생, 오헌 양삼준 선생, 죽헌 강웅위 선생이 그 정신을 이어왔다. 바로 그 흔적이 청학동 학로계이며, 청학동 서당이다.

그동안 일시적으로 관 주도와 상업주의에 매몰된 '관광지 묵계 청학동'의 한계에서 벗어나 좀 차분하게 이상향 묵계 청학동의 본래의 모습을 되찾을 필요가 있다. 그러자면 좀 더 많은 시간과 노력이 필요하겠지만, 그 시작은 바로 지금부터라고 생각한다.

---

74) 최원석, 위 책

75) 조식의 《남명집》, 〈유두류록〉 및 성여신의 《진양지》, 오이환의 논문 〈남명유적 삼동변증〉, 최석기의 《남명과 지리산》 〈지리산에 남아 있는 남명의 자취〉 등에서 인용

나. 묵계동천과 묵계사(默契寺)

묵계사(默契寺)는 '지리산에서 가장 뛰어난 경치[寺在智異 最名勝境]'로 소문났었다.

(1) 지리산 최고의 명승지 묵계사는 묵계동천의 랜드마크

오랜 세월 묵계동의 상징, 즉 랜드마크(landmark)는 묵계사(默契寺)였다. 그것은 조선 초기 《동국여지승람(東國輿地勝覽)》과 같은 지리지(地理誌)나 15세기에 묵계동을 지나간 선비들의 지리산 유람기에 묵계사가 등장하기 때문이다. 그러나 묵계사에 관한 기록은 너무나 빈약하다. 또한 묵계사에 관한 자세한 기록도 발견되지 않았다. 묵계사는 언제, 누가 세웠으며, 왜 사라졌는지 알 수가 없으니 그야말로 수수께끼(mystery) 같은 절이다. 묵계사에 관한 기록을 통해 수백 년 전의 묵계사와 또 그 주변 마을인 묵계동은 어떤 마을이었는지 짐작해 보고자 한다.

그럼, 먼저 '묵계사((默契寺))'에 관한 기록부터 살펴보자. 한국고전종합DB, 서울대 규장각한국학연구원, 경상국립대학 고문헌도서관, 한국학중앙연구원의 디지털 장서각 등에서 "묵계사(默契寺)"를 검색해 보면 1611년 이행(李荇, 1478~1534) 등의 《신증동국여지승람(新增東國輿地勝覽)》, 성여신(成汝信)이 1632년에 편찬한 《진양지(晉陽誌)》와 같은 읍지, 1656년 유형원(柳馨遠, 1622~1673)의

《동국여지지(東國輿地志)》, 1866년 김정호(金正浩, 1804~1866 추정)의 《대동지지(大東地志)》와 같은 지리지와 선비들의 지리산 유람기에서도 다수 등장한다.

먼저 1463년 청파(青坡) 이륙(李陸)의 《청파집(青坡集)》에 실린 〈유지리산록(遊智異山錄)〉과 1489년 탁영(濯纓) 김일손(金馹孫)의 《탁영선생문집(濯纓先生文集)》의 〈두류기행록(頭流紀行錄)[76]〉 등이 있다. 이런 기록을 시대순으로 살펴보자.

(가) 1463년에 묵계동을 지나간 청파(青坡) 이륙(李陸)은 〈유지리산록(遊智異山錄)〉에서 "묵계사는 지리산에서 가장 뛰어난 경치[77]"라고 했다. 이 청파의 유람록이 조선 시대 선비들의 지리산 유람록의 효시로 알려져 있다.

(나) 1487년에 묵계동을 지나간 추강(秋江) 남효온(南孝溫)은 묵계사는 들리지 않았다. 그는 "불지령(佛智嶺)에 올랐다가 그 아래 묵계동(默溪洞)으로 내려갔는데, 물과 돌이 매우 맑고도 기이하였다[78]"라고 했다.

(다) 1489년에 묵계동을 지나간 탁영(濯纓) 김일손(金馹孫)은 〈두류기행록(頭流紀行錄)〉에서 "5리를 가서 묵계사에 당도하니 이 절이 두류산에서 가장 유명하다고 하는데, 친히 와 보니 자못 전에 듣던 말과는 차이가 있다."[79]라는 다소 아쉬운 감상을 남긴다.

(라) 또, 1530년, 《신증동국여지승람(新增東國輿地勝覽)》 제30권 경상도 진주목 〈불우(佛宇)〉 조(條)에서 "묵계사는 지리산에서 가장 경치가 좋다."라고 하였다. 그런데 이것은 위에서 본 청파의 기록과 같다. 그럼 누구의 기록이 앞선 기록일까? 당연히 청파의 기록이 앞선 것으로 보이지만, 좀 더 조사·연구해 볼 필요가 있다고 생각한다.

왜냐하면 《신증동국여지승람(新增東國輿地勝覽)》은 앞서 1481년에 편찬된 《동국여지승람》을 저본(底本)으로 하고 있다. 그런데 이들 지리지가 편찬되는 과정을 정리해 보면, '세종 때인 1432년(세종 14)에 맹사성(孟思誠, 1360~1438), 윤회(尹淮, 1380~1436), 신장(申檣, 1382~1433) 등이 《신찬팔도지리지(新撰八道地理志)》를

---

76) 1478년(성종 9) 서거정(徐居正, 1420년~1488)이 왕명으로 양성지(梁誠之) 등과 함께 《동문선(東文選)》을 편찬했다. 그 40년 후인 중종 13년(1518)에 그 속편이 편찬되었는데, 이 《속동문선(續東文選)》(제21권)에 탁영 김일손의 〈두류기행록(頭流紀行錄)〉이 〈속두류록(續頭流錄)〉이라는 이름으로 실려있다.

77) 이륙(李陸), 〈유지리산록(遊智異山錄)〉, 默契寺. 自安養前川 隨水西北行 谿谷之間甚險阨 四十餘里窮水源 有地稍開曠 土又肥衍 寺在智異 最名勝境 有志之僧 前後多往居焉

78) 남효온(南孝溫), 〈지리산일과(智異山日課)〉, 登佛智嶺下 默溪洞 水石最淸奇

79) 김일손(金馹孫), 〈두류기행록(頭流紀行錄)〉, 出五里抵默契寺 寺在頭流最名勝刹 而及寓目殊不慊前聞 但寺宇明媚 以間金奇錦 靑紅雜製 以爲佛袈裟 居僧廿餘 默言精進如金臺而已

편찬하였고, 세조 때 양성지(梁誠之, 1415~1482) 등이 이것의 수정과 보완에 착수하여, 성종 때인 1477년(성종 8)에 《팔도지리지(八道地理誌)》를 완성하였다. 성종은 1479년(성종 10)에 《팔도지리지》를 토대로 《동문선(東文選)》 등에 수록된 문사(文士)들의 시문(詩文)을 첨가하여, 각 도의 지리와 풍속 등을 정리하도록 명했고, 1481년(성종 12)에 50권으로 된 《동국여지승람》이 완성되었다. 그 후 1499년(연산군 5)에 개수(改修)를 거쳐 1530년(중종 25)에 이행(李荇, 1478~1534) 등의 증보판이 나왔으니, 이것이 바로 《신증동국여지승람(新增東國輿地勝覽)》이다.'[80] 라는 흐름이었다.

이처럼 오랜 세월에 걸쳐서 정부 주도로 편찬 작업이 계속되어 온 각종 《지리지》의 누적된 정보는 청파 개인이 가진 정보량보다 많고 정확했을 것으로 추정된다. 또한 청파의 할아버지는 좌의정 이원(李原), 아버지는 사간 이지(李墀)이고, 자신도 1466년 발영시(拔英試)에 급제하였으며 1468년 중시 문과에 을과로 급제하여 예문관 응교를 지낸 명문가의 일원이었던 만큼 청파도 정부 주도의 이런 지리정보를 접하여 인용했을 가능성도 있었을 것으로 생각되기 때문이다.

(마) 이어서 1622년에서 1632년 사이에 부사(浮査) 성여신(成汝信) 등이 만든 《진양지(晉陽誌)》의 묵계사에 관한 기록도 앞선 기록들과 같다.

(바) 또, 1656년 유형원(柳馨遠)의 《동국여지지(東國輿地志)》 제4권 경상도(慶尙道), 진주목(晉州牧)의 산천(山川) 조(條)의 묵계동(默契洞) 항에 "묵계동의 동쪽 십여 리에 옛날에 묵계사가 있었으나 지금은 폐사되었다"라는 기록이 있고, 사찰(寺刹) 조(條)에서 묵계사(默契寺)를 기술하고 있는 내용은 위와 같다.

(사) 끝으로 1866년 김정호(金正浩)의 《대동지지(大東地志)》(제9권)의 경상도(慶尙道) 진주(晉州), 산수(山水) 조(條)의 지리산(智異山) 항(項)에 묵계사(默契寺)[81]와 오대사(五臺寺)가 소개되어 있다. 또, 이 시기에 진주목의 방면(坊面)에 청암면(靑巖面)과 청암산(靑巖山)이 등장한다. 묵계사에 관한 기록도 앞선 기록들과 유사하다.

한편, 이상에서 살펴본 묵계사에 관한 기록을 통해 묵계동에 관한 정보도 얻을 수 있다. 그 내용을 정리해 보면 다음과 같다.

첫째, 묵계사의 위치는 안양사(청암 평촌리 뒷산 말재 너머 촛대봉 아래에 있다) 앞 계곡에서 물길 따라 북서쪽으로 40리, 물길의 발원지 근처에 있다[**自安養前川 隨水西北行 四十餘里窮水源**].

80) 《동국여지승람》의 편찬/발간 경위, 〈위키 실록 사전〉에서 인용

81) 《대동지지(大東地志)》(제9권), 默契寺 自安養前川 隨水西北行 谿谷之間甚險尼濘 四十餘里窮水源 有地稍開曠 土又肥衍 寺在智異 最名勝處境

둘째, 묵계사로 들어가는 계곡의 사잇길은 매우 좁고 험난하다[谿谷之間甚險阨 혹은 甚險泥濘].

셋째, 묵계사 근처는 하늘이 트이고, 넓고 평평하며 비옥하다.[有地稍開曠 土又肥衍].

넷째, 묵계사는 지리산에서 최고로 이름난 절경[寺在智異 最名勝境]이다.

다섯째, 묵계사는 창건과 폐사 연대도 모르는 수수께끼 같은 절이다.

묵계사가 어느 때에 창건되었는지는 문헌 기록을 찾지 못해 알 수 없으나(신라나 고려 때로 추정) '묵계사는 지리산에서 가장 산수 경치가 아름답고, 또 주변에는 상당히 넓고 기름진 토지가 있으며, **지리산에서 가장 화려한** 절이다."라고 말할 수 있겠다.

그리고 이 묵계사는 오늘날 묵계동의 어원(語源)이 된 것으로 보인다. 묵계사는 1630년대, 즉 진양지(晉陽誌)가 편찬될 당시까지는 존속하다가 《동국여지지(東國輿地志)》가 편찬된 1656년 이전에 폐사되었다. 그러나 1866년 김정호(金正浩)의 《대동지지(大東地志)》 제9권 경상도(慶尙道) 진주목(晉州牧)에 묵계사(默契寺)가 다시 등장한다. 만일 고산자(古山子) 김정호(金正浩)의 기록이 정확하다면 17세기 중엽에 폐지된 묵계사가 약 200년 후 다시 중창된 것으로 보인다.

한편, 하복도(河福島)의 《청암(靑岩)》에 따르면, '200여 년 전, 광산 노씨가 들어와 거주를 시작할 당시에는 묵계사가 존재했으나 마을 사람들과의 갈등으로 폐사된 듯하다.'라는 기록도 있고, 또 1972년에 발행한 《증보 하동군지(增補 河東郡誌)》에서는 "묵계제일사(默溪第一寺)는 청암면 원묵계 뒤에 있으니 어느 시대 창건인지는 모르나 비석 덮개와 받침돌, 담장과 축대가 지금도 있다. 4년 전에는 금으로 만든 작은 말과 석불상이 발굴되어 지난해 진주로 옮기었다. 이 절터는 계곡 사이에 있으나 아무리 큰 비가 와서 물이 많이 흘러도 물소리가 들리지 아니하므로 '묵계(默溪)'라 칭한다.'라는 기록도 있다. 그러나 '묵계제일사(默溪第一寺)'라는 절 이름은 옛 문헌에는 전혀 등장하지 않은 명칭인 만큼 향후 검증이 필요해 보인다.

경상국립대학 최석기 교수가 중심이 되어 집필한 《선인들의 지리산 유람록》 제6권의 부록에 지금까지 발굴된 〈지리산 유람록〉의 목록이 제시되어 있다. 이 자료에 따르면 1463년 청파(靑坡) 이륙(李陸)의 〈유지리산록(遊智異山錄)〉을 시작으로 1941년 양회갑(梁會甲)의 〈두류산기(頭流山記)〉에 이르기까지 101편, 84명의 지리산 유람기가 발굴되어 있다.

그런데 조선 시대 500여 년 동안에 묵계사 혹은 묵계동을 거쳐 간 선비 중에서 유람기를 쓴 선비는 5명에 불과하였다. 그중 15세기 말, 지리산 유람기를 남기기 시작한 초창기에 3명이 묵계사와 묵계동을 지나간 기록이 남아 있으나 그 후, 약 400년 동안은 묵계사나 묵계동을 거쳐 지나간 기록을 아직 발견하지 못했다.

다행히 20세기에 들어 수당 정종엽 선생이 애국지사 습재 최제학 선생과 함께 피세(避世)의 땅 청학동을 찾아 화개동의 불일암 일대를 방문했다. 그러나 이곳은 사람이 살아갈 수 있는 공간이 아니라는 사실을 깨닫고, 진정한 청학동을 찾아 헤매다가 우연히 불일암 뒷산을 넘어 묵계동의 학동에서 이틀을 보낸 유람기가 있다.

또, 1899년 8월, 회봉(晦峯) 하겸진(河謙鎭, 1870~1946)의 〈유두류록(遊頭流錄)〉에 의하면 회봉 일행도 불일암에서 묵계동의 미륵암을 목표로 산을 너머 묵계로 들어왔으나 아쉽게도 "묵계동의 주막에서 잠시 쉬었다[至默契店權歇]"라는 기록 외에 묵계동에 관해 참고할만한 정보가 거의 없었다.

오래전 지리산 곳곳의 절은 지리산을 찾는 선비들의 숙소이자 휴식처였을 것이다. 묵계사가 역사에서 사라지면서 묵계동은 약 400년 동안 여행기를 쓴 선비들도 사라졌고, 그러자 지리산 여행을 즐긴 선비들의 기억 속에서도 잊혔던 것이 아닐까 하고 생각하니 아쉬움이 크다.

수수께끼 같은 묵계사의 흔적은 여전히 어딘가에 묻혀있다. 묵계사의 역사는 묵계동의 역사이자 묵계동 사람들의 삶의 흔적이며, 묵계동 문화의 원천이 아닐까 생각한다. 그런 관점에서 묵계사의 발굴 조사가 필요하다고 본다. 묵계사의 발굴 조사는 묵계동의 역사를 되찾는 일이기 때문이다.

(2) 默溪洞(묵계동)인가, 默契洞(묵계동)인가?

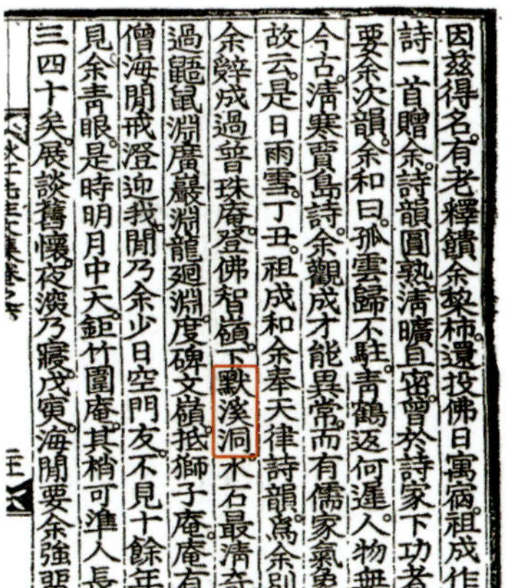
秋江集 卷六

因玆得名。有老釋饋余梨柿。還投佛日寓宿。祖成作
詩一首贈余。詩韻圓熟淸曠。且宜曾於詩家下功者。
要余次韻。余和曰。孤雲歸不駐。靑鶴返何遲。人物無
今古。淸寒賈島詩。余觀成才能異常。而有儒家氣象。
故云。是日雨雪。丁丑。祖成和余奉天律詩韻。爲余別。
余辭成。過普珠庵。登佛智嶺。下默溪洞。水石最淸奇。
過鼯鼠淵廣巖淵龍廻淵。度碑文嶺。抵獅子庵。庵有
僧海聞戒澄迎我。聞乃余少日空門友。不見十餘年。
見余靑眼。是時明月中天。鉅竹圍庵。其梢可準人長
三四十矣。展談舊懷。夜深乃寢。戊寅。海聞要余强留。

1487년 추강 남효온의 〈지리산 일과〉에 등장하는 '묵계동(默溪洞)'

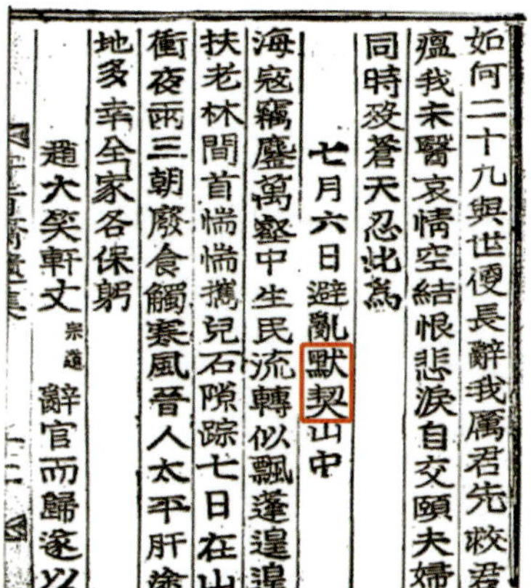
如何二十九與世便長辭我屬君先歿君
痛我未醫哀情空結恨悲淚自交頤夫婦
同時歿蒼天忍此爲
七月六日避亂默契山中
海寇竊塵寰萬衆中生民流轉似飄蓬遑遑
扶老林間首惴惴攜兒石隙蹤七日在山
衝夜雨三朝廢食觸寒風吾人太平肝塗
地多幸全家各保躬
趙大癸軒文 宗道 辭官而歸遂以

1593년 수긍재 하천일이 진주암에서 피란 중 쓴 시(詩)에 등장하는 '묵계(默契)'

다음으로 '묵계' 혹은 '묵계동'에 대한 한자 표기는 크게 두 가지인데, '계'자를 '시내 계(溪)' 자(字)로 쓰느냐, '맺을 계(契)' 자(字)로 쓰느냐의 차이이다. 요즘은 시내 계(溪)를 써서 묵계(默溪), 혹은 묵계동(默溪洞) 이라고 표기하지만, 전통적으로 각종 고문헌에서는 맺을 계(契)를 써서 묵계(默契), 혹은 묵계동(默契洞)이라고 표기해 왔다.

그러면 언제부터 묵계(默契), 혹은 묵계동(默契洞)이 묵계(默溪), 혹은 묵계동(默溪洞)으로 바뀌었을까? 그 역사를 정리해 보기로 했다. '묵계동'을 키워드로 각종 문헌을 조사해 보니 놀랍게도 '묵계동(默溪洞)'이 먼저 등장했다.

추강(秋江) 남효온(南孝溫)은 1487년에 쓴 〈지리산일과(智異山日課)〉에서 묵계동(默溪洞)이라는 기록을 남겼다. 이것은 500년을 훨씬 넘은 기록으로 그의 문집인 《추강집(秋江集)》에 실려있다. 그는 쌍계사가 있는 화개동 불일암 뒷산에 있는 "불지령(佛智嶺)이라는 재를 너머 묵계동(默溪洞)으로 내려갔다."라고 했다.

불지령은 오늘날 '내원재'나 '상불재'가 아닐까 짐작된다. 추강은 '묵계동(默溪洞)의 물과 바위가 매우 맑고 기이하다. 오서연(鼯鼠淵), 광암연(廣巖淵), 용회연(龍廻淵)을 지나고 비문령(碑文嶺)을 너머 사자암(獅子庵)에 이르렀다.'[82]라는 너무나 짧은 기록을 남긴다. 그는 묵계동을 남하(南下)하여 오대사 방향으로 향했다.

생육신(生六臣)의 한 사람으로 알려진 추강 남효온의 유람록을 보면, 그가 지리산을 여행하는 동안 지리산 곳곳의 스님들과 상당히 친밀한 관계였음을 알 수 있다. 그런 그가 묵계동을 지나면서 당시에 '지리산 최고 명승처'라고 알려진 묵계사(默契寺)를 들리지 않은 까닭은 왜일까?

그래서인지 그는 묵계동(默契洞)이라고 하지 않고 묵계동(默溪洞)이라고 표기한 점이 주목된다. 그는 묵계사를 언급하지는 않았지만, 묵계동천의 아름다운 자연을 극찬했다. 그가 기록으로 남긴 '오서연(鼯鼠淵)', '광암연(廣巖淵)', '용회연(龍廻淵)'이 어디인지 앞으로 검증해볼 필요가 있다고 생각한다.

또, 그는 사자암(獅子巖)에서 승려 해한(海閒)과 계징(戒澄)을 만났다고 했다. 해한(海閒)은 추강(秋江)과 불가(佛家)의 벗이란다. 그가 이튿날 '식사를 마친 뒤 해한·계징 등과 함께 아래로 내려가 오대사(五臺寺)에 들렀다. 〈중략〉 (오대사에서) 한동안 있다가 사자암으로 돌아갔다'[83]라고 기록한 내용으로 짐작해 보면, 사자암은 오대사의 북쪽,

82) 남효온은 "불지령(佛智嶺)에 올랐다가 묵계동(默溪洞)으로 내려가니, 물과 바위가 매우 맑고 기이(奇異)하였다. 오서연(鼯鼠淵), 광암연(廣巖淵), 용회연(龍廻淵)을 지났다.[登佛智嶺 下默溪洞 水石最淸奇 過鼯鼠淵, 廣巖淵, 龍廻淵]"라고 기록했다.

83) 남효온, 〈지리산일과〉, 1487년 10월 12일자, '食後與海閒 · 戒澄等下觀五臺. 〈중략〉 移時還上獅子庵'(≪선

질매재 근처 궁항리 어느 곳에 있었던 것으로 보인다.

그런데 열두모랭이의 '퇴까니좆빠진고개' 근처에 장재터 마을 주민들이 이용하던 공동묘지가 있었으니 이곳에 석비(石碑)가 있었지 않을까? 따라서 이곳이 바로 '비문령이었을 가능성이 크다'라고 추정된다.

또 그 너머 질매재 근처에 현재 '봉화사'라는 절이 있는데, 주지 스님에 의하면 옛날 이곳에는 '빈대 절'로 알려진 '국지암'이 있었다고 하며, 또 이 절터에서 옛 절의 유구가 발견되었다고 하니 오래전부터 현재 봉화사 터에 작은 암자가 있었던 것은 확실하다. 그리고 추강이 '오대사'를 구경하기 위해 '사자암'에서 오르내렸다는 기록 등을 종합해 보면 '비문령 너머 사자암'은 바로 이곳, 봉화사 터가 아닌가 짐작된다. 따라서 추강이 묵계동에서 보았다고 하는 '오서연(鼯鼠淵)', '광암연(廣巖淵)', '용회연(龍廻淵)'의 위치도 학동과 장재터 사이의 묵계 계곡 어딘가에 있었을 것으로 추정한다.

2024년 8월 말, 마지막 편집 중에 '묵계동(默溪洞)'이라고 한 또 다른 자료를 발견했다. 연강재(練江齋) 문후(文後, 1574~1644) 선생이 "19세인 임진년 4월에 양부모를 모시고 진주 청암의 묵계동(默溪洞)에서 피란했다."[84]라는 기록을 찾았다. 연강재는 삼우당(三憂堂) 문익점(文益漸, 1329~1398) 선생의 9세손으로, 당시 단성(丹城)에 살고 있었는데, 진주의 묵계동(默溪洞)으로 피란을 한 것으로 보인다. 그는 29세 때인 1602년 사천 곤명의 금성(金城)의 덕천강 변에 연강정(練江亭)을 짓고, '삼락오신(三樂五愼)[85]'을 좌우명으로 삼아 학문과 수행에 전념한 선비였다. 연강재의 학맥은 각재(覺齋) 하항(河沆), 모계(茅谿) 문위(文緯, 1555~1632)를 사사하였고, 또한 한강(寒岡) 정구(鄭逑) 선생의 문하에서 수학하였으며 퇴계 이황과 남명 조식 선생을 사숙(私淑)하였다. 연강재는 부사(浮査) 성여신, 무민당(无悶堂) 박인, 겸재(謙齋) 하홍도, 오봉(五峯) 이호민, 동계(桐溪) 정온 등과 서로 왕래하고 강마(講磨) 하면서 시대를 이끄는 학문과 사조를 일으켜 국가의 기강을 견지하려고 노력한 학자였다.

인들의 지리산 유람록≫에서 인용.

84) 문후(文後), 《연강재선생문집(練江齋先生文集)》, 〈년보(年譜)〉, '(萬曆) 二十年 壬辰 先生十九歲…… 四月奉二親避亂 于晋州靑巖之默溪洞', 이상은 남명학고문헌시스템에서 인용

85) 연강재의 '삼락 오신'은 다음과 같다. 삼락(三樂)은 ①시 · 서(詩 · 書)로 마음을 수양하는 즐거움[詩書養心之樂], ②전원에 취미 붙이는 즐거움[田園寓味之樂], ③고기와 새 등 물상 관찰하는 즐거움[魚鳥觀物之樂]이고, 오신(五愼)은 ①조정의 정치와 관청의 일은 삼가 말하지 말라[愼不言朝政官事], ②남의 장단점을 삼가 논하지 말라[愼不言人之長短], ③부와 귀를 삼가 경영치 말라[愼無營富貴], ④점술과 묘수의 학을 삼가 현혹되지 말라[愼無惑術數], ⑤성색기예를 삼가 사귀지 말라[愼無交聲色技藝](이상은 블로그 〈송풍수월〉에서 인용)

그리고 백암(白巖) 김대명(金大鳴, 1536~1593) 선생은 임진왜란 전에 묵계동에서 질환 치료를 위해 요양을 하고 있었다. 《백암선생유고(白巖先生遺稿)》[86](제2권), 부록(附錄)의 〈행장(行狀)〉 등을 살펴보면 묵계동이라는 표현이 세 곳에서 발견된다. 먼저, 그의 〈행장(行狀)〉에서 "두류산 묵계동(默契洞)에 들어가……"[87]라고 한 기록이 눈에 띈다. 그러나 같은 책의 〈가장(家狀)〉[88]과 〈묘갈명(墓碣銘)〉[89]에서는 "두류산 묵계동(默溪洞)"이라고 달리 썼다는 점은 특이하다. 아마 그의 사후, 그의 후손들이 〈행장〉, 〈가장〉 등을 분담하여 정리하면서 작성자에 따라 달리 쓴 것으로 보인다.

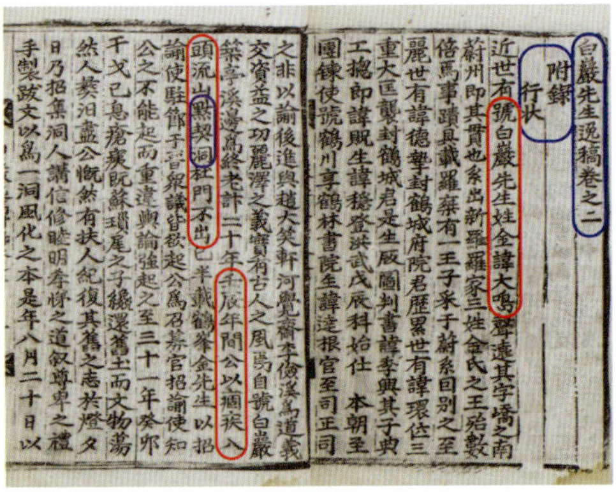
《백암선생 유고》〈행장〉에는 默契洞(묵계동)

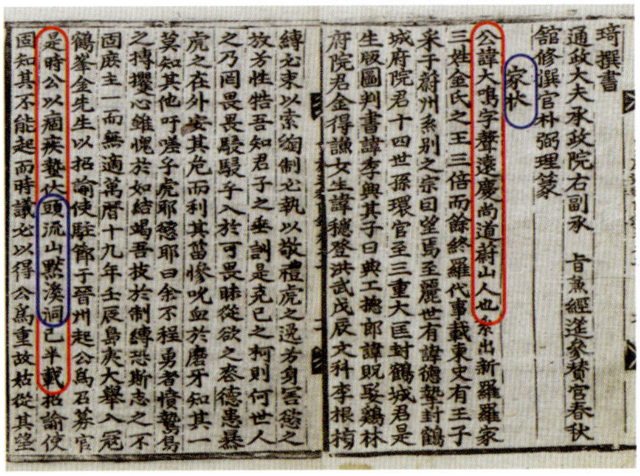
《백암선생 유고》〈가장〉에는 默溪洞(묵계동)

진주 수곡의 선비 송정(松亭) 하수일과 그의 동생 수긍재(守肯齋) 하천일(河千一)도 《송정세과(松亭歲課)》[90]와 《수긍재유집(守肯齋遺集)》[91]에서 '묵계(默契)'라는 지명을

86) 김대명, 《백암선생유고(白巖先生遺稿》, 서울대 규장각한국학연구원 원문검색 서비스 인용. 이하 같음.

87) 《백암선생유고(白巖先生遺稿》의 〈행장(行狀)〉: "임진 연간에 공이 고질병으로 두류산 묵계동(默契洞)에 들어가 반년 동안 두문불출하였다[壬辰 年間 公以痼疾 入頭流山 默契洞 杜門不出已半載]".

88) 《백암선생유고(白巖先生遺稿》의 〈가장(家狀)〉: "이때 공은 고질병으로 두류산 묵계동(默溪洞)에서 몸을 숨긴지 반년이 지났다[是時 公以痼疾 蟄伏頭流山 默溪洞已半載]."

89) 《백암선생유고(白巖先生遺稿》의 묘갈명(墓碣銘): "임진년에 두류산 묵계동(默溪洞)에서 이미 반년간 병든 몸을 수양하던 중에 초유사(招諭使) 학봉(鶴峯) 김성일(金誠一)이 여러 사람의 의견에 따라 도소모장(都召募將)으로 삼으니 고성 의병들과 함께 왜적을 토벌하여 공을 세웠다[壬辰養疾于頭流山默溪洞 招諭使學峯金公誠一 循衆望强起公爲都召募將 公與固城義兵擊賊退]."

90) 《송정세과(松亭歲課)》는 송정이 재세(在世) 시에 엮어둔 저술(著述)로 〈송정선생문집〉의 원본인 셈이다. 《송정세과》에 〈애황절부 병서〉에 "秋七月 賊陷晉州 自岳陽入默契時…"라는 기록이 있다.

91) 《수긍재유집(守肯齋遺集)》(상권), 시(詩), 〈七月六日避亂默契山中〉, 남명학고문헌시스템에서 인용

언급했다.

1622년에 편찬을 시작한 진양지(晉陽誌)에는 "고려 시대 은사 한유한(韓惟漢, ?~?)이 지리산 깊은 골짝으로 숨어들었는데 그 깊은 골짜기가 바로 묵계동(默契洞)[92]이다."라고 했으며, 1660년에 간행된 《동국여지지(東國輿地志)》[93]에는 '묵계동(默契洞)은 곧 지리산 동남동에 있다.'라고 했다. 또, 진주 선비 눌암(訥庵) 박지서(朴旨瑞)가 말년에 쓴 〈백암수석기(白巖水石記)〉를 보면, 그는 고려 시대 은사(隱士)인 '한록사가 묵계동(默溪洞)[94]에 살면서 백암의 수석과 함께 놀았다.'라고 했으며, 1895년에 의정부에서 편찬한 《영남읍지》의 《진양지》에도 '고려 시대 은사(隱士) 한유한(韓惟漢)이 숨어든 그 깊은 골짜기가 묵계동(默契洞)이다.'[95]라고 한 기록이 있다. 이상을 정리해 보면 다음 [표]와 같다.

[표] 묵계(默契) 혹은 묵계(默溪), 묵계동(默契洞) 혹은 묵계동(默溪洞)의 사용 사례

순	연도	인물과 출처		默溪	默契	비고
1	1487년	추강 남효온	《추강집》	○		〈지리산일과〉
2	1592년	연강재 문후	《연강재선생문집》	○		〈연보〉
3	1592년	송정 하수일	《송정세과》		○	詩 〈哀黃節婦〉 并書
4	1593년	수긍재 하천일	《수긍재유집》		○	詩〈七月六日避亂默契山中〉

92) 《진양지(晉陽誌)》 산천(山川) 조(條) 지리산(智異山) "한유한은 대대로 개성에 살았는데, 〈중략〉, 서대비원 녹사를 제수받았으나 끝내 응하지 않고 깊은 산골로 옮겨 살면서 죽을 때까지 나오지 않았다. 그 깊은 산골이 묵계동(默契洞)이다.[惟漢世居京都 〈중략〉 西大悲院錄事 終不就乃 移居深谷終身不返 所謂深谷乃默契洞也]."

93) 《동국여지지(제4권 하)》, 진주목, 산천조, 묵계동(默契洞): "묵계동(默契洞)은 곧 지리산 동남동이다(默契洞. 卽智異山東南東)".

94) 박지서(朴旨瑞), 《눌암선생문집(訥菴先生文集)》 백암수석기(白巖水石記): "그(한유한)는 깊은 골짜기로 숨어들었는데, 그곳이 바로 묵계동이다. 한록사는 묵계동에 살면서 백암 수석과 함께 놀았다. 이곳은 두류산 서록의 청암리에 있다(乃移居深谷 以沒其迹 深谷則默溪洞 而洞有高隱獨在之名 至今傳之 錄事居默溪洞而遊白巖水石是頭流西麓 而在州治西靑巖里)", 또, "백암의 물은 묵계동에서 발원하여 골을 뚫고 어지러이 40여 리를 흘러 백암 앞에 이르러서는 굽이굽이 맑게 흘러 합하여 대천이 되니 얕은 것은 계(溪)가 되고 깊은 곳은 못(淵)이 되어 그 바로 아래에 폭포가 되고 분주히 달아나 여울이 되니 각각 그 형세로 인하여 천 백의 형상이 나타난다(白巖之水 自默溪洞而發源 穿峽紛流幾四十里餘 而至白巖前 曲曲淙淨 合以爲大川 淺者爲溪 深者爲淵 其直下而爲瀑布者 奔放而爲激湍者 各因其勢 千百其狀).

95) 《영남읍지》(30책, 진주목), 산천-지리산, "고려사. 한유한은 대대로 개성에 살았는데, 〈중략〉, 그 깊은 산골이 묵계동(默契洞)이다(高麗史 惟漢世居京都 〈중략〉 所謂深谷乃默契洞也)". 원문은 규장각한국학연구원 지리지 종합정보-서명별 열람-영남읍지-030책(진주목)의 원문 이미지에서 인용(위에서 소개한 《진양지》의 내용과 같다.)

5	1593년 이후 (백암 사후)	백암 김대명	《백암선생유고》		○	〈행장〉
6				○		〈가장〉
7				○		〈묘갈명〉
8	1632년	부사 성여신 등	《진양지》		○	
9	1660년		《동국여지지》		○	
10	1821년 이전	눌암 박지서	《눌암선생문집》	○		〈백암수석기〉
11	1895년		《영남읍지》		○	
12	1930년	관해 여종엽	《하동지속수》	○		靑巖面 舊晋州靑巖屬里八默溪里(舊長在 高基 三街 檜洞 鶴洞 合)
13	1939년	양대석	하동군 주최 농촌 중견인물강습회 수료증	○		河東郡 靑巖面 默溪里 梁大錫

위의 [표]에서 본 것처럼 500여 년 전부터 묵계동(默溪洞)과 묵계동(默契洞)의 쓰인 빈도는 비슷해 보인다. 따라서 오래전부터 묵계동(默溪洞)과 눅계동(默契洞)은 혼용된 사실을 알 수 있었다. 그러나 오래전부터 묵계사(默契寺)가 이 지역을 대표하는 이정표(landmark)였으니 묵계동(默契洞)은 묵계사(默契寺)에서 유래한 것으로 보는 것이 타당할 것이다. 이것은 필자가 '오대사(五臺寺)가 있는 진주목의 속방(屬坊) 리(里)를 오대리(五臺里)라고 불렀을 것'이라는 추정과 같은 맥락이다.

다만, 남효온(南孝溫), 박지서(朴旨瑞)와 같이 계곡(溪谷)의 수려한 자연에 매료된 선비들은 묵계사(默契寺)와 무관하게 묵계동(默溪洞)이라고 쓴 것이 아닌가 생각한다.

그런 한편, 19세기 말에 편찬된 《대동지지(大東地志)》(제9권)와 《여재촬요(輿載撮要)[96]》(제7권)의 진주의 〈산수(山水)〉 조(條)에 청암산(青岩山)과 부춘동(富春洞)이 등장한다.

이와 같은 지리지의 기록으로 보면, 부춘동이 묵계동의 위치에 그려진 것이 아닌가 생각된다. 그래서인지 묵계동이 등장하는 지리지에는 부춘동이 보이지 않고, 부춘동이 등장하는 자료에는 묵계동이 등장하지 않는다. 이것은 박지서의 〈백암수석기〉에서 보듯이 부춘동과 묵계동은 지척지간(咫尺之間)이다.[97] 따라서 외지인은 '묵계동'과 '부춘동'을

96) 여재촬요(輿載撮要)는 개항기의 문신이자 학자인 오횡묵(吳宖默)이 1893년에 편찬한 지리서

97) 박지서, 〈백암수석기〉, "백암에서 수리(里)를 아래로 내려가면 가례암(家禮巖)이 있는데 비록 백암은 얻지 못했으나 백암 다음으로 만족한지라 나는 이곳에서 움막을 지어 살기로 하고 남은 날을 푸른 산과 물소리를 들으며

동일지명으로 인식했을 것으로 판단된다. 다만, 1489년에 묵계사를 들린 사림파의 엘리트 젊은 선비 탁영(濯纓) 김일손(金馹孫)은 일두(一蠹) 정여창(鄭汝昌)과 함께 그해 4월 17일, 이곳 묵계동을 지나가면서도 '묵계동'이라는 지명을 전혀 사용하지 않은 점은 아쉬움으로 남는다.

'가례암' 강변의 '부춘동(富春洞)' 각자(刻字) 바위.

다. 탁영 김일손이 본 이상향 묵계동

문민공 탁영 김선생을 모신 '함양 청계서원' 전경. 일두 정선생의 남계서원과 나란히 있다.

보내려고 하였는데, 그때 연로하신 어머님이 집에 계셔서 감히 곁을 떠나지 못하고 있다가 봉양을 마치고 탈상까지 끝내고 나니 내 나이 이미 칠십을 바라보는지라….[自巖而下行數里餘 有所謂家禮巖者 雖不得與白巖等而爲白巖之亞則足矣 余決意結廬捿息 送餘日於山光水聲之間 而時以老慈在堂 不敢離側而去及終養而喪除 余已望七…]". 이 가례암에 '부춘동(富春洞)'이라고 각자가 된 바위가 남아있다.

(1) 묵계동은 절경이며, 땅이 넓고 비옥하여 농사짓기 좋다

자, 그렇다면 조선 초기인 15세기, 묵계동은 어떤 마을이었을까? 앞에서도 소개했다시피 일찍이 15세기에 지리산을 유람한 선비 중에서 유람록을 남긴 선비는 4명(청파 이륙, 점필재 김종직, 추강 남효온, 탁영 김일손)[98]에 불과했다. 그런데 이 중 점필재를 제외한 3명이 묵계동을 거쳐 갔다.

이들 중 가장 먼저 묵계동을 찾은 사람은 청파 이륙이다. 때는 1463년이니 지금부터 560여 년 전의 이야기다. 그는 묵계사(默契寺)를 소개하면서 "안양사 앞 냇물, 즉 평촌리 앞의 청암천을 따라서 좁고 험한 물길을 따라 40여 리를 올라가면 넓고 비옥한 땅이 있다"라고 하였는데, 이것이 바로 묵계사가 있는 묵계동에 대한 설명이다. 이와 같은 표현은 후대의 《신증동국여지승람(新增東國輿地勝覽)》이나 성여신(成汝信)의 《진양지(晉陽誌)》, 김정호(金正浩)의 《대동지지(大東地志)》 등에서도 거의 같다.

청파에 이어서 두 번째로 묵계동을 지나간 사람은 추강 남효온이다. 1487년 추강 남효온은 천왕봉을 오른 다음 쌍계사를 방문하고 불지령(佛智嶺)에 올랐다가 묵계동(默溪洞)을 거쳐 오대사에 들린다.[99]

뒤이어 1489년 탁영 김일손은 일두 정여창과 함께 두류산을 유람하면서 특이한 경로를 택한다. 함양에서 출발하여 등구사, 금대암 등을 거쳐 천왕봉에 오르려고 했으나 때마침 큰비가 와서 멀리 남쪽으로 순회하면서 산청 환아정(換鵞亭)과 고운 최치원 선생이 썼다고 알려진 광제암문(廣濟巖門)과 단성의 단속사(斷俗寺)를 둘러본다. 여기서 가까운 덕산동으로 올라가면 곧장 천왕봉을 오를 수 있는데, 그는 또 남서쪽으로 선회하여 오대사와 묵계사를 거친 다음, 덕산동의 살천(薩川)으로 너머가 좌방사(坐方寺), 동상원사(東上元寺)와 법계사(法界寺)를 통해 천왕봉에 오른다.[100]

이 두 사람은 오늘날의 묵계마을, 즉 삼거리[三街]를 거쳐 간 것으로 보인다. 그러나 경로는 정반대였다. 추강은 화개에서 불지령을 너머 학동과 삼거리를 지나 묵계동을 남하(南下)하면서 비문령을 너머 오대사 인근의 사자암으로 이동했고, 탁영 일행은 오대사에서 자고 말을 타고 시오리길 묵계동을 북서쪽으로 거슬러 올라가면서 삼거리를 지나 회동과 원묵계의 묵계사로 가는 코스를 택했다.

---

98) 최석기 외, 《선인들의 지리산 유람록 6》의 부록 〈지리산 유람록 목록〉(15-20세기), 보고사, 2013

99) 남효온(南孝溫), 〈지리산 일과(智異山日課)〉, 《추강집(秋江集) 제6권(잡저)》, 한국고전종합DB

100) 김일손(金馹孫), 〈유두류록(遊頭流錄)〉, 《탁영선생문집(濯纓先生文集), 제5권 록》, 한국고전종합DB

추강은 묵계동을 지나면서 "물과 바위가 매우 맑고 기이하다[水石最淸奇(수석최청기)]"라는 기록을 남긴다. 즉, 추강보다 24년 전에 지나간 청파는 묵계동을 "넓고 비옥한 땅"이라고 했다면, 추강은 "묵계동의 물과 바위가 맑고 기이하다."라고 했으니, 당시의 묵계동의 자연적, 인문적 환경을 이해하는데 참고할만한 좋은 정보를 제공해 주고 있는 셈이다. 이 두 사람의 기록을 종합해 보면 묵계동에 대해 다음과 같이 말할 수 있다.

> 15세기 말, 묵계동은 비록 지리산 깊은 산중의 골짜기였지만, 땅이 넓고 비옥하여 사람들이 농사짓고 살만한 고장이요, 또한 계곡물이 매우 맑고 풍부하며, 바위 또한 밝고 깨끗한 기암괴석으로 가득하니 지리산 산중에서 최고로 빼어난 경치를 지닌 승구(勝區)였다. -15세기 말, 청파 & 추강-

(2) 묵계동에는 나무와 쇠를 다루는 멋진 공방이 있었다!

추강이 묵계동을 지난 지 불과 2년 뒤인 1489년에 사림파의 젊은 선비 탁영(濯纓) 김일손(金馹孫)은 일두(一蠹) 정여창(鄭汝昌) 선생과 함께 묵계동을 지나간다. 두 사람은 점필재(佔畢齋) 김종직(金宗直)의 제자들이다. 당시 일두 정 선생은 40살로 젊었을 때부터 학문과 언행, 덕행 등으로 조정에서 여러 차례 벼슬을 내렸지만 이를 사양한 존경받는 선비였다.또, 당시 26세에 불과한 탁영은 그 3년 전인 1486년(성종 17)에 식년문과(式年文科)[101] 갑과(甲科)에서 제2인으로 급제했다. 이렇듯 탁영 김일손은 사림파의 촉망받는 젊은 관리[102]이자 소문난 문장가였다.

그의 사후인 1668년 노론의 영수 우암(尤庵) 송시열(宋時烈, 1607~1689)은 《탁영선생문집》의 서문에서 "탁영 선생은 문장과 절행(節行)으로 한 시대의 으뜸이었던

101) 식년(式年)마다 보던 식년과의 시험 가운데 문과를 이르는 말. 식년과에는 식년 문과, 식년 무과, 식년 잡과가 있었다. 식년은 자(子), 묘(卯), 오(午), 유(酉) 따위의 간지(干支)가 들어 있는 해. 3년마다 한 번씩 돌아오는데 이해에 과거를 실시하거나 호적을 조사하였다(네이버 국어사전).

102) 그 당시 사림의 대표적 으뜸이던 김종직의 문하생인 그는 오래 스승의 문하에서 수학하다가 1486년(성종 17)에 초시에 합격하여 생원(生員)에 장원(壯元)으로, 진사(進士)에서는 2등으로 합격하였다. 당시 대제학(大提學)이었던 서거정(徐居正)은 김일손을 '비범한 사람'이라며 극찬하였다. 또 일찍이 스승인 김종직을 닮아 사장(詞章)에 능했으며, 당시 고관들의 불의와 부패를 규탄하는 데 앞장섰다. 춘추관의 사관(史官)으로 있으면서 전라도 관찰사 이극돈(李克墩) 등의 비행을 고발했고 윤필상 등의 부패 행위도 고발했다. 또한 세조 찬위의 부당성을 풍자하여 스승 김종직이 지은 〈조의제문(弔義帝文)〉을 사초에 실었다. 〈조의제문〉은 항우(項羽)가 초 회왕(懷王), 즉 의제(義帝)를 죽이고 찬탈한 것을 기록한 것으로, 초 의제를 조상(弔喪)하는 형식이지만 실은 단종을 의제에 비유한 것으로 세조의 찬탈을 비판한 것이었다. 이 〈조의제문〉은 1498년(연산군 4) 유자광·이극돈 등 훈구파가 일으킨 무오사화(戊午士禍)의 원인이 된다(이상은 위키피디아, 〈김일손〉에서 인용).

분인데 불행하게도 연산군을 만나 동시(東市)에서 처형당하는 화를 입었고, 그 화는 온 사림(士林)에 미치었다. 지금도 당시의 일을 말할 때면 기가 막히고 목이 메지 않는 사람이 없다. 중국 사람들까지도 칭찬하여 말하길 '동국(東國)의 한유(韓愈, 768~824)'[103)]라 하였다"라고 칭송하였다.

이렇게 뛰어난 문장가인 탁영 김일손은 묵계사에 당도하기 5리 전의 마을, 즉 오늘날 묵계동의 삼거리[三街]로 추정되는 마을을 다음과 같이 간략하게 묘사했다. 500년 전의 묵계동 사람들, 그들의 생활상이 어떠했을까? 이런 대목이 필자가 가장 궁금해한 부분이었다. 독자 여러분들도 상상해 보면서 탁영의 글을 음미해 보기 바란다.

> 또 십 리를 가니 거주민이 살고 있었는데[又十里有居民](우십리유거민), 나무를 휘어 농기구를 만드는 일로 업(業)을 삼고[揉木爲業](유목위업), 쇠를 달구는 것으로 생계를 유지하고 있다[鍛鐵爲生](단철위생)

탁영은 묵계동을 지나면서 이곳 백성들의 살아가는 삶의 현장을 보고 '유목위업(揉木爲業) 단철위생(鍛鐵爲生)'이라고 간략하게 묘사했다. 그는 묵계동의 삼거리 마을에서 지리산 심산유곡에 사는 백성들이 나무와 쇠를 다루는 공방을 운영하는 모습을 직접 목도(目睹)했다. 비록 여덟 글자였지만 필자는 이 짧은 문장에 주목했다. 이 여덟 글자를 넉 자씩 나누어 보자. 그 각각이 의미하는 바가 크다.

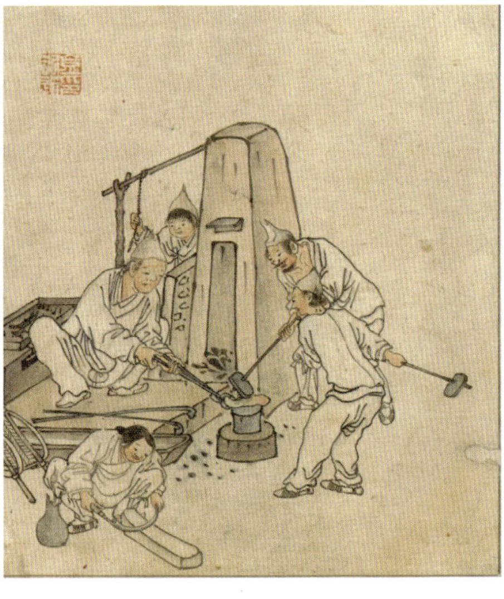

김홍도, 〈대장간〉, 《단원 풍속도첩》. 아무런 배경 없이 대장간에서 일하는 사람들 각각의 모습을 잘 표현하고 있다. 지금은 사라져 버린 대장간에서의 즐거운 금속음이 들리는 듯하다(이상은 국립중앙박물관에서 인용)

먼저, '유목위업(揉木爲業)'은 '나무 가공을 가업으로 삼고 있다.'라는 뜻이다. 심산유곡에 사는 이곳 사람들은 '수목(樹木)과 목재(木材)의 기본적인 성질은 물론 임산물 제조에 관한 기초적이고 전문적인 지식을 가지고 있었다.'라고 짐작할 수 있다. 또 그런 작업에 필요한 작업 도구, 공구도 직접 만들고, 산림자원을 이용하여 목재를 생산하고 이를 가공하여 농기구나 생활 가구, 도구를 생산하는 기술과 생산 시스템을 가지고 있었다고 볼 수 있다. 이렇게 '지리산의 풍부한 목재 수급과 묵계동의 목재 가공의 역사가 오늘날까지 이어져 진주지방에 소목공예가 발달한

103) 위키백과, 〈김일손〉, 〈평가와 비판-긍정적 평가〉에서 인용.

것은 아닐까?' 하고 상상해 본다.

다음으로 '단철위생(鍛鐵爲生)'은 '쇠를 달구는 것으로 생계를 유지하고 있다.'라는 뜻인데, 쇠를 달구려면 그 기술 또한 그렇게 간단치 않다. 숯불을 피워 온도를 높여주기 위해서는 뜨거운 공기를 불어 넣어 주는 '풀무'도 필요하다.

물론 쇠를 가열하는 연료인 숯도 생산해야 한다. 묵계동에는 필자가 어릴 때만 해도 '숯가마'가 있어서 숯을 생산했다. 우리 마을에서는 이것을 '숯굴'이라 불렀고, 숯을 만드는 일을 '숯을 굽는다'라고 했다.

숯은 과학적으로 보면 '탄소 덩어리'이다. 숯의 재료인 나무는 주로 탄소(C), 산소(O_2), 수소(H_2)로 이루어져 있으므로 숯을 만들려면 나무에 포함된 산소와 수소를 제거해야 한다. 이것이 '숯구이'인데, 그 방법은 고온에서 가열해야만 한다. 그런데 이때 공기 중의 산소와 결합하면 나무는 타서 이산화탄소가 되고, 산소와 수소는 수증기가 된다. 결국 산소와 결합하지 않는 칼슘이나 마그네슘 등의 미네랄만 '재'로 남게 된다.

따라서 원재료인 '통나무'를 '재'가 아니라 연료인 숯을 생산하기 위해서는 '밀폐된 숯가마 속에 재료인 통나무를 넣고 열을 가해 쪄내면 된다. 즉 열은 가하되 산소를 차단해야 한다. 이렇게 만든 숯에는 산소, 수소와 함께 불순물도 사라졌기 때문에 불을 붙여도 연기나 냄새가 거의 나지 않고 유분(油分)도 없어졌기 때문에 천천히 장시간 계속 불타는 매우 우수한 연료가 된다. 아주 오래전 묵계동의 선인들은 그 지혜와 기술을 통해 과학적으로도 우수한 연료인 숯을 생산할 수 있었다.

또한 단철(鍛鐵)이란 순수한 쇠를 풀무와 화로에 넣고 가열하여 부드럽게 만들고, 망치로 두드리고, 늘리고 구부리는 공정을 반복함으로써 쇠를 강하게 만드는 기술과 적절한 형태를 만들어가는 기능이다. 쉽게 말하면 이런 산간 시골 마을에 대장간이 있었다는 뜻이다.

대장간에서 농작업을 위한 농기구는 물론 임산물 채취와 가공을 위한 특수한 기구와 각종 생활 도구나 연장 등도 만들었을 것이다. 그러나 같은 쇠라고 해도 식칼이나 농기구, 나무 가공기기, 도검과 같은 무기류는 각각 그 쇠의 강도나 성질이 달라야 하는 만큼 철을 단련하는 기술이 다르다.

무려 530년 전, 지리산 깊은 산골 마을인 묵계동에는 '나무와 쇠를 다루는 공방'이 있었다. 비록 양반 사족(士族)은 아니었지만 상당한 수준의 기술과 기능, 지혜를 가진 사람들이 살았다. 지리산 묵계동 동민들이 자급자족하며 평화롭게 살아가던 일상을 상상해 보는 것만으로도 즐겁다.

(3) 묵계동은 꽃이 피면 봄인 줄 알고, 낙엽 지면 가을인 줄 아는 이상향

비록 심산유곡(深山幽谷)이었지만 생활에 필요한 도구를 만들고 넉넉하고 비옥한 산과 들에서 나는 먹거리가 풍부하니 자급자족하며 먹고 사는데 전혀 걱정이 없는 유유자적(悠悠自適)한 마을, 묵계동의 평화로운 풍경이 떠오른다. 아마 탁영도 같은 느낌을 받지 않았을까? 그래서인지 탁영은 이어서 이렇게 말한다.

> 내가 말하기를, "꽃이 피면 봄인 줄을 알고, 잎이 지면 가을인 줄을 안다더니, 이곳을 두고 말한 것이로다."라고 하였다[余曰 花開爲春 葉落爲秋 有是夫].

아, 정말 감동이다.

이 짧은 문장 속에서 신선한 충격을 받았다.

이것은 탁영이 묵계사에 당도하기 약 5리 앞의 마을에서 "유목위업(揉木爲業)하고 단철위생(鍛鐵爲生)" 하며 살아가는 동민들의 생활상을 보고 난 다음, 현장에서 묘사한 생생한 느낌 그대로이다. 탁영은 "화개위춘(花開爲春)하고 엽락위추(葉落爲秋)"라고 했다! 500년 전, 옛날 옛적에 묵계동 사람들은 "꽃이 피면 봄인 줄을 알고, 잎이 지면 가을인 줄을 아는 그런 삶을 살았단다."

그들의 이런 생활상에 가장 잘 어울리는 말에는 무엇이 있을까? 속세를 떠나서 조용하고 편안한 삶을 의미하는 '유유자적(悠悠自適)'도 좋고, 평화롭고 한가하여 마음 내키는 대로 즐기는 '안한자적(安閑自適)'도 좋다. 묵계사 아랫마을, 묵계동 사람들이 그랬다는 말이다. 그렇다. 세월 가는 줄도 모르고, 아무런 근심 걱정이 없어 살아가는 일상만큼 더 큰 행복이 있겠는가? 얼마나 서정적이고 편안하고 여유로운 풍경인가?

갑자기 남진의 "님과 함께(고향 작사, 남국인 작곡)"라는 노래의 가사(**봄이면 씨앗 뿌려, 여름이면 꽃이 피네, 가을이면 풍년 되어, 겨울이면 행복하네~**)가 떠오른다. 이렇게 행복을 추구하는 것이 인생이라면, "화개위춘(花開爲春)하고 엽락위추 (葉落爲秋)"하는 그런 삶을 사는 그런 곳이 바로 이상향이 아닐까? 이 글의 의미를 곰곰이 생각해 보면서 '고전 속에 이런 이상향을 상징하는 글귀가 있지 않을까?'라는 생각이 들었다.

탁영이 쓴 이 짧은 문장이 필자의 생각대로 '이상향을 의미하는 글귀'라면, 이것이 혹시 무릉도원과 같은 이상향을 표현한 글이 아닐까? 그래서 먼저 도연명(陶淵明, 365~427)의 〈도화원기(桃花源記)〉를 찾아보았다. 도연명의 〈도화원기〉는 필자가 최근에 읽은 적이 있으나 그에 딸린 시(詩)는 본 적이 없었다. 그래서 자료를 찾아보니 〈도화원기〉는 〈도화원시〉에 대한 서문(序文) 격인 셈이었다. 이 두 글은 원래 〈도화원시 병기(桃花源詩 幷記)〉라는 시문 속에 포함되어 있었다. 이미 읽은 경험이 있는 〈도화원기〉를 다시 보았지만, 특별히 주목할 만한 문장은 없었다. 그런데 도화원기에 이어서 나오는 〈도화원기 시(桃花源記詩)〉에서 눈이 번쩍 뜨이는 글귀를 찾았다.[104)]

초영식절화(草榮識節和) 풀 자라 무성하니 온화한 봄철인 줄 알고
목쇠지풍려(木衰知風厲) 나무 시들자 바람 차니 겨울 옴을 알겠네!

5세기 전, 탁영은 묵계동을 지나면서 이곳 묵계동 주민의 유목위업(揉木爲業) 하고 단철위생(鍛鐵爲生)하는 생활상을 보고 "화개위춘(花開爲春)하고 엽락위추(葉落爲秋)하는 곳이 바로 이곳"이라고 했다. 이 구절은 도연명이 무릉도원을 꿈꾸면서 읊은 도화원기의 시구(詩句), '초영식절화(草榮識節和), 목쇠지풍려(木衰知風厲)'와 무엇이 다른가? 탁영은 이곳 묵계동에서 무엇을 보았는가? 그는 필시 무릉도원과 같은 이상향을 본 것임이 틀림없다!

다음으로 고운(孤雲) 최치원(崔致遠, 857~?)의 〈호중별유천(壺中別有天)〉이라고 알려진 시(詩)의 두 군데에서 이와 유사한 느낌의 시어(詩語)를 발견했다. 먼저, 신선이 되어 지리산과 가야산을 오간다고 알려진 고운 선생이 "나뭇잎 보고 봄을 안다"[105)]라고 별천지를 노래했단다.

산승망세월(山僧忘歲月) 산중의 스님(僧)은 세월을 잊어
유기엽간춘(惟記葉間春) 나뭇잎 보고 봄을 알 뿐

산중의 절간에서 세상사 다 잊고, 유유자적 도를 닦으며 살아가는 스님의 생활을 노래하고 있다. 이것이야말로 "화개위춘(花開爲春)하고 엽락위추(葉落爲秋) 하는 생활이 아니겠는가?" 같은 시에서 뒤이어 이어지는 시구(詩句) 또한 놓칠 수가 없었다.

춘래화만지(春來花滿地) 봄이 오면 꽃이 대지에 가득하고,
추거엽비천(秋去葉飛天) 가을 가면 낙엽이 하늘에 날리네

104) 블로그 삶의 향기/차 한잔의 여유, 〈도연명 도화원시(도연명 도화원시(https://poslink.tistory.com/entry/도연명-도화원시陶淵明-桃花源詩)〉

105) 이규경, 《오주연문장전산고(五洲衍文長箋散稿)》, 〈[0191] 청학동변증설(靑鶴洞辨證說)〉

지도리문자(至道離文字) 지극한 도(道)는 문자에 있는 것이 아니라
원래시목전(元來是目前) 원래부터 이는 눈앞에 있었다네.

이 시(詩)를 접하면서 탁영이 이곳 묵계동에서 "유목위업(揉木爲業)"하고 "단철위생(鍛鐵爲生)"하며 살아가는 산중 백성들의 생활상을 보면서 느낀 감상이 이와 크게 다르지 않았을 것으로 생각했다. 그것은 탁영은 이미 도연명은 물론 고운 선생의 글까지 두루 섭렵한 지식인이라고 보았기 때문이다. 탁영은 "화개위춘(花開爲春)하고 엽락위추(葉落爲秋)가 바로 이것이로다"라고 했지만, 더 나아가 그가 마음속으로 품고 있는 말, 즉 그가 말하고 싶었지만 애써 아껴놓은 말이 이 시어에 내포되어 있다고 느꼈다.

그는 "지극한 도(道)는 문자가 그려내는 관념 속에 있는 게 아니라 바로 여기 이 마을[묵계동]에서 내 눈앞에 펼쳐져 있구나!"라고 인식했음이 틀림없다. 탁영이 "화개위춘(花開爲春)하고 엽락위추(葉落爲秋)"라고 말한 것은 그가 이곳 묵계동에서 '이상향 호중별유천'을 보았다고 고백한 것이나 다름 아니라고 생각한다.

지리산 심산유곡(深山幽谷)의 묵계동을 스치듯 지나치며 우연히 만난 이곳에 대해서 '이상향'이라거나 '청학동'이라는 표현은 하지 않았지만, 그는 '묵계동'이라는 마을에서 적어도 '산중 백성들의 평화롭고 행복하고 이상적인 삶의 모습', '이상향의 느낌', '이상향의 향기'를 느낀 것이 아니었을까?

고려 시대에 이인로는 화개동천 일대에서 청학동을 찾아 나섰으나 '끝내 청학동을 찾지 못했다'라고 고백했다. 탁영과 같은 조선 시대 지식인이면 이인로의 이 청학동 이야기를 이미 알고 있었을 것이다. 따라서 조선 시대 선비들의 인식 속에는 청학동이라 하면, 화개동천(花開洞天) 어딘가에 있을 것이라고 하는 선입견을 품고 있었던 것이 아닌가 생각된다. 만일 그가 그런 선입견을 품고 있었다면 이곳 묵계동에서 순간적으로 이상향을 보았다고 해서, 그런 감정을 느꼈다고 해서 '설마 이곳이 청학동일까? 아니야, 청학동은 따로 있어!'라고 고개를 흔들었을 것이다.

실제로 탁영은 천왕봉을 오른 다음 신흥사와 쌍계사를 거쳐 쌍계사 뒤 불일암 근처에 있는 동부(洞府)를 찾아가서 "이곳이 청학동이다"라고 했었다.

그러나 **세조가 조카 단종의 왕위를 찬탈한 것을 비꼰 스승 점필재 김종직의 〈조의제문(弔義帝文)〉을 사초에 실을 정도로 기개 높은 사림파의 '청천백일(靑天白日) 같은 젊은 선비 탁영 김일손'[106], 그는 26살의 젊은 나이에 묵계동에서 이상향을 보았었다!**

106) 탁영 김일손의 친구이자 동문인 남곤(南袞, 1471~1527)은 중종반정 이후 탁영의 묘를 이장할 때, '소장(疎章)과 차자(箚子)의 문장이 넓고 깊음이 큰 바다와 같았고, 인물은 시비하고 국사를 논함이 마치 청천백일(靑天白日) 같았

라. 현대 과학과 지리산, 호리병과 가장 닮은 지형은 묵계동이다.

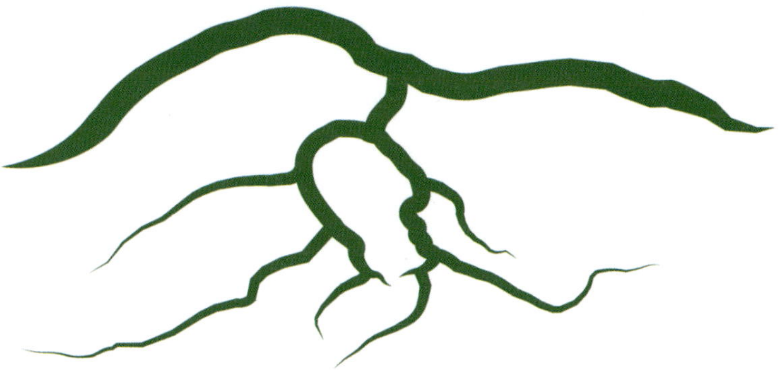

지리산 기슭에서 가장 '제비집' 혹은 '호리병'과 닮은 지형은 바로 묵계동이다!
지리산 주 능선은 큰 울타리가 되며, 그 아래, 영신봉에서 내리뻗은 남부능선을 기준으로 좌우에는 화개동과 덕산동이 펼쳐진다. 또 남부 능선이 삼신봉에서 절정을 이루고, 좌우로 분지하여 둥근 제비집 혹은 호리병 모양의 '묵계동'을 만들고, 여기서 다시 나뉘어 비로소 악양동, 고운동 등을 형성한다(필자가 구글 지도를 바탕으로 그렸다).

(1) 청학동도의 유형분석[107)]

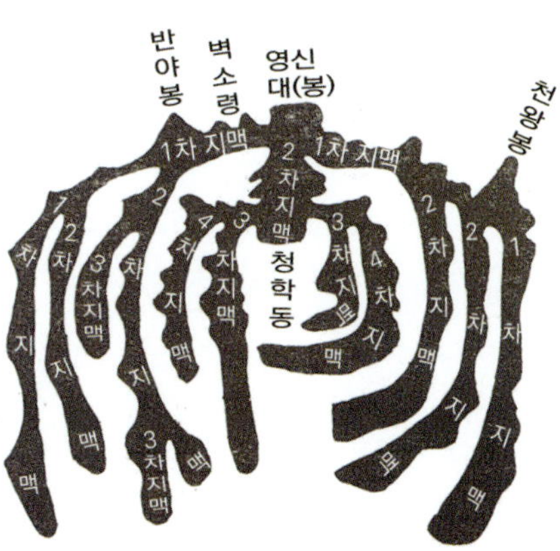

청학동도 지맥 분류 사례(각 지맥 분류는 필자함)

조선 후기에 청학동에 대한 비기(祕記)와 더불어 청학동 지도가 나타난 것은 잘 알려진 사실이다. 청학동도는 청학동의 구체적인 위치를 지리적으로 묘사함으로써 청학동의 위치를 표시해 준다. 처음 발견된 청학동도는 옥종면의 김씨 일가로 선대로부터 물려받은 것인데, 청학동 일대를 표현한 지도라고 한다.

청학동도는 현재 20여 매가 발견되었다고 알려져 있으나 정확하지는 않다. 청학동도는 대부분 고산 김삼주 선생이 수집했으나 진주

다.'라는 만시(輓詩)를 남겼다(이상은 《위키백과》에서 인용).

107) 이 장은 주로 고원규의 《청학동의 상품화와 전통의 창출 상상의 이상향에서 관광 명소로》(민속원, 2016) 및 김아네스의 〈한국인의 이상향과 지리산 青鶴洞〉(《지리산과 이상향》(도서출판 선인, 2016), 문찬인의 《한국인의 이상향 青鶴洞》 등을 참고하여 작성

대아고등학교 설립자이자 차인(茶人)인 아인(亞人) 박종한(朴鍾漢, 1925~2012) 선생[108]도 일부 수집한 것으로 알려졌다.

대부분의 청학동도가 하동군 일원에서 발견된 것이거나 선대가 하동 출신인 집안에서 발견되었다고 한다. 그러나 그 제작 경위는 알 수 없다. 이를 소지한 사람들은 한결같이 신라말의 옥룡자 도선국사(道詵國師, 827~898)와 무학대사(無學大師, 1327~1405)가 만들었다고 믿고 있으며, 어떤 이는 조선 시대 서애(西厓) 류성룡(柳成龍, 1542~1607)의 친형인 겸암((謙菴) 류운룡(柳雲龍, 1539~1601)이 그렸다고 주장한다. 이것은 청학동도에 그가 쓴 시가 발견되고 있기 때문으로 보인다.

문찬인이 엮은 책《한국인의 이상향 青鶴洞》에는 모두 20장의 청학동도가 소개되어 있다. 이 중에는 같은 그림이 3장이 있었고, 청학동도의 윤곽은 보이나 그 글씨를 전혀 알 수 없는 1장 등 3장을 제외하고 17장을 대상으로 분석했다.

청학동도에는 지리산 주봉인 천왕봉(天王峯, 1915m), 반야봉(般若鋒, 1732m), 영신대(灵神坮), 벽소령(碧宵嶺)이 보이며, 이들 지리산 주봉을 잇는 산맥, 즉 지리산 종주 능선이 가장 외곽에 배치되어 있다. 이들 지맥을 편의상 다음과 같이 분류했다. 먼저 천왕봉과 영신봉, 반야봉을 잇는 최외각의 주 능선을 1차 지맥(支脈)이라고 한다. 이 1차 지맥에서 분기된 지맥을 2차 지맥, 2차 지맥에서 분기된 지맥을 3차 지맥, 이어서 3차 지맥에서 분기한 4차 지맥과 같이 순차적으로 분류한다. 청학동도의 특징은 다음과 같다.

① 청학동도에는 산맥을 검게 그렸다. 그 사이사이의 밝은 부분은 계곡과 동부(洞府)이다. 또, 주요 산의 높이와 외형에 따라 높게 그리거나 모양을 달리하여 묘사했다.
② 청학동도에는 영신봉을 중심으로 오른쪽에 천왕봉, 왼쪽에 반야봉이 배치되어 있다.
③ 청학동도에는 천왕봉과 영신봉, 반야봉을 이어주는 지리산 주 능선이 최외각에 그려져 있다. 이것을

108) 아인(亞人) 박종한 선생은 교육자이자 차문화 운동가이다. 교육자로서 손문의 삼민주의(三民主義)와 남명 조식의 반구실천(反軀實踐)을 참고하여 그의 교육사상인 오민교육(五民教育)을 완성하고 대아중 · 고등학교를 설립 · 운영하면서 그의 교육사상을 실천했다. 1977년 남명제를 창설하였으며, 1979년에는 한국 차인회를 설립하고, 1981년에는 "차의 날" 선포 등 한국 차문화 발전에 큰 공적을 남겼다. 오민교육은 민성(民性) · 민생(民生) · 민족(民族) · 민본(民本) · 민복(民福)의 교육사상을 말한다. 이것은 첫째, 민성(民性)은 낙선호의(樂善好義) 하는 정신으로 하늘을 우러러[愛天] 바른 양심을 갖고 도의사회(道義社會)를 이룩한다. 둘째, 민족(民族)은 보국안민(輔國安民)하는 정신으로 나라를 사랑[愛國]하며 강한 국방력을 갖추어 국민이 편안한 국태사회(國泰社會)를 이룬다. 셋째, 민본(民本)은 홍익인간(弘益人間)의 정신으로 인간을 서로 사랑하고[愛人] 화합하는 마음으로 민주사회를 만들어간다. 넷째, 민생(民生)은 이용후생(利用厚生) 하는 정신으로 자신이 영위하는 생활을 사랑하며[愛生] 알찬 살림을 꾸려가는 복지사회를 이룬다. 다섯째, 민복(民福)은 풍류조화(風流調和)의 정신으로 서로의 마음을 어루만져 주며[愛心] 즐거운 생활로 문화사회를 이룩한다(정헌식 경상국립대 한국차문화원구원장이 지은《진주시민과 차(茶) 생활》, 강우차회, 2001에서 인용).

'1차 지맥'이라 한다.
④ 청학동도에는 지리산 주 능선, 즉 1차 지맥에서 5개 이상의 2차 지맥이 분기한다.
⑤ 영신봉에서 흘러내린 2차 지맥이 좌우로 분기하여 형성된 3차 지맥이 제비집 모양의 둥근 분지(盆地)를 형성하는데, 그 내부가 청학동이다.
⑥ 청학동을 형성하는 3차 지맥에서 4차 지맥이 분기한다.

대부분의 청학동도는 위의 ①~⑥의 특징을 보이고 있었다. 그래서 이런 패턴을 보이는 청학동도를 편의상 〈청학동도 A형〉이라 하자. 그런데, 일부 청학동도에서는 청학동 주변의 제비집 모양의 둥근 분지에서 위 ⑥에서 언급한 4차 지맥의 분기가 뚜렷하지 않거나 한쪽에서만 4차 지맥이 분기한 경우가 있었다.

이것을 각각 〈청학동도 B형〉, 〈청학동도 C형〉으로 분류하면, 청학동도 A형이 14장으로 가장 많았고, B형이 1장, C형이 2장이었다. 그 대표적인 청학동도를 소개하면 다음 그림과 같다. 각 청학동도의 특징을 좀 더 구체적으로 살펴보자.

첫 번째 〈청학동도 A형〉은 악양, 청암, 화개 일대에 거주하다가 고성으로 이주한 제정탁씨와 청암면 묵계리의 광주노씨 집안 일가들의 피난처로 전해지는 곳이다. 향토사학자 고산(高山) 김삼주(金杉柱) 선생에 의하면 1970년경, 화개면 벽소령 아래의 삼정이라는 마을에 살던 김 노인에 의해 처음 이 청학동도를 발견하였다고 한다.

특히 화개동 중에서 가장 깊숙한 곳에 자리 잡은 삼정마을이 청학동이라는 이야기가 현재에도 주민들에게 널리 알려져 있고, 또한 삼정은 선학포란(仙鶴抱卵)의 길지라고 믿고 있다. 청학동도는 이런 비기와 모사의 과정을 거치면서 유전되었을 것이다. 청학동도와 비기는 풍수설에 영향을 크게 받아 지형과 방위를 중요하게 여겼다.

〈청학동도 A형〉

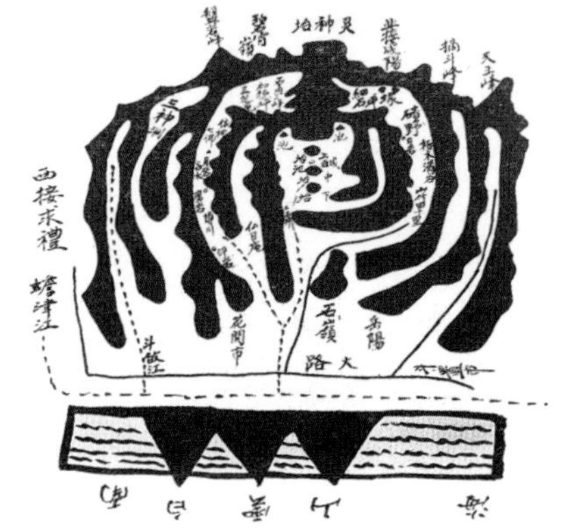

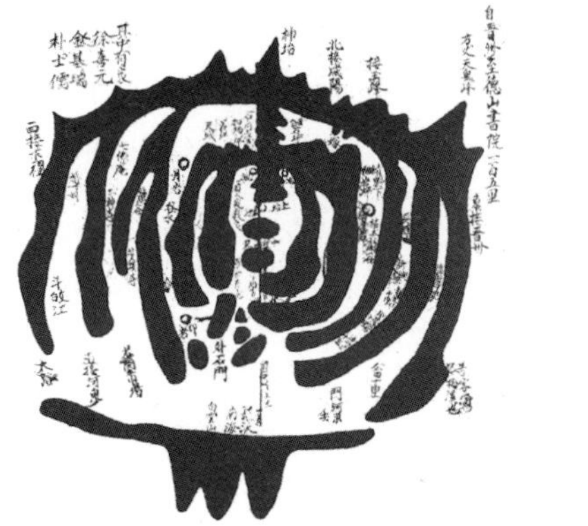

〈청학동도 B형〉	〈청학동도 C형〉
	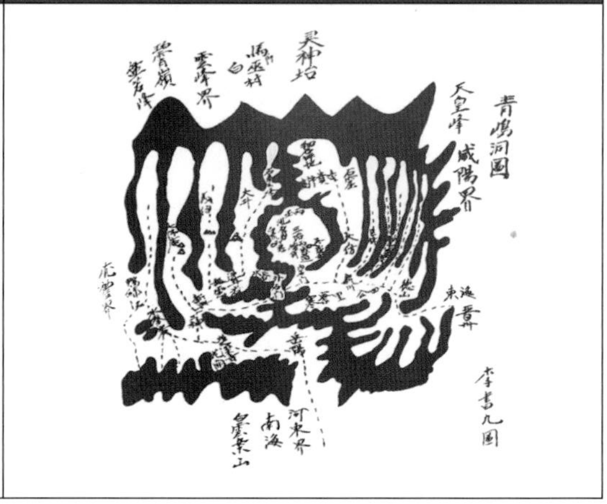

두 번째 〈청학동도 B형〉은 그림의 상단 왼쪽 위에 "영평대신(永坪大臣)이 힘을 써서 청학동을 찾아내어 스스로 그림을 그려 자손에게 전하였다."[109]라는 기록이 보인다. 그 외에도 청학동에 살았던 사람들의 이름도 보이고, 청학동과 관련된 시를 포함해서 다양한 정보가 만재된 청학동도이다. 따라서 청학동도 B의 작성자는 영평대신이라고 볼 수 있는데, 고원규는 이 〈청학동도 B형〉의 작성자를 "1905년경 전라감사를 지낸 이석우(李錫愚)"로 추정[110]하고 있다.

세 번째 〈청학동도 C형〉은 오른쪽 아래에 "이서구(李書九)"라는 인물의 이름이 명시되어 있다. 묵계 청학동의 김삼주 선생은 〈청학동도 C형〉의 작성자를 전라감사를 지낸 이서구라고 보고 있다.

이서구의 청학동도는 다른 청학동도에 비해 지맥을 자세하게 그렸다. 특히 악양지역의 동쪽을 감싸고 있는 지맥이 풍성하게 그려져 있다. 이것은 오늘날 묵계동의 서쪽을 감싸고 흘러가는 삼신지맥으로 보이는데, 청암산으로 알려진 칠성봉과 구재봉으로 이어지는 산맥이 아닌가 추정된다. 또한 섬진강 건너 청학동의 안산으로 알려진 백운삼봉을 나타내는 지맥도 잘 묘사되어 있다.

이런 청학동도에 대해서 1903년 구한말에 지리산을 여행한 의령군 부림면 출신의 안익제(1850~1909)는 "근세에 청학동도가 세상에 알려졌다. 그 그림을 보면 형세가 마치

109) 〈청학동도 B형〉에는 그림 주변에 많은 정보가 남겨져 있다. 상단 중앙에 '북함양(北咸陽)'이 있고, 그 왼쪽에 '永平大臣(영평대신) 力尋青鶴洞(역심청학동) 自筆作山圖(자필작산도) 遺子傳圖(유자전도)'가 명기되어 있다.

110) 고원규의 《청학동의 상품화와 전통의 창출 상상의 이상향에서 관광 명소로》에서 인용

버들고리를 구부려 만든 것처럼 억지스럽다."[111]라고 평가한 적이 있다. 그의 말처럼 크고 작은 버들고리짝 여러 개를 겹쳐 놓은 모습이 연상되어 재미있다.

특히 18세기 이후 지리산 골짜기에 많은 사람이 들어와 살게 되었다고 한다. 당시 세상에 떠돌던 청학동에 관한 이야기와 청학동도는 지리산에 들어와 살도록 유인하는 데 큰 영향을 미쳤을 것이며, 19세기가 시작되면서 지리산 인근뿐만 아니라 전국적으로 도참사상이 유행했다고 하니, 더욱 그러했을 것으로 생각된다.

또 다른 예언서인 〈무학기〉에서는 청학동의 명칭에 관하여 말하기를 "청학동의 산형세가 목체(木体)로 흘러나오다가 학(鶴)이 날개를 편 형태를 하고 있어서 목(木)의 상징인 동방청색(東方青色)의 청(青)과 학(鶴)이 만나서 청학(青鶴)이라 하였다.[112]" 즉, 산세와 지형을 판단하여 청학동이라는 명칭이 나왔다는 것이다.

이전까지는 청학동은 청학이 깃들어 살았기 때문에 붙여진 이름으로 알려졌다. 그러나 이 세상에 없는 새, 청학을 마냥 기다리기보다는 그 새로운 대안으로 산세와 지형에서 청학의 존재를 정의했다는 점은 진일보한 참신한 발상이라고 생각된다.

이처럼 청학은 실재하는 새가 아니라는 맥락에서 쓴 글이 있다. 1922년 망국의 한을 안고 묵계동에 입거하여 돌아가시기 직전까지 묵계 청학동에서 은둔하며 교육활동에 헌신한 회천 이규진 선생은 그의 〈청학동설〉에서 "청학은 없으며 믿을 것이 못 된다는 점이 분명하다. 내가 학동에 우거한 것은 고요한 곳에서 수양하려 한 것이니, 어찌 청학이 없는 곳에서 세상에 없는 청학을 구한 적이 있던가? 이치에 통달하지 못하고 말이 되지 않는 말을 하면 누가 믿겠는가? 세상의 허황한 말에 들뜨거나 분수 밖의 일을 바라거나 방외를 구하는 것은 모두 망상이다."[113]라고 했다. 회천 선생의 〈청학동설〉 전문은 〈제3부〉에서 소개한다.

비기와 지도에 나타난 청학동의 위치에 관해서는 여러 해석이 있을 수 있다. 남명이 "누렁소 갈비뼈 같은 두류산 골짝을 열 번이나 답파했고"[114]라고 했듯이 지리산에는 많은 골짜기가 있다. 좁은 입구를 지나서 넓은 평지가 나타나는 곳도 여럿 있다.

멀리 광양의 백운산이 보이고 남해를 조망할 수 있는 위치도 한 곳이 아니다. 이런 까닭에

---

111) 안익제(安益濟), 《서강유고(西岡遺稿)》(3권), 〈두류록(頭流錄)〉, '近世青鶴洞圖出 觀其圖形與誌如栲栳然'

112) 김상곤, 〈이상향-청학동에 대한 전거〉, 《한문학》 2, 전주대 한문학연구회, 1984, p.168. 김아네스의 〈한국인의 이상향 지리산 青鶴洞〉에서 재인용.

113) 이규진, 〈청학동설〉 "青鶴之無有 而不足信者 明矣 吾寓鶴洞也 取其閒靜而修養 何嘗求無於無有之地哉 理之不達 言之不成 誰之相信乎 世之浮於虛火 企以分外 求以方外 皆是忘(妄)也"(번역: 최석기 교수)

114) 강정화, 《남명과 지리산 유람》(남명학 교양총서 22))에서 인용

지리산에는 여러 곳의 이상향 청학동이 나타났다. 길지 청학동을 희구하는 사람들이 많아질수록 청학동에 관한 관심도 높아졌을 것이다.[115)]

(2) 청학동도 작성자로 알려진 이서구는 누구인가?

앞서 소개한 〈청학동도 C형〉의 작성자를 전라감사를 지낸 이서구라고 한다면 〈청학동도 B형〉의 최초 작성자를 '1905년 경 전라감사를 지낸 영평대신 이석우'라는 추정에 대해서 의문이 들었다. 그 이유는 '이석우와 이서구의 발음[116)]이 같다'라는 점이었다. '이석우'의 발음은 '이서구'로 발음하는 것이 일반적이다. 그렇게 하는 것이 발음하기 편하다. 그렇다면 '같은 사람이 아닌가?'라는 의문이 들었다. 그래서 청학동의 향토사 연구가인 고산 김삼주 선생에게 확인해 보니 "이석우는 이서구(李書九)의 오청(誤聽)에 의한 오기(誤記)"라는 증언이었다.

그런 한편 과연 '영평대신'이 누군지 확인해 보기 위해 검색을 해 보았다. 조선 시대를 비롯하여 왕실 자료가 많은 한국학중앙연구원의 디지털 장서각에서 "영평대신은 영평군 이경응(1828~1901)을 지칭한다"라는 자료를 발견했다. 그러나 그는 철종의 이복형으로서 왕실의 종친이고, 1901년에 졸(卒)했으니 '1905년 전라감사'라는 추정과는 맞지 않는다.

또, 디지털 장서각의 〈박심수 일기(朴尋洙 日記)〉의 1924년 1월 30일에 "영평대신(永平大臣) 이서구(李書九) 시(詩)"라는 내용이 남아 있는 것 등으로 보아 "영평대신"은 "이석우"가 아니라 "이서구"와 동일 인물일 것으로 추정하였다. 그렇다면 이서구(李書九), 그는 과연 어떤 인물일까? 이서구(李書九, 1754~1825)는 조선 시대 후기의 문신이다. 그는 연암 박지원(朴趾源, 1737~1805)의 제자로 이덕무(李德懋, 1741~1793), 박제가(朴齊家, 1750~1805), 유득공(柳得恭, 1749~?)과 함께 실학 사대가(實學 四大家)의 한 사람으로 알려진 인물이다.

이서구는 어린 시절에 갈처사(葛處士)로부터 7년 동안 '겨우 통감(通鑑) 2권 수준을 배웠으나, 혼자서 주역(周易)을 읽어낼 수 있었다.'라는 설화의 주인공이다. 갈처사는

115) 이상은 김아네스의 〈한국인의 이상향 지리산 靑鶴洞〉, 《지리산과 이상향》에서 인용하여 작성했다.

116) 표준어 규정 제13항에 의하면 "홑받침이나 쌍받침이 모음으로 시작된 조사나 어미, 접미사와 결합할 때는 제 음가대로 뒤 음절 첫소리로 옮겨 발음한다.". 예를 들면, "깎아[까까], 옷이[오시], 있어[이써], 낮이[나지], 꽂아[꼬자], 꽃을[꼬츨], 쫓아[쪼차], 밭에[바테], 앞으로[아프로], 덮이다[더피다]" 등이 있다(이상은 국립국어원의 〈한국어 어문규범〉에서 인용).

이서구에게 '마치 빈 것 같지만 가득 찬 교육[如虛而有實]'을 시킨[117] 수수께끼 같은 인물이다.

또한, 갈처사는 민정 시찰을 나간 숙종 대왕과 '시체도 들어가기 전에 쌀 300가마니를 받고 명당으로 옮겨가는 묫자리'를 두고 설왕설래한 사건[118]으로 왕의 살아생전에 서오릉(西五陵)의 명릉(明陵)에 묫자리를 잡아주었다는 전설적인 인물이다. 명릉은 서오릉 중에서 가장 명당자리로 정평이 나 있다. 이런 공적으로 왕은 갈 처사에게 삼천 냥의 거금을 하사했으나 노자로 삼십 냥만 들고 홀연히 사라졌다는 고사는 그를 더욱 신비로운 인물로 추앙받게 했다. 이런 설화는 당사자인 갈 처사는 물론 그의 제자인 이서구까지 '재주가 신통하고 비범한' 이인(異人)으로 떠받드는 계기가 되었을 것으로 보인다.

특히 이서구는 1793년과 1820년에 전라감사를 두 번이나 역임하면서 많은 화제를 남겼다.[119] 천문과 지리에 능통했다고 알려진 그가 현실 정치에서 발휘했던 경세치민(經世治民)의 능력은 설화 속에서 둔갑술, 풍수지리 능력, 천리안, 선견지명 등 초인적(超人的)·신이적(神異的)인 것으로 나타난다. 그는 은퇴 후에 경기도 포천시 영중면 양문리에서 은거했는데, 후세 사람들이 학덕을 겸비하고 항상 백성을 생각하던 그를 "양문대신(梁文大臣)이라 불렀다.[120]"고 한다.

그와 관련된 유명한 예언 중에는 오늘날 **새만금이 된 변산 앞바다를 "수저(水底) 30장이요, 지고(地高) 30장이 될 것이다**"라 예언했고, **"앞으로 한벽루(寒碧樓) 옆으로 불마[火馬]가 지나다닐 것이다**"라고 하여 기차가 다닐 것을 예언했다. 실제로 1925년 전라선의 철교개설로 한벽루가 철거 위기에 처했으나 전주지역 교육자이자 유학자인 최병심(崔秉心, 1874~1957) 등의 항의로 터널로 개통되어 살아남은 이야기가 전한다.[121]

또, '이서구(李書九)가 당시 진주목에 속했던 하동군 옥종면의 옥산(玉山) 정상(頂上)에 있는 기우단(祈雨壇)에 올라서서 내세사(來世事)를 예언(豫言)하였다'라는 기록[122]을 보아 이서구가 지리산과 인접한 진주지역에서도 활동한 것으로 보인다.

한편, 조선 말기, 세도정치에서 비롯된 과도한 세금에 찌든 당시 백성들에게는 누군가

---

117) 곡주님의 블로그, 〈이서구(李書九)와 갈처사(葛處士)〉에서 인용. 학문하는 사람들을 보면 흔히 '꽉 찬 것 같지만 비어 있는 경우[如實而有虛]'가 많으나 이서구는 그 반대였다는 사실을 말하고 있다.

118) 좀 더 자세한 내용은 《블로그 푸른 물결》, 〈숙종대왕과 갈처사〉 참고.

119) 새전북신문, 〈사설-전라감사 이서구는 누구인가〉(2014. 3. 13)

120) 블로그 《새소리 바람 소리》 〈우리 옛 뿌리 옛날이야기 6-이서구 설화〉

121) 블로그 《오인교의 녹색 건강》, 〈전주의 정자-벽옥한류 한벽루〉

122) 《진주통지(晋州通志)》 제1권 산천 조(條)의 〈옥산(玉山)〉편

구원자가 필요했다.

조선일보 칼럼 [박종인의 땅의 역사] 〈세금 징수 보다 백성의 삶이 먼저올시다〉에 의하면, 전라감사 이서구는 항상 백성 편에서 행정을 펴는 구원자였다. 1787년 경상우도로 암행을 다녀온 어사 이서구는 “환곡이 없다면 참으로 낙토(樂土)가 될 것”이라고 하면서 환곡과 군정, 노비에 얽힌 문제를 조목조목 보고하고 바로잡을 방도를 내놓았으나, 폭정은 갈수록 악화하였다.

1793년 첫 번째 전라도 관찰사 시절에는 세금을 거두는 대신 창고를 풀어 백성을 구호했다. 이런 **이서구에게 정조(正祖)는 “기필코 백성을 소생시켜라!”**라고 그에게 힘을 실어 준 기록이 있다.[123)]

1820년 두 번째 전라도 관찰사 시절에는 세금을 거두기 위해서 토지를 다시 측량하라는 양전(量田)에 반기를 드는 등 백성 편에 선 인물로 당시로서는 보기 드문 이인(異人)이었다. 정조 사후, 세도정치의 모순이 증폭돼 가는 조선 왕국 백성들의 처지에서는 ‘이서구’가 단연 희망이었다.

그래서인지 이서구는 백성들 사이에서는 비현실적인 예지력과 신통력을 지닌 인물로 묘사되고 있었다. 전라감사 ‘이서구’가 실제로 이 청학동도의 작성자인지, 아니면 당시의 사회적인 모순을 예언한 예지자 또는 이를 해결해 줄 수 있는 구원자로서 유일한 대안이었던 그의 이름을 누군가가 도용하였는지는 알 수 없으나 ‘이서구도(李書九圖)’라고 명시한 청학동도가 발견되었고, 그가 전라감사를 두 번이나 역임하면서 백성들로부터 열렬한 지지를 받고 있었던 만큼 ‘영평대군 이서구’가 만든 청학동도가 다수 발견되는 것은 우연이 아니라고 생각한다.

(3) 청학동도에는 어떤 정보가 담겨있나?

세칭 청학동도는 ‘청학동도(靑鶴洞圖)’ 혹은 ‘지리산청학동도(智異山靑鶴洞圖)’라는 제목이 붙어 있고, 그림 내 · 외에 많은 정보를 기록해 두었다. 그 내용은 과연 무엇일까? 필자가 해독할 수 있는 범위 내에서 그 내용을 따라가 보면 다음과 같다.

---

123) 정조실록 38권, 정조 17년 8월 16일 병자, 2번째 기사 1793년(청 건륭 乾隆 58) 〈전라도 관찰사 이서구가 사폐하다〉인데, 여기서 ‘사폐’는 먼 길을 떠날 사신(使臣)이 임금께 하직 인사를 드리는 것을 말한다. (표준국어대사전). ‘전라도 관찰사 이서구(李書九)가 사폐(辭陛)하였다. 상이 소견하고 이르기를, ”본도는 이제 겨우 기민 먹이는 일이 끝났다. 올가을은 풍년이 들 희망이 있기는 하지만 굶주리던 끝이어서 백성들의 생활에 관한 관심이 누그러지지 않는다. 경은 모쪼록 특별한 관심을 기울여 기필코 소생시키도록 하라.”
전라도관찰사 이서구 사폐 상소견 위왈
[全羅道觀察使 李書九 辭陛, 上召見, 謂曰:
본도재경주진 금년추사 수유풍등지망 이함함지여 민사상불능이념 경수십분척려 기어소성야
‘本道纔經賙賑, 今年秋事, 雖有豊登之望, 而頷顑之餘, 民事尙不能弛念。卿須十分惕慮, 期於蘇醒也].’

첫째, 청학동도에는 **청학동도 작성자에 관한 정보**가 들어 있다. 앞에서도 본 것처럼, 청학동도 B형에는 “영평대신이 힘써 청학동을 찾아 스스로 산도(山圖)를 만들어 아들에게 전했다”라고 하며, 청학동도 C형에는 “이서구도(李書九圖)”라고만 표시되어 있는 것으로 보아 이서구가 작성한 ‘청학동도’라고 믿고 있다.

둘째, 청학동도에는 **예언적인 글귀**가 보인다. “**삼승지 중에서 제일이 청학동[三勝之地 第一地 靑鶴洞]**”이며, “(청학동에는) 지각이 있는 사람만 들어올 수 있고 깨우치지 못한 사람은 들어올 수 없으며[有知覺者入 無知覺者不入], 먼저 들어왔던 사람들은 돌아가고[先入者還] 중간에 들어온 자는 흥하며[中入者興], 말기에는 들어오지 못한다.[末入者未及]”라거나 “류・이・강・하・정씨가 가장 먼저 들어와 가장 번성할 땅이다.[柳・李・姜・河・鄭 先入 最發之地].”라는 예언적인 글과 “옛사람이 이르기를 삼재가 들어오지 아니하고, 부귀가 많이 나는 것이 천지와 함께하며 하원갑이 모이는 때 석문이 열릴 것이다.[古人云 三災不入 多出富貴 與天地同 行下元甲會時 雷破石門].”라는 글귀도 보인다. 또, “고운 선생이 한 번 가신 뒤에[孤雲一去後], 청학이 홀로 배회하는구나[靑鶴獨徘徊].”라는 글귀도 보인다.

셋째, 청학동도에는 **청학동의 형태와 규모를 짐작할 수 있는 정보**가 들어 있다. ‘제비집 모양[燕巢形]’, ‘임좌병향(壬坐丙向)’, 즉 ‘북쪽방향을 등지고 남쪽방향을 바라보는 방향’이며, ‘둘레는 40리[周回四十里]’, 지리산 천왕봉과 반야봉 등을 포함하여 청학동을 감싸고 있는 ‘최외각의 지리산 총 둘레는 8백리[周回八百里]에 달한다.’라는 내용도 보인다. 그런데 지난 2012년에 지리산 5개 시군 21개 구간을 잇는 지리산 둘레길 전 구간이 개통되었는데, 그 총 길이가 289.4km, 720리(里)가 넘는다.[124] 이것은 ‘둘레가 팔백리’라고 한 청학동도의 정보와 비교하면 7.65% 정도의 차이가 있을 뿐이다. 그러나 만일 지리산 둘레길의 코스를 지리산의 깊숙한 명승처, 즉 덕산동이나 장항동, 묵계동, 악양동, 화개동의 내부로 구불구불 확장한다면 800리가 넘을 것으로 생각된다.

넷째, 청학동도에는 **청학동에 도달하기까지 행로**를 소개한 정보도 있다.

구체적으로 그 출발기점을 가령 ‘쌍계사’로 한 경우에는 ‘쌍계사에서 성해암까지 30리[自雙溪寺 至聖海庵 三十里], 성해암에서 외석문까지 10리[自聖海庵 至外石門 十里], 외석문에서 내석문까지 8리[自外石門 至內石門 八里].……’라는 식으로 청학동에 이르는 노정이 상세하게 적혀 있다.

또 ‘덕산서원’을 기점으로 한 사례도 있었는데, ‘덕산서원에서 왼쪽 대로를 따라 수리를 가면 공전리에 이른다.[自德山書院 行數里 左大路行 河東勿 去細路 去公田里], 공전리에서 신천

124) 〈사단법인 숲길〉 ‘홈페이지(http://jirisantrail.kr/wp/?page_id=2760)’에서 인용

10리, 애촌 10리, 성덕암 10리, 산죽밭 10리에 이른다.[自公田里 至新川十里, 至愛村十里, 至聖德庵十里, 至山竹田十里]. 산죽밭에서 석령(石嶺)을 넘는데 5리이고[自山竹田 踰石嶺 五里], 석령을 너머 외석문까지 5리[自踰石嶺 去外石門 五里], 외석문에서 내석문까지 5리, 하대·중대·상대 각 10리, '석각삼봉'까지 또 10리이다.[自外石門 去內石門五里, 去下坮中坮上坮 各 十里 石角三峰 又十里]. 진주에서 덕산서원까지는 105리[自晋州 至德山書院 一百五里]이다.'와 같이 비교적 상세하게 기록되어 있다.

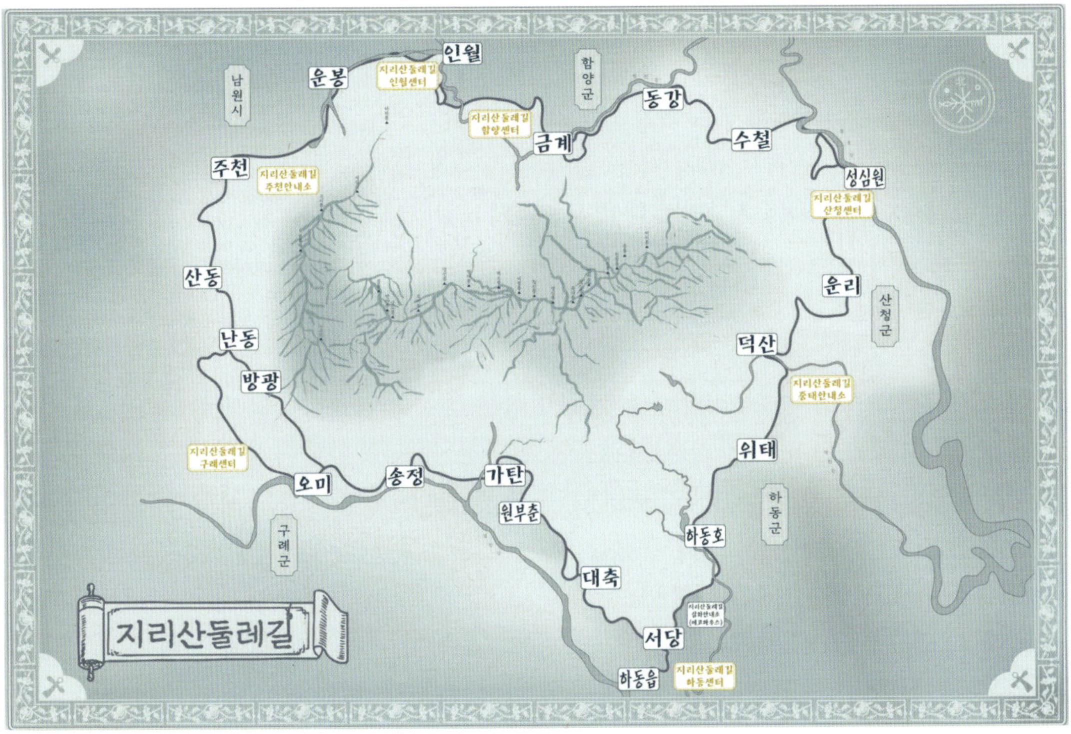

지리산 둘레길은 총 길이가 289.4km에 달한다(《사단 법인 숲길-생명평화 지리산 둘레길》에서 인용).

다섯째, 청학동도에는 **사람의 성씨나 사람 이름**도 보인다. '산막이 있는데, 그 막의 주인은 최재희, 권준여, 이종필 3인이다.[有山幕 主人則 崔在喜, 權俊汝, 李鍾弼 三人居之也].'라거나 '재동 이진사 기영[齋洞 李進士 基榮], 호 오암[號 悟菴]', '이진태(李鎭泰) 자 흠여[字 欽汝], 호 고비암[號 告非菴]', '최상순(崔相淳)', '권재희(權在喜)', '이원중(李元仲)' 등이 보인다. 이들은 이 청학동도를 그릴 당시 청학동에 거주한

주민들인지 이곳을 방문한 사람의 이름인지는 알 수 없다.[125)]

여섯째, 청학동도에는 **청학동시(青鶴洞詩)**가 소개된 사례도 있다. 가장 대표적인 시가 앞서 소개한 이규경의 〈청학동변증설〉 속에 나오는 겸암 류운용의 시(詩)이다.

鳴鳥驚人岩下樹(명조경인암하수) 새 울음소리에 사람이 바위 나무 아래서 놀라고
桃花流水谷中天(도화류수곡중천) 도화 뜬 물은 협곡 속으로 흐르네
萬樹桃花疎竹裡(만수도화소죽리)[126)] 많은 복숭아꽃 대밭 속에 듬성한데
三秋楓葉澗水邊(삼추풍엽간수변) 늦가을 단풍잎처럼 시냇가에 붉게 피었네

그런데 이 시의 수련(首聯), 첫 번째 글자가 때로는 "울 명(鳴)"이 아니라 "울 제(啼)"로 되어 있는 사례가 있다는데, 의미적으로는 큰 차이가 없다고 본다.

그 외에도 다음과 같은 '율봉(栗峯)선생 시(詩)'가 있고, '고운농산정운'도 보이는데, 이 시는 가야산(伽倻山) 홍류동(紅流洞)에 있는 농산정(籠山亭)을 읊은 절구이다.

율봉(栗峯) 선생 시(詩)

盤若自何鎭南北(반야자하진남북) 반야봉은 어디서부터 왔는지, 남북에 눌렀고
山中寶物棄天秋(산중보물기천추) 산중의 보물을 천추에 버려두었나.
李花暮春誰先建(이화모춘수선건) 오얏 꽃 핀 모춘에 누가 먼저 설 것이냐?
奠乃初年福滿家(전내초년복만가) 정씨들 초년에 집에 복이 가득하리라
世外仙驅雲自掩(세외선구운자엄) 세상 밖의 선구는 구름이 저절로 가리어
人間漏地主無愁(인간누지주무수) 인간이 이 한량한 땅에 주로 근심이 없구나
塵心未盡漏灵界(진심미진누영계) 속세의 마음 끝나지 않았는데 영계로 흐르고
意外鶴戾谷谷浮(의외학려곡곡부) 뜻밖에 학이 이르러 곳곳에 떴더라
後人欲識此眞處(후인욕식차진처) 후인이 이 진처를 알고져 할진대
先問岳陽洞后天(선문악양동후천) 먼저 악양의 후천동을 묻게나

---

125) 하동군 청암면 묵계리 청학동 마을의 고산(高山) 김삼주(金杉柱) 선생의 증언

126) 원문에는 萬樹桃花叢竹裡(만수도화총죽리)이나 기존의 《학로계 계록》에 실린 〈청학동 부근도〉(제2부 참조) 에 의하면 萬樹桃花疎竹裡(만수도화소죽리)로 되어 있다. 이것은 우리 묵계동의 선인들이 이 시에서 '많을 총(叢)' 자 보다 '드물 소(疎)' 자가 더 어울린다고 인식한 것이라고 해석한 고산 김삼주 선생의 의견에 따라 수정했다.

고운농산정운(孤雲籠山亭韻)[127]

광분첩석후중만
狂奔疊石吼衆巒 첩첩 바위 사이로 내달리는 물, 산골을 뒤흔드니
인어난분지척간
人語難分咫尺間 지척에서 하는 말소리도 분간키 어려워라
상공시비성도이
常恐是非聲到耳 항상 시비 소리가 귀에 들릴까 두려워
고교류수진농산
故教流水盡聾山 짐짓 흐르는 물을 농산으로 막았구나

일곱째, 청학동도에는 **청학동의 내부에 관한 자세한 정보**가 있다. '못(池), 석정(石井)이 있고, 내・외석문(內・外石門)을 지나 들어가면 하대(下坮), 중대(中坮), 상대(上坮)의 삼대(三坮)' 등이 보인다.

여덟째, 청학동 주변에는 비교적 익숙한 실제 지명이 눈에 띈다. 서쪽 구례지방의 연곡(燕谷)이나 화개면 일대의 삼신동(三神同), 화개(花開), 의신(依神 혹은 義神), 칠불암(七佛庵), 쌍계사(雙溪寺), 불일암(佛日庵)"과 악양(岳陽)은 물론 세석평전과 관련하여 '세석평(細石坪)' 혹은 '상・하 세석평(上・下 細石坪)' 등이 보이며, 산청군 시천면의 덕산(德山), 입덕문(入德門), 공전(公田) 등의 지명과 멀리 외곽에는 섬진강(蟾津江), 백운산(白雲山) 등이 표시되어 있다. 즉, 이런 지역은 청학동 내부에 속한 지명이 아니다.

이상의 〈청학동도〉와 관련된 정보만으로 청학동의 위치에 대해 분명히 말할 수 있는 사실은, **이미수 이후 전통적으로 청학동이라고 알려진 화개동이나 악양동은 물론 천왕봉 아래의 덕산동이나 삼장면의 장항동 등은 청학동과는 거리가 먼 지명이라는 점은 분명해 보인다.**

(4) 현대 과학지도에서 볼 수 있는 지리산 일대의 지맥과 묵계동

자, 그렇다면 청학동도는 실제로 지리산 남쪽 하동지역의 어디를 그린 것일까? 실제로 네이버 지도와 구글 지도에서 지리산 일대의 산맥을 조사해 보았다. 먼저 모든 청학동도에서 가장 외곽의 지맥은 그 중심에 영신대가 자리하고 있고, 그 왼쪽에는 반야봉과 벽소령이 보이고, 오른쪽에는 천왕봉을 지난다. 쉽게 말하면 지리산 노고단에서 반야봉, 벽소령과 천왕봉을 지나 중봉으로 이어지는 지리산 종주 능선과 일치한다고 볼 수 있다. 이것이 앞서 필자가 분석한 1차 지맥이다.

127) 《고운집》(제1권), 시(詩), 〈가야산 독서당에 제하다(題伽倻山讀書堂)〉라는 시인데, 이 시는 〈농산정(籠山亭)〉 혹은 〈가야산 홍류동(伽倻山紅流洞)〉이라는 제목으로 전해지기도 한다. 또, 〈태인유상대비기(泰仁流觴臺碑記)〉에 등장하는 '홍류(紅流)의 한 절구'의 각주에 등장하는 시(詩)이다(한국고전종합DB에서 인용).

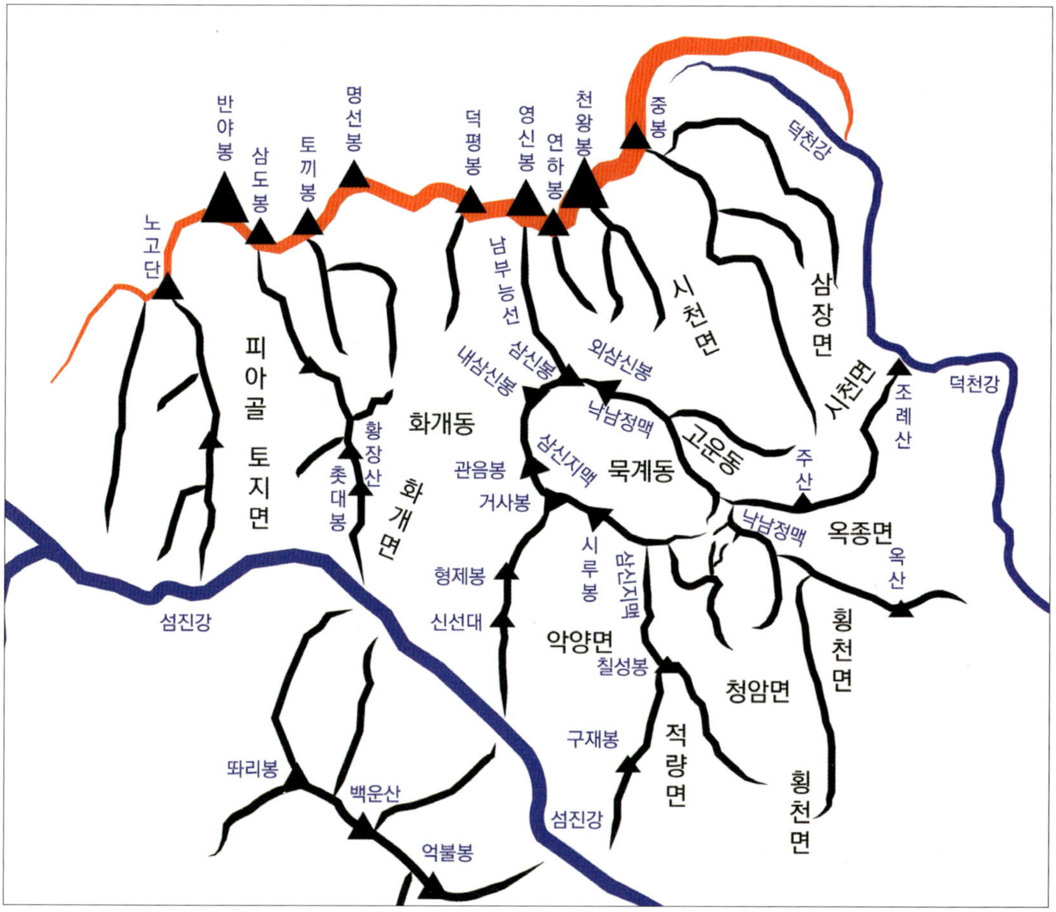

[그림1] 필자가 작성한 〈지리산 지맥도(智異山 地脈圖)〉(네이버 지형지도를 바탕으로 그렸다)

또, 지리산 동쪽 끝에 덕천강이 형성되어 있고, 서쪽 끝에는 섬진강이 흘러 지리산을 동서에서 감싸고 있다. 덕천강은 진양호에서 경호강을 만나 진주 남강을 이루고 의령과 함안 사이를 흘러 창녕에서 낙동강에 합류한다. 그리고 지리산 서쪽에 있는 섬진강은 진안군 백운면 팔공산 자락의 데미샘에서 발원하여 남원, 구례, 화개, 악양, 하동읍을 거쳐 남해로 흐른다.

이 1차 지맥의 중요한 지점에서 남북방향으로 뻗어나간 다양한 2차 지맥을 볼 수 있었다. 그러나 청학동을 찾아 나선 기록을 처음 남긴 이인로 이후, 이상향 청학동은 대부분 지리산 남쪽의 화개동과 악양동 근처라는 사실을 떠올리며 2차 지맥을 그려 보았다.

먼저, 삼도봉에서 내려오는 2차 지맥이 구례군 토지면의 피아골과 하동군 화개면 화개동의 경계임을 알 수 있다. 또 천왕봉에서 형성된 2차 지맥은 비교적 짧은 편이나 중봉에서 형성된 2차 지맥은 덕산사(구, 내원사)가 있는 장단골과 대원사 계곡이 되어 산청군 시천면과 삼장면의 경계가 됨을 알 수 있다.

특히, 영신봉에서부터 형성된 2차 지맥을 주목할 필요가 있다. 이 2차 지맥은 하동군 화개면과 산청군 시천면의 거림 · 내대 계곡, 즉 덕산동을 동서로 나누는 경계가 되며, 그 끝에서 삼신봉을 만나 좌우로 분기되면서 3차 지맥을 형성한다.

여기서 영신봉에서 시작된 2차 지맥은 오늘날 소위 '남부능선'임이 확실하고, 삼신봉에서 3차 지맥은 양쪽으로 나누어진다. 먼저 동쪽으로 나누어진 한줄기는 동남 방향으로 뻗어가면서 외삼신봉, 묵계재, 고운동재를 지나며 낙남정맥이 되고, 서쪽으로 향하는 한줄기는 서남 방향으로는 뻗어가면서 내삼신봉, 송정봉, 쇠통바위, 독바위 상불재, 가는봉(관음봉), 거사봉, 시리봉, 회남재를 잇는 삼신지맥이 되어 묵계동을 감싸며 타원형 형태의 분지를 만들며 흘러가다가 각각 고운동과 악양동을 형성하는 제4차 지맥을 형성한다. 이 4차 지맥은 묵계동 서북쪽의 거사봉에서 분기하여 형제봉, 신선대, 고소성으로 이어지면서 대략 화개동과 악양동의 경계를 이룬다.

또 묵계동을 감싸는 3차 지맥은 묵계동의 끝자락에서 각각 4차 지맥을 한 번 더 형성한다. 이때 묵계동의 북쪽으로 흘러간 낙남정맥은 옥종면과 시천면의 경계를 따라 옛 오대사 뒤쪽의 주산(831m)과 갈티재[128]를 지나 덕산 산천재 건너편의 조례산(324.1m)까지 이어지고, 또, 묵계동의 남서쪽을 형성하는 삼신지맥은 청암면의 우백호를 형성하며 칠성봉을 지나 구재봉까지 이어지면서 악양동과 경계를 이룬다. 이렇게 그려 놓고 보니 유독 눈에 띄는 곳이 한 군데 있다.

이상, 현대 과학으로 그린 지도를 바탕으로 지리산의 지세를 분석해 보면, 옛 선인들이 '제비집 형국[鷰巢形(연소형)]' 같다거나, '호리병 속의 별천지[壺中別有天(호중별유천)]'라고 한 말에 가장 잘 어울리는 곳은 바로 이곳 '묵계동'이요 '묵계동천'임을 잘 알 수 있다.

(5) 청학동도의 청학동은 묵계동천을 그린 것이다

앞에서 본 〈지리산 지맥도〉는 현재 널리 사용되고 있는 네이버 지도와 구글 지도를

128) 《시천면지》에 의하면 '갈티재는 시천면 내공에서 구 청암면 위태리로 너머가는 재. 59호선 도로가 통과한다'라고 한다. '갈치재'와 '공전이재'는 이재의 이칭이다. 따라서 여기서는 '갈티재'로 표기한다. 다만, 학자들은 한자 표현이 들어간 '갈치(葛峙)재'라고 하는 사례가 있다. 먼저, 경상국립대 인문대학 오이환 명예교수는 《남명학의 새 연구(상)》 〈남명유적삼동변증〉(p.170) 중에서 "남명의 유적을 찾아 산청군 시천면 내공리로부터 걸어서 이 '갈치재'를 너머 주산과 묵계 계곡 일대를 답사한 적이 있다"라고 하였다. 또, 경상국립대학 한문학과 최석기 명예교수는 《남명과 지리산》이라는 책(p.180, 181)에서 "오대사는 산청군 시천면 내공마을 뒤편 '갈치재' 너머에 있는데…"라고 했다.

참고해 가면서 실제 지맥을 따라 작성한 것이다. 지구 상공에 무수히 떠 있는 인공위성을 이용한 GPS(Global Positioning System)는 오늘날 지도 제작에서는 기본이다. 이렇게 현대 과학·기술이 뒷받침되어 작성된 지도인 만큼 거의 실제 지형과 일치한다고 할 수 있다.

이런 현대적인 지도를 이용하여 지리산 일대의 중요한 지맥을 표시한 것이 앞서 소개한 〈지리산 지맥도(智異山 地脈圖)〉이다. 이것을 몇 단계의 단순화 작업을 거쳐 현대적인 〈신(新)청학동도〉를 작성했다.

이 〈신청학동도〉와 18세기 말에서 19세기 초에 이서구 등이 작성한 것으로 알려진 지리산 〈청학동도 A형〉에서 볼 수 있는 지맥 흐름과 비교해 봄으로써 청학동의 위치를 특정해 보려고 한다. 앞서 살펴보았듯이 청학동도에는 청학동의 위치를 특정할 수 있는 몇 가지 중요한 정보가 담겨있다.

그 내용과 필자가 작성한 현대적인 〈신청학동도〉를 서로 비교해 보면 비슷하다. 200여 년 전에 그려진 것으로 보이는 지리산 〈청학동도〉와 오늘날 인공위성의 도움을 받아 하늘에서 내려다본 현대적인 〈신청학동도〉 사이에 큰 차이가 없다는 점은 참으로 놀라운 일이 아닐 수 없다. 당시 청학동도를 그린 우리 선인들의 지리산을 조감(鳥瞰)하여 그려낸 그 섬세한 공간 감각에 감탄할 뿐이다.

자, 그럼 〈청학동도〉와 〈신청학동도〉를 비교해 보자.

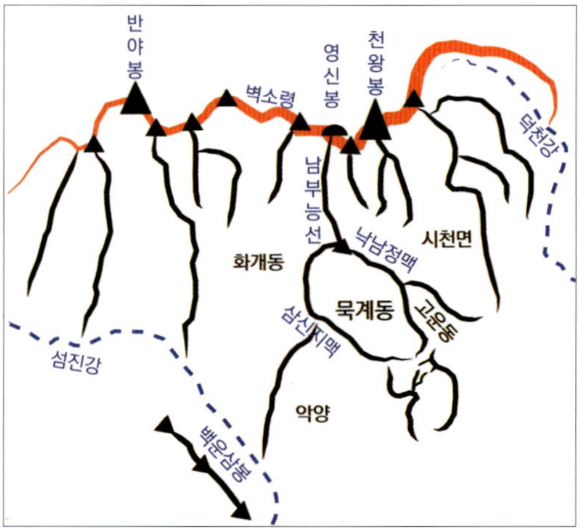

1단계 작업(전체 회전 및 지맥 간략화)

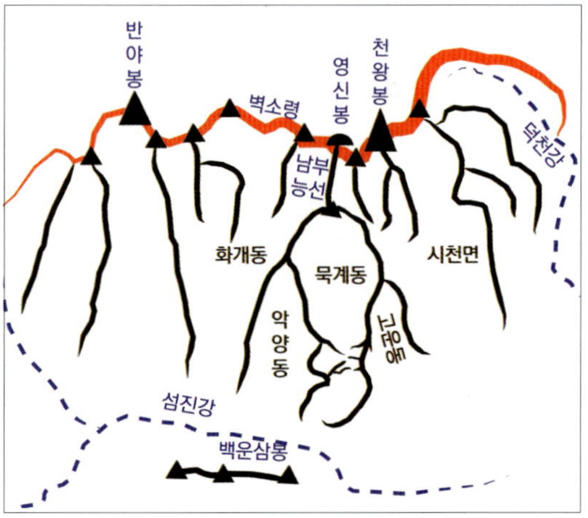

2단계 작업(묵계동, 백운삼봉, 섬진강 회전)

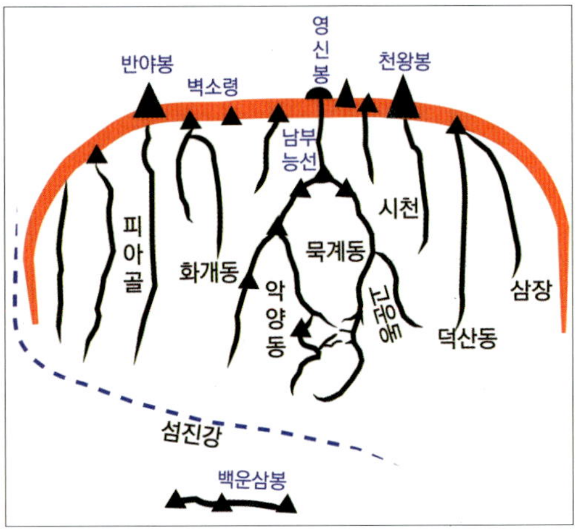

3단계 작업(지맥 단순화, **〈신청학동도〉** 완성)

〈청학동도 A형〉

첫째, 천왕봉과 영신대, 벽소령, 반야봉을 잇는 **지리산 주 능선이 1차 지맥**이다. 이 지맥이 최외각에 위치하며 지리산 남쪽 전체를 감싸는 형국인데, 이를 두고 위당 정덕영 선생은 "동쪽 천왕봉과 서쪽 반야봉은 사람이 양쪽 어깨에서 팔을 펼친 것과 같고 솟은 산줄기는 새가 두 날개를 펼쳐 날아오르려 하는 것과 같다(p.258 참조)"라고 묘사했다. 참 적절한 표현이다. 이 점은 이서구 등의 지리산 〈청학동도〉와 현대적인 〈신청학동도〉가 완벽하게 일치한다. 따라서 이서구의 〈청학동도〉에서 '청학동'이라고 알려진 분지형 지형은 〈신청학동도〉에서는 **'묵계동'이다.**

셋째, **전통적으로 청학동의 후보지로 알려진 화개동이나 악양동, 세석평전 등은 〈청학동도〉에서 제비집 모양의 둥근 분지 안에 들지 못하며** '청학동 주변에 명시'되어 있다.

넷째, **"청학동 입구는 수구(水口)가 꽉 막혀서 물길도 사람 길도 험난하다"**라는 것은 **청학동 입구에는 석문(石門)이 있다는 것을 암시**한다. 실제로 묵계동천 입구 용유동에는 수구가 막혀 있고, 도로가 뚫리기 전에는 장재터 마을 아래에 험난한 내 · 외석문이 있었다는 것은 묵계동 선주민이라면 누구나 다 아는 사실이다.

다섯째, 이서구의 〈청학동도〉에서는 '청학동' 분지 내에 연못[池], '삼대[상대, 중대, 하대]' 등이 명시되어 있다. 그러나 이런 것들을 청학동을 구성하는 필수요소라고 단정하기는 어렵다. 왜냐하면 이런 요소들은 소품에 불과하다고 생각한다. 지리산 계곡치고 연못이 없는 곳이 없고, 석천이 없는 곳이 없다. 또한 지리산 일대는 전형적인 산지 지형이므로 모양과 크기가 다양한 대(坮)가 존재하기 때문이다.

이상에서 본 것처럼, 200여 년 전에 활동한 전라감사 이서구 등이 그렸다고 알려진

〈청학동도〉에서 말하는 '청학동'은 오늘날 인공위성 등의 현대적인 과학・기술의 도움으로 그려낸 네이버나 구글 지도 등을 근거로 작성한 현대적인 〈신청학동도〉와 비교 분석해 본 결과 다음과 같은 결론을 내릴 수 있었다.

〈청학동도〉에서 영신대(봉)에서 직접 뻗은 지맥이 분지하여 제비집(호리병) 모양을 한 곳이 청학동이다.
〈신청학동도〉에서 영신대(봉)에서 직접 뻗은 지맥이 제비집(호리병) 모양을 한 곳은 묵계동이 유일하다.
〈청학동도〉에서 제비집(호리병) 모양을 한 청학동은 바로 '묵계동'이다!

〈청학동도〉가 횡행하던 시절에 오늘날 GPS처럼 지리산 지맥 전체를 하늘에서 조감할 수 있는 능력을 갖춘 사람이 있었더라면, '묵계동이 바로 청학동이다.'라는 비밀을 알 수 있었으리라!

마. 남명 선생이 세 번이나 다녀간 용유동은 '청암계곡'이다!

남명 선생이 만년을 보낸 산천재. 마당에는 '남명매'가, 마루에 앉으면 '천왕봉'이 보인다(2024.12.1 촬영).

(1) 남명 선생은 지리산을 열 번 이상 드나들었다

2023년 10월 10일은 필자가 남명 선생이 명명한 '용유동'이 '청암계곡'임을 처음 알게 된 날이다. 경상국립대학 칠암 캠퍼스에서 '진주남강유등축제'의 하나로 '한·일 차문화교류행사'가 열렸다. 당시 필자는 《세치야마 미요코(瀬地山澪子)가 풀어낸 리큐(利休) 차실의 수수께끼》라는 책을 읽고 있었다. 경상국립대학 한국차문화연구원 정헌식 원장을 비롯한 몇몇 회원들과 함께 일본인 참석자들과 이 책에 관해 의견을 나누는 뜻깊은 자리였다.

그런데 이 자리에 경상국립대학 인문학부 오이환 명예교수도 참석했다. 행사를 마치고 우리 일행은 오 교수님 부부와 함께 경상국립대학 100주년기념관에서 개최 중이었던 소목장 김동귀 명예교수의 전시회를 관람했다. 이 자리에서는 당연히 지리산의 목재가 화제가 되었고, 그런 중에 오교수님께 '남명과 회남재 설화'에 관한 질문을 했다. 오 교수는 1997년 사단법인 남명학연구원의 '제1회 학술대상'을 수상한 분으로 남명학을 오랫동안 연구한 학자이다. 그날 이후 오 교수님으로부터 남명의 회남재 설화와에 관한 논문과 〈남명유적삼동변증(南冥遺跡三洞辨證)〉[129]이라는 논문을 소개받았다.

그런데 오 교수의 이 논문에는 놀랄만한 내용이 담겨있었다. 남명 선생이 《유두류록》에서 세 번이나 다녀갔다고 고백한 '용유동(龍遊洞)이 바로 청암계곡이다.'라는 결론이었기 때문이었다. 참고로 이 논문은 오 교수가 쓴 《남명학의 새 연구》(상/하)[130]라는 책에도 실려있다.

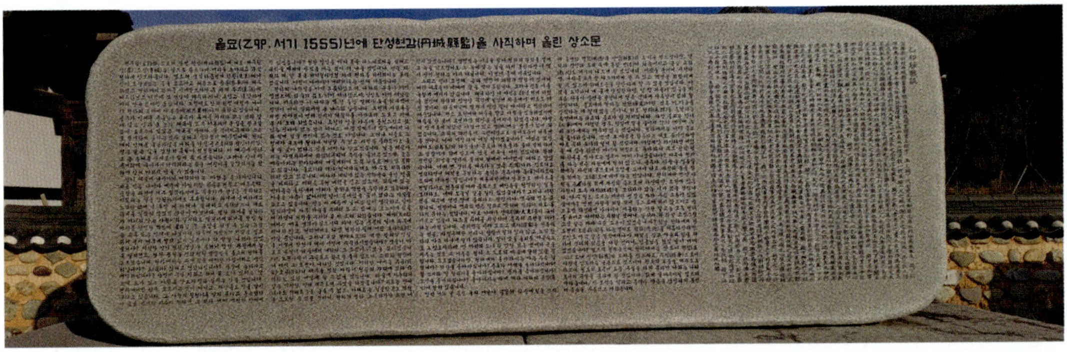

〈남명 선생이 을묘년에 단성현감을 사직하며 올린 상소문〉(합천군 삼가면 외토리 토동마을 '용암서원' 입구에 석각 되어 있다. 그 앞에 '뇌룡정'이 있다.

남명 선생은 1558년 4월 11일부터 4월 25일까지 보름 동안 오늘날 하동군 악양면과 화개면 일대를 여행한다. 선생이 58세 때였다. 이 시기는 남명 선생의 최전성기였다고 생각된다. 남명 선생이 명종에게 올린 '단성현감사직소(丹城縣監辭職疏)', 즉 '단성소'를

129) 오이환, 《남명학연구》(제10집), 경상국립대 남명학연구소, p.63~98

130) 오이환, 《남명학의 새 연구(상/하)》, 한국학술정보(주), 2012

올린 것이 1555년으로 55세 때였다. 이 단성소로 남명 선생은 나라의 임금도 함부로 할 수 없는 재야의 거유(巨儒)로서 전국적인 존재감을 드러내며 명성을 떨치던 시기였기 때문이다.[131)]

남명 선생은 고령 현감 이희안(李希顔, 1504~1559)과 함께 합천 삼가에서 출발하여 진주와 사천을 거치면서 진주목사 김홍(金泓, 1490~1561), 그의 자형인 이공량(李公亮, 1500~1565), 청주 목사 구암 이정(李楨, 1512~1571)과 합세한다. 사천만에서 배를 타고 섬진강을 거슬러 올라가다가 하동 악양 삽암(鍤巖)[132)]에서 고려 시대의 은사(隱士)인 녹사 한유한의 유적지를 둘러본다. 한 녹사(錄事)는 장차 고려 조정이 어지러워질 조짐을 보고서 처자를 거느리고 지리산에서 은거했다. 이어서 도탄(陶灘, 오늘날 화개면 덕은리)에서 일두 정 선생의 옛집을 둘러본다.

---

131) 〈단성소(丹城疏)〉는 남명 선생이 1555년 12월 12일에 명종에게 올린 상소문. 단성현감에 제수되었을 때 이를 사양하면서 올린 상소이다. 그래서 〈단성현감사직소(丹城縣監辭職疏)〉라 하며, 이 상소를 올린 것이 을묘년(서기 1555년)이므로 〈을묘 사직소(乙卯 辭職疏)〉라고도 부른다. 〈단성소〉는 그 파격적인 내용 때문에 오늘날까지도 회자되는 명문이다. 남명 선생은 여기서 문정왕후를 궁중의 과부에 지나지 않고 왕인 명종은 선왕의 한 아들, 즉 고아나 마찬가지인데 무슨 수로 천재지변과 민심을 수습하겠냐고 신랄하게 정국을 비판했다(《나무위키》에서 인용). 실재 허권수 교수의 〈단성소〉 '해설'에 의하면, 나라를 올바로 다스리는 길은 임금의 마음에 달려있으므로 심기일전하여 나라를 바로잡을 것을 강직한 어투로 건의하고 있다. 남명의 상소 줄거리는 대략 다섯 가지로 요약할 수 있다. 첫째, 조정의 형편은 거의 망할 지경에 접어들었는데 그 원인은 대소 관원들이 모두 파당만 짓고 자기 이익만 챙기려 하기 때문이다. 둘째, 왕권은 무력할 대로 무력한데 이렇게 왕권이 무력해서야 어떻게 국가의 위기 상황을 극복하겠느냐? 지금 왕권의 무력함과 관리들의 부패하고 무능한 결과로 국가 위기 상황이 잇달아 발생하고 있다. 셋째, 국가의 위기 상황을 극복하려고 한다면 왕 자신의 마음가짐을 새롭게 하는 것이 중요하지, 지엽적인 제도나 법령 등을 개정한다고 될 수 있는 것이 아니다. 넷째, 임금 스스로 학문을 닦아 정치의 바른길을 알아야지, 왕이 대비나 외척 · 간신들에게 끌려다녀서는 안 된다. 다섯째, 이상의 모든 정치적 폐단이 바로 잡힌 뒤라면 자기도 정치에 나아가 정치에 종사할 용의가 있다는 것이었다. 당시 갓 스물을 넘긴 명종(明宗)은 남명의 상소문을 받아 보고서 겸허하게 그 내용을 검토하여 정치를 쇄신할 결심을 하기는커녕 노발대발하여 승정원(承政院: 왕명의 출납을 맡는 비서실)에 명하여 남명을 '불경군상죄(不敬君上罪: 임금에게 언행을 불손하게 한 죄)'로 엄하게 다스리도록 했다. 조야(朝野)의 중망(重望)을 한 몸에 받고 있던 남명은, 이 상소로 인하여 한동안 논란의 대상이 되었지만, 이때부터는 임금도 무시 못 하는 존재로 성장하였다. 이를 계기로 남명 선생은 그야말로 재야 언론의 영수가 된 것이다. 조선 건국 이후 이때까지 임금의 실정을 이정도로 강경한 목소리로 직접 지적한 사람은 아무도 없었다. (이상은 허권수 교수의 《남명의 산문선》(경상국립대 남명학연구소 남명학 교양총서 04), 〈을묘사직소(乙卯辭職疏)〉의 〈해설〉에서 인용)

132) '삽암'의 한자 표기는 원전(原典)에 따라 다양하다. 먼저, 《일두집(一蠹集)》, 《남명집(南冥集)》의 〈유두류록〉, 《남명집》을 인용한 《퇴계집(退溪集)》, 《부사집(浮查集)》 등에서는 '삽암(鍤巖)'이라고 했으나, 《진양지(晉陽誌)》, 《대동지지(大東地志)》, 《동국여지지(東國輿地志)》, 《신증동국여지승람(新增東國輿地勝覽)》, 《여도비지(輿圖備志)》, 《여재촬요(輿載撮要)》, 《여지도서(輿地圖書)》, 《면우집(俛宇集)》 등에서는 '삽암(鈒巖)'이라고 했다. 또, 조경남(趙慶男, 1570~1641)의 《난중잡록(亂中雜錄)》, 정식(鄭栻, 1664~1719)의 《명암집(明庵集)》 등에서는 '삽암(插岩)'이라고 한 표현도 보인다. 따라서 이 책에서는 원전에 따라 '삽암(鍤巖)', '삽암(鈒巖)', '삽암(插巖)'을 썼다.

또, 화개의 쌍계 석문, 쌍계사, 청학동으로 알려진 불일암, 신응사 등지를 둘러보고 귀로에는 진주목 악양현 조창(漕倉)의 숙소인 개치원[133]에서 잠을 자고, 여기서부터는 도보로 삼가식현[오늘날 하동군 악양면과 적량면 사이의 삼화실재], 횡포역[하동군 횡천면 횡천리], 정수역[하동군 옥종면 정수리]을 거쳐 보름 만에 합천 삼가로 돌아갔다.

당시, 남명 선생이 지리산을 자주 드나든 사실을 알고 있던 친구들이 남명 선생에게 유람기를 쓰도록 권했단다.[134] 이렇게 하여 탄생 된 유람기가 유명한 〈유두류록(遊頭流錄)〉이다. 이 유람기의 마지막에 지리산 골짝을 오르내렸다는 기록을 다음과 같이 직접 남겼다.

> 내 일찍이 이 산에 왕래하여, 덕산동(德山洞)으로 들어간 적이 세 번, 청학 · 신응동 (靑鶴 · 神凝洞)으로 들어간 적이 세 번, 용유동(龍遊洞)으로 들어간 적이 세 번이었고, 백운동(白雲洞)으로 들어간 적이 한 번, 장항동(獐項洞)으로 들어간 적이 한 번이었다.[135]

이렇게 58세 이전에 지리산을 열 번 이상 왕래한 남명 선생은 지리산의 크고 작은 수많은 골짜기를 형성하고 있는 지맥을 보고 "마치 누런 소 갈비뼈 같은 두류산 골짝을 열 번이나 답파했다"라는 시(詩)[頭流十破黃牛脇][136]를 남겼다. 필자도 지리산에 오를 때마다 눈 앞에 펼쳐진 파도처럼 펼쳐진 산줄기와 계곡의 모습에 압도당했던 기억이 생생하다.

(2) 남명 선생이 지리산 골짜기를 자주 찾은 이유는 무엇일까?

그렇다면 남명 선생은 지리산을 왜 이렇게 자주 드나들었을까? 다시 〈유두류록〉을 살펴보자.

오 교수는 "그가 이처럼 자주 지리산에 왕래한 것은 단순히 유람이나 등산을 목적으로 한 것이라기보다는 그중 열 번 정도는 자신이 은거하여 만년을 보낼 장소를 물색하기 위함이었다."라고 하였다.

---

133) 여경엽의 《하동지속수(河東誌續修)》에 '화악창(花岳倉) 재악양면(在岳陽面) 개치원(開峙院)'이라는 기록과 《악양면지》에는 "개치마을은 국립여관 격인 개치원이 있었다. 의창(義倉)인 화악창은 창촌(현재 개치)에 1518년에 세웠는데, 악양현과 화개현은 진주목과 거리가 멀어 관곡 수납에 노고가 크다고 설치한 것이다"라고 하였다.

134) 최석기 외, 《선인들의 지리산 유람록》, 〈유두류록〉, '諸君以余頻入頭流因知山間事者也 令余記之'

135) 조식, 〈유두류록〉, '余嘗往来玆山. 曾入德山洞者三, 入靑鶴 · 神凝洞者三, 入龍遊洞者三, 入白雲洞者一, 入獐項洞者一'(최석기 외, 위의 책에서 인용)

136) 최석기 외, 위의 책

천왕봉 새벽 운해.
남명은 '황소 갈비뼈 같은 두류산 99곡을 열 번이나 답파했다[頭流十破黃牛脇].

> 어찌 다만 산을 탐하고 물을 탐해서 가고 오는 번거로움을 꺼리지 않았겠는가? 한평생 지녀온 계획이 오직 '화산(華山)의 반쪽[137)]'을 빌어 늘그막 여생을 마칠 장소로 삼고자 했을 뿐이었다. 일이 마음과 어긋나 머무를 수 없음을 알고서, 서성거리고 되돌아보며 생각하다가 눈물을 흘리면서 나오곤 했던 것이니, 이렇게 하기를 열 번이었다. 이제는 시골집에 매달린 박처럼 산송장이 되어 있으니, 이번 걸음은 또한 다시 하기 어려운 걸음이라 어찌 답답한 심정이 아니겠는가?[138)]

이렇게 고뇌하는 남명에 대해서 "그러한 계획을 꽤 오랜 세월에 걸쳐 지니고 있었으며, 특히 처가(妻家) 고장인 김해에서 늦게 얻은 외아들을 잃고, 모시고 있던 어머니도 돌아가시자 김해 산해정(山海亭)의 생활을 청산하고 홀로 고향인 삼가로 돌아온 중년 이후부터 그러한 생각이 더욱 절실하였던 것으로 보인다."[139)]라고 오 교수는 말한다.

남명 선생은 그의 중년기인 1544년 6월 11일, 외아들 조차산(曺次山)을 병으로 잃었다. 그의 나이 44세 때였다. 차산은 어려서 뛰어나게 총명했다고 하는데, 그런 아들을 잃은

137) '화산(華山)의 반쪽'이란 《서경(書經)》 주서(周書), 무성편(武成篇)에 나오고, 또, 앞서 소개한 두류십파황우협(頭流十破黃牛脇)의 '황우(黃牛)'란 《주역(周易)》 둔괘(遯卦) 육이(六二) 및 혁괘(革卦) 초구(初九)의 효사(爻辭)에 출전을 두고 있고, 이것들은 모두 '은둔을 의미하는 말'로서, 남명이 이러한 장소를 찾은 이유가 '만년을 보낼 은둔의 장소를 물색하기 위한 것'이었음을 방증해 주고 있다(이상은 오이환의 자유기고 〈지리산과 남명학관〉, 《남명원보(南冥院報)》, 제25호(2002.3.15.)에서 인용).

138) 豈直爲貪山貪水 而往来不憚煩也 百年齎計 唯欲借得華山一半 以作終老之地已 事與心違 知不得住 徘徊顧慮 涕洟而出 如是者十矣 於今匏繫田舍 作一行屍 此行又是難再之行 寧不悒悒(《遊頭流錄》)에서 인용)

139) 오이환, 《남명학의 새 연구》(하), 〈남명과 조식과 지리산〉, 한국학술정보(주), 2012

아비의 마음은 오죽했을까? 그해 요절한 아들 차산을 추도하고 한탄하면서 지은 시[140]가 가슴을 아리게 한다.

〈아들을 잃고서[喪子(상자)]〉[141]

靡室靡兒僧似我(미실미아승사아) 집도 없고 아들도 없는 네 신세 중과 비슷하고
無根無蔕我如雲(무근무체아여운) 뿌리도 꼭지도 없는 이내 몸 구름 같도다.
送了一生無可柰(송료일생무가내) 한평생 보내다 보니 어쩔 수 없었는데
餘年回首雪紛紛(여년회수설분분) 남은 해 돌아보니 흰 눈처럼 어지러운 내 머리

1545년, 그의 나이 45세에 어머니 인천이씨마저 세상을 뜨자, 3년 동안 시묘살이를 마치고 18년 동안 학문을 정진해온 김해 산해정 생활을 끝낸다. 고향인 삼가에 계부당(鷄伏堂)과 뇌룡정(雷龍亭)을 건립하고 강학을 시작하였으니 그의 나이 48세 때였다.

남명 선생 유적지 -〈덕산 산천재(山天齋)〉

남명 선생 유적지-〈삼가 뇌룡정(雷龍亭)〉

남명 선생 유적지-〈김해 산해정(山海亭)〉 (사진: 휴암 양영욱)

140) 정우락, 《남명 문학의 현장》, 〈제2장, 김해지역 산해정(3)〉, 경인문화사, 2006, p.34

141) 허권수, 《남명의 한시선》(경상국립대 남명학연구소 남명학교양총서 03), 경인문화사, p.76.

이로부터 〈유두류록〉을 남긴 58세 때까지 10여 년간, 자신이 은거하여 만년을 보낼 장소를 탐색하기 위해 남명 선생은 지리산 골짝 골짝을 자주 드나들었다. 따라서 남명 선생이 만년을 보낼 장소를 찾아다닌 것은 주로 김해 생활을 청산하고 고향인 삼가로 돌아온 중년 이후부터라고 할 수 있다.

만일 남명 선생의 회남재 전설이 사실이라면, 그가 회남마을과 회남재를 방문한 시기는 지리산을 십여 번 드나들었던 '뇌룡정 시대'가 아닐까 생각된다.

(3) 남명 선생이 세 번이나 드나든 지리산 용유동은 어디인가?

(가) 용유담을 남명 선생이 세 번 찾은 용유동으로 보는 설

함양군 마천면 용유담 상류의 거대한 돌개구멍(pothole)의 모습
(2015년 2월, 경남과학고 지구과학과 선생님들과 함께 현지 조사 중 필자 촬영)

용유담은 지리산 북쪽에서 최고의 경치라고 해도 과언이 아니다. 필자는 젊은 교사 시절, 함양군 마천(馬川)중학교에서 과학 교사로 근무한 적이 있다. 이때 용유담 일대의 '돌개구멍(pot hole)'에 매료되어 용유담을 자주 찾았다.

점필재(佔畢齋) 김종직(金宗直) 선생은 1471년[41세]부터 1475년[45세]까지 함양군수로 재직했다. 이때 이곳 용유담에서 기우제를 지낸 것으로도 알려져 있는데 〈7월

28일 용유담에서 비를 빌다[**禱雨龍遊潭**][142])라는 오언시(五言詩) 5편을 남겼다.

그 첫 번째 시의 제4구에서 "**몸 굽히고 두 번 머리 조아리노라.[傴僂再稽首]**"라고 했고, 그 두 번째 시의 제3~4구에서는 "**나는 산 구경하러 온 게 아닌데[我行非爲山] 어이해 구름 일고 (비가 내려) 피부를 적시지 않는고[膚寸胡不湊]**"라고 읊었다. 점필재가 목민관으로서 '목마른 백성들을 위해 간절한 마음으로 기우제를 올린 진정성'을 잘 엿볼 수 있다.

또, 점필재는 〈용유담에서 네 절구를 짓다.[**龍遊潭曲四絶**] 이때 극기(克己)[143]와 정숙(貞叔)[144]이 따라왔다〉라는 칠언절구(七言絶句)[145]도 4편이나 남겼다. 이 시에 '용유담은 바로 지난해에 비를 기도했던 곳인데, 그 아래는 수잠탄(水潛灘)이 있다.[**潭內前年 禱雨之處 下有 水潛灘**]'라는 병서(幷序)가 있는 것으로 보아 점필재는 2년 연속 업무상 용유담을 방문한 것으로 보인다. 이처럼 점필재가 이곳을 자주 방문하여 시를 지었다는 사실은 문헌상 명백히 드러난다. 따라서 점필재 선생은 명승지 용유담 일대를 소요하며 자연을 즐겼다는 사실이 명백하다.

그중에서 세 번째 절구의 끝에 '바위 위에서 점심을 먹을 적에 비가 내렸다[**岩上澆飯時**

---

142) 점필재가 쓴 〈7월 28일 용유담에서 비를 빌다.[禱雨龍遊潭]〉라는 오언절구 5편 중 1, 2편만 소개한다.
○ 그 첫 번째[其一]는, '양쪽 절벽이 급한 여울 동여매어[兩崖束崩湍] 십 리 밖까지 우렛소리 들리네[十里鬥雷吼] 돌 모양은 스스로 천태만상이요[石狀自千萬] 그 위에는 굴혈들이 많이 있으니[其上多嵌竇] 아마 여기에 신룡이 사는가 하여[疑是神龍居] 몸 굽히고 두 번 머리 조아리노라[傴僂再稽首]'
○ 그 두 번째[其二]는, '푸르고 푸른 저 천왕봉에[蒼蒼天王峯] 안개구름이 수증기처럼 일어나더니[雲霧若饙(=餴)餾] 삽시에 쓸어 낸 듯 활짝 걷히어[須臾劃開豁] 초목이 선명해서 셀 수도 있겠네[草木粲可數] 나는 산 구경 하러 온 게 아닌데[我行非爲山] 어이해 구름 일고 피부를 적시지 않는고[膚寸胡不湊](이상은 김종직, 《점필재집(佔畢齋集)》(칠권/시)(한국고전종합DB에서 인용)

143) 점필재의 문인인 유호인(兪好仁, 1445~1494)을 가리킨다. 극기(克己)는 그의 자이며, 호는 뇌계(㵢溪), 본관은 고령이다. 1474년 문과에 급제하여 벼슬길에 나아간 뒤 공조좌랑, 합천군수 등을 지냈다. 시문(詩文)에 뛰어난 인물이다(최석기 등이 번역, 출판한 《선인들의 지리산 유람록》 중 김종직의 〈유두류록〉의 각주에서 재인용).

144) 임대동(林大仝, 1432~1503)은 점필재의 문인으로 1474년 사마시에 급제하였다. 정숙(貞叔)은 그의 자이며, 호는 만절(晩節) · 회헌(晦軒), 본관은 나주(羅州)이다(최석기 등이 번역, 출판한 《선인들의 지리산 유람록》 중 김종직의 〈유두류록〉의 각주에서 재인용). 그런데 임정숙은 탁영 김일손의 〈속두류록〉에도 여러 차례 등장한다. "천령 사람 임정숙(任貞叔)도 따라나서서 세 사람이 행장을 준비하였다[天嶺人 林貞叔亦從 以備三人之行]"라거나, "임정숙이 먼저 와 용유담 바위 위에 음식을 차려 놓고서 우리를 기다리고 있었다[貞叔先待於潭石上 具饌以待]", "임정숙이 말하기를 '이곳은 점필공(佔畢公)이 군(郡)을 다스릴 때, 기우제를 지내기 위해 재계하던 곳입니다[貞叔云 此佔畢公爲郡時 禱雨齋宿處也]"라고 말하는 장면이 등장한다.

145) 김종직, 《점필재집(佔畢齋集)》(7권/시)(시의 원문과 해석은 한국고전종합DB에서 인용). 참고로 제1절(絶)은 '용유담의 위는 여러 산봉우리의 중턱인데[龍遊潭上亂峯腰]'라고 시작하며, 제3절은 '용유담 밑에는 우렛소리 사라졌으니[龍遊潭底泯雷音]', 제4절은 '용유담 아래는 물이 기름같이 맑아서[龍遊潭下水如油]'라고 시작한다.

有雨]'라는 병서(竝序)까지 곁들인 것은 그 전 해에 있었던 기우제를 연상시키는 구절이다. 특히 각 시의 첫 구절을 모두 '용유담(龍遊潭)'이라는 단어로 시작한 것으로 보아 점필재 선생의 용유담에 대한 진한 애정을 엿볼 수 있는 시(詩)이다.

〈용유담에서 네 절구를 짓다[龍遊潭曲四絶]〉의 2번째 절구[146)]

龍遊潭畔石磨礱 용유담 가에는 돌들이 오랫동안 닳아서
小若窪樽大埳空 작은 것은 술동이 같고 큰 것은 구덩이 같네
造化兒能容易辦 조화옹이야 이를 쉽게 만들어 냈으리
蒼崖回首想鴻濛 푸른 절벽에 머리 돌려 자연의 이치 상상하노라!

또, 미수(眉叟) 허목(許穆, 1595~1682) 선생은 〈지리산기(智異山記)〉에서 용유담을 다음과 같이 묘사했다.

> 백장사(百丈寺) 남쪽에 군자사(君子寺)가 있는데, 지리산 북쪽 기슭에 있는 고찰(古刹)이다. 그 아래가 용유담(龍游潭)으로 홍수나 가뭄이 들었을 때 희생과 폐백을 써서 제사 지낸다. 용유담의 물은 반야봉(般若峯) 아래에서 발원하여 동쪽으로 흘러 임계(臨溪)가 되고, 다시 동쪽으로 흘러 용유담이 된다. 골짜기는 돌투성이고 양쪽 벼랑에서 물이 흘러 돌 위에 석감(石坎: 돌구덩이) · 석두(石竇: 돌구멍) · 석갱(石坑: 돌 웅덩이)이 있는데 교룡(蛟龍)이 꿈틀거리는 듯하고 규룡(虯龍)이 서려 있는 듯하여, 기괴한 것이 천태만상이다. 물은 짙은 흑색인데 솟구쳐 올라와 소용돌이를 이루고, 빙빙 돌며 하얗게 부서져 얕은 모래톱이 없는 곳이 1리가 넘으며, 그 아래 긴 여울이 또 1리가 넘는데 수잔(水潺)이라고 이름하니, 동쪽으로 흘러 마천(馬川)과 엄뢰(嚴瀨)가 된다.[147)]

이상에서 보듯이 용유담은 오래전부터 짙은 호수와 기암괴석으로 신선이 노니는 별천지로 인식됐다. 그야말로 용(龍)이 놀았다고 할만한 명소이다.

또한 '마적도사(馬跡道師)와 구룡(九龍)의 전설'도 있고, '용유담 물고기 중에 스님의 가사(袈裟)와 같은 무늬가 있어서 이를 가사어(袈裟魚)라고 한다'라는 이야기도 전해온다. 그래서인지 용유담(龍遊潭)을 '하나의 깊은 못(潭)'이라는 단순한 개념에 머물지 않고 그

146) 《점필재집》(7권)에서 인용

147) 허목, 《기언》(제28권 하편), 〈산수기(山水記)〉 원문은 "百丈南君子寺 智異北麓古寺 其下龍遊潭 水旱用牲幣 潭水發源於般若峯下 東流爲臨溪 又東流爲龍游潭 洞壑石場 兩崖水流 石上有石坎石竇石坑 若蛟螭蜿蜒 蟠屈蚪蚪 奇詭百狀 水深黑 潰湧盤渦 洄漩沸白 無淺渚者里餘 其下脩瀨 又里餘曰水潺 東流爲馬川 嚴瀨"(원문과 번역문은 한국고전종합DB에서 인용)

주변의 기암괴석을 포함한 공간까지 확장하여 '동천(洞天)'으로 보는 시각도 얼마든지 가능할 것으로 생각한다.

용유담(龍遊潭)을 용유동(龍遊洞)이라고 인식한 사례가 실제로 있었다. 이것을 논의의 편의상 '용유담 용유동(약칭: YY)'이라 칭하기로 하자.[148] 그런데 앞서 보았듯이 남명 선생은 〈유두류록〉에서 "용유동을 3번이나 방문했다"라는 기록을 남겼다. 그래서 남명 선생의 〈유두류록〉에 등장하는 용유동을 '남명의 용유동(약칭: NY)'이라고 구분하여 부르기로 한다.[149] 이것은 YY가 NY인지 속단하기는 아직 이르기 때문이다.

'용유담 용유동(YY)'의 사례는 그 역사가 아주 깊다. 먼저, 덕계(德溪) 오건(吳健, 1521~1574) 선생의 자제(子弟)인 사호(思湖) 오장(吳長, 1565~1617)의 《사호집(思湖集)》에서 〈등망취대(登望翠臺)〉와 〈용유동(龍遊洞)〉이라는 오언율시(詩)[150]가 있다. 그 내용은 다음과 같다.

〈망취대에 올라[登望翠臺]〉

山深雲入帽(산심운입모) 산이 깊어 구름은 두건을 쓴듯 하고
逕狹露沾鞋(경협로첨혜) 비탈길 좁아 이슬이 짚신을 적시누나
嚥液擎丹果(연액경단과) 잘 익은 과일을 들고서 진액을 빨아 먹으며
攀危度石梯(반위도석제) 위태로움 부여잡고 돌층계를 건너네
波紋搖日出(파문요일출) 물결무늬는 일출을 흔들고
嶽色亘天齊(악색긍천제)* 산악의 색은 하늘에 이어졌네
ⓐ晩入龍遊洞(만입용유동) 느지막이 용유동에 들어가 보니
楓林幽鳥啼(풍림유조제) 단풍 짙은 숲속에서 새 우는 소리 그윽하구나

〈용유동(龍遊洞)〉

古有龍遊跡(고유용유적) 옛부터 용이 노닌 자취가 있었고
人傳智異門(인전지리문) 사람들이 지리산의 입구(入口)라고 전하네!
千尋穿壑竇(천심천학두) 천 길 골짜기에 구멍이 뚫린 듯하고

148) '용유담'의 약칭을 'Y', 용유동의 약칭을 'Y'라 하여 '용유담 용유동'의 약칭을 여기서는 'YY'라 한다.

149) '남명 선생의 약칭을 'N', 용유동의 약칭을 'Y'라 하여 '남명의 용유동'의 약칭을 여기서는 'NY'라 한다.

150) 오장, 《사호집(思湖集)》(2권), 시(詩), 〈용유동(龍遊洞)〉(원문은 한국고전종합DB에서 인용, 번역은 松齋(송재) 金信守(김신수) 전 산청향교 전교)

萬狀幻巖根 일만의 형상들은 바위 뿌리가 변한 듯하네
闔闢乾坤判 천지[乾坤]의 열고 닫음이 결정되고
升沉日月分 일월(日月)의 뜨고 짐이 구별되네
見聞今始了 이제야 견문하고 비로소 구경을 마치니
眞假定誰論 참인지 거짓인지 정히 누가 논할쏘냐!

위의 ⓐ에서 '(느지막이) 용유동에 들어가니'라고 한 것으로 보아 이 두 시는 같은 시기에 연이어 쓴 것으로 보인다. 그렇다면 사호가 유람한 용유동은 과연 어디일까? 또 그 시기는 언제였을까? 그 실마리가 될 자료들을 찾기 시작했다.

먼저, 《사호집》의 〈해제〉[151]에서 '<u>ⓑ(사호가) 1604년(선조 37) 가을, 친구들과 남계(藍溪)에서 만나 망취대(望翠臺)와 용유동(龍游洞)을 유람하다</u>'라는 기록을 찾았다. 따라서 위에서 소개한 사호의 두 시는 1604년 가을에 읊은 것이 확실하다. 특히 위 ⓑ에서 '남계(藍溪)'라는 지명에 주목했다. 필자는 1982년 3월부터 1984년 2월까지 함양읍에 있는 함양종합고등학교에서 2년 동안 근무한 적이 있다. 그래서 '남계'가 함양에 있는 '남계천'임을 직감했다. 함양군 수동면 원평리에는 일두(一蠹) 정선생을 추모하기 위해 세운 '남계서원(灆溪書院)'과 탁영(濯纓) 김선생을 추모하기 위해 세운 '청계서원(淸溪書院)'이 나란히 있다.

이 두 서원의 앞을 흐르는 강을 '남계천'이라고 한다. 남계천은 남덕유산에서 발원하여 함양군 서상면, 서하면, 안의면의 화림동 계곡을 거처 내려오다가 연암 박지원의 물레방아로 유명한 용추계곡에서 내려온 물과 안의(安義)에서 합류하여 남계서원 앞을 거쳐 생초에서 지리산 북쪽 운봉, 인월, 산내, 마천과 용유담을 거쳐 내려온 임천과 합류하여 경호강이 되고, 또, 지리산 남록의 덕천강과 합류하여 진주 남강이 된다. 지금은 경호강과 덕천강이 진양호로 흘러 들어간다.

고산자(古山子) 김정호가 쓴 《대동지지(大東地志)》의 함양군 〈산수(山水)〉 조(條)에 '남계는 읍치(邑治)에서 동쪽으로 15리, 안의(安義) 경계에 있다. 남쪽으로 흐르다가 임천(瀶川)·뇌계(溞溪)와 합쳐서 동쪽으로 흘러 산청(山淸) 경계로 들어가 진강(晉江)의 근원이 된다.'[152]라고 한 기록이 이를 뒷받침한다.

위 ⓑ에서 보듯이 산청의 선비 사호(思湖)는 산청과 함양의 경계 지점인 '남계'에서

151) 김은정, 한국문집총간 해제, '《사호집(思湖集)》의 행력' 條(고전번역원 한국고전종합DB)

152) 김정호, 《대동지지(大東地志)》, 함양군 산수 조(條), '灆溪 東十五里 自安義界南流 與瀶(임)川, 溞(뇌)溪合而東流入于山淸界 爲晉江之源'

친구들을 만나 '용유동에 들어갔다[入龍遊洞]'라고 했으니, 그가 들어간 용유동은 남계에서 멀지 않은 곳일 것으로 추정된다. 따라서 사호가 들어간 용유동은 '용유담 용유동(YY)'을 지칭했을 가능성이 커 보인다.

이런 의문 속에서 자료를 찾던 중에 한국고전번역원에서 그 수수께끼를 풀 수 있는 새로운 자료를 찾았다. 그것은 경북대 정우락 교수가 쓴 《고대일록(孤臺日錄)》[153]의 해제였다.[154] 정경운(鄭景雲, 1556~1609)의 《고대일록》의 '1604년 윤 9월 4일 조'에 이 장면을 다음과 같이 기록하고 있다. 아래 문장 중의 밑줄과 원문자 등은 필자가 넣었다.

> 이른 아침에 용유담(龍遊潭)으로 출발했다. ⓒ<u>오익승(吳翼承) · 노경소(盧景紹) · 강위서(姜渭瑞) · 우혜보(禹惠甫) · 손관부(孫寬夫) 등의 여러 사람을 엄천(嚴川)에서 만나, 서로 함께 고삐를 나란히 하고 계곡을 따라 단풍이 가득한 산에 올랐다. 영청(影淸) 계곡에 도착하니, 참으로 경관이 빼어났다. 오후에 용담(龍潭)에 도착하였고, 용당(龍堂)에 모여서 묵었다</u>.[155]

여기서 '익승(翼承)'은 바로 사호(思湖) 오장(吳長)의 자(字)이다. 앞서 소개한 사호(思湖)의 기록 ⓑ와 《고대일록(孤臺日錄)》의 관련 기록 ⓒ는 사호와 고대가 용유담에서 만난 사실을 기술하고 있다. 따라서 〈등망취대(登望翠臺)〉와 〈용유동(龍遊洞)〉이라는 두 시(詩)는 바로 이때 읊은 것이 분명하다. 그런데 위 ⓒ에서 보듯이 고대(孤臺) 정경운(鄭慶雲)은 당시 용유담(龍遊潭)을 용유동(龍游洞)이라고 하지 않았다. 그러나 위의 ⓐ, ⓑ, ⓒ에서 보듯이 사호 오장은 고대 정경운과는 달리 '용유담(龍遊潭)에 도착'한 사실을 '용유동(龍游洞)에 도착'이라 하였고, '용유담에서 지은 시'의 제목도 '용유담'이라 하지 않고, '용유동'이라고 하였다. 이것은 무엇을 의미할까? 사호 오장은 평소 '용유담을 용유동'으로 인식하고 있었던 것으로 보인다. 따라서 사호는 이번 연구에서 용유담과 용유동을 동일시한 가장 오래된 인물로 평가된다.

---

153) 《고대일록(孤臺日錄)》은 조선 시대 의병장 정경운(鄭慶雲)이 1592년부터 1609년까지 소모관으로 참여한 의병 활동 등을 기록한 일기이다. 그는 전쟁 발발 직후 소모관(召募官)으로 의병 활동에 참여하였으므로 당시 경상우도 지역 의병 활동 및 남명 학파의 동향을 이해하는 데 매우 중요한 자료이며, 동시에 전쟁 이후 향촌 사회의 복구 양상 및 사족의 역할을 이해하는 데에도 많은 도움을 준다(《한국민족문화대백과사전》).

154) 정우락, 《고대일록(孤臺日錄)》 해제, 〈어느 시골 선비의 전쟁 체험과 위기의 일상에 대한 기록〉(한국고전번역원 한국고전종합DB)

155) 원문은 "丙辰秋閏九月四日 早朝 向龍遊潭 遇吳翼承 盧景紹 姜渭瑞 禹惠甫 孫寬夫 諸君于嚴川 相與聯轡 沿溪而上 丹葉滿山 倒影淸溪 眞勝區也 午後到龍潭 會宿于龍堂"이다. 원문은 경상국립대 고문헌도서관에서 따왔고, 번역문은 〈해제-고전번역서-고대일록〉(고전번역원, 한국고전종합DB에서 인용했다.

한편, 1856~1861년 사이에 편찬된 《동여도(東與圖)》에는 지리산 천왕봉 북쪽, 즉 오늘날 함양군 마천면 가흥리 면사무소가 있는 땅벌[당흥] 마을 뒷산에 오도봉(悟道峯)과 등구사(登龜寺)가 표시되어 있고, 임천(臨川) 건너편, 즉 지리산 발치의 백무동과 한신계곡 등에 해당하는 골짜기를 영원동(灵源洞)과 추성동(楸城洞)이라고 표시하였다. 또, 칠선계곡과 벽송사가 있는 추성계곡에는 안국사(安國寺)와 용유동(龍游洞)을 그려 놓았는데, 바로 이 용유동의 위치가 용유담의 위치와는 좀 차이가 있다.

또, 《동여도(東與圖)》와 비슷한 시기인 1861~1866년경에 편찬된 고산자 김정호의 《대동지지(大東地志)》의 함양군 〈산수(山水)〉 편 〈지리산〉 조(條)에 다음과 같은 기록이 있다.

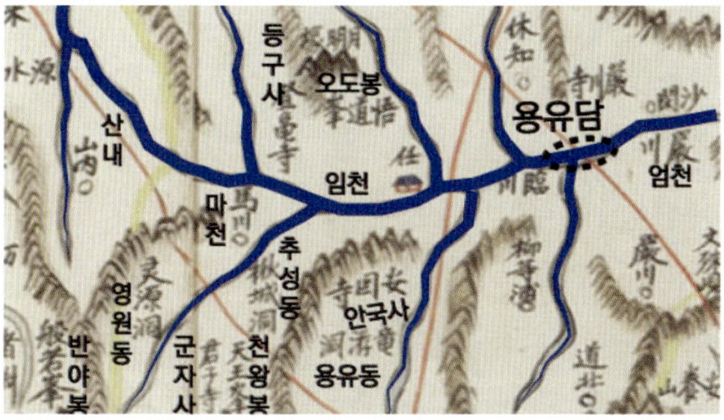

《동여도》, 19세기 말 용유담 부근도(규장각 인용, 작성)

오늘날 용유담 부근도(《네이버 지도》에서 인용, 작성)

용유담 전경(사진: 휴암 양영욱 제공)

> 산의 북쪽에 영원동(靈源洞), 용유동(龍游洞), 벽운동(碧雲洞), 추성동(楸城洞)의 네 골짜기와 유점촌(鍮店村)이 있는데, 모두 명승지이다. 안국사(安國寺), 군자사(君子寺), 견불사(見佛寺), 마적사(馬跡寺), 보월사(寶月寺), 무주사(無住寺), 선열사(先涅寺), 고열사(古涅寺) 등의 절이 있다.[156]

---

156) 김정호, 《대동지지(大東地志)》, '함양군-산수(山水)-지리산' 조(條)에, '山北 有靈源·龍遊·碧雲·楸城四洞、

이상에서 보듯이 예로부터 지리산 천왕봉 북쪽, 함양 마천지역에는,

첫째, 사호(思湖) 오장(吳長)처럼 '용유담(A)'과 '용유동(B)'을 동일시(A=B)하거나,

둘째, 《동여도(東與圖)》와 《대동지지(大東地志)》에서 볼 수 있듯이 용유담 인근의 마천지역에 용유담과는 별도로 '용유동'이라는 이름의 계곡이 존재했었다.

《동여도(東與圖)》에서 말한 '용유동'은 오늘날 함양군 마천면 의탄리와 추성리 일대, 즉 칠선계곡과 추성계곡이 아닌가 추측된다. 이곳은 용유담과 그야말로 지척지간(咫尺之間)이다. 실제로 용유담 상류 지역에서 칠선계곡 입구까지는 약 2km에 불과한 거리이다. 따라서 '용유담(A)'과 그 인근 지역에 있다고 알려진 '용유동(B)'을 연계하여 좀 더 확장되고 일반화된 의미에서 이 지역을 용유동(B)이라고 부르는 것은 지극히 자연스러운 일이었을 것으로 생각된다.

이상을 정리해 보면, 용유담(A)과 용유동(B) 사이의 포함관계[157]를 정의할 수 있다. 이 지역 사람들은 사호(思湖) 오장(吳長)과 같이 '용유담(A)은 용유동(B)이다.'라고 보는 시각도 있고, 더 나아가 《동여도(東與圖)》와 《대동지지(大東地志)》의 기록에서 유추해 보면 '용유담(A)은 용유동(B)의 일부[B⊃A]이다.'라는 시각도 존재했던 것으로 보인다. 따라서 용유동과 용유담 사이의 포함관계는 '용유동(B)은 용유담(A)을 포함한다.'라는 관계에 있다고 정의할 수 있다. 이것은 '용유담(A)은 용유동(B)의 하위 집합이며, 용유담(A)은 용유동(B)에 포함된다[B ⊇ A]'라는 포함관계에 있다고 말할 수가 있다.

자, 그럼, 적어도 19세기 말 이전부터 지리산 천왕봉 북쪽 마천·휴천지역에서 회자된 '용유동'을 앞에서 필자가 제안한 '용유담 용유동', 즉 'YY'라고 볼 수 있다. 다만, 이 '용유담 용유동(YY)'이 남명 선생의 〈유두류록〉에서 언급한 '남명의 용유동(NY)과 같다'라고 말할 수 있는 근거는 아직 찾지 못했다.

한편, 강동욱 교수는 "남명이 이곳을 찾아 용유동의 빼어난 경치를 보면서, 지리산으로 발걸음을 옮겼을 것이다. 떨어지지 않는 발걸음을 돌려 산속으로 들어갔을 것이다. 용유담의 경치를 보면서, 옛사람 풍류를 조금이나마 느낄 수 있었으면 좋겠다는 생각이 문득 들었다."라고 하면서 남명이 찾은 용유담을 다음과 같이 소개하고 있다. 여기서도 밑줄과 원문자 표시는 필자가 넣었다.

유점촌 구위승지 유안국 군자 견불 마적 보월 무주 선열 고열등사
鍮店村, 俱爲勝地 有安國, 君子, 見佛, 馬跡, 寶月, 無住, 先涅, 古涅等寺.'

157) 포함관계(包含關係)란, '한 집합이 다른 집합에 모두 속하는 관계'를 말한다. 집합 A가 집합 B를 포함하는 것을 'A⊃B'로 나타낸다(네이버 국어사전).

ⓓ용이 놀던 곳이라는 뜻의 '용유동(龍遊洞)'은 남명이 3번이나 찾은 곳이다. 지리산 북쪽의 백무동 계곡, 삼정 계곡과 전라북도 운봉에서 흐르는 물이 합류해 엄천강을 이루었으며, ⓔ이 일대 뛰어난 절경을 자랑하는 곳이 바로 용유동이다. 그중 함양군 마천면과 휴천면의 경계 지점에 위치하고 있으며 화강암으로 된 기암괴석이 일대 장관을 이루는 곳이 바로 용유담(龍遊潭)이다.[158]

용유담에서 남명의 숨결을 찾기로 했다. ⓕ남명이 용유담을 찾아 경치에 반해 시 한 수 정도 읊었을 법도 한데 지금 전해지는 것은 없다. ⓖ남명 자신이 이곳에 들렀다는 기록을 남기지 않았더라면, 남명과 무관한 곳이 되었을지도 모른다. 하지만 남명을 본받고자 했던 ⓗ함양의 선비들은 남명이 이곳에 다녀갔다는 흔적을 남기고 싶어 했다. 용유담 가 바위에 ⓘ'남명 선생이 다녀간 곳'이라는 뜻의 '문정공남명조선생 장구소(文貞公南冥曺先生 杖屨所)'라는 글이 새겨져 있었다.[159]

윗글 ⓓ의 용유동은 '남명의 용유동(NY)'을 말하며, ⓔ는 '용유담 용유동(YY)'을 말하고 있다. 그리고 ⓔ에서는 용유담(A)과 용유동(B) 사이의 포함관계를 말해주고 있다. 즉, '용유담은 용유동의 일부분이며 용유담은 용유동에 포함[B⊃A]된다'라는 사실을 말하고 있다. 이것은 1604년에 '용유담(A)과 용유동(B)을 동일시[A=B]'했던 사호(思湖) 오장(吳長)의 사례에 비하면 다소 확장된 정의로서 《동여도(東輿圖)》와 《대동지지(大東地志)》에 근거한 논리와 같다고 볼 수 있다.

그런데 ⓖ에서는 '남명의 용유동(NY)'이 바로 '용유담 용유동(YY)'이라고 단언하고 있다. 즉 '남명 선생이 〈유두류록〉에서 '용유동(龍遊洞)에 3번 들렀다'라고 한 것을 '이곳 용유담(龍遊潭)에 3번 들렀다'라고 본 것이다. 그러나 윗글 ⓕ에서 보았듯이 용유담에서 남명 선생은 시 한 수도 남긴 흔적이 없음에도 불구하고 'NY=YY'라고 단언한 것이다. 게다가 그렇게 판단한 이유나 문헌적 근거를 전혀 들지 않았기 때문에 'NY=YY'라고 말하는 것은 논리적인 비약일 뿐이다. 따라서 여전히 'NY≠YY'라고 생각된다.

또, 노재현[160]과 이정한[161]도 "〈유두류록〉**에 의하면, 조식 역시 세 번이나 용유담에 왕래하였음이 확인된다."라고 하였다. 이들의 주장 또한** 강동욱 교수의 'YY와 NY를 동일시한 사례'와 같다고 할 수 있다. 노재현과 이정한도 그렇게 주장한 문헌적 근거를 제시하지 않았다.

그런 한편, 위의 ⓕ에서 보듯이 남명 선생 자신은 이곳 용유담과 관련하여 시를 포함해서

158) 강동욱, 《남명의 숨결 칼을 찬 선비》, 나남출판, 2003, p.171.

159) 강동욱, 위책, p.171~172.

160) 노재현, 〈'함양 용유담(咸陽 龍游潭)', 전래명승으로서의 의의와 가치 구명〉, 《문화재》 47(1), 2014, p.92

161) 이정한, 〈바위 글씨를 통해 본 '장구지소(仗屨之所)'의 현황 및 장소성에 관한 연구〉, 우석대 대학원 박사학위 논문, 2015, p.183

어떤 기록도 남기지 않았고, 더 나아가 그 흔한 남명의 설화도 이곳에서 채록된 것이 없다.[162)]

또한, 용유담 바위 돌에 새겨진 '문정공남명조선생 장구소(文貞公南冥曺先生杖屨所)'라는 각자는 바위 면을 다듬은 상태와 위치, 글씨 등으로 보아 함양지역과 연고가 있는 일두 정선생[남계서원 제향], 탁영 김선생[함양 청계서원 제향]과 동시에 새긴 것으로 보인다. 특히 이 각자는 백운동의 '남명선생장구지소' 각자와 달리 누가 언제, 왜 새겼는지 명확히 밝혀지지 않았다.

따라서 이 각자 자체가 현재 '용유담 용유동설'의 진원지 역할을 하는 것은 사실이지만, 이것 외에는 아직 어떤 문헌적인 근거도 발견되지 않았다. 이것이 "용유담을 남명 조선생이 〈유두류록〉에서 세 번 찾은 용유동이라는 주장"의 최대의 약점이라고 할 수 있다.

(나) 남명 선생의 장구지소(杖屨之所)에 대한 소고(小考)

'장구지소'란 무슨 뜻일까? 먼저 실재 허권수 교수의 설명을 살펴보자. 여기서도 밑줄과 원문자는 필자가 넣었다.

> ⓐ옛날 우리 조상들이나 중국 사람들은 대현(大賢)이 태어나신 곳, 사시던 곳, 맡아 다스렸던 곳, 강학(講學)하던 곳 등등 관련이 있는 곳이면, ⓑ모두 서원이나 사당을 세우거나 비석을 세워서 후세 사람들이 훌륭한 사상이나 덕행(德行)을 보고 배우도록 했다. ……(이것은) 훌륭한 분들의 학덕을 후세 사람들이 존경하여 배우면서 다음 세대의 교육에 모범으로 삼아 훌륭한 사람이 되자는데 목적이 있다. 단순히 양반 자랑이나 하려는 것이 아니다. 곳곳에 있는 서원이나 사당, 비석 등이 사회 교화(敎化)와 교육의 자료였다.…… 장구(杖屨)란 뜻은, 선현들의 지팡이와 신발이란 뜻인데, 사람이 발걸음을 옮기려면 지팡이와 신발이 반드시 따르기 때문에 좀 위대한 분들의 자취를 '장구'라는 말로 표현한다.[163)]

위에서 보듯이 ⓐ와 ⓑ는 밀접한 관련성이 있다. ⓐ인 곳에 ⓑ를 세우는 것은 큰 의미가 있지만 ⓐ아닌 곳에 ⓑ는 설득력이 약하며, 좀 과장되었다고 평가할 수밖에 없을 것이다.

또, 이정한은 그의 박사학위 논문[164)]에서 "장구지소의 개념은 매우 다의성(多義性)을 갖고

162) 이상원은 "남명(南冥) 야승(野乘)으로서 수합(收拾)된 것은 27화제(話題)에 불과하다. 실존인물(實存人物)의 야승(野乘)으로서 절대 적지 않은 숫자이리라 생각한다."라고 하였으니, 남명 설화는 다른 유명 인사와 비교해 압도적으로 많은 설화가 남아있다. (〈남명(南冥) 조식(曺植)에 관(關)한 야승(野乘)의 연구〉, 《남명학 연구논총》(제1집)).

163) 허권수, 〈허권수의 한자로 보는 세상-(363) 장구지소〉, 《경남신문》, 2010.12.21.

164) 이정한, 《바위 글씨를 통해 본 '장구지소(杖屨之所)'의 현황 및 장소성에 관한 연구》, 우석대 대학원 조경토목공

전개되고 있음을 확인할 수 있다. 장구의 일반적 개념으로는 ㉠소요처, 강학처 등의 거처(居處) 및 서식처(棲息處) 개념이 크게 드러나며, 그 행위 주체는 ㉡부모나 선현(先賢) 또는 명현(名賢) 등으로 국한되고 있다. 또한 주목할 부분은 ㉢매우 경치가 좋은 곳 등 승경(勝景)으로 인식될 만한 곳을 지칭하고 있다."라고 했다.

이정한의 연구에 의하면 이런 조건이나 기준에 맞는 '장구지소'가 97개소였다고 보고하고 있으나, 실제로는 이보다 더 많을 것으로 생각한다. 왜냐하면 여기에는 산청군 단성면 백운동에 새겨진 '남명선생장구지소'는 물론 진주시 수곡면 낙수암에 있는 '송정선생장구지소' 등도 빠져있기 때문이다.

'乙卯秋 李彦憬 · 洪淵' 각자
(사진: 휴암 양영욱)

실재 허권수 교수와 이정한의 기준에 비추어 보면 명현(名賢) 남명 선생께서는 지리산을 열 번 이상 드나들었고, 만년에는 천왕봉 아래 덕산에서 10년 이상을 복거했던 만큼 이 일대에는 선생의 소요처, 강학처 등의 유적지가 수없이 남아 있을 것으로 생각된다.

잘 알다시피 남명 선생은 사람들이 바위에 자기 이름을 새기는 행위에 대해 매우 비판적이었다. 〈유두류록〉에서 남명 선생이 청학동을 찾기 위해서 불일암을 향해 가는 도중에 바위에 새겨진 '이언경(李彦憬)', '홍연(洪淵)' 등의 각자(刻字)를 보고 하신 말씀이 오늘날 우리에게까지 경종(警鐘)을 울리고 있다. 〈유두류록〉에서 그 대목을 살펴보면 다음과 같다.

> 대장부의 이름은 푸른 하늘의 밝은 해와 같아서 사관(史官)이 책에 기록해 두고, 넓은 땅 위에 사는 사람들의 입에 오르내려야 한다. 그런데 사람들은 구차하게도 원숭이와 너구리가 사는 숲속 덤불의 돌에 이름을 새겨 영원히 썩지 않기를 바란다. 이는 날아가는 새의 그림자만도 못해 까마득히 잊혀질 것이니, 후세 사람들이 날아가 버린 새가 과연 무슨 새인 줄 어찌 알겠는가? 두예(杜預)의 이름이 전하는 것은 비석을 물속에 가라앉혀 두었기 때문이 아니라 오직 하나의 업적[165]이 있었기 때문이다.[166]

학과 박사학위 논문, 2015(이상은 RISS 학술연구정보서비스에서 인용).

165) 진(晉)나라 두예(杜預)가 자신의 이름을 후대에 전하려고 자신의 공적을 새긴 비석 두 개를 만들었다. 하나는 현산(峴山) 꼭대기에 세우고, 다른 하나는 만산(萬山) 기슭의 못 속에 가라앉혀 두었다. 그러나 두예의 이름에 후세에까지 전하는 것은 이 비석 때문이 아니라 《춘추좌씨전(春秋左氏傳)》의 주석서인 《좌씨경전집해(左氏經傳集解)》를 지은 업적 때문이다(최석기 외 《선인들의 지리산 유람록》, 〈유두류록〉, '각주 65)'에서 재인용).

166) "大丈夫名字 當如靑天白日 太史書諸冊 廣土銘諸口 何區區 於林莽之間狸之居 求欲不朽 邈不如飛鳥之影 後世果鳥知何如鳥耶 杜預之傳 非以沈碑之 故惟有一段事業也" 이 원문은 '경상국립대 남명

이처럼 남명 선생은 돌에 이름을 새기는 짓을 '날아가는 새의 그림자만도 못해 까마득히 잊혀질 것'이라고 나무랐다. 이에 대해 최석기 교수는 "날아가는 새도 지나가면 흔적조차 없는데, 그 그림자야 말해 무엇하랴."라고 하면서 "우리 산하에 얼마나 많은 사람이 바위에다 자기의 이름을 남겨 놓았던가. 남명의 이 말씀은 **천고에 길이 남을 모골이 송연해지는 법어다.**"라고 그 의미를 높이 평가했다.

그래서인지 현재까지 지리산 일대에서 남명 선생의 장구지소(杖屨之所) 각자(刻字)는 백운동(白雲洞)[167]'과 '용유담(龍游潭)[168]', 두 군데에서만 발견되었다.
남명 선생이 스스로 '장구지소'라는 각자를 남겼을 리가 만무하니 아마 이런 각자는 남명 선생을 흠모하는 사람들에 의해 후세에 새긴 것으로 보인다. 그렇다면 지리산 '백운동(白雲洞)'과 '용유담(龍游潭)'에 새겨진 남명 선생의 '장구지소'는 언제, 누가, 왜 새겼을까?

① 백운동의 '남명선생장구지소'에 대한 소고

먼저, 백운동에 있는 '남명선생장구지소(南冥先生杖屨之所)'에 대해서 고찰해 보자. 백운동은 남명 조선생이 만년에 복거(卜居)한 덕산에서 멀지 않은 곳이다. 덕산으로 들어오기 3년 전인 1558년에 쓴 〈유두류록〉에서 '백운동에 한번 들어갔다.'라고 한 사실은 이미 널리 알려져 있다.

그런데 월촌(月村) 하달홍(河達洪, 1809~1877)[169]의 문집에 〈다시 백운동에 들어가다. 남명 선생이 일찍이 세 번 이곳에 들어오셔서 세속에서 '삼유동'이라 부른다〉라는

학고문헌시스템'의 《南冥先生文集(丁酉本)》(卷之四 雜著 〈遊頭流錄〉)에서 따 왔으나 일부 오 · 탈자(진한 활자체의 밑줄 참조)가 있어서 추가했고, 번역문은 최석기 외 《선인들의 지리산 유람록》, 최석기의 《남명과 지리산》 및 강정화의 《남명과 지리산 유람》에서 인용.

167) 최석기, 《남명과 지리산》, 경인문화사, p.124~127

168) 강동욱, 《남명의 숨결 칼을 찬 선비》, p.173~174 및 강정화, 《남명과 지리산 유람》, p.104

169) 월촌 하달홍은 조선 후기 유학자로 자는 윤여(潤汝), 호는 월촌(月村) 또는 무명정(無名亭), 본관은 진양(晉陽)이며 출신지는 하동군(河東郡) 옥종면(玉宗面) 종화리(宗化里)이다. 월촌은 풍채와 태도가 엄정하여 천박하지 않고, 문사(文詞)도 넉넉하고 넓으며, 행의가 순박하고 독실하였다. 12, 3세 때 진주목사(晉州牧使)가 덕천서원(德川書院)에서 시행한 백일장에 나가, 뛰어난 시재를 과시하여 여러 선비로부터 격려와 칭찬을 들었다. 그는 모한재(慕寒齋)에서 하재문(河載文), 조성가(趙性家), 강병주(姜柄周), 하응로(河應魯) 등 인근 선비들과 학문에 정진하였다. 겸재(謙齋) 하홍도(河弘度)의 문집 발간을 주도하였고 시문집으로 《월촌선생문집(月村先生文集)》이 있다(한국학중앙연구원에서 인용).

시(詩)[170]를 볼 때, 남명 선생은 덕산으로 오기 전에 한 번, 이곳으로 이사를 한 뒤에 두 번 백운동을 찾은 것으로 보인다.

그렇다면 백운동에 남아 있는 '남명선생장구지소(南冥先生杖屨之所)'라는 각자는 언제, 누가 새겼을까?

백운동 '남명선생장구지소' 각자. 각자 글씨가 좀 더 잘 보이도록 (주)우리얼이노베이션에서 수정했다. 이 바위 뒤쪽에 보이는 바위의 전면에 '용문천(龍門川)'이라는 각자가 있다.

물천(勿川) 김진호(金鎭祜, 1845~1908) 선생이 남긴 〈백운동각남명선생유적기(白雲洞刻南冥先生遺蹟記)〉에 그 자세한 전말(顚末)[171]이 남아있다. 1893년 '산천재'에서 《남명집》 간역(刊役) 등의 일을 논의하다가 '백운동'에 이야기가 미치자 여러 논란 끝에 그해 단옷날 여러 선비와 함께 백운동으로 들어가 바위에 선생의 흔적을 새기기로 했단다. 마침 정암(汀庵) 김정환(金正煥) 선생[172]이 번역한 글이 《산청문학 제8호》에 소개되어 있다.

---

170) 하달홍, 《월촌선생문집(月村先生文集)》(제1권), 〈再入白雲洞-南冥先生 嘗三入洞中 俗號 '三遊洞'〉 杖屨何年過 至今泉石輝 溪行緣斷岸 草坐惜新菲 境絶詩還澀 山深興欲飛 偸閒猶勝事 不怕衆人譏(원문은 경상국립대학 고문헌도서관에서 인용)

171) 김정환, 《산청문화》(제8호), 2002, p.180~183. 및 조종명, 《산청시대》, 〈남명, 세상을 일깨우다(22) 백운동, 천하 영웅이 부끄러워할 바는…〉, 2022.3.1.에서 인용, 작성. 《산청문화》(제8호)는 산청군 삼장면의 월람(月嵐) 조종명(曺鐘明) 선생의 서재에서 빌렸다. 월람 선생님께 감사드린다.

172) 정암(汀庵) 김정환(1933~2018) 선생은 산청군 신등면 법물리 출신의 한학자. 물천(勿川) 김진호(金鎭祜) 선생의 친손(親孫)으로 평소 성리학을 깊이 탐구하여 서예와 시문(詩文)에 뛰어났다(정암 선생에 관한 정보는 월람 조종명 선생과 성암(醒庵) 김효영(金孝永) 산청군 문화관광 해설사로부터 받았다. 두 분께 감사드린다).

이를 소개하면 다음과 같다.

천왕봉(天王峯) 북쪽 맥(脈)이 산음(山陰)으로 들어와 회계산(會稽山)을 이루고는 경호강(鏡湖江)을 의지하여 쉼 없이 남(南)쪽으로 수십리(數十里)를 내달리다가 진강(晋康, 진주) 적성(赤城, 단성) 사이에서 구불구불 감돌아 결국(結局)[173]하였으니 이곳이 백운동(白雲洞)이다. 그 골짜기는 기다랗게 이어지고 아득히 깊어서 산(山)이 더욱 높아 보이고 물이 더욱 빨리 흐르므로 명주를 날리듯 세찬 폭포(瀑布)와 거울을 펼치듯 한 검푸른 연못이 무수히 많으니 그중(其中)에서도 용문폭포(龍門瀑布)와 진로폭포(振鷺瀑布)가 더욱더 절경이다.

가정(嘉靖)[174] 연간(年間)에 남명선생(南冥先生)이 이곳에 노닐면서 시(詩)를 지어 읊기를 "천하(天下)의 영웅(英雄)들이 부끄럽게 여기노니 일생(一生)토록 고생 끝에 유후(留侯) 벼슬 받았다. 청산(靑山)에는 무정한 봄바람 가득한데 동(東)쪽 정벌(征伐) 서(西)쪽 공격(攻擊) 그칠 날이 없구나"라고 하였다. 대개 선생(先生)은 도덕(道德)을 품고 경륜(經綸)을 쌓았으나 이미 천지(天地)를 되돌려 요순시대(堯舜時代)로 들어갈 수 없게 되자 개연히 산중(山中)에 은둔하여 종신토록 강도(講道)할 곳을 찾고자 하였다. 인하여 덕산동(德山洞) 신응동(新凝洞) 용유동(龍游洞) 장항동(獐項洞)으로 들어간 것이 무릇 몇 번이었으나 오랫동안 이를 결정하지 못했기 때문에 이에 장량(張良)의 일을 인용하여 스스로 탄식한 것이다.

동구(洞口)에는 또 손수 심은 고송(古松)이 있는데, 이제 선생(先生)이 돌아가신 지 322년이 지나도록 울울창창(鬱鬱蒼蒼)하여 엄연히 추위를 이겨내고 있다. 이는 마치 인인(仁人) 지사(志士)들이 병화(兵火)[175]의 운수가 바뀌는 변란(變亂)을 겪으면서도 강직하고 굳세어 꺾이지 않는 기상(氣像)을 지닌 것과 같으니, 또한 우러러 공경할만하다. 아, 수석(水石)의 빼어남은 예전과 다름없고 장구(杖屨, 지팡이와 신발)의 자취는 어제같이 선연하니, 만약 수 칸(數間)의 정자(亭子)를 세워 이 골짜기 경치에 우뚝 솟게 한다면 후학(後學)들의 마음에 감발(感發) 시킴에 다함이 없을 것이다. 근년(近年)에 이런 논의(論議)가 제기되었으나 이루지 못했으니 사람들의 마음 어긋남이 참으로 개탄스럽다.

이제 선생(先生) 문집(文集) 중간사(重刊事)로 인하여 나이 많은 숙덕(宿德)과 젊은 영재(英才)들이 일시에 산천재(山天齋)에 모였는데 말이 백운동(白雲洞)에 미치자 모두 탄식하지 않는 이가 없었다. 이에 말하기를 "지난 일은 어쩔 수 없다. 그러나 자취가 남아있는 자리를 차마 방치할 수 없음은 선각(先覺)들이 훈계한 바이다. 동구(洞口)의 깨끗한 곳에 선생(先生)이 시(詩)를 읊은 자취를 표시하여 술 취한 자들을 경계함이 또한 좋지 않겠는가?"라고 하였다. 이에 선생의 말씀을 인용하여 난색을 보이는 이가 말하기를 "선생(先生)의 명성(名聲)은 청천(晴天)의 백일(白日)과 같으니 사관(史官)이 역사(歷史)에 기록(記錄)하고 온 나라 사람들이 입에 새겼다. 구구(區區)하게 숲속의 돌에 새기어

173) '결국(結局)하다'는 1. 동사 어떤 일이 벌어질 형편이나 국면을 완전히 갖추다. 2. 동사 얼굴, 묏자리, 집터 따위가 형국(形局)을 완전히 갖추다(네이버 국어사전).

174) 중국 명나라 세종 가정제(嘉靖帝, 1522~1566)의 연호(네이버 국어사전).

175) 《물천선생 문집》의 원문과 《산청문화(8호)》에 이를 번역, 소개한 김정환(金正煥)의 글 〈백운동각남명선생유적기(남명선생장구소)〉에는 '금화(金火)'로 되어 있으나 《산청시대》에 이를 인용, 소개한 월람(月嵐) 조종명은 이를 '병화(兵火)'라고 했다.

불후(不朽)함을 구하려는 것은 선생(先生)에게 무슨 도움이 되겠는가?"라고 하였다.

말하기를 "그렇다. 선생이 말씀하신 경책(警責)은 세상(世上)에서 이름이 불후(不朽)하기를 좋아하는 자(者)에게는 참으로 적절하다. 그러나 우리로 봐서는 선생보다 너무 늦게 태어나서 이미 문하(門下)에서 모시지 못하였으므로, 추상열일(秋霜烈日) 같은 수연(粹然)한 모습을 우러러 뵙지도 못하였고, 안을 곧게 하고 밖을 반듯하게 하라는 직내방외(直內方外)의 가르침을 듣지도 못했다. 그래서 마음속(心想)에 간직하고 꿈속에 그리던 심정(心情)을 이에 스스로 발할 길이 없으므로 하나라도 손때가 묻은 물건을 보면 공경하고, 한 곳이라도 노닐던 자리를 보면 또한 추모(追慕)한다. 안자(顔子)의 누항(陋巷)에 있는 샘물에는 정백자(程伯子)가 명문(銘文)을 지었으며, 주돈이(周敦頤)의 렴계(濂溪) 다리에는 주부자(朱夫子)가 표지하여 기록을 남겼으니 이는 저절로 그렇게 하지 않을 수 없었던 것입니다.

하물며 이제 선생의 글을 읽고, 선생의 학문(學文)을 논하는 이들이 춘추(春秋)로 날씨 좋은 때에 천석(泉石) 사이에 노닐면서, 정신을 드러내어 펼치기도 하고 성정을 읊조리기도 합니다. 그리고 이곳의 물가에 이르러 갓끈을 씻기도 하며 높은 산을 우러러 회포를 일으키기도 합니다. 이때 문득 바위에 새겨진 빛나는 모습을 보고 마치 궤장(机杖)[176]을 잡은 채 모시고 따라다니는 듯하여, 각자 모두 쇄연(灑然)이[177] 생각을 씻고 마음이 깨어나서, 완악(頑惡)[178]한 사람을 청렴하게 하고 게으른 사람이 자립(自立)하게 될 것이다. 이에 선생의 가르침이 진실로 끝이 없이 무궁하리니 어찌 무익(無益)하다며 이를 그만둘 일이겠습니까?"라고 하였다.

드디어 서로 손잡고 백운동으로 들어가 남명선생장구지소(南冥先生杖屨之所)라는 여덟 글자를 진로폭포(振鷺瀑布) 위에 새기고 돌아왔다. 진로(振鷺)라는 명칭은 남려(南黎) 허유(許愈)[179]가 당(唐)나라 한유(韓愈)의 글[180]에서 취하여 지은 것이고, 절벽에 글씨를 쓴 이는 극재(克齋)

---

176) 여기서 궤장(机杖)은 지팡이를 말한다. 노인들은 보통 몸을 기댄 채 지팡이로 지탱하기 때문인데, 그래서 '궤장'은 '나이가 든 것을 비유하기도 한다.'(네이버 중국어 사전, 중국어 번역은 파파고). 한편, 궤장(几杖)이라고도 한다. 당상관(정3품) 이상의 관원으로 70세가 넘으면 '치사(致仕: 벼슬에서 물러남)'를 허락했다. 정사(政事) 때문에 치사하지 못하는 경우, 특히 정1품관에게는 임금이 특별히 궤장(几杖)을 하사했다. 여기서 '궤(几)'는 팔을 괴고 몸을 기대는 안석이고, '장(杖)'은 지팡이를 말한다(이상은 《진주강씨종사대관》, 1994, p.110에서 인용).

177) '쇄연하다'라는 말의 뜻은 '기분이나 몸이 상쾌하고 깨끗하다'라는 뜻이다(네이버 국어사전)

178) '완악하다'라는 말의 뜻은 '성질(性質)이 억세게 고집(固執)스럽고 사납다'라는 뜻(네이버사전)

179) 허유(許愈, 1833~1904)는 조선(朝鮮) 말기의 영남주리학파(嶺南主理學派)를 대표할 대학자이다. 자(字)는 퇴이(退而), 호(號)는 후산(后山) 또는 남려(南黎)이다. 이름이 당(唐)나라 한유(韓愈)와 같고, 한유의 자(字)가 퇴지(退之), 호(號)가 창려(昌黎)인 것이 허유와 비슷한 것에서 한유를 닮고자 했다는 것을 알 수 있다. 문집인 《후산집(后山集)》(19권 10책)이 간행되었다(남명학 연구 제19권, 왕춘홍(汪春泓), 〈유가(儒家)의 원칙주의자(原則主義者)-허유(許愈)-허후산(許后山) 학문의 단서를 논(論)함〉의 초록에서 인용).

180) 한유(韓愈) 〈연희정기(燕喜亭記)〉를 지칭한 것으로 보인다. 그 일부 내용을 살펴보면, "○그 석곡(石谷)을 '겸허히 받아들이는 골짝[謙受之谷]'이라 명명하고, 폭포를 '백로가 군비(群飛)하는 폭포[振鷺之瀑]'라 명명하였으니, 여기서 곡(谷)은 그 덕(德)을 말한 것이고, 폭(瀑)은 그 용모(外觀)를 말한 것이다[其石谷曰 謙受之谷이라 하고 瀑曰 振鷺之瀑이라 하니 谷言德이요, 瀑言容也]라. "○그 토곡(土谷)을 "황금의 골짝[黃金之谷]"이라 명명하고, 폭포를 "끊임없이 흐르는 폭포[秩秩之瀑]"라 명명하였으니, 곡(谷)은 용모를 말한 것이고, 폭(瀑)은 덕(德)을 말한 것이다

하헌진(河憲鎭)[181]이며 때는 계사년(癸巳年, 1893) 단오이다. 동문(洞門)을 나서자 용추(龍湫) 위에서부터 비가 내려 절벽은 묵은 먼지를 씻어내고 청결함을 더했다. 이 또한 악신(嶽神)이 도움을 나타낸 것이니 기이한 일이라 하겠다.[182]

"물천 김선생은 남명 조선생이 바위에 이름 새기는 것을 나무랐다는 이유로 여러 선비가 반대하자, 그 당위성을 이처럼 조리 있게 설명하고 마침내 여러 선비와 같이 백운동으로 들어가 '남명선생장구지소(南冥先生杖屨之所)'를 폭포 위의 돌에 새겼는데, 글씨는

[其土谷曰 黃金之谷이라 하고 瀑曰 秩秩之瀑이라 하니 谷言容이요 瀑言德也라]" 필자가 '진로지폭(振鷺之瀑)이라는 말이 한유가 쓴 〈연희정기(燕喜亭記)〉에 있다는 사실을 알게 된 것은 "엉경퀴님의 〈지리산 아흔아홉골-지리박물관-문화유적명소-남명선생장구지소(南冥先生杖屨之所)〉"를 읽고 나서이다. '엉겅퀴'님께 감사드린다.

181) 하헌진(河憲鎭, 1859~1926). 자는 맹여(孟汝)이고, 호는 극재(克齋)이다. 본관은 진양(晉陽)이며, 출신지는 경상남도 진주(晉州) 수곡면(水谷面)이다. 성리대전(性理大全)의 〈극재기(克齋記)〉를 좌우명으로 삼았다. 1905년(광무 9) 을사조약이 체결되자 출입을 삼가며 일제에 항거하였다. 1919년 전국의 유림들이 파리 만국평화회의에 보낸 탄원서를 작성할 때 동참하는 글을 지어 아들 편에 보냈는데 전달되지 않았다. 이 점을 생을 마칠 때까지 아쉬워하다가 향년 63세를 일기로 생을 마감하였다. 묘는 진주 수곡면에 있다. 저서로 문집(文集) 6권 3책이 있다(한국학중앙연구원, 한국역대인물에서 인용).

182) 〈白雲洞刻南冥先生遺蹟記〉 天王峯北條入山陰界 爲會稽山而據乎鏡湖之上 泊然若不能休也 則又遙遙南馳數十里蟠鬱於晋 康赤城之間而介焉是曰 白雲其洞壑曼然而橢長 窈然而絶邃山益峭 而水益駛懸而怒瀑飛練聚 而黝潭展鏡者不可數計 龍門振鷺尤其絶勝者也 嘉靖中南冥先生嘗臨遊 於此以詩記之曰天下英雄所 可羞一生筋力在封留青山 無限春風面西伐東征定 未收蓋先生 懷抱道德蘊畜經綸旣不能回 天地入唐虞則慨然欲筮遯 於 山中作終老講道之地 入德山神凝龍遊獐項者 凡幾度而久未得翁定 故於此借留候事而發自嘆也 洞脣又有手栽古松 今距樑摧爲三百二十有二載而 鬱鬱蒼官儼然勁 寒有如仁人志士閱 金火遞運之變而剛毅有不挫之氣者然亦 可瞻敬嗚呼水石之精秀不改於古杖 屨之盤旋宛然如昨合置數架亭子彈壓一洞之勝 興起後學之心不容已者 也 近年議成而未就人心之齟齬良可 嘅恨今因斯文重鏤者德妙英 一時集于山天齋語及 此洞未嘗不咨嘆曰 旣往不可諫然水不忍廢地 不忍荒古賢所戒無寧就 洞面淨洒處 表識先生所 賦之蹟以警夫沈酩者 不亦善夫有引 先生之許難之曰 先生之名如青天白日太史書諸 冊廣土銘諸口而區區 入石於林莽之間求欲不朽 者顧何有於先生乎曰有是哉 先生所云警切世之 好名不朽者則 固是準的也 然在吾輩則生已晩矣 旣不得供洒掃 於門下瞻秋霜烈日之粹容聞直內 方外之旨訓則存諸 心想寓諸 夢寐者無因自發見 一手澤之物亦可欽也 遇一心賞之旨亦可慕也 陋巷之泉程伯子銘焉 濂溪之橋 朱夫子識焉 是自不得不然者況 今之讀其書講其學者 或春秋景明之際徜徉 泉石之間 發舒精神風詠性 情臨此水而濯纓仰高山 而興懷乍見 巖崖輝煌悅若操 几陪隨各 自洒然滌慮喚醒庶乎 廉頑而立懦 則先生之敎儘无窮矣 奚可謂無益而且已乎 遂相攜入洞刻 南冥先生杖屨之所 八字于振鷺瀑上 而歸振鷺者 南黎 許愈取昌黎語 而命名也 臨崖揮洒者 河君憲鎭也 時則癸巳之重午也 纔出洞門 雨從龍湫 上來一洗 山崖宿塵而增潔是 又嶽眞之顯 濟奇事也(이상, 원문은 경상국립대 고문헌도서관 남명학고문헌시스템-《물천선생문집》(제12권) 〈기(記)〉〉에서 인용)

극재(克齋) 하헌진(河憲鎭, 1859~1926)이 썼다."[183]라는 기록도 남겼다.

이처럼 "백운동의 '남명선생장구지소(南冥先生杖屨之所)'는 남명 선생을 흠앙(欽仰)하는 대상의 하나로 삼고자 함이며, 이것은 바위에 새겨진 그 빛나는 모습을 보고 마치 지팡이를 잡은 채 모시고 따라다니는 듯하여, 각자 모두 상쾌하게 생각을 씻고 마음이 깨어나서, 성질이 억세고 고집스러운 사람을 청렴하게 하고, 게으른 사람을 일어나게 할 수 있게 함으로써 남명 선생의 가르침이 진실로 끝이 없음을 상징하는 대상물로 삼고자 이 각자(刻字)를 팠다."라는 사실을 만천하에 밝히고 있다.

백운동은 남명 선생이 덕산으로 옮기시기 이전부터 이곳을 방문한 사실이 명백하고, 그 후에도 2차례나 더 방문하시어 이곳을 '삼유동(三遊洞)'이라고 불리고 있었으며, '백운동에서 노닐며[遊白雲洞]'라는 시도 직접 남겼으니 남명 선생의 유적지임이 분명하다.

특히 1893년에 물천 김진호 선생이 중심이 되어 각자한 백운동의 '남명선생장구지소'는 "자신의 이름을 돌에 새겨 후세에 전하려는 자에 대한 경계와는 차원이 다르다."[184]라고 평가할 수 있는 만큼, 이곳을 찾는 후학들이 이 유적지를 둘러보면서 남명 선생의 학덕을 본받고, 선생의 철학을 계승·발전시키는 공간으로 거듭나기를 기대하는 의미 있는 '학습의 장'이 아닌가 생각한다.

② 용유담의 '문정공남명조선생 장구소'에 대한 소고

다음으로 용유담에 있는 남명 선생의 '장구소(杖屨所)'에 대해서 살펴보자. 용유담은 지리산의 북쪽에 있는 자연경관 중에서는 가장 빼어난 승구(勝區)임이 틀림이 없으니 남명 선생이 이곳 용유담에서 소요하거나 강학한 흔적이 발견된다면 남명 선생의 '장구소(杖屨所)'로서 손색이 없을 것이다.

앞서 소개한 노재현과 이정한의 논문과 유튜브 〈용유담 석각〉[185] 등에 따르면, 용유담 근처에는 다양한 각자가 발견되고 있다. 점필재 김선생 등 다섯 분의 '장구소' 외에도 '용유담(龍游潭)'이 2번, '방장제일강산(方丈第一江山)', '용유대(龍遊臺)',

---

183) 조종명, 《산청시대》, 〈남명, 세상을 일깨우다(22) 백운동(白雲洞), 천하 영웅이 부끄러워하는 바는…〉, 2022.3.1. 勿川 金鎭祜의 南冥學 受容 樣相〉, 《南冥學硏究

184) 이상필, 〈勿川 金鎭祜의 南冥學 受容 樣相〉, 《南冥學硏究》(제21집), 2006.6.

185) 유튜브 〈용유담 석각〉, 지리산 역사문화조사단_박성섭-칠성(https://www.youtube.com/watch?v=lCg6qMXWZMo)에서 인용

'용유동천(龍游洞天)', '심진대(尋眞臺)', '영귀대(咏歸臺)', '강화대(康和臺)[186]'. '세신대(洗新臺)' 등의 각자가 있고, 그 근처의 암반에는 대략 보아도 적어도 100명 이상의 이름이 각자 되어 있다.

혜평공 강현지의 사액지' 각자(중심부 적색 글자)와 세 분 선생의 장구소(A) 및 문충공(점필재) 각자(B). A, B 두 지점은 검은 물때와 지의류로 뒤덮여 각자된 글자를 알기 어려웠다.

예를 들면 영귀대(咏歸臺)에 10명, 심진대(尋眞臺)에 14명, 용유대(龍遊臺)에 7명, 강화대(康和臺)에 8명 등 이루 다 셀 수 없을 정도다. 이처럼 많은 '대(臺)'가 등장하는 것을 두고 노재현은 용유담이 '옛 선인들의 풍류처이자 유계(遊契)의 흔적'이라고 보았다. 지리산 일대에서 각자가 많이 발견되는 용유담 일대는 '각자(刻字) 백화점'이 아닌가 생각될 정도다. 그만큼 훼손이 심하고, 제대로 된 바위치고 성한 곳이 별로 없다는 말이다.

용유담 주변 바위에 각자 된 남명 선생의 장구소 각자는 정확히 '문정공남명조선생 장구소(文貞公南冥曺先生 杖屨所)'이다. 이것은 앞서 소개한 강동욱 교수의 《남명의 숨결 칼을 찬 선비》라는 책 ⓕ에서 이미 소개한 적이 있다.

노재현과 이정한의 논문에서는 이 바위를 '장구소 바위'라고 칭하고, 이 네 분의 각자(刻字)를 자세히 분석했다. 그 논문의 일부와 장구소 바위 글씨를 분석한 [표1]을 소개하면 다음과 같다.

186) '경화대(庚和臺)'라고 보는 사람(유튜브 〈용유담 석각〉 등)도 있다.

[표1] **용유담 장구소 바위 글씨 분석**(노재현의 논문에서 인용, 수정, 재작성. 사진도 필자가 촬영 · 재작성)

<table>
<tr><th colspan="2">내용</th><th>숭모 인물</th><th>용유담과의 관계</th><th></th><th>위치</th></tr>
<tr><td colspan="2">문충공점필재 김선생 (文忠公佔畢齋 金先生)</td><td>김종직(金宗直) (1431~1492) ○ 본관: 선산</td><td>함양군수 재직, 기우제 지냄, 〈遊頭流錄〉 저술</td><td rowspan="3">
A: 갓돌 B: 몸돌, C: 옆돌</td><td>d</td></tr>
<tr><td>문헌공일두 정선생 (文獻公一蠹 鄭先生)</td><td rowspan="3">장구소(杖屨所)</td><td>정여창(鄭汝昌) (1450~1504) ○ 본관: 하동</td><td>김일손의 지리산 등정 시 동행</td><td rowspan="3">b</td></tr>
<tr><td>문민공탁영 김선생 (文愍公濯纓 金先生)</td><td>김일손(金馹孫) (1464~1498) ○ 본관: 김해</td><td>〈續頭流錄〉 저술</td></tr>
<tr><td>문정공남명 조선생 (文貞公南冥 曺先生)</td><td>조식(曺植) (1501~1572) ○ 본관: 창녕</td><td colspan="2">ⓐ〈遊頭流錄〉 저술, ⓑ용유담에 3차례 행차, ⓒ시조 〈頭流山兩端水〉의 현장</td></tr>
<tr><td colspan="2">한사강선생 대수영귀소 (寒沙姜先生大遂詠歸所)</td><td>강대수(姜大遂) (1591~1658) ○ 본관: 진양</td><td colspan="2">인조8년(1630) 용유담으로 거슬러 올라가 지리산 천왕봉 등정, 용유담 시를 읊음(寒岡 鄭逑의 제자, 張顯光의 문하에서 수학)[187]</td><td>a*</td></tr>
<tr><td colspan="2">인묘 은사 혜평강공현지지 (仁廟 恩賜 惠平姜公顯之地)</td><td>강현(姜顯)[188] (1485~1553) ○ 본관: 진양</td><td colspan="2">인조(재위 기간: 1623~1649)가 惠平姜公顯之에게 하사한 賜弊地(十一世孫 在誠, 在範, 在南, 在甲. 十三世 宗孫 順基)</td><td>c</td></tr>
</table>

그런데 특이한 점은 남명 조선생 외에도 함양지역과 인연이 있는 인물들인 점필재 김종직, 일두 정여창, 탁영 김일손의 이름과 함께 각자(刻字) 되어 있다는 점이다.

바위 글씨가 밀집된 곳은 총 3개 바위가 일체감을 가지고 구성되어 있는데, 중앙 위쪽의 갓 모양으로 덮인 바위(이하 '갓돌')로 인해 중심 몸돌은 감실(龕室)과도 같은 특성을 보인다. 갓돌 바로 아래

187) 노재현의 논문에는 '寒沙姜先生大游詠歸所'라고 되어 있으나 현지 확인 결과 '寒沙姜先生大遂詠歸所"로, 또, 위치를 'd'라 했으나, 'a'임을 확인, 수정함

188) 노재현의 논문에는 혜평공을 강문회(姜文會)라고 했고, 「十二世孫○○」라고 했으나 현지 확인 결과 「十一世孫○○」이었으며, 진주강씨 족보, 위키 실록 사전 등을 통해 확인 결과 강문회는 혜평공 강현(姜顯)의 父로 판명되어 수정함.

> 7.0×4.2m 크기의 바위 'c'에는 ……라 세로쓰기로 되어 있으며, 몸돌의 오른쪽에 있는 바위(이하 옆돌)가 맞닿아 있는데 여기 'd'에는 '문충공점필재김선생 (文忠公佔畢齋金先生)'이라 음각(陰刻)되어 있다. 정면에 높이 솟은 몸돌(이하 '장구소 바위')의 'b'에는 '문정공남명조선생(文貞公南冥曺先生)', '문민공탁영김선생(文愍公濯纓 金先生)', '문헌공일두정선생(文獻公一蠹鄭先生)'의 순으로 각자 되어 있고, 그 아래에 가로쓰기로 '장구소(杖屨所)'가 각자 되어 있다. 이 글씨는 해서체로 쓰여 있으며 그밖에 이 바위와 인근에는 다수의 인명(人名)이 새겨져 있다. ……㉠김종직은 〈유두류록〉을 저술했을 뿐만 아니라, 함양군수 시절 용유담에서 여러 번 기우제를 주도한 바 있으며, ㉡김일손 또한 정여창과 함께 지리산을 등정하고 〈속두류록〉을 저술한 바 있다. ㉢〈유두류록〉에 의하면, 조식 역시 세 번이나 용유담에 왕래하였음이 확인된다.[189]

노재현은 위 논문의 ㉢과 [표1]의 ⓐ, ⓑ에서 주장하기를 남명 선생이 ⓐ〈유두류록(遊頭流錄)〉을 저술했고, ⓑ용유담에 3차례 행차하였으며, ⓒ남명의 유명한 시조인 〈두류산양단수(頭流山兩湍水)〉의 현장이 이곳 용유담이니 '장구소'로서는 적격이 아니냐는 주장이다.

노재현에 의하면 "용유담의 못(潭)은 평수위 기준으로 폭이 30~50m, 길이 약 250m에 달하며, 협곡을 이루는 하도(河道)는 한 방향의 수직절리들이 깊게 풍화, 침식되어 형성되어 있는 반면에 여러 방향으로 교차하는 수직절리들이 밀도 높게 분포하면서 독특한 경관을 연출하고 있다."라고 하였다.

또, 1489년에 이곳을 지난 탁영 선생은 그의 〈속두류록〉에서 "용유담은 남북으로 뻗은 못인데, 깊고 그윽하며 기이하고 빼어나서 속세와 천 리나 떨어진 듯하였다."라고 했고, 1586년 9월에 이곳을 지난 양대박(梁大樸, 1544~1592)은 〈두류산기행록〉에서 "용유담가에 도착해 내가 먼저 말에서 내렸다. 가슴이 두근거리고 넋이 나갈 지경이었다. 이곳은 가까이에서 구경하기보다는 멀리서 바라보는 것이 더 좋다."[190]라고 고백했다.

또한 함양군 휴천면에서 수달 갤러리를 운영 중인 '수달 아빠 최상두'씨에 의하면 "용유담에는 2024년 6월 현재, 약 1.2m에 달하는 대형 수달 1마리가 서식 중이며, 전설 속의 물고기 '가사어'의 서식은 확인되고 있지 않으나, 표피가 점무늬로 되어 있는 '산천어'가 가사어와 유사한 물고기가 아닌가 추측하고 있을 뿐이다."라고 하였다.

위 [표1]의 사진에서 보듯이 이 '장구소 바위'는 용유담 서편의 강변에서 가장 안정감이 있고 각자 작업을 하기에도 안성맞춤인 바위이다. 큰 바위 두 개가 가로로 연달아 붙어

---

189) 노재현, 앞서 소개한 논문에서 인용

190) 양대박(梁大樸), 《청계집(靑溪集)》(4권), 〈두류산기행록(頭流山紀行錄)〉, '旣到潭邊(기도담변) 余先下馬(여선하마) 心驚魂悸(심경혼계) 可遠觀而不可近也(가원관이불가근야)'(원문은 한국고전종합DB, 번역문은 최석기 외, 《선인들의 지리산 유람록》에서 인용).

있고, 그 위에 올려진 바위가 마치 모자를 쓴 것처럼 어우러져 소중한 물건을 지키는 감실(龕室)을 연상시킨다. 이 장구소 바위에는 감실의 지붕 역할을 하는 '갓돌'[위 [표1]의 A]이 있고, 그 아래에 약 6.5m×3.2m 크기의 '몸돌[B]'와 약3.4m×3.2m 크기의 '옆돌(C)'가 연이어 놓여 있다. 필자가 이 바위를 직접 확인해 본 결과, 이 '장구소 바위'에서 가장 명소는 'c'이다. 몸돌(B)에는 8곳(a~g 등)에 각자가 발견되었는데, 이 중에서 'c'에만 갓돌이 지붕 역할을 하여 빗물을 막아주기 때문인지 'c'에는 이끼류도 많이 발생하지 않았고, 바위 면도 깨끗하고 그곳에 새겨진 각자도 선명하다.

감실의 중심부에 해당하는 위치인 'c'에는 '혜평공(惠平公) 강현(姜顯)[191], 자(字) 현지(顯之)가 인조(仁祖)로부터 이 땅을 하사받은 은사지(恩賜地)'라는 사실을 가장 먼저 새긴 것으로 보인다. 그리고 'c'의 하단부에는 혜평공의 11세손 4명과 13세 장손의 이름이 함께 각자 되어 있으며, 'a'에는 혜평공과 일족으로 보이는 '한사(寒沙) 강대수(姜大遂)[192]의 영귀소(詠歸所)'라는 각자가 있다.

이것을 근거로 '장구소 바위'에 각자가 된 연대를 추정해 보면, 혜평공이 69세인 1553년에 졸(卒)했으니, 당시에 이미 손자는 있었을 것으로 추정되는 만큼 여기에 10세대 정도의 세월이 흘렀으니 대략 1800년 이후에 각자가 된 것으로 추정된다. 특히, 장구소 바위의 'c'와 'a'에 새겨진 각자에 빨간색 페인트가 칠해져 있는 것으로 보아 지금도 혜평공의 후손들이 관리를 하고 있는 것으로 보인다.

위의 [표1]의 사진에서 우리가 주목할 부분은 물론 'b'와 'd'이다. 실제로 각자된 암반의 크기를 실측해 본 결과 'b'는 '84cm×210cm', 'd'는 '30cm×170cm' 정도에 불과하였다. 특히, 점필재 김종직 선생의 각자 'd'는 물론 '일두 정선생', '탁영 김선생', '남명 조선생'의 장구소가 각자된 위치 'b'에는 빗물이 흘러내려 침착된 검은 물때와 바위에 고착된 지의류(地衣類)가 자라다 말라붙어서 검게 보인다. 그래서 각자 된 글씨를 거의

191) 강현은 1486(성종 17)~1553(명종 8). 조선 전기의 문신. 본관은 진주. 자는 현지(顯之), 호는 신안(新安). 산청 출신. 아버지는 문회(文會)이다. 1513년(중종 8) 진사가 되고 왕으로부터 《중용》 1권을 하사받았다. 1517년 별시 문과에 병과로 급제하였다. 1526년 재해가 휩쓴 평안도에 순어사(巡御使)로 파견되었다. 이듬해 대사성·이조참의를 역임하고, 1537년 승지로서 사은사가 되어 명나라에 다녀왔다. 시호는 혜평(惠平)이다. 사패지(賜牌地)였던 용유담은 의탄초(義灘初)에 기증했으나 1999년 폐교로 경남교육청 소유가 되었다. 한편, 노재현과 이정한의 논문에는 혜평공(惠平公)을 '강문회(姜文會, 1433~1499)'라고 했으나 이는 오류로 보인다(이상은 진주강씨 중앙종회 자료 및 위키 실록 사전 및 정수민(鄭秀民)의 《국역(國譯) 천령지(天嶺誌)》에서 인용).

192) 강대수의 자는 학안(學顔), 호는 춘간, 본관은 진주. 1642년(인조 20)부터 1643년까지 진주목사로 재직했다. 촉석루 현판에 "고금에 넘실넘실 큰 강은 흐르네(溶溶今古大江流)"라는 시가 있고, 당시 그의 덕행과 선정을 기념한 '목사강후대수청덕선정비(牧使姜侯大遂淸德善政碑)'가 진주시 은열사에 남아있다(《향토문화전자대전》에서 인용).

알아보기 힘들었다.

그 외에 이 바위에는 10명의 이름이 각자 되어 있었다. 하지만, 이곳을 찾는 후인들이 이들의 이름을 기억해 주는 사람이 얼마나 될지 의문이다. 남명 선생의 말씀을 빌린다면 그야말로 부질없는 짓이며, 용유담 위를 날아다니는 산새의 그림자와 무엇이 다르랴?

자, 그럼 노재현과 이정한의 논문, 강동욱 교수의 《남명의 숨결 칼을 찬 선비》와 강정화 교수의 책 《남명과 지리산 유람》 등을 위주로 용유담에 있는 남명 선생의 장구소에 대해서 살펴보자.

앞에서도 살펴본 것처럼, 강동욱 교수는 남명 선생의 '용유동으로 들어간 것이 세 번'이라고 한 〈유두류록〉의 구절을 근거로 "용이 놀던 곳이라는 뜻의 '용유동(龍游洞)'은 위에서 언급한 것처럼 남명이 3번이나 찾은 곳이다."라고 단언했다. 그야말로 '용유담 용유동'을 '남명의 용유동'이라고 인식한 것으로 보인다.

또, 노재현은 이 논문의 목적을 "용유담 관련 문헌 및 현장 조사를 통해 용유담에 얽힌 유래와 전설, 옛 선비들의 유산기, 지형・지질학적 특징, 현재 남은 유구와 바위 글씨 등을 조사 분석함으로써 문화 경관으로서 용유담의 의의와 옛 선인들의 공간 인식을 살핌으로써 용유담의 명승적 가치와 보존 당위성을 찾고자 한다.[193]"라는 점을 밝히고 있다.

이 노재현과 이정한의 논문에는 '용유담'을 거쳐 간 12편의 '유산기'가 등장한다. 〈유두류록〉(김종직), 〈속두류록[혹은 두류기행록]〉(김일손), 〈유두류산기행편〉(황준량), 〈유두류록〉(조식), 〈두류산기행록〉(양대박), 〈두류산일록〉(박여량), 〈유두류산록〉(유몽인), 〈지리산기〉(허목), 〈유두류산기〉(박장원), 〈산중일기〉(정시한), 〈용유담기〉(조구명), 〈방장유록〉(이동항)이 그것이다.

그런데 노재현과 이정한의 논문에서 남명 선생의 〈유두류록〉의 내용이라고 제시한 내용(아래 [표2]에서 Ⓐ라 표시된 곳. 여기서 문장을 Ⓐ, Ⓑ로 구분하거나 밑줄과 원문자는 필자가 편의상 붙인 것이다)을 살펴보는 순간 놀라움을 금치 못했다. 그 이유는 다음과 같다.

첫째, 위 [표2]의 Ⓐ에서 보듯이 남명 선생의 〈유두류록〉의 내용이라고 제시한 내용이 필자가 알고 있는 것과 전혀 달랐기 때문이었다. 최근에 수도 없이 눈길을 주었던 〈유두류록〉인데, 도대체 그 어느 부분에 이런 내용이 있었단 말인가? 그래서 《선인들의 지리산 유람록》 여섯 권을 모두 뒤져 본 결과, 유몽인의 〈유두류산록〉을 짜깁기한 것으로 추정된다.

참고로 유몽인의 〈유두류산록〉의 4월 1일과 4월 3일의 산행 기록을 살펴보면, 다음 Ⓐ,

193) 노재현, 〈함양 용유담, 전래명승으로서의 의의와 가치 구명〉, 《문화재(Vol.47. No.1)》, 2014. 3.

[B]와 같다.

[표2] 지리산 유산기에 표현된 용유담의 경관상과 공간 인식(노재현의 논문에서 인용 재작성)

저서	유산기 내용	등장 경관	
		경물	경색
유두류산기 행편(황준량)	• 거대한 절벽이 신선의 도끼를 단절하고 낭떠러지에 청록색의 병풍이 펼쳐 있네 • 홀연히 뛰쳐나온 듯 펼쳐진 용유담 • 그 누구의 재주이길래 이토록 교묘한 바위들이 아로새겨졌는가 • 구불구불하게 맞닿은 고래 같은 바위를 세차게 흐르는 물 • 길게 뻗어 거꾸로 누워있는 신령스런 옥룡을 그 누가 분명히 보았을고 • 수많은 층으로 분리된 바위틈을 철쭉이 화장하여 꿰매고 • 이곳저곳 나뒹구는 수많은 술통에 담긴 술은 언제나 익어 마실련가	• 신선의 도끼 • 용유담 • 석경(石鯨) • 와옥룡(臥玉龍) • 척촉(躑躅) • 구준(臼樽) • 술통	• 청록색 병풍 • 세차게 흐르는 물 • 길게 뻗어 거꾸로 누워있는 신령스런 옥룡 • 수많은 층으로 분리된 바위틈 • 철쭉으로 단장
유두류록(조식) [A]	• 건장한 승려 등에 업혀서 돌을 뛰어넘으며 건넘. 낭떠러지에 가까이 있는 바위가 자연스럽게 臺를 이루었는데 그 바위를 대암(臺巖)이라 함 • 시퍼렇게 보이는 깊은 연못을 겁이 나 내려다볼 수 없음 • 연못에 사는 물고기를 가사어라 부르는데, 조각조각 붙은 논 혹은 한 조각씩 기워 만든 가사 같은 모양의 비늘이 있다 함. 이 세상에 다시 없는 물고기로, 오직 이 못에서만 알을 낳고 새끼를 기름 • 어부를 시켜 그물로 잡게 하였으나, 수심이 깊어 한 마리도 못 잡음	• 대암 • 연못 • 가사어	• 깊은 산, 세차게 흘러 내리는 물 • 수심이 깊어 시퍼런 못
유두류산록(유몽인) [B]	• 층층의 봉우리가 겹겹이 둘러 바위가 많음 • 푸른 杉나무와 붉은 소나무가 울창함 • 일자로 뻗은 거대한 바위가 양쪽 언덕으로 갈라져 큰 협곡을 이룸 • 세차게 쏟아져 흰 물결이 튀어 오름 • 돌이 사나운 물결에 깎여 움푹 패이기도 하고, 불쑥 솟구치기도 하고, 우뚝우뚝 솟아 틈이 벌어지기도 하고, 평탄하여 마당처럼 되기도 함 • 높고 낮고 일어나고 엎드린 것이 수백 보나 펼쳐져, 형상이 천만가지로 다름 • (승려들이)돌이 떨어져나간 곳을 가리키며 용이 할퀸 곳이라 하고, 돌이 둥글게 패인 곳을 용이 서리고 있던 곳이라 함 • 바위 속이 갈라져 뻥 뚫린 곳은 용이 뚫고 나간 곳	• 삼나무 • 소나무 • 바위 협곡	• 층층의 봉우리 • 겹겹이 두른 바위 • 울창한 숲 • 세차게 쏟아지는 흰 물결 • 우뚝우뚝 솟은 바위 • 천차만별 형상의 바위 • 갈라지고 뻥 뚫린 바위

[A] 유몽인의 〈유두류산록〉 4월 1일(경오)

동행한 사람들은 각자 대나무 지팡이를 짚고 짚신을 신고 새끼로 동여매고서 남쪽으로 하산하였다. ……동쪽 시내를 따라 오르니 산은 깊고 물은 세차게 흘러내렸다. 한 걸음 한 걸음씩 올라 정룡암(頂龍庵)에 이르렀다. 앞에 큰 시내가 가로막고 있는데 냇물이 불어 건널 수 없었다. ㊀**건장한 승려를 뽑아 그의 등에 업혀서 돌을 뛰어넘으며 건넜다. 낭떠러지에 임해 있는 바위가 절로 대(臺)를 이루었는데, 그 바위를 '대암(臺巖)'이라 불렀다.** ㊁**그 아래에 시퍼렇게 보이는 깊은 못이 있었지만, 겁이나 내려다볼 수 없었다.** ㊂**그 연못에 사는 물고기를 '가사어'(袈裟魚)라 부르는데, 조각조각 붙은 다랑논 혹은 한 조각씩 기워 만든 가사(袈裟) 같은 모양의 비늘이 있다고 하였다. 이 세상에 다시없는 물고기로, 오직 이 못에서만 알을 낳고 새끼를 기른다**고 한다, 이에 ㊃**어부를 시켜 그물로 잡게 하였으나, 수심이 깊어 새끼 한 마리도 잡지 못하였다.**[194]

194) 유몽인, 〈유두류산록〉, 四月朔日庚午 同行者各扶竹杖 着芒鞋結繩綦 南行下山 ……沿東溪並水而上 山深水駛 步步而加 至頂龍菴 前有大川 川漲不可亂 揀健僧背負 超石而渡 有巖臨絶壑 天然成臺 號臺巖 其下深潭黝碧 慄然不可俯 潭有魚 名袈裟魚 麟有紋成稻田袈裟之狀 天下所無 惟此潭卵育云 於是命漁人沈網取之 水深終不得寸鬐.

[B] 유몽인의 〈유두류산록〉 4월 3일(임신)

아침에 출발하여…… 용유담(龍游潭)에 이르렀다. **㊀층층의 봉우리가 겹겹이 둘러 있는데 모두 흙이 적고 바위가 많았다.** **㊁푸른 삼(杉)나무와 붉은 소나무가 울창하게 서 있고**, 칡넝쿨과 담쟁이넝쿨이 이리저리 뻗어 있었다. **㊂일(一)자로 뻗은 거대한 바위가 양쪽 언덕으로 갈라져 큰 협곡을 만들고** 모여든 강물이 그 안으로 흘러드는데, **㊃세차게 쏟아져 흰 물결이 튀어 오른다.** **㊄돌이 사나운 물결에 깎여 움푹 패이기도 하고, 불쑥 솟구치기도 하고, 우뚝우뚝 솟아 틈이 벌어지기도 하고, 평탄하여 마당처럼 되기도 하였다.** **㊅높고 낮고 일어나고 엎드린 것이 수백 보나 펼쳐져 있어 형상이 천만 가지로 다르니, 다 형용할 수 없었다.** **㊆승려들이 허탄한 말을 숭상하여, 돌이 떨어져 나간 곳을 가리키며 용이 할퀸 곳이라 하고, 돌이 둥글게 패인 곳을 용이 서리고 있는 곳이라 하고,** **㊇바위 속이 갈라져 뻥 뚫린 곳을 용이 뚫고 나간 곳이라 한다.** 무지한 민간인이 모두 이런 말을 믿어, 이곳에 와서 아무 생각 없이 머리에 땅을 대고 절을 한다.[195)]

그들이 남명 선생의 〈유두류록〉의 내용이라고 제시한 내용은 유몽인의 〈유두류산록〉의 4월 1일, 인월의 백장암을 출발하여 달궁계곡 어딘가에 있는 정룡암(頂龍庵)에 이르렀을 때의 이야기 [A]와 일치[196)]한다. 또, 그들이 제시한 유몽인의 〈유두류산록〉의 내용은 4월 3일, 유몽인 일행이 실제로 용유담에 들렀을 때의 이야기 [B]와 일치했다.

왜 이런 일이 일어났는지는 의문이다. 용유담에는 오래전부터 '가사어[197)]'라는 아주 매력적인 물고기가 등장한다. 《신증동국여지승람》에 의하면 용유담을 기점으로 그 상류는 임천(灆川)[198)]이고, 그 하류는 엄천(嚴川)[199)]인데, '가사어'는 용유담보다 상류에서만

195) 유몽인, 〈유두류산록〉, 壬申 朝發 至龍游潭 層峯合沓 皆多石少土 蒼杉赤松所攢聚 復以蘿薜經緯之 亘一大石 劈兩厓成巨峽 東江流其中而奔注之 噴沫舂撞 石爲猛浪所簸磨 或成窪 或成堆 或呀然而成罅 或坦然而成傷 高低起伏數百步 萬千殊狀 不可以殫形 釋徒尙誕 指石缺者爲龍抓 石嵌圓者爲龍蟠 石中裂谺谽者爲龍抉穿而行 民之無知 咸以爲信 至此不覺頂禮.

196) 최석기 외, 《선인들의 지리산 유람록》, 〈물이 푸르면 꽃이 어찌 그리도 붉은가(유몽인)〉, p.180~182

197) 물고기의 등에 스님의 가사(袈裟) 같은 무늬가 있는 까닭에 가사어(袈裟魚)라 한다. 지방 사람이 말하기를, "지리산 서북쪽에 달공사(達空寺)가 있고, 그 옆에 저연(猪淵)이 있는데 이 고기가 여기서 살다가, 해마다 가을이면 물 따라 용유담에 내려왔다가, 봄이 되면 달공지(達空池)로 돌아간다. 그 까닭으로 엄천(嚴川) 이하에는 이 고기가 없다. 잡으려는 자는 이 고기가 오르내리는 때를 기다려서, 바위 폭포 사이에 그물을 쳐 놓으면 고기가 뛰어오르다가 그물 속에 떨어진다." 한다. 달공은 운봉현 지역이다.[其水中有魚 , 背有紋若袈裟, 故名袈裟魚 土人云 "智異山西北有達空寺, 其傍有猪淵 魚産于此 每秋順流下遊至龍游潭, 每春還達空池 故自嚴川以下無之 捕者伺其時 設網巖瀑間 魚騰躍而上 輒落網中" 達空乃雲峯縣地也.].《신증동국여지승람》-경상도-함양군-산천-용유담, 한국고전번역원, 한국고전종합DB).

198) 임천(灆川)은 마천소에 있다. 지리산 북쪽 골 물이 합쳐서 임천이 되었다[灆(임)川 在馬川所 智異山北面 澗谷之水合爲灆(임)川)]《신증동국여지승람》-경상도-함양군-산천-임천, 한국고전번역원, 한국고전종합DB).

199) 엄천(嚴川)은 군 남쪽 25리 지점에 있으며 용유담 하류이다.[嚴川 在郡南二十五里 卽龍遊潭下流].(《신증동

서식하는 것으로 알려져 있다. '가사어'가 등장하는 정룡암의 냇물은 남원시 산내면 달궁계곡의 초입으로 보이는데, 이곳은 용유담 상류의 임천 수계이다. 이들은 남명 선생이 용유담을 3번이나 다녀가신 걸로 믿고 있고, 또, 용유담의 시그니처(signature) 어류가 '가사어'이니 〈유두류산록〉에도 나올 것으로 짐작하고 이렇게 짜깁기를 한 것이 아닌가 추측해볼 뿐이다.

둘째, 남명 조선생의 시조 〈두류산 양단수〉는 고등학생들의 국어 교과서에 실릴 정도로 유명하다. 노재현의 논문에서는 용유담 일대를 '두류산 양단수(頭流山兩湍水)의 현장'이라고 주장했다(위 [표1]의 '문정공남명조선생(文貞公南冥曺先生)' 란의 ⓒ 참조).

이와는 달리 강동욱 교수는 "이 시조의 초장 '두류산 양단수를 녜듯고 이제 보니'라는 구절에서, 많은 사람이 '산천재' 앞을 흐르는 강물을 '양단수'라고 부른다[200]"라고 했다. 강교수는 이 시조의 제목을 남명의 〈두류산가〉라고 칭했다. 그는 "이 〈두류산가〉를 두고 후세 사람들은 말들을 많이 한다"라는 세간의 인식도 전하는데, 이 시조가 《남명집》에 실려있지 않고, 구전되어 왔기 때문에 남명 선생의 작품이 아니라는 시비에 휘말렸다고 말한다. 그러나 남명 조 선생이 세상을 떠난 약 200년 후, 영 · 정조 시대에 편찬된 《청구영언(青丘永言)》, 《해동가요(海東歌謠)》 등에 이 시조의 작자가 남명 선생으로 실려있다는 사실을 소개하면서, 또한 이 지역 덕산 사람들은 '양단수'가 아니라 '양당수'라고 불러야 한다는 주장도 전하고 있다.

그런데 이 시조의 작자에 대한 시비와 '양단수'냐 '양당수'냐의 문제는 부사(浮査) 성여신(成汝信) 선생이 남명 선생의 차남인 칠원 현감에게 보낸 〈칠원 현감 조차마(曺次磨, 1557~1639)에게 답하는 편지〉[201]가 이 두 가지 의문에 대한 세간의 궁금증을 해소해 주는

국여지승람》-경상도-함양군-산천-엄천, 한국고전번역원, 한국고전종합DB).

200) 강동욱, 《남명의 숨결 칼을 찬 선비》, 나남출판, 2003, p.213

201) 부사(浮査) 성여신(成汝信) 선생의 《부사집(浮査集)》에 의하면, 부사 선생이 80대의 만년에 남명 선생의 차남이 요청한 남명 선생의 '기문 초고(記草)'의 교정(여기서는 겸손한 말로 근정〈斤正〉이라 하였다)을 부탁받고, 그 답신으로 보낸 〈칠원 현감 조차마에게 답하는 편지(答曹漆原次磨書)〉에서 두 가지 주목되는 대목을 발견했다. 그 첫째는 이 시의 제목이 우리가 흔히 알고 있는 "두류산 양단수(頭流山兩湍水)"가 아니라 "두류산 양당수(頭流山兩堂水)"라는 점이고, 둘째, 더 중요한 사실은 '이 시조는 남명 선생의 작품이 아니라 도구(陶丘) 이제신(李濟臣, 1510~1582)이 지었다는 사실을 부사 선생이 남명 선생의 차남에게 보내는 편지글을 통해 증언하고 있다"는 사실이다. 그 편지글의 내용은 다음과 같다.

"두류산양당수(頭流山兩堂水) 한 노래(一歌)와 〈추월곡(秋月曲)〉 일장(一章)을 세상 사람들은 모두 선생이 지은 것이라고 말하는데, 그것이 도구(陶丘)에게서 나온 것인 줄 모르고 하는 말입니다. 그러므로 계해년(1623, 인조1) 가을 영천(榮川)에 사는 벗 박록(朴漉)이 나에게 편지를 보내 말하기를 "남명 선생의 〈추월가〉를 젊을 때 외우길 좋아하였으나, 지금 그 내용을 잃어버렸습니다."라고 하며, 나에게 그 글을 보내달라고 하였습니다. 내가 그 노래를 적고, 그 끝에다 쓰기를 "이 노래는 본래 이도구(李陶丘)가 지은 것인데, 전하는 자들이 그릇되게 남명 선생의 노래라고 하는 것입

데 참고가 될 것으로 보인다.

또, 오이환 교수도 남명의 작품으로 널리 알려진 시조 〈두류산 양단수(頭流山兩湍水)〉의 무대에 대해 《진양지(晉陽誌)》 〈산천(山川)〉 조(條)의 '덕산동(德山洞)'의 기술을 근거로 "살천과 삼장천이 양당촌 앞에서 합해져서 덕천이 되는 곳이 바로 이 시조의 무대"[202]임을 소개하고 있다. 오교수가 근거로 든 《진양지》의 내용은 다음과 같다.

> 천왕봉 물이 법계사로부터 동쪽으로 흘러, 살천촌(薩川村)을 거쳐 사제봉(社祭峯) 아래에 이르며, 동북으로 흘러 살천(薩川)이 된다. 또 서흘산(鉏屹山)으로부터 동쪽으로 흘러 상류암(上流庵)을 거쳐 장항동(獐項洞)에 이르며, 남쪽으로 흘러 삼장천(三壯川)이 되고, 양당촌(兩堂村) 앞에서 살천(薩川)과 합하니, 이것이 덕천(德川)이다.[203]

현재 산청군 시천면 양당(兩堂)마을에서 남명로(南冥路)를 따라 삼장천 다리인 '원리교'를 건너자마자 만나는 '원리삼거리'의 강변 공원[덕산고등학교 교문 맞은편]에 〈두류산 양단수〉 시조(時調) 비가 서 있다.

이상을 종합해 보면, 이 시조의 무대는 산천재 마을 앞으로 보이는데, 노재현 등은 어떤 근거로 용유담을 '시조 〈두류산양단수(頭流山兩湍水)〉의 현장'이라고 주장했는지 궁금하다.

또한 이들의 논문에서 "〈유두류록〉에 의하면 조식 역시 세 번이나 용유담에 왕래하였음이 확인된다."[204]라고 단언하고 있다. 남명 선생이 〈유두류록〉에서 "용유동에 세 번 다녀갔다(入龍遊洞者三)"라고 한 것을 "용유담에 세 번 다녀갔다(入龍遊潭者三)"라고

니다."라고 하였습니다. 그리고 이 기문 초고에도 선생께서 평소 시가 사람의 마음을 황폐하게 하는 것을 경계하여 시를 즐겨 짓지 않았다고 하였으니, 즐겨 노래를 지으셨다고 말할 수 있겠습니까. 이 노래는 복사꽃이 비단 물결에 떠 계곡을 흘러 내려올 때를 기다려 몸소 어부가 되어 별천지를 찾아갔으나, 단지 선계가 운무에 잠겨 미혹해서 그 길을 찾지 못할까 두려워한 것입니다.[頭流山兩堂水一歌, 〈秋月曲〉一章 世人皆謂先生所作 而不知其出於陶丘 故癸亥秋有榮川友人朴漉投書於我曰 : "南冥《秋月歌》, 少時好誦而今失其傳" 索余書送 余書其歌 跋其尾曰 : "是歌也 本李陶丘所作 傳之者誤稱南冥歌云云" 而於是記 亦以謂先生平日 , 以詩荒爲戒 不肯作詩其肯作歌乎云耳 ? 待得桃花錦浪出洞時 身作漁郞 行尋別有天 而祗恐烟鎖仙區 迷不能尋其路也].(〈칠원 현감 조차마에게 답하는 편지〉의 원문과 번역문은 '성여신, 《부사집 제3권》, 한국고전번역원 한국고전종합DB 인용).

202) 오이환, 《남명학의 새 연구 상》, 한국학술정보(주), 2012, p.175

203) 성여신 외, 《진양지, 〈산천(山川)〉 조(條)-덕산동(德山洞): ……天王峯水 自法界寺東流 由薩川村達社祭峯下 東北流爲薩川 又自鉏屹山東流 由上流菴 達獐項洞 南流爲三壯川 與薩川合于兩堂村前是謂德川.

204) 노재현, 앞서 소개한 논문의 p.92, 오른쪽 위에서 9~10열

동일시하고 있으니 〈유두류록〉에서 가사어 이야기가 나와도 조금도 이상하지 않을 것으로 판단한 것이 아닌가 생각된다. 따라서 이들 역시 앞에서 본 것처럼 "용유담 용유동(YY)과 남명의 용유동(NY)이 같다"라고 인식한 것으로 생각된다.

시조 〈두류산 양단수〉 노래비(덕산고 입구 강변)

한편, 앞에서 살펴보았듯이 명승지 주변의 바위에 이름을 새기는 행동에 대해 남명 조선생은 아주 부정적이었다. 이에 대해 경상국립대학의 강정화 교수는 《남명과 지리산 유람》이라는 책에서 "남명 선생은 돌에 새겨진 이름을 보며 두예(杜預)가 그랬던 것처럼 허명(虛名)을 전하려 애쓰는 속인들의 속성을 꼬집었다."라고 지적하면서 주목할만한 사례 두 가지를 다음과 같이 소개하고 있다.

먼저, 강교수는 "영원히 자기 이름을 기억해 주기를 바라고 유명한 명승지의 바위에 이름을 새겨놓아 봤자 후인들이 알아보는 사람이 없지만, 오히려 문집에 글로 남기면 후인들이 훨씬 더 오래도록 알아보고 두고두고 기억한다"라는 사례를 소개했다.[205] 이 사례는 하동 북천 화정에 살던 회산(晦山) 이택환(李宅煥, 1854~1924)이 면암 최익현 선생과 함께 지리산을 여행하고 쓴 〈유두류록〉에 다음과 같이 소개되어 있다.

1902년 5월 지리산 유람에 나섰던 하동사람 이택환은 면암 최익현 선생 등과 함께 천왕봉 일월대에 올랐다. 이때, 이전에 새긴 많은 이름을 보고 그다지 이름난 사람은 없다고 일갈하면서, 남명이 이름을

205) 강정화, 《남명과 지리산 유람》, 경인문화사, 2013, p.107

> 새겨 만고에 전하려는 그 허망함을 꾸짖었던 것에 대해 언급하였다. 그리고는 바위에 이름을 새기는 대신 일월대 위에 둘러앉아 함께 등정한 35인을 종이에 기록하고는 차례로 붓을 돌리며 연구(聯句)를 지었다. 그리고 그때 지은 그 시들은 현재 그의 문집인 《회산집(晦山集)》에 실려있고, 그로부터 백 년도 더 지난 지금, 그의 지리산 등정과 함께 이렇게 세상에 소개되고 있다. 그가 그때 바위에 이름을 새기는 것으로 그쳤다면 지금의 우리가 어찌 그 일을 알 수 있겠는가.[206]

이것은 시대를 앞서간 우리 선각자(先覺者)들의 이지적(理智的, intelligent)이고 수준 높은 선비들의 놀이 문화를 보여준 모범적인 사례라고 생각한다. 지리산 일월대에 함께 등반한 사람들의 이름을 새긴다고 누가 기억해 줄 것인가? 남명 선생의 지적처럼 부질없는 짓이다. 그렇지만 참가자 35명 전원이 돌아가며 시구를 남긴 〈남악연구(南嶽聯句)〉를 작성하고 이것이 누군가의 문집에 남아 영원히 전해질 수 있으니 이 얼마나 멋진 일인가? 참고로 회산 이택환 선생의 지리산 여행기, 〈유두류록〉은 최석기 교수 등이 번역・출판한 《선인들의 지리산 유람록 5》에 실려있다.

또, 강교수는 명승지의 절경에 분별없이 남긴 흔적은 본인이 아니라도 얼마든지 가능한 일이니, 이로 인해 후대에 논란을 일으킬 수 있는 원인이 될 수도 있음을 다음과 같이 지적하고 있다.

> 지리산의 북쪽 경관 중 이 용유담이 가장 빼어나다고 일컬어졌다. 함양 마천에서 백무동 계곡을 따라 천왕봉으로 오르는 코스에서 반드시 거쳐 가던 곳으로, 특히 많은 사람의 이름이 새겨져 있다. 그중에는 ㉠정여창과 김일손, 그리고 조식 등의 이름이 현재까지도 남아있는데, 이를 두고서 호사가(好事家)들은 또 이러쿵저러쿵 말을 옮긴다. ㉡전국의 명산 절경에 명암(明庵) 정식(鄭拭, 1683~1746)의 발길이 닿지 않는 곳이 없고, 또 그의 이름 각자 하나 없는 바위가 없다[207]고들 하는데, 그것을 어찌 정식이

---

206) 회산 이택환 선생의 〈유두류록〉의 일부이다. '일월대 위에 차례로 앉아 함께 유람한 사람들을 기록하였다. 모두 35인이었다. 술이 한 순배 돌자 남악연구(南嶽聯句)를 지었다. 선생이 먼저 "회옹의 천년 뒤에도, 남악에선 참된 유람 이어지네."라고 읊었고, 차례로 붓을 전하며 한 편을 완성하니 해가 저물었다. 내가 "탁주 석 잔에 호기가 일어나고, 낭랑히 시 읊으며 나는 듯 축융봉을 내려가네.'라는 구절을 노래했다. 이는 '남악시'의 마지막 구절이다.[列坐臺上 錄同遊凡三十五人 酒一巡 賦南嶽聯句 先生首題曰 "晦翁千載下 南嶽續眞遊" 以次傳筆篇成 日已晚矣 余歌 "濁酒三杯豪氣發 朗吟飛下祝融峯"之句 乃南嶽之終曲也.] 참고로 이 여행기의 번역자 강정화의 각주에 따르면, 회산이 맨 마지막에 읊은 시는 주자(朱子)가 지은 〈취하여 축융봉을 내려가며[醉下祝融峰]〉라는 시의 마지막 두 구란다(이상, 원문은 이택환, 《회산선생문집》(9권, 잡저), 〈유두류록〉, 경상국립대 고문헌도서관에서 인용, 번역문은 《선인들의 지리산 유람록 5》, 최석기 외, p.192(번역자 강정화)에서 인용)

207) 1887년 8월, 정재규의 〈두류록〉에 의하면 "근세 정식은 맛있는 음식을 좋아하듯 수석의 아름다움을 즐겼는데, 짧은 시내와 조그마한 바위라도 조금 눈을 둘 만한 곳이면 반드시 자기 이름을 새겼다. 그래서 두류산 수많은 계곡의 골짜기마다 정식의 이름이 새겨져 있다고 할 만하다.[近世鄭處士栻 嗜水石如膾炙 短澗片石 差可寓目處 輒刻名

사실, 남명이 이곳 용유담에서 시를 지었다거나, 직접 이곳을 방문했다는 기록은 지금까지 발견되지 않았다. 이렇게 남명 선생 자신의 기록은 물론 그의 문인들이 쓴 문집에서도 이를 입증할만한 아무런 기록이 아직 발견되지 않았다면, 용유담을 남명이 세 번이나 방문한 용유동이라고 판단할 수 있는 논리적, 문헌적인 근거는 없다고 보아야 타당할 것이다.

'용이 노닐 법한 넓고 깊은 소(沼)'라는 의미를 지닌 '용유담'이라는 지명이 풍기는 언어적 이미지와 용유담 주변의 범상치 않은 바윗덩어리의 무리, 아무 데서나 흔히 볼 수 없는 기묘한 포트홀 등 훌륭한 자연경관을 지닌 '용유담'을 바라보고 있으면 누구든지 '이곳은 용이 노는 골짜기답다, 과연 용유동이로구나!'라고 상상하고, 그렇게 인식할 수 있을 법하다.

그러나 아무리 그렇다고 해서 '용유담 용유동(YY)'을 남명 선생이 〈유두류록〉에서 밝힌 '남명의 용유동(NY)'이라고 주장할 수 있는 객관적이고 논리적인 근거가 될 수는 없다. 적어도 현재까지 남명 선생 자신이나 그의 문인들의 글에서 '용유담 용유동(YY)=남명의 용유동(NY)'이라고 말할 수 있는 근거는 발견되지 않았다.

다만, 누가, 언제, 어떤 이유로 각자(刻字)를 했는지도 모르는 출처 불명의 '문정공남명조선생장구소'라는 각자만 용유담 서편 강가에 남아 있을 뿐이다. 이곳 용유담에 '문정공남명조선생장구소'라는 각자가 있다는 사실만을 근거로 논란을 일으킨 사례도 있었다.[208] 다시 말하지만 이런 주장의 유일한 근거는 용유담 바윗돌에 각자 된 '장구소'라는 글귀 밖에는 없다. 이런 논란이 계속되자 〈남명유적삼동변증(南冥遺跡三洞辨證)〉[209]이라는 논문이 나오게 된다.

지금까지 '용유담'을 '용유동'이라고 인식한 역사가 상당히 깊다는 사실을 확인했다. 그 첫 사례가 17세기 초, 임진왜란이 끝난 직후인 1604년, 산청의 선비 사호(思湖) 오장(吳長)이 친구들과 용유담에 들러서 지은 시의 제목이 '용유동(龍游洞)'이었다는 사례에서 잘 알 수 있다. 그러나 임진왜란 당시 의병장으로 활약했고, 친구인 사호와 용유담을 함께 여행한 함양의 선비 정경운(鄭慶雲)은 그의 저서 〈고대일록(孤臺日錄)〉에서 용유담(龍遊潭)을 용유동(龍游洞)이라고 칭하지 않았다는 점에 주목할 필요가 있다.

두류일산 천백곡가위곡곡 정식의
頭流一山 千百谷可謂谷谷 鄭栻矣]."라는 지적도 있다. 그는 이택환과 함께 두류산을 여행하기도 했다.(이상은 원문은 경상국립대 고문헌도서관에서 인용했고, 번역은 《선인들의 지리산 유람록 4》, 최석기 외, p.256~257에서 인용).

208) 박영제, 〈지리산 용유동 용유담을 찾아서〉, 《남명원보(15호)》, 1999. 8. 10

209) 오이환, 〈南冥遺跡三洞辨證〉, 《남명학연구(제10집)》, 2001. 2. 28

또, 19세기 말에 편찬된 고지도《동여도》속에서 용유담 인근에 있는 오늘날 마천면 추성 계곡 일대에 '용유동'이 존재했다는 사실도 확인했다. 이를 통해 필자는 용유동과 용유담 사이에는 '용유담=용유동'이거나, '용유담은 용유동에 포함된다'라는 포함관계[용유동⊇용유담]에 있음을 알았다. 이로써 용유담과 그 인근 계곡까지를 포함하여 용유동이라고 부른 소위 '용유담 용유동설이 존재했었다'라는 사실을 확인했다.

다만, 용유담에 남명 조선생이 다녀갔다는 흔적은 장구소 바위에 새겨진 '문정공남명조선생장구소'라는 각자가 유일하다. 그러나 앞서 명암(明庵) 정식(鄭栻, 1683~1746)의 사례에서 보았듯이 '특정인의 각자가 존재한다고 해서 그 사람이 그곳을 방문했다'라고 말하기는 이르다.

가장 확실한 증거는 백운동의 '남명선생장구지소'의 사례에서 보았듯이 남명 선생 자신이 용유담에 들렀다는 기록이 있거나, 용유담을 방문하여 쓴 시가 있거나, 그의 문인들의 기록 중에 "용유담이 〈유두류록〉에서 남명 선생이 말한 '용유동에 세 번 들어갔다[入龍遊者三(입용유자삼)]'라고 한 곳이 바로 이곳이다."라는 기록 등이 발견되지 않는 한 "용유담 주변 바위에 누가, 언제, 왜 새겼는지도 모르는 '문정공남명조선생장구소'라는 각자가 존재한다고 해서 '용유동 용유담(YY)'을 '남명의 용유동(NY)'으로 인정할만한 근거가 될 수는 없는 것이다.

③ 용유담의 점필재 선생의 각자(刻字)에 대한 소고

앞서 노재현의 논문 ㉠에서 소개했듯이 점필재 김종직 선생은 함양군수를 역임했고, 목민관으로서 백성들을 위해 용유담에서 기우제를 지낸 기록이 분명히 남아 있으며, 또 점필재 김선생은 이곳을 방문하여 시(詩)도 남겼다.

특히, 천왕봉 등산을 하고 〈유두류록〉을 남겼으니 앞서 소개한 이정한의 논문에서 언급했던 '장구지소'의 조건에도 잘 어울린다고 할 수 있다. 그런데 이곳 용유담 바위에는 **'문충공점필재김선생(文忠公佔畢齋金先生)'이라는 각자만 있고, '장구소'**라는 각자는 없다.

그러나 **'장구소'**라는 각자가 없어도 '용유담이 점필재 김선생의 소요처'였음이 분명하다. 따라서 이곳이 '장구소'였다고 해도 누구나 수긍할만하다. 다만, 각자를 한 위치 등이 과연 점필재 김선생의 명성에 어울리는지는 의문이다.

④ 용유담의 탁영 선생과 일두 선생의 장구소에 대한 소고

이어서 용유담을 일두 정선생과 탁영 김선생의 '장구소'라고 하는 주장은 과연 얼마나 타당할까? 이번에도 노재현과 이정한의 연구 논문에서부터 논의를 시작해 보자.

앞서 소개한 노재현의 논문 ㉡에서 보았듯이 그는 탁영과 일두가 함께 지리산을 등정하면서 용유담을 지나갔으며, 지리산 유람기 《속두류록》을 썼다는 점을 이유로 들고 있다. 이것이 전부이다. 그렇다면 그 〈속두류록〉의 기록을 좀 더 자세히 들여다보자. 과연 이곳 용유담을 탁영과 일두 선생의 '소요처'로서 '장구소'라고 지칭할만한 공간이었을까? 이를 살펴보기 위해서 탁영 김일손 선생의 여행 기록을 자세히 살펴보자. 이하 문장 중의 괄호 안에 등장하는 한문은 탁영이 쓴 〈속두류록〉의 한문 원문을 그대로 옮긴 것이다. 이 원문은 한국고전번역원의 한국고전종합DB에서 따왔으며, 번역문은 최석기 외, 《선인들의 지리산 유람록》에서 따왔음을 밝힌다.

탁영 일행은 1489년 4월 16일, 새벽, 일찍 등구사(登龜寺)를 출발한다. 함양 남문을 출발한 지 사흘만이었다. '등구사는 거북등처럼 불룩하게 솟은 산등성이에 절이 올라 있다고 하여 지은 이름이란다.[**山形穹窿如龜 以寺登其背而名也**]'. 너무 많은 비가 내려 이틀 밤을 이 절에서 머물렀으니 마음이 바빴을 것이다. 등구사는 해발 1,035m의 오도봉(悟道峯) 아래, 촉동(燭洞)마을에 있었다. 이 마을 뒤 촛대봉에는 촛불이 하늘을 밝히는 '조천납촉[朝天納燭: 촛불이 하늘을 밝히는 형국]'의 명당자리가 있다고 전한다. "볼만한 폭포를 지나 10리쯤 내려가서 감나무가 많은 외딴 마을을 지났다.[**有瀑布可觀 行十里許 穿一孤村 村多柿樹**]". 아마 이곳은 등구(登龜) 마을이었을 것이다. 왜냐하면 예로부터 '등구(登龜) 마천(馬川) 곶감[乾柿]'은 유명했다. 그래서 '등구 마천 큰 애기는 곶감 깎으러 다 나가고, 지리산에 줄 박달은 처녀 손길에 다 녹는다.'라는 노래 가사도 있었다.[210]

등구마을에서 서북쪽의 금대산(851.5m) 너머에 있는 금대암(金臺庵)에 들렀다.[**出一步到金臺菴**]. 금대암은 '금대지리(金臺智異)'라는 말로 유명하다. 이곳에선 지리산 종주 능선의 뒤태가 한눈에 들어온다. 지리산 북쪽 주능선 조망처(viewpoint)로서는 최고인 셈이다.

이곳에서 바위 협곡 사이로 흐르는 임천(臨川)의 물을 굽어보니 비가 너무 많이 내린 탓에 강물이 갑자기 불어나 호수처럼 보였다.[**下瞰石澗 暴漲如湖**]"라고 했다. 이러니

---

210) 함양문화총람편집위원회, 《함양문화총람(咸陽文化總覽)》, 2009, p.127, 및 《뉴시스》 〈함양곶감 만들기 한창〉, 2011.11.03. 기사 등에서 인용

"멀리서 상무주암(上無住庵)[211]과 군자사(君子寺)[212]를 가리키며, 건너 가보고 싶었으나 걸어갈 수가 없었다.[遙指上無住君子寺 欲往而不可渡矣.]"라며 아쉬움을 표시했다. 종일 내린 폭우로 임천을 건너지 못하는 사달이 난 것이다. 강을 건너면 곧 군자사가 있고, 또, 그 뒤 삼정산(1,156m) 너머에 있는 영원사와 상무주암은 그야말로 그림의 떡이었으니 여기서 지리산 유람코스를 바꿀 수밖에 없었을 것으로 보인다.

금대암 산 아랫마을이 마천면 가흥리 땅벌[213]인데 이곳이 마천의 중심지이다. 금대암에서 이곳까지는 가파른 비탈길이다. 필자는 1980년 11월부터 1982년 2월까지 땅벌에서 살았다. 이 마을에 있었던 마천중학교 교사로 재직했었기 때문인데, 그래서 이 지역의 지리는 비교적 잘 알고 있다. 탁영 선생 일행은 땅벌에서 말을 타고 약 십리 길의 용유담에 이르렀다.[東行至龍游潭]. 용유담은 남북으로 뻗은 못인데, 깊고 그윽하며 기이하고 빼어나서 속세와 천 리나 떨어진 듯하였다.[潭南北幽窅奇絶 塵凡如隔千里]. 임정숙이 먼저 와 용유담 바위 위에 음식을 차려 놓고 기다리고 있었다.[貞叔先待於潭石上 具饌以待]. 점심을 먹고 길을 떠났다.[點罷遂行].

탁영과 일두는 용유담에서 단지 점심만 먹고 떠났단다. 위에서 보았듯이 평소 같았으면 탁영 일행은 마천의 중심마을인 땅벌에서 임천을 건너 군자사와 상무주암으로 향했을 것이다. 그 전날 종일 비가 너무 많이 내린 탓에 임천을 건너지 못하고, 코스를 바꾸어 계곡을 따라 내려가다 보니 용유담을 들린 것은 예정에도 없었던 코스로 보인다.

어찌 되었건 이들도 소문난 명승지인 용유담 주변을 거닐며 시라도 한 수 남겼을

---

211) 상무주암은 함양군 마천면 지리산(智異山)에 있는 암자. 고려 시대에 승려 보조국사가 수행승들과 함께 창건했다. 보조국사는 『대혜보각선사어록(大慧普覺禪師語錄)』 가운데 "선이란 고요한 곳에도 있지 않고 또한 시끄러운 곳에도 있지 않고 사량분별(思量分別)하는 그 어느 곳에도 있지 않다."라고 하는 글귀를 읽고 크게 깨달았다고 한다. 보조국사의 대오 이후 이 절은 성지화되어 많은 승려의 수행처가 되었으나 역사는 뚜렷이 전하지 않는다(한민족문화백과사전에서 인용).

212) 군자(君子)마을은 신라 26대 진평왕이 왕자가 없어서 고민하던 끝에 지리산 산신에게 득남의 기도도 드리고 군대도 조련시켜 국력을 배양할 목적으로 지리산을 향해 올라가던 중 잠시 머물렀던 곳이라 한다. 진평왕은 기도 후에 드디어 왕자를 얻었는데 임금이 기도하여 아들을 얻었다고 하여 '군자동'이라 불렀다고 전한다. 진평왕이 서라벌로 돌아가고 나서 왕이 거처하던 집은 사찰로 만들어서 '군자사'라 이름하였다. 지금은 그 절이 없어졌지만, 탑신과 파편, 부도탑 등이 흩어져 있고 또한 탁영 김일손의 《속두류록》에도 군자사로 갈려고 하였는데 물이 많아서 못 건너갔다는 기록이 전하고 있다(함양군 홈페이지-마천면-지명유래-'가흥리 당흥'에서 인용)

213) 땅벌(당흥) 마을은 한자어로 '당벌(堂伐)'인데 '당집'이 있는 '벌'이라는 뜻이나 보통 '땅벌'이라 부른다. 지금도 당집이 버스 터미널 뒤에 초라한 모습으로 있으며, 금대암으로 올라가는 길을 '당산골목'이라 한다. 1914년 행정구역 개편 시 '당흥'으로 부르게 되었으며, 마천면의 소재지로써 지금도 5일 장이 열리고 있는 마천면의 중심지이다(함양군 홈페이지-마천면-지명유래-'가흥리 당흥'에서 인용)

법하다. 그렇지만 유감스럽게도 탁영 일행은 그윽하고 멋진 용유담을 구경하고 싶어도 제대로 구경할 수가 없었다. 당시의 상황을 탁영은 〈속두류록〉에서 이렇게 고백했다. "때마침 날이 개었으나, 강물이 양쪽 언덕에 넘실거려 용유담의 기이한 형상은 구경할 수 없었다.[**時適新晴 水襄兩崖 潭之奇狀 不可得而窺矣.**]"라고. 이것이 탁영이 지리산 유람기에 직접 남긴 용유담 주변을 제대로 구경하지 못한 이유이자 사실(fact)이다.

그러나 탁영은 용유담과 관련하여 많은 정보를 전해 듣는다. 동행한 임정숙으로부터 "점필재 공이 이곳에서 기우제를 지낸 이야기[**貞叔云 此**佔**畢公爲郡時 禱雨齋宿處也.**]"며, "천변에 생긴 돌개구멍(포트홀) 중에는 항아리나 가마솥처럼 생긴 바위도 있다고. 하지만 너무 많아서 이루 다 기록할 수 없다.[**又有石如甕如釜鼎類者 不可勝記**]"라는 기록까지 남겼으나, 넘실대는 홍수 속에서 위험하게 강바닥까지 내려가 무수히 많은 포트홀을 체험했을 리도 없으니 이 또한 전해 들은 말일 것이다.

당시 26살의 탁영은 이미 3년 전에 과거에 급제한 엘리트였다. 그래서인지 자연과학적인 현상에도 문리(文理)가 트였는지 돌개구멍의 생성 원리까지 꿰뚫고 있었다. 이것은 "산골물의 물살이 급해서 물과 돌이 굴러가면서 서로 부딪치기를 오래 하여 이런 모양을 이룬 줄 알지 못한다.[**殊不知山澗湍急 水石流轉 相磨之久而至於成形**]", "어리석은 백성들이 이것을 기명(器皿)이라고 말하는 것을 두고, 사리를 생각하지 못하고 허황한 말만 좋아한다, 라고 크게 나무랐다.[**民以爲龍之器皿也 甚矣細民之不料事而好誕設也.**]"는 기록이 이를 증명하고 있다. 탁영 선생과 일두 선생 일행이 이곳을 지나간 것은 1489년 봄이었다.

이보다 235년 뒤인 1724년에 용유동을 지나간 동계(東谿) 조구명(趙龜命, 1693~1737)은 〈유용유담기(遊龍游潭記)〉에서 "용유담은 지세가 깊고 그윽하였으며[**地勢幽邃**], 바위들이 모두 개의 송곳니처럼 뾰족하게 솟아있었다.[**石皆犬牙**]. 물길이 굽이굽이 소용돌이치며 세차게 흘러내리는데, 그 소리가 우레와 같았다.[**水十步九折 盤渦激射 其聲若雷**]. 용당(龍堂)이 맞은편 언덕에 있었는데[**以龍堂之在對岸也**], 나무로 엮은 다리가 놓여 있었다[**編木橋之**]. 아래를 내려다보니 헤아릴 수 없이 까마득하여[**下臨不測**] 위태롭게 매달린 다리를 건너자니 아찔하고 벌벌 떨려서 건널 수가 없었다.[**懸危凜慄 不可越也**]"라는 기록을 남겼다.

필자는 과학(물리) 교사로서 지금까지 용유담의 포트홀에는 관심이 많았지만, 각자에는 별로 관심이 없었다. 동계(東谿) 조구명(趙龜命)이 소개한 것처럼 개의 송곳니처럼 뾰족하게 솟아있는 바위나 그런 바위 위에 있는 특이한 포트홀은 용유담 상류로 가면 강을 건너지 않고도 많이 볼 수 있다.

또, 〈유용유담기(遊龍游潭記)〉에 등장하는 용당(龍堂)은 앞서 소개한 고대(孤臺)

정경운(鄭景雲)의 《고대일록(孤臺日錄)》에서 이미 등장한 적이 있다. 임진왜란이 끝난 후, 고대(孤臺)는 친구 사호(思湖) 오장(吳長) 등과 함께 "용유담을 방문하여 용당에서 모여 잤다.[午後到龍潭 會宿于龍堂]"라고 했으니, 이들은 나무다리를 건너 용당으로 건너간 것으로 보인다.

동계(東谿) 조구명(趙龜命)은 이 다리를 건너지 않고서도 〈유용유담기(遊龍游潭記)〉를 남겼으나, 용유담을 찾은 유람객은 대부분 위험을 무릅쓰고 그 아찔한 나무다리를 건너 맞은편 강 언덕으로 간 것으로 생각된다. 그래서인지 실제로 탁영 김 선생의 '장구소' 각자와 그 외에 수많은 소요객의 이름이 새겨진 각자는 맞은편 강 언덕에 집중되어 있다.

그렇지만 탁영 김 선생은 용유담의 나무다리에 관한 어떤 언급도 없다. 안타깝지만 많은 비로 인한 홍수로 용유담의 풍경을 제대로 즐길 분위기가 아니었다. 게다가 임천을 건널 수가 없어서 군자사 등지의 방문을 포기하고 유람코스와 일정을 대폭 수정하여 멀리 남쪽으로 돌아가는 상황이었으니 용유담에서 오래 머물 처지도 아니었을 것이다.

그래서인지 이곳 용유담에서는 시(詩) 한 편도 짓지 않았고, 그야말로 '점(點)만 찍고 지나간다'라고 하는 점심만 먹고 떠났다. 과연 이런 곳까지 '장구소'라고 이름 붙여도 좋을지 의문이다.

조선 유학계에서 일두 정 선생, 탁영 김 선생은 오늘날까지 존경받는 대현(大賢)들인 만큼, 그야말로 잠깐 점만 찍고 지나간 것을 두고, '이곳에 이러이러한 훌륭한 분들이 지나갔다'라고 흔적을 남기고 싶은 이 지역 사람들의 마음은 충분히 이해되지만, '장구소'라는 각자가 없더라도 "1489년 4월 16일, 고명(高名)하신 탁영 선생과 일두 선생이 용유담에서 점심을 먹고 지나갔다"라는 역사적인 사실은 알 만한 사람은 다 안다. 그만큼 문집에 남긴 기록은 영원하다.

한편, 용유담 주변에는 무려 100명이 넘는 사람의 이름이 각자(刻字) 되어 있다. 용유담 바윗돌에 자신의 이름을 남기고 싶은 욕구가 당시 지리산 주변 지역 인사들의 사회 풍조였는지는 알 수 없으나, 이런 행동에 대해 굳이 남명 조 선생의 말을 빌리지 않더라도 자랑이 아니라 부끄러운 자화상일 뿐이다.

특히, 앞서 노재현 등의 연구에서 제시한 [표1]의 사진에서 볼 수 있듯이 용유담 주변에 난무하는 각자(刻字)의 무리 속에서 이렇게 고명하신 네 분의 '장구소(杖屨所)'라는 사실을 알리는 각자([표1]의 사진상의 b, d 위치)가 오히려 이 지역 땅 주인과 그 일족으로 보이는 분들이 차지한 각자의 위치와 공간([표1]의 사진 상의 a, c 위치)에 비하면 너무나 '초라하다'라는 느낌이다.

(다) 용유담은 남명 선생이 세 번 찾은 용유동이 아니라는 설

오이환 교수는 그의 논문에서 "여기서 말하는 동(洞)은 골짜기[幽壑]란 뜻인데, 반드시 어떤 특정 장소만을 의미한다기보다는 대체로 그 언급된 장소를 중심으로 더욱 광범위한 계곡 일대를 지칭하는 것으로서, 그가 택한 산행코스를 가리키는 것이라고 보아야 할 것이다.

남명이 언급한 지리산의 여러 동(洞) 중 덕산동(德山洞)은 오늘날의 경남 산청군 시천면 덕산(慶南 山淸郡 矢川面 德山) 일대, 백운동(白雲洞)은 그 인근의 단성면 백운리(丹城面 白雲里) 및 백운계곡 일대, 청학・신응동(靑鶴・神凝洞)은 하동군 화개면 쌍계사(河東郡 花開面 雙磎寺) 뒤편의 불일폭포(佛日瀑布) 주변 및 삼신동(三神洞) 중 의신(義信) 쪽과 칠불암(七佛庵) 쪽 계곡이 갈라지는 지금의 신흥마을 일대를 각각 가리키는 것임은 이미 잘 알려진바 이론(異論)의 여지가 없다고 할 수 있다."라고 했다.

그런데 문제는 '용유동'과 '장항동'이 어디냐는 점이 논란의 대상이 되었나 보다.

오 교수는 그의 논문의 서언(序言)에서 "남명과 관련된 세 유적지, 즉, 지동(枝洞), 장항동(獐項洞), 용유동(龍遊洞)에 대한 세간의 오해를 방치할 수 없어서 문헌 고증을 통해 바로잡고자 함"을 분명히 밝히고 있다. 용유동을 포함한 남명삼동(南冥三洞)에 대해 잘못 이해하는 사람들이 나타나고 있으니 바로잡겠다는 것이다. 그는 그 이유를 다음과 같이 말한다.

> 지난 1999년 6월에 남명학부산연구원이 주최하는 학술발표회에 초청되어 간 바 있었는데, 그때 얻어 온《남명학연구원보(南冥學硏究院報)》제7호에 …… 지리산 휴천(休川) 계곡을 따라 엄천강(지금의 이름은 임천강(臨川江))을 계속 거슬러 올라가다가 의탄(義灘) 조금 못 미친 지점의 송전리(松田里)에 있는 명소(名所) 용유담(龍遊潭)을 역시 위와 같은 문헌에 보이는 용유동(龍遊洞)이라고 설명하였는데, 이는 모두 필자가 알고 있는 바와는 어긋나는 것이었다.

앞서 잠깐 소개했다시피 용유담은 필자에게도 친숙한 곳이다. 마천중학교에서 과학 교사로 근무할 당시, 그곳에 자주 놀러 갔던 추억이 있다. 그런데 필자는 용유담과 그 주변에 널린 각자에는 전혀 관심이 없었고, 그 상류의 천석(川石)에 펼쳐진 다양한 돌개구멍, 즉 포트홀(pothole)에 더 관심이 많았다. 포트홀은 암반으로 이루어진 하천의 바닥에 하수의 침식작용으로 인하여 생긴 원통형의 깊은 구멍을 말한다. 화강암과 같은 암석으로 된 하천 바닥에 잘 나타난다. 지리산 상류인 용유담 주변에는 급류가 강바닥의 바위와 충돌하면서 와류가 발생하기 쉬우므로 국내 최대규모라고 해도 좋을 엄청난 규모의 돌개구멍이 형성되어 있다. 그래서 경남과학고 학교장 시절에도 젊은 지구과학과 선생님들과 함께 탐사했던 기억이 생생하다.

또 용유담 근처 바위에는 수많은 각자(刻字)가 눈에 띄는데, 그중에 "문헌공일두정선생(文獻公一蠹鄭先生), 문민공탁영김선생(文愍公濯纓金先生), 문정공남명조선생(文貞公南冥曺先生)"이라는 글씨와 그 아래에 가로쓰기로 장구소(杖屨所)"라고 새겨져 있다. 이것을 근거로 "이곳 용유담에 남명이 다녀갔으니 이곳이 용유동이 아니냐?"라는 엉뚱한 주장이라는 것이 오이환 교수의 주장이었다.

(4) 남명 선생이 세 번 찾은 용유동은 청암계곡이다

그렇다면 남명이 말한 용유동은 도대체 어디란 말인가? 필자는 이 '용유동에 관한 변증(辨證)'이라는 논문을 보고 깜짝 놀랐다. 오 교수는 '문제의 용유동(龍遊洞)은 지리산의 여러 골짜기 가운데서도 남명이 자주 찾았던 곳 중의 하나인데, 이에 관하여는 《진양지(晋陽誌)》(권1), 〈산천(山川)〉 조(條)에 다음과 같은 설명이 있다.'라는 설명이었다.

> 용유동(龍遊洞)은 전두리(田頭里)의 서쪽 청암산(靑巖山)에 있다. 동천(洞天)이 깊숙하며 천석(泉石)이 아름다운데, 남명 선생(南冥先生)의 「두류록(頭流錄)」에서 '용유동(龍遊洞)으로 들어간 적이 세 번'이라 하신 것이 이곳이다.[214]

청암면 상이리 절터 마을 앞, 요동치는 청암천(사진 오른쪽 위에 '백바위'가 있다). 물굽이가 굽이굽이 이어지는 이곳이 바로 수구(水口)가 막힌 용유동(龍遊洞)이 아닐까?

214) 龍遊洞(용유동), 在田頭里西青巖山(재전두리서청암산). 洞天深邃(동천심수), 泉石奇麗(천석기려), 南冥先生頭流錄所謂入龍遊洞者三此也(남명선생두류록소위입용유동자삼차야)

《진양지(晋陽誌)》는 1622년부터 1632년에 걸쳐 부사(浮査) 성여신(成汝信, 1546~1632) 등이 편찬한 읍지(邑誌)로 진주목의 역사, 행정, 군사, 지리, 인물 등 다양한 내용을 매우 상세히 담고 있다. 특히 부사는 남명의 직접 제자이니 남명 선생에 관련된 기술에 대해서 신뢰할만하다고 생각된다. 그런 그가 쓴 《진양지》에 기록된 용유동은 "전두리의 서쪽 청암산에 있다"라고 했으니 적어도 함양 휴천 · 마천의 용유담을 지칭하는 것은 아니라는 것은 확실하다. 여기서 주목할 포인트는 두 가지이다. 즉, "전두리의 서쪽이 도대체 어디냐?" 하는 것과, "청암산이 어디냐?"라는 점이다. 계속하여 오이환 교수는 《진양지》를 인용하며 전두리와 오대리의 위치를 다음과 같이 소개하고 있다.

> 《진양지(晋陽誌)》에 따르면 전두리(田頭里)에 대하여는 같은 책 각리(各里) 조(條) 서면(西面)에 "주(州)의 서쪽 60리(里)에 있다. 동(東)은 시탄(矢灘), 서(西)는 악양(岳陽), 남(南)은 하동(河東), 북(北)은 오대(五臺)이며, 동서(東西)로 30리, 남북(南北)으로 15리이다. 풍토(風土)는 오대(五臺)와 같다."[215] 라고 소개하고 있으며, 그 바로 앞부분에서는 오대리(五臺里)에 대하여 "주(州)의 서쪽 60리에 있다. 동은 종화(宗化), 서는 악양(岳陽), 남은 전두(田頭), 북은 시천(矢川)이며, 동서로 45리, 남북으로 25리이다. 운운"[216]이라 하였다.

여기서 전두리는 청암면 남부와 횡천면 전대리 일대로 생각되며, 오대리는 구(舊) 청암면, 즉 2003년 궁항리, 위태리, 회신리가 옥종면으로 편입되기 이전의 청암면으로 옛날 오대리는 청암리와 청암면의 모태였다. 그런데 청암산에 대한 자료가 매우 부족한 것이 사실이다. 오이환 교수는 앞에서 소개한 그의 논문에서 다음과 같이 말했다.

> 청암산(靑巖山)은 《진양지(晋陽誌)》 〈산천(山川)〉 조(條)에서는 위의 한 군데에서 보일 뿐 달리 그 이름을 찾아볼 수가 없으나, 《대동여지도(大東輿地圖)》에는 나타나 있는데, 후자로 미루어 보건대 그것은 오늘날의 하동군 청암면(靑岩面)[217]과 산청군 시천면의 경계를 이루고 있는 주산(主山) 일대를 가리킨 것으로 판단된다. 전두리(田頭里)는 지금의 하동군 횡천면 북쪽에 있는 전대리(田垈里)가 그 이름에서 유래할 것으로 추정되는바, 광무 10년(1906) 진주군의 7개 면이 하동군으로 이속될 때까지만 해도 전대동(田垈洞)은 청암면에 속해 있었으며[218], 《진양지(晋陽誌)》가 씌어진 광해군 · 인조 무렵에는 이 일대를 포함한 오늘날의 청암면 전체가 전두리와 오대리에 속해 있었던 듯하다. 〈중략〉 전대리의

215) (田頭里) 在州西六十里, 東矢灘, 西岳陽, 南河東, 北五臺, 東西三十里, 南北十五里. 風土與五臺洞

216) (五臺里) 在州西六十里, 東宗化, 西岳陽, 南田頭, 北矢川, 東西四十五里, 南北二十五里 云云

217) 오이환 교수가 〈남명유적3동변증(南冥遺跡三洞辨證)〉이라는 논문을 2001년에 썼다. 즉, 궁항리, 위태리, 회신리가 옥종면으로 편입되기 전이었다. 이하, 구(舊) 청암면이라 한다.

218) 《河東郡誌》(1996) 上卷, p.208~209 참조(오이환의 논문에서 재인용)

북쪽으로는 〈중략〉 이른바 낙남정맥이 지나가고 있으므로 이 긴 산줄기가 대체로 전두리와 오대리의 경계선이 될 것으로 추측해 볼 수가 있다. 그렇지만 오대리의 서쪽도 악양이라고 하였으며, 전두리에 비해 오대리의 면적이 넓고 그 남북의 폭도 길므로 서북쪽으로 이어지던 낙남정맥이 횡천강을 만나 북쪽으로 방향을 바꾸는 중이리(中梨里)와 상이리(上梨里) 부근을 두 지역의 서쪽 경계 지점으로 생각해 볼 수가 있다. 이 두 마을의 이름은 《대동여지도》에 보이는 '이산(梨山)', 즉 청암 · 적량 · 악양 세 면(面)의 분계(分界) 지점이 되는 지금의 칠성봉(七星峰, 해발 약 900m)에서 유래함이 분명함으로 삼신봉(1,284m)에서부터 낙남정맥과 갈라져 칠성봉으로 남하하는 지리산 남부능선의 주맥(主脈)에서, 칠성봉 기슭의 상기 두 마을 근처로부터 가로로 횡천강을 건너질러 낙남정맥의 횡선과 연결시켜 보면 대체로 그것이 전두리와 오대리의 남북 경계선이 될 것으로 간주해도 크게 틀리지는 않을 것이다.

오 교수는 《대동여지도》에 나타난 청암산이 이러한 조건과 모순되는 점에 대하여서는 하수일(河受一)의 석인본(石印本) 《송정집(松亭集)》(권4)의 속집(續集)에 수록된 〈유청암서악기(遊青巖西岳記)〉의 분석 등을 통해 다음과 같이 말했다.

청암산(靑巖山)이란 어느 특정한 산이나 산줄기 하나를 가리키는 것이 아니며, 청암면 일대에 들어찬 산 전체에 대한 통칭임을 짐작할 수가 있다. 아마도 청암(靑巖)이란 지명 자체가 이처럼 사방이 빽빽하게 산으로 둘러싸인 데서 유래한 것이 아닌가 한다. 오늘날의 주산(主山)이란 명칭은 그 여러 산줄기 가운데서 북쪽 일대의 연봉(連峰)이 풍수지리(風水地理)에서 그 터의 운수 기운이 매어있다고 하는 이른바 주산(主山) 즉 주룡(主龍)에 해당하므로 그렇게 부르게 된 것이며, 《대동여지도》에서도 그런 까닭에 이를 청암산으로 표시했을 터이다. 그러나 사실에 있어서는 서악(西岳), 즉 사방의 산세 가운데서 우백호(右白虎)[219]에 해당하며 남부 능선의 주맥에서 뻗어 내리는 칠성봉 능선이 가장 높고 험준하니, 그런 까닭에 《진양지》에서는 이를 청암산으로 호칭하고 있는 것이다. 〈중략〉.

청암사(靑巖寺)는 또한 명암사(明巖寺)라고도 부르며, 현재 그 유허(遺墟)가 칠성봉 능선 아래쪽의 기슭인 명호리 사동(寺洞) 마을에 남아 있는데, 오늘날에는 옛 청암사 골짜기 일대를 일반적으로 절골 또는 명사(明寺)라고 부르고 있다. 이로써 칠성봉 능선 일대가 바로 《진양지》가 말한 청암산이며 여기도 전두리에 속했음을 확인할 수가 있는데, 그것은 《진양지》의 각리 조에서 오늘날 북천면 대야천(大也川) 일대인 선천리(繕川里)의 서쪽이 청암이라고 한 것과도 일치한다.

용유동은 청암산에 있다고 하였는데, 칠성봉 능선 아래에는 절골 말고도 중이리에 골짜기가 하나 더 있다. 그러나 이 궁벽한 청암 일대에 남명 당시 이런 좁다란 사이 골짜기에까지 일반인이 사는 마을이 있었다고는 생각하기 어렵다. 남명이 〈유두류록〉에서 언급한 여러 동들은 대체로 지리산의 큰 계곡에 속하며, 오늘날 횡천강으로 불리는 강은 《대동여지도》에 옥계(玉溪)로 표시되어 있으나, 남명 당시에는 다른 이름이었을 가능성도 있다. 절골 입구의 용심정(龍尋亭)이란 지명이나, 묵계리 일대의 횡천강 상류가 25,000분의 1 지형도에 청룡강(靑龍江)으로 표시되어 있는 점을 감안한다면 당시의 강 이름도 용(龍)과 유관한 것이었을지 모른다. 그러나 그것은 아직 문헌에 의해 확실히 입증된 바가 아니므로

219) 지형으로 보면, 낙남정맥이 주산(主山)의 서쪽 끝 봉우리에서부터 남으로 이어져 나간 보다 낮은 산줄기를 이른바 내백호(내백호)로, 그리고 그것을 바깥에서 높게 둘러싸고 있는 칠성봉 능선을 외백호(외백호)로 간주할 수 있겠다(이상은 오 교수의 논문에서 재인용).

《진양지》의 설명에 따라 용유동은 대체로 청암산 기슭이자 전두리 서쪽에 해당하는 현재의 명호리나 그 위쪽 평촌리 · 중이리 근처의 횡천강 일대를 가리키는 것으로 간주함이 무난할 터인데, 이 지역은 남명 당시 횡포역(橫浦驛)이 있어 교통의 요지였던 지금 횡천면 소재지에서 비교적 가까운 곳이요, 횡천강을 거슬러 묵계 쪽의 오지(奧地)로 나아가는 어귀 부분이라 할 수가 있다.

그런데 묵계 골짜기의 오늘날 묵계제가 있는 **삼거리 맞은편 하동군 악양면과의 경계를 이루는 칠성봉 능선 상부에 회남재가 있고, 그 아래 산 중턱에 회남 마을이 있는데, 여기에는 남명과 관련된 전설**이 남아있다. 즉, '남명 선생이 덕산쪽에서 화개면으로 가 보시려고 가파른 고갯길에 올랐다가 하동 쪽으로 내려다보니 좋지 못하여 되돌아왔다고 하여, **그 뒤에 사람들은 이 고개를 '回南재'라 불러오고 있다.**'는 것이다.[220] 이는 남명이 지리산에 안주할 곳을 찾아 돌아다니다가 번번이 뜻을 이루지 못하고서 되돌아왔다는 〈유두류록〉의 내용과 흡사한 것이므로 후자에서 유래하는 전설일 가능성이 있다고 본다. **그러므로 남명의 발길이 반드시 전두리에서 그친 것이라고 보아야 할 이유는 없을 것이다.**

또한 경상국립대 한문학과 최석기 교수도 "용유동은 대체로 현 하동군 횡천면 명호리나 그 위쪽 평촌리 · 중이리 근처의 횡천강 일대로 추정된다[221]"라고 한 것으로 보아 오이환 교수의 청암계곡 용유동설을 수용한 것으로 보인다.

오 교수는 "오래전에 남명의 유적을 찾아 산청군(山淸郡) 시천면(矢川面) 내공리(內公里)로부터 걸어서 이 갈치재[222]를 너머 주산(主山)과 묵계 계곡 일대를 답사한 적이 있었다."라고 하면서 "이 고갯길은 예로부터 덕산(德山) 쪽에서 청암(靑巖) 방면으로 갈 때 주로 경유하던 통로였으므로 남명 또한 이 길을 이용했을 것임도 짐작할 수가 있다"라고 했다.

220) 李商元, 〈南冥 曺植에 관한 野乘의 硏究〉, 《南冥學硏究論叢》(1, 1988), p.284~285, '回南이' 참조(이상은 오 교수의 논문에서 재인용).

221) 최석기, 《남명과 지리산》, 경인문화사, 2017, p.62

222) 갈치재는 현지 구 청암면과 시천(矢川)면 지역 사람들은 갈티재(葛峙)라고 부른다. 갈티재는 위태리 상촌마을에서 산청군 시천면 '공전이(公田-)'의 내공마을로 너머가는 고개인데, 시천 사람들은 이 재를 '공전이재'라고 한다. 일제시대에 만들어진 신작로는 최근에 포장이 되었다. 필자의 8대조 이하 선산이 모두 그 인근의 시천면 반천리에 있는데, 그래서 어릴 때부터 갈티재로 듣고 자랐다. 또한 《하동군지명지》는 물론 《청암(靑岩)》에서도 '갈티재'라고 되어 있으며, 《한국지명총람 10(경남 · 부산편Ⅲ)》에서는 '갈티' 혹은 '갈곡재', '갈재'라고 하고 있다.

백바위 아래, 머리핀처럼 역동적으로 곡류하는 묵계천. 이곳이 바로 묵계동천 입구의 석문(石門) 아래 '수구(水口)가 막힌 현장'이다. 필시 이를 두고 남명 선생께서는 '용유동(龍游洞)'이라 이름하지 않았을까? (사진 앞쪽이 상류이다, 드론 사진: 이영근)

또, 최석기 교수도 남명이 은거지를 물색하면서 '용유동으로 들어간 것이 세 번'이라고 하였는데, 용유동이 하동군 청암면에 있는 곳이라면 옥종면을 거쳐 갔을 가능성이 크고, 그러면 오대사에 들렀을 확률이 높다. 또 덕산에 거주할 적에도 오대사를 다녀오는 것은 그렇게 힘든 일이 아니다.

그래서인지 《남명집》에는 오대사와 관련된 시가 두 편 전한다.[223] 여기서 최교수가 말한 '옥종면'은 '옥종면 위태리와 궁항리' 지역을 말하는데, 이곳은 2003년 이전에는 청암면이었음을 잊지 말자.

따라서 남명이 청암 방면, 즉 용유동으로 들어갈 때, 덕산의 '공전(公田)이(오늘날 시천면 외공리와 내공리)'에서 '갈티재'를 너머갔을 것이라는 오 교수와 최 교수의 이런 견해에 대해 필자는 전적으로 동의한다. 그것은 《동국여지승람(東國輿地勝覽)》이나 청파(青坡集) 이륙(李陸)의 〈유지리산록(遊智異山錄)〉에서 오대사(五臺寺)를 소개할 때, "살천 남쪽 고개 너머에 있다.[自薩川南踰一嶺(자살천남유일령)]"라고 설명한 것과 일맥상통한다. 여기서 '고개(嶺)'는 바로 '갈티재'를 말한다.

223) 최석기, 《남명과 지리산》, 경인문화사, 2017, p.181.

남명이 지리산을 10번 이상 방문한 시기는 남명이 김해에서 고향 삼가로 돌아온 48세에서 〈유두류록〉을 쓴 58세 사이로 보는 것이 타당할 것이다. 그렇다면 삼가 토동(兎洞)에서 출발하여 청암계곡, 즉 용유동으로 들어간 길을 추적해 보는 것도 재미있을 것 같다.

삼가의 토동에서 출발한 남명이 지리산을 향한다면, 양천강을 따라 생비량면을 거쳐 남서행을 하는 평탄한 코스가 가장 무난했을 것이다. 그러면 곧장 신안면 원지에 이르고, 여기서 경호강을 건너면 단성에 이른다. 단성의 소남리에는 소남역이 있었으니 여기서 머물 수도 있었다. 곧이어 남사마을을 지나 낮은 고개를 넘으면 덕천강 변의 '칠정'이다. 여기서 곧장 덕천강을 따라 북쪽으로 향하면 도구대, 백운동 입구, 입덕문, 탁영대, 덕산동, 장항동은 물론 갈티재를 넘으면 청암의 용유동으로도 들어갈 수가 있다.

덕산에서 강을 따라 외공리로 올라가서 개울을 건너면 내공리인데, 여기서 갈티재를 너머가면 금방 오대사가 나온다. 또 소남역에서 수곡을 거쳐 옥종을 지나거나, 칠정에서 덕산을 경유하지 않고 옥종을 지나 오대사로 가는 길도 가능하다. 한마디로 오대사는 청암골, 즉 용유동으로 들어가는 중간 기착지이다. 그리고 오대사 안산의 산줄기가 낙남정맥이다. 이 산줄기에는 재가 많다. 오대사 북쪽의 궁항리에는 북서쪽에 질매재가 있고, 오대사 남서쪽의 회신리에는 돌고지재가 있고, 궁항리에는 양이터재가 있다. 어느 쪽이든 재를 넘으면 청암계곡, 즉 용유동이나 묵계동으로 들어갈 수 있다.

이 구간에서 가장 남쪽에 있는 돌고지재를 넘어가면 횡천면 전대리 안양사와 청암면 평촌으로 통한다. 특히, 돌고지재 정상에서 북서쪽으로 비스듬히 산비탈을 따라 돌아가면 안양사(安養寺)가 나온다. 이 안양사에서 재[峙]를 넘으면 바로 청암골이다. 안양사는 《동국여지승람(東國輿地勝覽)》이나 청파(靑坡集) 이륙(李陸)의 〈유지리산록(遊智異山錄)〉 등에서 묵계사의 위치를 소개하는 기점[224)]으로 알려진 중요한 절이다.

또 질매재와 돌고지재의 중간쯤에 있는 양이터재를 넘어가면 청암면 중이리, 지금은 하동호에 수몰된 나본마을로 연결된다. 가장 북쪽의 질매재를 너머 속칭 '열두모랭이'를 지나면 청암면 묵계리 장재터 마을이다. 1489년 지리산을 유람한 탁영 선생과 일두 선생도 오대사를 거쳐 질매재를 너머 묵계사로 직행한 코스를 택한 것으로 보인다. 이 길이 오늘날 경상남도 지방도 1014호 노선과 일치한다는 사실에 주목할 필요가 있다. 500년 전에 통하던 길, 당시 묵계동에 살았던 선인들의 지혜가 오늘날까지 이어진다는 사실을 생생하게 보여 주는 살아있는 증거인 셈이다. 열두모랭이 산길은 우연이 아니라는 말이다.

---

224) 이륙, 《청파집》의 〈유지리산록〉에 "默契寺(묵계사): 自安養前川(자안양전천) 隨水西北行谿谷之間(수수서북행계곡지간) 甚險阨(심험액) 四十餘里(사십여리) 窮水源(궁수원) 有地稍開曠(유지초개광) 土又肥衍(토우비연) 寺在智異(사재지리) 最名勝境(최명승경) 有志之僧(유지지승) 前後多往居焉(전후다왕거언)"

즉 이 길은 과거 수백 년 동안 묵계리 지역 주민들이 진주목으로 가는 중요한 통로였다.

특히, 이 논문에서 오 교수는 남명이 되돌아갔다고 하는 설화가 남아있는 회남재를 언급하면서 "이는 남명이 지리산에 안주할 곳을 찾아 돌아다니다가 번번이 뜻을 이루지 못하고서 되돌아왔다는 〈유두류록(遊頭流錄)〉의 내용과 흡사하므로, 남명의 발길이 반드시 전두리에서 그친 것이라고 보아야 할 이유는 없을 것이다."라는 견해를 밝혔다.

이렇게 남명이 용유동을 3번이나 다녀간 것이 분명한 만큼, 그 상류에 있는 회남재에 직접 다녀갔을 개연성(蓋然性)도 한층 높아졌다고 할 수 있다. 따라서 회남재의 남명 설화는 사실일 가능성이 있다고 본다. 앞으로 새로운 자료가 발굴되기를 기대해 본다.

오 교수는 "남명이 유두류록에서 말한 용유동과 장항동을 어떤 문헌적 근거도 없이 함양지역이라고 무리하게 주장하는 사람이 있어서 이를 제대로 고증함으로써 용유담 용유동이란 주장은 아무런 문헌적 근거가 없는 조어(造語)에 불과하다."라고 일축했다.

남명이 지리산을 이렇게 10여 차례 이상 열심히 들락날락한 목적은 지리산 일대에서 만년을 보낼 장소를 물색하기 위함이었음이 분명하다. 또, 시기적으로는 《유두류록》을 쓴 58세 이전이 분명하며, 특히, 김해 생활을 청산하고 고향인 삼가 토동(兎洞)으로 돌아와 살고 있을 때로 보는 것이 가장 타당할 것이다. 그리고 무엇보다 가장 중요한 사실은 남명이 3번씩이나 드나든 지리산 용유동은 바로 청암계곡이라는 점이다.

남명이 덕산에 산천재를 짓고 복거(卜居)한 시기가 61세, 즉 1561년이다. 그리고 용유동과 회남재를 포함한 청암계곡에는 《유두류록》을 남긴 58세 이전, 즉 1558년 이전에 다녀갔을 가능성이 크다.

따라서 지금까지 회남재에 대한 설화나 안내판, 각종 기사에서 **"1560년경 덕산에 살 때"라는 표현은 사실이 아닐 가능성이 크다."**

(5) 백바위는 남명 선생 지나간 곳, 녹사 한유한이 낚시한 곳

〈백바위 전경〉 1941년에 이곳에서 '청백음사(靑白吟社)'가 결성되었다

1941년, 일본 제국주의가 마지막 광기를 부리던 시기에 이 지역 최고의 명승처인 백바위(白巖)에서 청암 골의 명사들이 조국을 잃은 아픔을 자연을 벗하며 시(詩)로 토로(吐露)하기 위해 '청백음사(靑白吟社, 이하 청백사)'라는 계(契)를 조직하고 봄, 가을에 모여 연회를 열고 시를 지었다. 해방 후, 지리산 공비들의 준동으로 중단되었다가 1956년 계를 재창립하여 백바위 높은 언덕에 '백석동천(白石洞天)'이라 새기고, 계곡의 바위에는 당시 36명의 청백사 계원들의 이름을 새겼다.

1965년에는 그동안 모인 옥고(玉稿)로 《청백사시집(靑白社詩集)》을 발간하였으며, 2019년에는 하동문화원(원장 靑波 姜泰鎭)의 협조로 1994년 이후에 재개된 청백사 시 모임에서 창작된 작품까지 모두 모아 한 권으로 엮어 국역한 《청백사시집》을 출판하였다. 이때 필자는 모든 자료 입력과 사진 촬영, 편집작업을 담당했다.

《청백사 시집》 표지

청백사 창립의 주역 중의 한 사람인 자학(子鶴) 정준영(鄭俊永, 1890~1966) 선생은 필자가 어릴 때 '산신령'이라는 별호로

불리던 어른으로 유고집인 《자학유고(子鶴遺稿》[225]가 있다. 자학 선생에 대해서는 〈제3부〉에서 좀 더 자세히 소개한다.

그런데 필자는 이 자학 선생의 유고집에서 놀라운 사실들을 발견했다. 먼저 1960년경, '청백사' 시모임에서 쓴 것으로 보이는 〈청백사에서 시회(靑白社詩會)〉라는 제목의 시에서 '일찍이 남명 선생이 지나가신 곳(百世冥翁曾過處), 옛날 한록사 낚시하던 곳(一竿錄士舊魚隣)'이라는 시구(詩句)를 남겼다. 그런데 이 시는 위에서 소개한 《청백사시집》에는 소개되지 않은 시였다.

자학선생은 이 시를 통해 묵계 청학동의 입구인 '백바위'를 남명 선생께서 지나치신 곳임을 분명히 밝히고 있으며, 더 나아가 고려 시대 은사 한록사가 낚시하던 유서 깊은 곳임을 밝힌 것이다. 이 시(詩)의 전문은 〈제3부〉에서 소개한다.

다음으로 자학 선생은 청백음사 시집의 발문(跋文)을 썼는데, 이것은 《청백사시집》에 이미 소개되어 있었으나, 상당한 부분 추가・수정된 원고가 유고집에 실려있었다. 특히 수정된 부분에서 필자가 주목하는 부분은 '남명 선생의 유두류록을 살펴보매 용유동이라 칭하니 또한 이곳이로다(按南冥頭流錄 稱龍遊洞者亦此洞也). 그렇기에 용유동에서 넘으면 악양(岳陽)이니, 속칭 회남령이라(故自龍遊而踰岳陽也 俗稱回南嶺)'라는 구절이었다. 이 시집의 발문 전문은 〈제3부〉에서 소개하므로 여기서는 생략한다.

이상에서 보듯이 100여 년 전에 활동한 이곳 묵계 동천의 지식인들은 남명이 3번이나 드나든 지리산 용유동이 바로 이곳 청암골이었으며, 묵계동에서 악양으로 너머가는 고개를 '남명이 돌아간 고개', 즉 '회남령(回南嶺)'임을 이미 알고 있었던 것이다. 이로써 회남재와 관련된 남명의 야승은 야사나 설화가 아니라 사실일 가능성이 더욱 커졌다.

225) 정준영, 《자학유고(子鶴遺稿》, 서문(序)은 영가(永嘉) 권택용(權宅容, 산청군 단성면 입석리), 번역은 오헌(旿軒) 양삼준(梁三俊) 선생(하동군 청암면 묵계리)이 했다.

바. 회남재의 남명 전설은 여전히 살아있다.

해발 972m, 회남재 정상에 있는 회남정. 건물 뒤쪽이 악양이다.

(1) 남명 선생의 야승 연구와 회남재

'남명 선생은 과연 회남재까지 왔다 갔을까?

'왔다 갔다면 언제쯤일까?'

그 의문을 풀기 위해 백방으로 자료를 찾고 있던 2023년 가을, 남명학 연구의 권위자인 경상국립대 인문대학 오이환 명예교수로부터 〈회남재와 남명의 야승〉에 관한 논문이 있다는 말을 들었다. 오 교수로부터 이상원(李商元)의 논문 외에 여러 편의 논문을 소개받았고, 그날로 바로 그 논문을 모두 찾아보았다. 이상원의 논문에 소개된 회남재와 관련된 남명의 야승은 다음과 같았다. 이 글에서 괄호 안의 한문 토와 밑줄, ①, ⓐ 등의 원문자는 필자가 논의의 편의상 붙였다.

옛날 德山(덕산)에 曺南冥(조남명)이라는 大賢(대현)이 살고 있었다. 어느 날 ①**南冥 先生(남명 선생)이 德山(덕산) 쪽에서** 花開面(화개면)으로 가 보시려고 가파른 고갯길에 올랐다가, 河東(하동) 쪽으로 ②**내려다보니, 좋지 못하여 되돌아왔다**고 하여, 그 뒤에 사람들은 이 고개를 回南(회남)재라 불러오고

> 있다고 한다.[226]
> 河東郡(하동군) 青岩面(청암면) 默溪里(묵계리) 삼거리 남서쪽 마을을 이곳 사람들은 헤내미라고 부르는데, 이는 回南(회남)이의 방언이다. ③**이 고개는 山淸郡(산청군) 矢川面(시천면) 內大里(내대리) 뒤에 있는데**, 바로 가까이의 默溪里(묵계리)에 있는 삼거리와 回南峙(회남재) 사이에는 回南(회남)이라는 작은 마을이 있다. ④**回南(회남)이는 오늘날에 河東郡(하동군) 岳陽面(악양면)과 青岩面(청암면)의 面界(면계)에 위치**해 있다. 山靑郡(산청군) 矢川面(시천면)에서 河東郡(하동군) 境界(경계)인 ⑤**默溪(묵계)재를 넘으면 원묵계가 있는데, 이곳이 바로 오늘날 보는 青鶴洞(청학동) 道人村(도인촌)**이며, 그 아랫마을이 회동이며 이 길을 죽 따라가면 묵계 삼거리가 나온다.[227]

이 논문에는 모두 27편의 남명의 야승이 수록되어 있다. 이 중에 지명과 관련이 깊은 '지인야승(地因野乘)'이 14편으로 가장 많았다. 남명의 회남재 야승의 소재지는 하동군 청암면 묵계리인데, 문헌자료를 조사하여 수록했다고 한다. 그런데 그 문헌자료들도 1980년대에 하동문화원이나 하동군에서 출판한 책에 수록된 내용이다. 따라서 이 또한 누군가에 의해 최근에 구연된 내용을 채록하여 수록해 놓은 문헌을 조사한 것에 불과하다.

채록 당시 구연자의 실수인지, 채록자의 실수인지, 아니면 문헌자료 작성자의 실수인지는 알 수 없으나 현지인 출신의 필자가 보기에는 사실관계에 의문이 가거나 잘못된 기술이 적지 않다. 이런 잘못된 기술은 이 논문을 읽는 독자, 혹은 후학들에게 오해를 불러일으킬 소지가 다분하다. 이런 내용을 포함하여 다음과 같이 몇 가지 내용을 분석해 보고자 한다.

첫째, ①"남명(南冥) 선생(先生)이 덕산(德山) 쪽에서"라는 부분이다.

남명 선생은 18년간 지낸 김해 산해정 생활을 끝내고, 1548년에 삼가 토동으로 돌아온다. 남명 선생의 뇌룡정 시대가 시작된 것이다. 그리고 선생이 58세 때인 1558년 4월 11일, 지리산 유람에 나선다. 당시의 여행기록이 잘 알다시피 〈유두류록〉이다. 이 유람록의 마지막을 보면 알 수 있듯이 선생께서 덕산으로 옮기기 전 뇌룡정에서 보낸 10여 년은 정치적 · 사회적 · 학문적으로 큰 성취를 이룬 시기이면서 한편으로는 고민하고 방황하던 시기였다는 사실을 느낄 수 있다.

특히 선생께서는 이 유람록의 마지막에 '덕산동이며, 화개동(신응 · 쌍계사 부근)과 청암골의 용유동을 각각 3번씩이나 다녀갔으며, 그 외에도 덕산 입구의 백운동과 대원사 입구의 장항동을 각각 1번씩 찾았다'라고 고백했다.

---

226) 《마을의 由來및 史蹟傳說》(하동문화원, 1986), 《내 고장 전통 가꾸기》(하동군, 1983), 《民族의 스승 南冥曺植先生》(덕산국민학교, 1984)(이상원의 논문에서 재인용)

227) 이상원, 〈남명 조식에 관한 야승의 연구〉, 《남명학연구논총》(제1집), 2003.

이를 두고 선생께서는 “이렇게 지리산을 여러 번 찾은 것은 산을 탐내고 물을 탐내서도 아니요, 세상을 등지고 숨어 버리기 위해서도 아니요, 오로지 어지러운 세상을 피해 지리산 어느 한 모퉁이를 얻어 학문과 인생을 마무리하기 위한 거처로 삼고자 함이었다”라며 고백하는 장면[228]은 〈유두류록〉의 하이라이트이다.

정우락은 남명 선생이 이렇게 지리산을 10번 이상 들락거린 이유를 “첫째는 심성을 수양하고 기개를 기르기 위한 것이었으며, 두 번째는 자연 속에서 인간을 파악하기 위해서였고, 세 번째는 자신이 만년을 보낼 곳을 찾기 위해서였다.”라고 분석했다.[229] 이렇게 지리산을 들락거린 가장 큰 목표는 세 번째 주제인 ‘만년을 보낼 곳을 찾는 일’이 아니었을까 생각한다.

남명학연구원 홈페이지에 소개된 남명 선생의 행장을 보면, 선생께서 학자로서 기반을 닦은 ‘산해정(山海亭) 시대’가 약 18년이요, 선생의 학덕이 완성되어 가면서 정치적으로 명망이 더욱 높아진 ‘계부당(鷄伏堂)과 뇌룡정(雷龍亭) 시대’가 약 13년이며, 조선 시대 선비로서 최고 · 최선의 전형(典型)이 된 만년의 ‘산천재(山天齋) 시대’가 약 11년이었다.[230]

필자는 회남재 전설처럼 ‘만일 남명 선생이 회남재에 올랐다면, 그 시기는 선생께서 덕산에 자리 잡기 이전, 즉 지리산 골짝을 누비고 다니던 시기였다’라는 가설을 세워 보았다. 때는 바야흐로 선생의 ‘뇌룡정 시대’였다. 아직 이 가설을 검증할만한 직접적인 증거는 찾지 못했지만, 필자 나름대로 가설을 검증해 보면 다음과 같다.

먼저, 선생이 추상열일(秋霜烈日)의 산림처사로서 〈단성소(丹城疎)〉를 올리는 등 사림의 종사(宗師)로 추앙받기 시작한 시기가 바로 뇌룡정 시대였다. 이 시기에 선생은 ‘황소 갈비뼈와 같은 지리산 골짜기’를 여남은 번이나 오르내릴 정도로 신체적인 활동도 왕성했던 그야말로 격정의 50대였다. 이 시기에 용유동을 세 번이나 다녀가셨으니 이 걸음에 청암계곡의 끝자락에 있는 회남재까지 다녀갔을 개연성이 가장 높을 것으로 생각한다.

다음으로, 선생께서는 이미 10번 이상 드나들며 지리산의 골짝 골짝을 손바닥 쳐다보듯이 훤히 파악하고 있었다고 생각된다. 이렇게 10여 번을 드나들면서 매번 기대와 실망이 교차하였지만, 선생께서 만년을 보낼 장소를 덕산동으로 결정하는 순간, 선생의 지리산 골짜기에 대한 탐색과 산중 방황은 이미 끝났다고 볼 수 있다. 남명 선생의

228) 조식, 《조식의 지리산 유람기, 유두류록》, 이상영 옮김, 뜻있는 도서출판, 2023

229) 정우락, 《남명과 이야기》, 경인문화사, 2007, P.184~185

230) http://www.nammyung.org/theme/a02/sub01/남명선생의 행장 및 사적.pdf

이런 답답한 심정을 〈유두류록〉의 마지막 부분에서 다음과 같이 고백하고 있다. 이렇게 되기까지 얼마나 많이 고민하였는지 느낄 수 있다.

> 어찌 산수만을 탐하여 왕래한 것이라면 번거로운 산행을 꺼리지 않았겠는가? 평생 품고 있던 계획인 화산(華山)의 한 모퉁이를 빌어 일생을 마칠 곳으로 삼으려 했던 것일 뿐이었다. 그러나 일이 마음대로 되지 않아 그 속에 살 수 없음을 알고, 서성거리며 돌아보고 안타까워하다가 눈물 흘리며 나온 것이 열 번이었다. 지금은 시골집에 매달려 있는 박처럼 걸어 다니는 하나의 송장이 되어 버렸다. 이번 유람 또한 다시 가기 어려운 걸음이 되었으니 어찌 마음이 울적하지 않겠는가?[231)]

선생이 덕산동을 '일생을 마칠 곳'으로 결심하면서 당면한 최대의 현안이 해결되었으니 얼마나 가벼운 마음이었을까? 그러니 이젠 '번거로운 산행'도, '일이 마음대로 되지 않아 지리산 중에서 서성거리며 돌아볼 일'도, 더구나 '안타까워 눈물 흘리며 산중에서 돌아 나올 일'도 할 필요가 없어졌다. 무엇보다 '시골집에 매달려 있는 박처럼 걸어 다니는 하나의 송장이 되었다'라는 식의 자조 섞인 탄식과 무기력에 빠질 이유도 없었다.

한마디로 '울적한 마음'이 모두 해소되었으니 그야말로 신바람 나는 '덕산행'이었을 것으로 생각한다. 이렇게 덕산동에 산천재를 짓고, 새로운 생활이 시작되면서부터 남명 선생께서는 오로지 60년 동안 갈고 닦은 자신의 학문과 도덕과 인격과 정신·사상을 오롯이 후세에 전하기 위해 많은 영재를 가르치는데 열정을 쏟았다. 남명 선생이 덕산동에서 살기 시작할 무렵에 쓴 시(詩)가 있다.

〈덕산에 살 곳을 잡고서[德山卜居]〉[232)]

春山低處無芳草 봄 산 어느 곳엔들 향기로운 풀 없으리오마는,
只愛天王近帝居 다만 천왕봉 하늘나라 가까워 사랑한다네
白手歸來何物食 맨손으로 들어와서 무엇을 먹고살 것인가?
銀河十里喫有餘 은하수 같은 맑은 물 십 리니 먹고도 남겠네.

이제 "하늘나라와 가까운 천왕봉을 바라볼 수 있는 덕산에서 여생을 보낼 수 있게

231) 조식, 〈유두류록〉, '豈直爲貪山貪水而往來不憚煩也 百年齎計 唯欲借得華山一半 以作終老之地已事與心違 知不得住 徘徊顧慮 涕洟而出 如是者 十矣 於今匏繫田舍 作一行屍 此行又是難再之行 寧不悒悒' 원문과 번역문은 최석기 외 옮긴 《선인들의 지리산 유람록》에서 인용했다.

232) 허권수, 《남명의 한시선》(경상국립대 남명학연구소 남명학교양총서 04), 경인문화사, 2006, p.75

되었으니 여기서라면 십 리나 뻗은 양당수 물만 마시고도 살 수 있겠다"라고 노래했다. 그야말로 '이젠 방황 끝, 행복 시작'임을 스스로 밝힌 고백이자 희망찬 새 출발의 선언이었다고 생각한다. 오랜 방황 끝에 안도하는 편안한 심상이 엿보인다.

이런 상황에서 지리산 깊숙한 산중의 회남재 따위는 안중에도 없었을 것이다. 또한 이미 환갑을 넘었으니 지리산을 예전처럼 누빌 시기도 아니었다고 보는 것이 상식일 것이다. 따라서 남명 선생이 회남재를 다녀갔다면, 그 시기는 58세 이전, 즉 선생이 삼가 뇌룡정에 계실 때의 일로 보는 것이 타당할 것으로 본다.

당시 〈단성소〉를 통해 나라님도 무시 못 하는 존재감을 보이며 재야의 영수로 우뚝 선 남명 선생의 묵계동 회남재 방문은 마을 유사 이래 일대 대사건이었을 것이다. 따라서 아무리 무사족(無士族)의 심산유곡 묵계동 주민들일지라도 이를 몰라보았을 리 없다. 따라서 선생의 회남재 방문은 이 지역 최대의 이벤트였을 것으로 생각된다. 그러니 남명의 회남재 전설은 500여 년 동안 이 지역에서 면면히 전해 내려오고 있는 것이다.

이런 관점에서 본다면 ①**'남명(南冥) 선생(先生)이 덕산(德山) 쪽에서…'**라는 부분에 대해서도 ①**'남명(南冥) 선생(先生)이 삼가(三嘉)에서…'**라고 수정할 필요가 있다.

둘째로, ②**'내려다보니, 좋지 못하여 되돌아왔다'**라는 부분인데, 묵계동에서 회남재에 올라 내려다보는 대상은 당연히 악양동이다. '내려다보니 좋지 못하여'라는 표현은 그 사실 여부를 떠나서 이곳 악양 사람들의 입장에서 보면 기분 나쁘고, 불필요한 오해를 불러일으킬 가능성이 있다고 생각한다.

그러나 이 문제는 '남명 선생이 왜 악양을 내려다보려고 했느냐?', '악양에서 무엇을 기대했느냐?'가 중요한 논점이 될 수 있다. 그 관점에 따라 '회남재에서 내려다보니 악양이 좋다, 혹은 나쁘다'라는 판단 결과가 달라질 수 있다는 말이다.

임진왜란 이후의 통계이지만 악양동은 진주목 서면 속방리 중에서 가장 큰 마을이었다. 악양동은 지리산 자락에 있다고는 하지만, 앞서 청학동도에서 보았듯이 3차 혹은 4차 지맥으로 둘러싸인 곳이다. 즉 삼신봉에서부터 삼신지맥이 유유히 뻗어 내리다가 거사봉 근처에서 한 줄기가 분지하여 악양의 우백호를 이루며 형제봉과 신선대를 거쳐 섬진강까지 흘러가는 부드러운 스카이라인을 이룬다. 또 나머지 삼신지맥은 칠성봉을 거쳐 악양의 좌청룡을 이루면서 섬진강까지 이른다. 따라서 그사이에 탁 트인 넓은 들판, 그리고 섬진강까지 어우러진 배산임수(背山臨水)의 조화를 이룬 곳이니 누구나 '사람 살기 좋다'라고 평가하는 것은 당연하다. 만일 남명 선생이 이런 관점에서 악양동을 내려보았다면 지리산 남녘에서 가장 수려한 악양동은 절찬을 받았을 것이다.

그러나 만일 남명 선생이 악양을 삼재불입의 안전한 피난처인 청학동으로서 그 입지를 확인하기 위해 회남재에 올랐다면 결론은 전혀 달라질 수도 있다고 본다. 오래전부터 묵계 청학동의 어른들 사이에서는 남명 선생이 '악양이 청학동이라는 말을 듣고 이곳의 지세를 살피려고 회남재에 올랐다.'라는 설이 전해져 왔다고 한다.

남명 선생 이전에 악양을 청학동이라고 말한 사람은 점필재 김종직 선생이다. 자세한 내용은 후술하겠지만, 그는 1472년 8월, 천왕봉을 등정하고 하산 길에 영신봉 근처의 바위에 올랐을 때, 당시 길 안내를 맡은 해공 스님이 악양현의 북쪽을 가리키며 "저곳이 청학사가 있는 동네입니다"라는 설명을 듣고 "아! 이곳이 옛사람이 이른바 신선이 놀던 곳이라는 데인가? 이곳은 속세와 멀지 않은데 미수(眉叟) 이공(李公)이 어째서 찾다가 못 찾았을까? 아마 일 꾸미기를 좋아하는 사람이 그 이름을 사모하여 절을 짓고 그렇게 이름 붙인 것이 아닌가?"라는 기록을 남겼다. 이것이 소위 '악양 청학사 주변 청학동설'의 전모이다.

참고로 이중환의 택리지 이후 '악양 매개 청학동설'을 주장하는 사람들이 나타났으나 이들은 모두 남명 선생 이후에 태어난 사람들의 주장이니 여기서는 논외로 해야 할 것이다. 점필재의 이 〈유두류록〉은 영호남 선비들의 지리산 유람의 입문서로서 선비들이 지리산 산행을 나설 때면 반드시 지참했던 수친서(壽親書)로도 알려져 있었다.[233)]

만일, 남명 선생께서 악양동이 삼재불입(三災不入)의 이상향이자 은둔처, 피란처인 청학동이라고 생각하고 그 사실을 확인해 보기 위해 회남재에 올랐다면 결론은 달라질 수도 있다. 악양동은 풍수지리적으로 길지임이 틀림없다. 많은 인재가 배출되고, 온화한 기후에 농사도 잘되며, 섬진강의 영향으로 경제적으로도 윤택하며, 백운산이 안산이 되는 등 미수(眉叟) 이인로 이후에 등장한 청학동설의 여러 조건을 잘 갖추고 있다.

다만, 가장 큰 약점이라면 악양동의 동구(洞口)가 너무 개방되어 있다는 사실이다. 악양은 지정학적으로 남서 방향이 너무 열려 있다는 사실은 은둔자의 관점에서는 치명적인 약점이 될 수 있다는 말이다. 악양이 섬진강과 직결된다는 사실은 강을 통해 왜구 등 바다에서 활동하는 외적으로부터 화를 입기 쉬운 공간임은 틀림이 없다. 이런 점은 은둔을 꿈꾸는 자에게는 분명 장점이라고 말하기는 어렵다. 남명이 회남재에 오른 시기는 16세기 중엽으로 보이는데, 당시에는 조창이 있던 개치 시장은 물론 그 위의 화개동 입구까지 범선이 드나들었던 시대라고 생각한다.

이처럼 악양이 은사들의 '은신처로서 적절치 못하다'라는 사실은 역사적으로 입증된 바 있다. 먼저, 고려 시대 한녹사의 일화가 대표적인 사례가 아닌가 생각된다. 악양의 삽암(揷巖) 근처에서 은신했던 녹사 한유한은 결국 이곳을 찾아온 고려 왕실에서 보낸

233) 류정자, 《김종직의 유두류록 탐구》, 지리 99, 2020

관리들의 눈을 피해 '지리산의 더 깊은 골짜기로 숨어들어 다시는 세상에 나타나지 않았다.'[234]라는《진양지》의 기록이 있다.

또, 1593년 계사년 여름에 진주성이 무너지자 왜적들이 악양을 통해서 묵계동으로 침입했다는 사실은 당시 묵계동의 진주암에서 피란하던 송정 하수일 선생 형제가 쓴 시(詩)에서 이를 입증해 주고 있다. 이에 대해서는 '송정굴의 주인공, 송정 하수일은 누구인가?'에서 자세히 후술할 예정이다.

만일 남명 선생께서 회남재에서 악양동을 내려다보면서 "좋지 않다"라는 평가를 했다면 바로 이런 약점 때문이 아니었을까? 외람되지만 회남재에서 남명 선생의 독백을 가상해 보았다.

> "악양동은 과연 듣던 대로 배산임수에 풍요롭고 살기 좋은 고장이로다. 그런데……, 아, 애석하구나! 단 하나 흠이 있다면 섬진강이 마을을 감싸지 않고 빠져나가고, 특히 섬진강이 곧장 남해 바다로 이어지니 바깥 문물이 들어오기 쉬운 한편, 외침의 위험성도 큰 곳이로구나. 아무래도 악양은 지리적으로 동남간이 열려 있으니 은사들의 은신처로서는 적절치 않은듯하다. 우리 그만 요 아래 헤내미 마을로 되돌아가자!"

남명의 회남재 전설에서 중요한 사실은 '남명 선생이 이 이름 없는 재를 너머 악양으로 가지 않고 되돌아갔다. 그 이후, 묵계동 사람들은 선생을 높이 추앙하여 이곳을 남명 조선생이 되돌아간 고개, 즉 회남재(回南峙)라고 불렀다.'라는 사실이다.

그런데, 1909년에 묵계 청학동을 거쳐 간 전북 남원 출신의 수당(修堂) 정종엽(鄭鍾燁, 1885~1940)선생이 쓴 〈유두류록〉에 회남재에 올라 악양으로 너머가는 장면이 나온다. 이때, 그들은 묵계동의 삼거리 주막에서 만난 사람들이 말하기를 "이 재는 본래 이름이 무엇인지는 몰라도 남명 조 선생이 돌아가고부터 그를 추모하여 회남재라 불렀다."[235]라는 말을 들었노라고 기록으로 남겼다.

1세기 전, 묵계동 동민들 사이에 회자한 회남재 전설은 위의 ②와 같은 군더더기 말은 없었다. 따라서 '악양이 좋지 못하여 운운'하는 식의 사족(蛇足)은 그야말로 '말 붙이기를 좋아하는 호사가들의 말장난'에 불과한 것이 아닌가 추정된다.

이때 수당은 회남재에서 "악양 일원을 굽어보니 산을 등지고 강을 끼고서 민가가

234) "(한유한(韓惟漢)에게) 서대비원 녹사를 제수하며 불렀으나 끝내 나아가지 않고 깊은 산골짜기로 거처를 옮겨서 종신토록 돌아오지 않았다. 이 깊은 골짜기를 칭하기를 '묵계동(默契洞)'이라고 한다.[西大悲院錄事 終不就 乃移居深谷 終身不返所謂深谷 乃默契洞也]"(성여신,《진양지》,〈산천(山川)〉조(條) 지리산(智異山)에서 인용)

235) 수당의 〈유두류록〉 관련 내용은《국역 수당유고(정종엽 저, 이명래 역)》, 진안문화원.

즐비하고 들판이 넓게 펴져 완전히 별천지 같았다"라는 기록도 남겼다. 물론 수당 정종엽이 회남재를 넘었을 때는 남명 선생의 시대와 무려 360여 년의 시차가 있기는 하지만, 악양은 남명 선생의 시대에도 당시 진주목의 한 속현으로서 매우 번화한 마을이었다. 악양이 얼마나 큰 마을이었는지는 임진왜란 후 진주목 각 방리의 인구수만 보아도 그 규모를 짐작할 수 있다.

《진양지》에 따르면 당시 악양리의 인구는 554명으로 진주목 서면에서 인구가 가장 많은 마을이었다. 당시 서면의 주요 마을의 인구를 살펴보면, 임진왜란 후에 오대리와 전두리가 합해진 운곡리가 530명으로 악양리와 비슷하나, 그 외 수곡리(388명), 대평리(386명), 원당리(350명), 마동리(179명) 등도 당시 악양리보다 인구가 작았다. 묵계동은 진주목 서면 오대리 혹은 운곡리의 한 속방(屬坊) 마을인 '삼가(三街)' 마을에 불과한 때였으니 악양동은 묵계동과 비교가 안 될 정도로 큰 마을이었음이 틀림없다.

또한, ②**"내려다보니, 좋지 못하여 되돌아왔다"**라는 부분은 오로지 남명 선생의 판단에 의존할 수밖에 없는 문제이다. 앞서 논의 했듯이 남명 선생이 악양에서 무엇을 보고자 했느냐에 따라 이런 평가를 할 수도 있겠지만, 이에 관해서 남명 선생께서 직접 뭐라고 언급한 자료가 없는 이상 후인들이 불필요한 오해를 불러 올 수 있는 말로 왈가왈부하는 것 자체가 바람직하지 않다고 생각한다.

셋째, ③**'이 고개는 산청군 시천면 내대리 뒤에 있는데'**라는 말은 사실관계가 맞지 않는다. 회남재는 '산청군 시천면 내대리 뒤'가 아니라 **'하동군 청암면 묵계리 회남마을 뒤에 있는데'**라고 해야 맞다. 참고로 내대리 뒤에 있는 재는 '묵계재(지역 방언으로는 '메기재')', 혹은 '한찰재(옛날 큰절 묵계사가 있어서)'이다.

넷째, ④**'회남(回南)이는 오늘날에 하동군(河東郡) 악양면(岳陽面)과 청암면(青岩面)의 면계(面界)에 위치해 있다'**는 부분도 사실과 다르다. 이런 오류는 회남이, 즉 회남마을과 회남재를 동일시하기 때문에 생긴 오류이다. 회남마을과 회남재는 분명히 다르며, 따라서 '하동군(河東郡) 악양면(岳陽面)과 청암면(青岩面)의 면계(面界)'는 '회남재'이지 회남마을, 즉 '회남(回南)이'는 아니다.

다섯째, ⑤**'묵계(默溪)재를 넘으면 원묵계가 있는데, 이것이 바로 오늘날 보는 청학동(青鶴洞) 도인촌(道人村)이며'**라는 부분도 잘못된 내용이다. 원묵계에는 옛날 묵계사가 있던 곳이며, 도인촌은 원묵계가 아니라 산 너머 옛날 진주암이라는 절이 있던 진주암 마을에 있기 때문이다.

(2) 회남재 간판은 왜 사라졌을까?

회남재는 필자에게도 많은 추억이 깃든 장소이다. 이 고개 위에는 언제 만들어졌는지 모를 회남정(回南亭)이 있다. 회남재 아래 회남마을에는 친구 '익원'이와 한 살 위의 '왕기'형이 살던 동네라 자주 놀러 다닌 곳이고, 초등학교 시절, 헤내미의 이균선 선생님 댁 서당에 동네 형들을 따라다녔던 기억도 있다. 또 어머니가 악양장에 갔다 오시는 날은 회남재 고갯마루까지 마중을 나갔던 곳이기도 하고, 읍내 중학교에 다닐 때는 주말 귀갓길에 어쩌다 넘은 기억이 있는 추억의 고갯길이다.

지금은 철거되고 없다(《블로그 자연 속으로》, 여행-아름다운여행, 〈회남재(2011.6.7.)〉에서 인용).

회남재 정상에 오르기 직전의 산모퉁이에는 복주머니처럼 생긴 적자색 꽃이 너무나 특이하고 예쁜, 그러나 오줌 지린내가 풍겨 '개불알꽃'이라 불렀던 '요강꽃'의 자생지가 있었던 기억도 난다. 요강꽃은 멸종 위기 1급 식물이다. 요즘은 사람들이 그 옛길을 통행하지 않으니 자연스럽게 복원되어 홀로 예쁘게 피어나기를 마음속으로 기대해 본다.

이곳 회남재에 차량 통행이 가능한 길이 뚫리고 〈지리산 회남재 숲길 걷기 행사〉 등으로 찾는 사람이 많아지자 하동군에서는 회남재 안내 간판을 세웠다. 그런데 이것이 언젠가 사라졌다. 혹시 회남재를 사이에 둔 양 지역 간의 갈등이 그 원인이 아니기를 바랄 뿐이다. 마침 당시의 사진을 찾아서 그 내용의 일부를 옮겨 보면 다음과 같다.

회남재는 경의(敬義) 사상을 생활철학으로 삼아 후세에 큰 족적을 남긴 남명(南冥) 조식(曺植)

선생께서 ⑥1560년경 산청 덕산에서 후학을 양성하시면서 악양이 명승지란 선현의 유언을 듣고 찾았다가 ⑦이 재에서 되돌아갔다 하여 회남재라 이름 붙여졌다. 2011. 01. 하동군수.

참고로 이와 다른 안내판도 있었지만, 내용은 위와 유사했다. 그리고 이 내용은 오늘날 여러 언론의 기사[236]와도 대동소이하다. 그런데 이 내용은 앞서 소개한 이상원의 논문과 크게 두 가지 점이 다르며, 이를 개선한 것으로 보인다.

첫째, 남명이 어떤 고갯길에 올랐다가 가보려고 한 곳이 화개에서 악양으로 바뀌었다. 물론 이상원은 김경렬의 《지리산》을 근거로 '악양면이라는 설이 있다'라는 사실을 각주에 남겼다.

둘째, '어떤 고갯길에서 내려다본 곳이 '하동 쪽'이 아니라 '악양'으로 바뀌었다. 그런데도 이 '헤내미 남명 설화'의 무대는 "청암면 묵계리 헤냄이 마을"이라는 사실은 분명하다.

앞서 언급한 대로 남명 선생이 58세에 남긴 〈유두류록〉 이전에 이미 용유동, 즉 청암계곡을 세 번이나 다녀갔다는 기록이 있다. 따라서 회남재는 선생이 덕산으로 이전하기 전, 즉 삼가 토동에 계실 때 다녀간 것으로 보는 것이 타당할 것이다. 그런 관점에서 ⑥"1560년경 산청 덕산에서 후학을 양성…"이라는 표현은 남명 선생이 덕산으로 들어오신 것이 1561년이므로 그 시기에 맞게 짜 맞춘 이야기로 보이나, 이는 앞서 ①에서 지적했듯이 수정되어야 할 것으로 본다.

필자는 회남재 간판에 "**회남재(回南-)는 남명(南冥) 조식 선생이 이곳에 올랐다가 되돌아갔다. 그래서 그를 추모하여 이름 붙여진 고갯길이다**[237]"라는 정도면 충분하다고 생각한다. 하루빨리 회남재 안내 간판이 복원되기를 기대한다.

회남재는 사실 묵계동 주민들에게는 생명줄이었다. 그들 삶의 질을 개선하는 데 있어서 꼭 필요한 통로였던 것이다. 이렇게 지리산 한 귀퉁이의 보잘것없는 고개가 강우 지역을 너머 전국적인 주목을 받는 대학자 남명 선생과 인연이 깊은 유적지(遺蹟地)라는 사실은 분명 매력적인 '세일즈 포인트(sales point)'이다. 이는 회남재와 묵계 청학동의 '브랜드 가치(brand value)'를 높여주고 묵계동의 역사에 풍성한 스토리를 제공해 줄 것으로 기대한다.

모든 재가 그렇듯이 회남재 또한 어느 한 지역의 전유물이 될 수 없다. 회남재는 청암면

236) 경남일보(2022.10.19.), 파이낸셜투데이(2022.10.19.), 연합뉴스(2022.10.19.), 경남도민일보(2022.10.19.) 등

237) 연합뉴스, 〈하동군, 지리산 회남재 숲길 걷기 성료〉(2019.10.28), 경남신문, 〈트래킹 명소 지리산 회남재 숲길 걷기 성료〉(2019.10.28.)에서 인용, 작성했다.

묵계리와 악양면 등촌리 양 주민이 공유해온 삶의 터전일 뿐이다. 다만, 회남재가 어느 지역 주민들에게 더 절실하게 필요한 존재였는지, 그 영향력을 생각해 본다면 역시 묵계동 쪽이 아닌가 생각된다. 사실 악양면 등촌리 주민들은 회남재가 없어도 살아가는데 불편한 점이 크게 없었겠지만, 묵계동 주민들 처지에서 보면, 회남재는 생존의 문제, 삶의 질의 문제와 직결되는 소중한 물류의 이동통로였다는 사실은 분명하다.

(3) 회남재 전설에 오해를 불러일으킬 수 있는 기사(記事)들

2023 가을, 이 원고를 쓰고 있는 도중에 우리 지역 일간지 ○○일보에 〈남명 조식의 회남재(回南岾)에 대한 오해〉라는 기고문[238]이 게재된 사실을 알았다. 기고문의 제목에서 보듯이 "회남재와 남명 선생의 야사"에 관해 세간에 오해, 특히 "이 지역 어르신들의 오해"가 있다는 사실을 지적하고 있다. 그리고 "회남재에 대한 지역 어르신들의 오해가 풀렸으면 한다."라는 주장이었다. 여기서 말하는 '이 지역 어르신'은 '묵계 청학동 지역의 어르신'들이 아닌가 추측된다. 왜냐하면 '남명 설화'의 주 무대가 악양이 아니라 묵계동이기 때문이다.

이 기고문의 지적에 필자는 일부 동의하는 면도 없지는 않지만 기고문을 읽어 보니 기고자도 상당한 '오해'를 하고 있다는 생각을 지울 수가 없다.

먼저, 기고자는 "㉮**회남재에 대해 전해지는 야사**에서는 ㉯**남명이 말년 은거할 곳을 찾아 하동 악양 일대를 둘러보았는데……**"라고 했다. 먼저, 기고자가 말하는 ㉮의 '회남재 야사'가 어떤 내용인지, 그 출처가 어딘지 궁금하다. 그런데 ㉯의 주장대로 '남명 선생이 악양을 은거지로 생각하고 둘러보았다.'라는 기록은 알려진 것이 없다. 굳이 '악양 일대를 둘러보았다'라고 할 양이면 〈유두류록〉에서 걸어서 '삼가식령'을 넘어가는 장면이 유일하지 않을까 생각한다. 고갯마루에서 동서남북을 둘러보고 악양지역의 지세를 조감(鳥瞰)한 선생은 "북서쪽에서 흘러온 섬진강이 남쪽으로 흘러가고 있었다"[239]라는 감상을 남겼을 뿐이다. 더 나아가 남명 선생이 "화산(華山)의 한 모퉁이를 빌어 일생을 마칠 곳"을 찾아 나섰노라고 구체적으로 적시한 곳은 덕산동, 화개동 일대(신응동 · 청학동), 청암계곡 일대의 용유동, 백운동, 장항동은 있지만 악양동에 대한 언급은 없었다.

다음으로 기고자는 "남명 선생이 회남재에 올랐다가 악양이나 화개로 가지 않고

238) 이○○, ○○일보, 오피니언, 열린 칼럼, 〈남명 조식의 회남재(回南岾)에 대한 오해〉, 2023. 8. 31 인터넷판에서 인용. 원래 기사에는 기고자(寄稿者)와 신문사의 실명이 나와 있으나 여기서는 익명(○○)으로 처리했다. 이하 같다.

239) 허권수, 《조선의유학자, 조식 남명 조식의 생애와 학문》, 뜻있는 도서출판, 2022, p.236

되돌아간 사건"이 "남명이 〈유두류록〉을 남긴 1558년 이후"라고 단정 짓고 있다. 이렇게 주장할 수 있는 근거는 대략 짐작은 된다. 그것은 남명의 회남재 설화는 이구동성으로 "남명 선생이 덕산에 살고 있을 때"라고 그 시기를 한정하고 있기 때문일 것이다. 사실 남명 선생께서 인생의 대미를 장식한 곳은 덕산이지만, 이곳에 자리 잡은 시기는 선생의 70 평생에서 10여 년에 불과하다. 따라서 남명 선생의 모든 일화(逸話)가 덕산에서 이루어진 것이 아니라는 사실을 기억할 필요가 있다. 앞서 자세히 소개했듯이 남명 선생이 회남재를 다녀간 시기는 선생이 덕산에 머물 때가 아니라 그 이전, 즉 삼가의 뇌룡정 시대로 보는 것이 타당할 것으로 본다.

한편, 남명의 회남재 전설은 청암면 묵계동 주민들에게 구전(口傳)되어 오다가 1909년 수당 정종엽이 쓴 〈유두류록〉에 실렸다. 이것이 필자가 발견한 가장 오래된 문헌자료이다. 그런데 수당이 묵계동 삼거리 주막에서 전해 들은 얘기는 앞에서도 소개했듯이 다음과 같이 단순명료했다.

> 회남령(回南嶺)을 올랐다. 이 재는 본래 이름이 무엇인지는 몰라도 조남명이 돌아가고부터 그를 추모하여 그렇게 불렀다.[240]

지금부터 115년 전인 구한말에도 남명의 회남재 전설은 묵계동 사람들 사이에 회자되고 있었으나 이처럼 단순했다. 한 마디로 '어디가 좋으니 나쁘니'하는 군더더기 표현은 전혀 없었다는 말이다. 그런데 이 전설이 1980년대에 와서 하동지역에서 활자화되는 과정에서 불필요한 수식어가 추가된 것이 아닌가 추정된다. 또 이렇게 잘못 오염된 회남재 전설의 내용이 논문이나 언론에까지 인용됨으로써 사실처럼 호도된 측면이 있다고 본다.

아무튼 유서 깊은 지방지에 실린 기고문을 통해 회남재를 둘러싼 묵계리 주민들과 악양지역 주민들 사이에 보이지 않는 갈등을 다루었다는 점에서 안타깝다. 더 나아가 '회남재의 남명 전설' 그 자체를 '지역 어르신들의 오해'라고 치부하며 이를 부정하려는 듯한 기고문을 보고 이것은 남명 선생의 회남재 전설의 본질이 아니라는 생각이 들었다.

그래서 회남재와 관련된 다른 언론 기사를 찾아보았더니 인터넷 기사를 포함해서 상당수가 오해의 우려가 있다는 사실에 깜짝 놀랐다. 그 사례들을 살펴보면 다음과 같다.

240) 정종엽, 〈유두류록〉, 陟回南嶺 此嶺本不知何名 而自曺南冥回去追稱云

〈사례1〉 남명이 남쪽인 악양으로 발길을 돌렸다?

먼저 2017년 11월 21일 자 △△일보 기사이다. 기사 제목은 〈옛 선비도 못 찾은… 청학동에서 미궁에 빠지다〉였다. 기자가 직접 악양에서 자동차로 회남재를 너머 청학동의 삼성궁까지 여행하면서 여러 장의 사진과 함께 청학동을 삼성궁 등 유익한 정보를 담은 훌륭한 기사였다. 그런데 이 기사 중에 회남재를 소개하는 부분이 있다. 그 내용은 다음과 같다.

> 회남재는 하동 악양면과 청암면의 경계로, 조선 시대 성리학자이자 영남학파의 거두인 남명 조식(1501~1572)이 발길을 돌렸다는 고개다. 회남재 안내문은 '⑥**조식 선생이 산청 덕산에서 후학을 양성하던 중** ⑦**악양이 명승지란 말을 듣고** ⑧**1560년경 찾아왔다가** 이곳에서 되돌아갔다'고 적고 있지만, ⑨**평사리 ○시인의 설명은 좀 다르다. 안내문과는 반대로 남명이 악양을 거쳐 청학동을 찾아가다가 끝내 이르지 못하고 발길을 돌렸다는 해석이다.** ⑩**'남으로' 되돌아왔다 하니 아무래도 후자가 더 논리적이다.**[241)]

중앙 일간지인 △△일보에 이런 기사가 나가고 보니, 미주 교포들이 보는 미주△△일보(KOREATIMES) 주말판[242)]에도 똑같은 기사가 뜨고, 또 어떤 블로그는 위에서 언급한 기사를 소개하면서 아래와 같이 말을 더 보태며 기사를 펴 나른다. 그만큼 영향력이 크다는 말이다.

> 경사가 만만치 않은 산길에 지금은 포장이 다 돼 있어 차로 쉽게 오를 수 있지만, 양반들 지리산 유람을 위해 술과 안주에 거문고까지 지고 올랐을 '아랫것들'의 고초는 어땠을까 싶다.[243)]

이 기사에서 ⑥, ⑦, ⑧은 이미 앞에서 지적한 만큼 여기서는 두 군데만 살펴보자. 먼저 ⑨"**평사리 ○시인의 설명은 좀 다르다. 안내문과는 반대로 남명이 악양을 거쳐 청학동을 찾아가다가…**"라는 부분이다.

필자가 1년 이상 묵계동과 관련된 자료를 찾아봤지만, 남명이 악양에서 묵계동을 찾으려 했다는 기록은 찾지 못했다. 남명이 악양을 들렀다는 기록도 1558년 4월의 〈유두류록〉이 전부였다. 앞에서도 잠시 언급한 것처럼 남명 선생은 화개동의 지리산으로 유람하러 가면서 4월 16일에 악양을 잠시 들리고, 또, 귀갓길인 4월 23일 화개에서 점심을 먹고

241) ○○, 《△△일보》, 〈옛 선비도 못 찾은…청학동에서 미궁에 빠지다〉, 2017. 11. 21.

242) 2017년 12월 1일 금요일

243) 〈블로그 https://m.blog.naver.com/openchampion〉에서 인용

배를 타고 악양현에 정박한 후, 현의 조창 숙소에서 숙박한다. 아마 숙소는 '개치원'이었을 가능성이 크다. 다음날인 4월 24일에는 배를 타지 않고 걸어서 악양의 동쪽 고개인 삼가식현(지금의 '삼화실재')을 너머 횡천의 횡보역을 거쳐 저녁에 옥종의 정수역까지 이동한다. 남명 선생이 악양에서 머문 4월 16일과 4월 23일, 24일의 기록[244)]을 보면 다음과 같다.

(4월) 16일. …배가 악양현을 빠르게 지났다. 강가에 삽암(鍤巖)이란 곳이 있었는데, 고려 때 은자(隱者) 한유한(韓惟漢)이 살던 곳이다. 고려 조정이 어지러워지는 모습을 보고 이곳에 와서 숨어 살았다. 조정에서 대비원 녹사 벼슬을 내리며 불렀으나 그날 밤에 도망쳐 숨어 버렸다고 한다. 조식은 술을 청해 잔에 가득 따라 마시면서 나라가 망할 판국에 현사(賢士)를 등용한다는 이름을 얻으려는 명종과 조정의 태도에 대해 깊이 탄식했다. 점심때쯤 배는 도탄(陶灘)에 이르렀다. 이곳에서 한 마장 떨어진 곳에는 유학자 정여창(鄭汝昌)의 집이 있었다. 정여창은 하동정씨(河東鄭氏)로 대대로 함양군(咸陽郡)에서 살았는데, 처자를 이끌고 이곳 도탄으로 들어와 살며 경서를 읽었다. 일두(一蠹)라는 호를 썼는데, '한 마리의 좀 벌레'라는 뜻이다. 〈후략〉

23일. 신응사에서 대접해 주는 아침밥을 먹고 길을 나섰다. 지리산 골짜기마다 수많은 절이 있지만 신응사의 경치가 최고였다. 〈중략〉. 이날은 세미(稅米)를 보관하던 악양현 조창 숙소에서 묵었다.

24일. 아침, 흰죽을 먹고 악양현 동쪽에 있는 삼가식현(三呵息峴) 쪽으로 길을 나섰다. 이 고개는 경사가 사뭇 급해 사람들이 오를 때 "한 발자국마다 세 번 숨을 몰아쉰다."라고 해서 '삼가식(三呵息)'이라는 이름이 붙었다. 〈중략〉 이날 저녁에 진주목 서쪽의 정수역(正守驛)에 도착했다. 〈중략〉 이날 밤은 정수역의 역사 숙소에서 묵었다.

이상에서 보듯이 남명 일행은 화개로 가면서 악양의 섯바구(삽암) 근처에서 잠깐 머물렀으며, 더군다나 정오 무렵에는 이미 오늘날 화개면 덕은리인 도탄으로 배를 타고 이동했으니 실제로 악양지역에 머문 시간은 그렇게 길지 못했을 것으로 추정된다. 또, 귀갓길에도 악양 조창 숙소에서 자고, 이튿날 서둘러 삼가식현을 너머 당시 역(驛)이 있던 횡천과 옥종으로 이동한다. 따라서 〈유두류록〉 어디에도 묵계동 혹은 청암 방면으로 산을 넘었다는 기록은 없다.

남명 선생은 이 여행의 끝 무렵에 옥종의 정수역 앞에서 조지서(趙之瑞, 1454~1504)의 처 정씨(鄭氏)의 정문(旌門)을 보고 나서 "300리 길 바다와 산을 유람하였지만, 오늘 하루 동안에 세 군자의 자취를 다 보았다. 물만 보고, 산만 보다가, 그 속에 살던 사람을 보고, 그 세상을 보니, 산속에서 10일 동안 품었던 좋은 생각들이 하루 사이에 언짢은 생각으로

244) 허권수, 《조선의 유학자, 조식》, 뜻있는 도서출판, 2022

바뀌어 버렸다."[245]라는 글을 남겼다. 이처럼 남명 선생은 물과 산으로 대표되는 자연을 보기 위한 여행을 하기보다는 여행을 통해서 만난 사람과 세상을 더 소중하게 여긴 것으로 보인다. 남명은 앞서 악양에서 이미 고려 시대의 은사(隱士) 한유한의 자취를 접했고, 뒤이어 도탄에서 정여창의 유적을 찾아 나서는 등의 행보를 보면 '남명은 여행을 통해서 자연보다는 의로운 사람의 흔적'에 더 관심이 많았다는 것을 알 수 있다.

남명 선생이 악양을 방문한 기록이 있는지 좀 더 조사해 볼 필요가 있겠지만, △△일보의 ⑨와 같은 기사는 역사적인 사실과 기록에 바탕을 둔 기사라고 보기 어렵다.

또, **⑩"남으로 되돌아왔다 하니 아무래도 후자가 더 논리적이다**"라고 주장하는 기사인데, 이것은 "남으로 돌아갔다"라는 말이 적절하고, 또 "악양이 남쪽에 있으니 더 논리적이다."라는 주장으로 보인다. 그러나 이 말은 그래서 더욱 황당하다. 먼저, 이 기사는 '회남(回南)'의 '남(南)'을 '남명(南冥)' 선생의 '남(南)'이 아니라 남쪽, 즉 '남향(南向)'을 의미하는 것으로 해석한 것 같은데, 이런 해석은 논리상 맞지 않는다. 회남재는 남명 선생을 추모하여 지어진 이름인 만큼, 여기서 '남(南)'은 당연히 '남명(南冥)'을 의미하며, 남명 선생이 주어(主語)이다. 또, '회(回)'는 '돌아가다', '돌아오다'를 의미하는 동사(動詞)로 보아 '남명이 돌아가다'라는 해석이 본질에 맞다.

물론 '회남(回南)'의 '남(南)'을 주어라고 생각하여 '남쪽으로 돌아가다'라는 해석도 가능하다. 그러나 '남(南)'을 '남쪽'이라고 보면 남쪽으로 돌아간 그 주체가 모호해진다. 이 회남재 스토리의 주인공은 분명 남명 선생이다. 그런데 '어떤 필부(匹夫)가 남쪽으로 돌아갔다'라고 해서 '그를 추모하여 회남재'라고 부르지는 않았을 것이다. 따라서 '누군가가 남쪽으로 돌아가니 "회남"이란 이름을 얻게 되었다'라는 추정 또한 상상하기 어렵다. '남명 선생'이라는 존경할만한 주체가 있음으로써 회남재 전설은 의미가 있는 것이다. 혹시 '남(南)'이라는 한 글자에 '남쪽과 남명 선생' 모두를 이중적으로 나타내고 있다고 보는지는 모르겠으나, 이 또한 상상하기 어렵다. 이 기사에서는 이것을 간과한 것 같아 아쉽다.

더 나아가 악양이 묵계보다 남쪽에 있으니 "남쪽인 악양으로 돌아갔다."라는 해석이 "더 논리적"이라고 이 기사는 말하고 있다. 그러나 앞서 지적했다시피 논리적이라고 판단한 그 전제가 이미 부정되었으니 더 논할 필요가 없다고 생각한다.

그런데 회남재를 기점으로 굳이 방향을 생각해 본다면, 악양은 묵계동의 남쪽이라기보다는 서쪽 혹은 남서쪽이라고 보는 것이 더 타당하다. 1632년에 편찬된

---

245) "海山三百里 獲見三君子之跡於一日之間 看山看水 看人看世 山中十日好懷 翻成一日", 조식, 〈유두류록〉, 《선인들의 지리산 유람록》, 최석기외 옮김.

진양지에서 오늘날 묵계동이 속한 진주목 서면(西面) 오대리(五臺里) 조(條)에 '악양은 오대리 서쪽(西岳陽)[246]'이라는 사실을 명시하고 있다. 따라서 묵계동 사람들 관점에서는 회남재를 너머 악양으로 가는 방향은 서쪽이라는 인식이 강했다. 이와 같은 방향 감각은 17세기 초, 진양지를 편찬할 당시에도 그랬고, 지난 세기에 묵계동에서 자란 필자의 인식도 그랬다.

앞에서도 언급했지만, 남명 선생 스스로 자신이 말년을 보낼 곳을 찾기 위해 지리산을 열 번 이상 찾았고, 그중에 용유동(龍游洞), 즉 청암골을 3번이나 들렀다는 고백은《진양지》에 그 기록이 남아있다. 그리고 청암계곡을 세 번이나 찾은 발걸음 속에서 회남재의 남명 설화가 탄생 된 것은 그 가능성이 매우 높아진 상황이다.

그렇다면 남명이 용유동을 찾은 시기는 덕산에 들어오기 전, 그러니까 삼가 토동에 계실 때로 보는 것이 타당할 것이다. 따라서 '회남재에서 남명이 남쪽으로 돌아갔다.', 즉, '귀가했다.'라고 한다면, 그 귀가의 목표 지점이 덕산이 아니라 삼가의 뇌룡정인 만큼 청암계곡을 따라 남동쪽으로 내려가는 것이 정상적인 코스이다. 이렇게 남동쪽으로 내려가다가 열두모랭이와 질매재를 너머 오대사로 가는 길이 지름길이다.

사실 이 길은 1489년 탁영 김일손과 일두 정여창 선생이 말을 타고 통과한 길이였으니 남명 선생 또한 회남재에서 귀가하면서 오대사로 가는 이 길을 통과했을 가능성이 크다. 실제로 남명 선생이 남긴 시에 "제오대사(題五臺寺)"나 "증오대승(贈五臺僧)" 등 오대사에 관한 시(詩)가 있는 것으로 볼 때, 남명 선생은 오대사가 지리산 여행에 있어서 중요한 중간 기착지임을 잘 알고 있었을 것으로 생각된다. 따라서 남명 선생이 청암골의 용유동을 찾았을 때는 오대사를 지나갔을 가능성이 크다.

만일 회남재에서 그의 귀가 방향을 남서쪽인 악양으로 본다면 귀갓길은 더욱 멀어지니 이 또한 논리적으로 받아들이기 어렵다.

〈사례2〉 회남재는 남명과 별 상관없다

《○○과 산》이라는 인터넷 신문의 〈와이드 특집, 아! 지리산, 7. 옛길 걸어 넘기, 악양 회남재"라는 2001년 5월 1일 기사 중에는 "**회남재는 남명과 별 상관없다**"라는 중간

246) 《진양지(晉陽誌)》((제1권)) 각리(各里) 조(條) 서면(西面)의 오대리(五臺里) 조(條)에 '在州西六十里, 東宗化, 西岳陽, 南田頭, 北矢川, 東西四十五里, 南北二十五里, 屬坊四 蘆峴 加里岩 三街(묵계리) 會仁'(원문은 경상국립대 남명학고문헌시스템에서 인용)

제목까지 달았다. 그 기사의 중요 부분을 소개하면 다음과 같다.

> "그러면 남명 선생은 정작 이 언저리의 길지를 보지 못했던 것일까. 이상향, 길지의 대명사로 통하는 청학동이 바로 고개 너머 묵계리 골짜기에 있는 데다 등촌리의 서쪽 골짜기 또한 청학이골로 불리는 곳인데 말이다. 그 당시 ⑪**지리산을 무려 열여섯 번이나 올랐다는데 남명은 청학동 지형과 비슷하다는 불일폭포와 세석평전 역시 보지 못했던 것일까**. 결국 고개를 내려간 선생이 자리를 잡고 여생을 보낸 곳이 시천면 덕산이었으니. 아쉽게도 회남재와 남명 선생의 연관성은 이것이 전부였다. 재 아래 덕기마을에 사는 유○○씨(68세)에 따르면 회남재는 오히려 묵계 사람들이 하동장을 보기 위해 주로 너머 다니던 길이다. 아들이 등촌리 이장인 유씨는 ⑫**묵계 사람들이 쌀을 지고 너머와** 하동장에서 생선 등과 바꿨다는 얘기며, 사내애를 업고 하동장을 다니던 전씨 할머니는 워낙 심장이 강해 호랑이가 따라오는 데도 끄떡하지 않고 고개를 너머가더라는 둥, 또 재 아래에는 옛 주막터가 지금도 있다는 등 옛 얘기를 마치 엊그제 일처럼 들려준다." 〈후략〉[247)]

'**회남재는 남명과 별 상관없다**'라는 중간 제목을 통해 무엇을 말하고 싶었는지, 무엇을 기대하는지는 잘 알 수는 없으나, 비전문가의 이런 식의 단정적인 기사는 일반 독자들에게 '회남재의 남명 설화'를 부정하는 데는 영향을 줄 것으로 생각한다. 기사의 내용을 보아도 '왜 회남재는 남명과 별 상관이 없다'라고 했는지 이해가 잘 안 된다.

지명에는 상징성이 중요하다. 우리 가까운 주변에는 '푸른 청석이 많은 계곡'이라 '청암(靑巖)'이라 하고, '물길이 화살처럼 빠르다.' 하여 '시천(矢川)'이며, '남쪽으로 흘러 내려온 강이 서쪽으로 가로로 흐른다'라고 하여 '가로내', 즉 '횡천(橫川)'이라 하고, '큰 강의 동쪽에 있으니 하동(河東)'이라고 부른다. 이런 지명을 '자연 지명'이라고 한다. 그 외에도 통영(統營)과 같은 '법제 지명'도 있고, '사기(沙器)마을'과 같은 '경제지명'도 있다. 그리고 유명 인물과 관련하여 지은 '문화지명'도 있다. '회남재'는 저명한 남명 선생의 방문을 계기로 그를 추모하여 지은 셈이니 문화지명에 속한다. 이처럼 '지명 속에는 우리 조상의 사고와 의지가 담긴 것도 있고, 생활 모습을 나타내는 지명도 있어서 우리 지역 문화 발전의 역사를 찾아볼 수 있는 귀중한 문화재[248)]'라고 말한다. 그런 만큼 함부로 폄훼되어서는 안 될 것이다.

여기서 중간 소제목 외에 두 가지만 짚고 넘어가면, 첫째, ⑪"**지리산을 무려 열여섯 번이나 올랐다는데 남명은 청학동 지형과 비슷하다는 불일폭포와 세석평전 역시 보지**

247) 김○○, 《○○과 산》, 〈와이드 특집/아! 지리산/7.옛길 걸어넘기/악양 회남재〉, 2001. 5. 1. 이 기사는 2001년 5월 1일에 처음 입력하였고, 2009년 10월 7일에 수정했다는 흔적이 있다.

248) 《한국민족문화백과사전》, 〈지명〉에서 인용했다. 그 외에도 "자연지명", "법제지명", "경제지명", "문화지명" 등 지명의 분류법도 여기서 인용했음을 밝힌다.

못했던 것일까"라고 한 부분이다. 남명 선생은 1558년의 두류산 여행에서 불일암 일대를 방문하고 청학동이라고 분명히 밝힌 분이다. 그리고 그 이전에 남명이 지리산 덕산동, 청학 · 신응동, 용유동, 백운동, 장항동 등의 지리산 골짝 골짝을 전전한 것은 지리산 천왕봉 등정 자체에 목표가 있거나 명승지를 찾아다닌 유람이 아니었다. 남명 선생의 〈유두류록〉을 읽어 보았다면 이런 오류 투성이의 기사가 나오지 않았을 것이다.

둘째, 잘 알다시피 묵계는 산촌이라 쌀이 넉넉한 고장이 아니다. 쌀과 보리 등 주식은 오히려 악양에서 구해서 지고 넘어가야 할 처지인데, ⑫'묵계 사람들이 쌀을 지고 넘어와…'라는 내용은 실소를 금할 수 없다. 쌀이 아니라 산골에서 나는 잡곡이나 지리산 산나물, 약초, 목기 등 농 · 임산물이었다고 한다면 이해할 수 있겠지만…….

이 기사는 전반적으로 논리적이지도 객관적이지도 못해서 더 언급할 필요를 느끼지 못하지만, '**회남재는 남명과 별 상관없다**'라는 식의 기사에서 오는 부정적인 이미지만 남아 남명 선생의 회남재 전설의 출처가 묵계동이 아니라 악양동이라는 주장에 힘을 실어주는 만큼 그 후폭풍이 클 것으로 생각되어 우려된다.

〈사례3〉 남명이 회남재로 귀가하려다 악양으로 되돌아갔다

또 다른 기사 하나만 더 소개한다. 《○○○ 생활》의 대표 김○○가 악양에서 출발하여 회남재와 청학동, 묵계호, 하동호를 거쳐 지리산 청암 삼은동의 하나인 노은동과 배티재를 넘어 악양으로 돌아가는 회남재 일주 53km 자전거 라이딩을 하면서 쓴 2023년 5월 29일 자 기사인데, 기사 제목은 〈지리산 바라기(3)-하동 회남재(750m)〉이다. 이 기사를 소개하는 이유는 특이하게도 이런 인터넷 기사가 역으로 앞서 언급한 지방지의 기고문에 인용되었다는 점 때문이다. 먼저, 인터넷 기사 내용은 다음과 같다.

> '회남(回南)'은 조선 초기의 유학자 남명 조식(1501~1572)이 지금의 ⑥**산청 시천면에 머물 때** ⑦**악양의 빼어난 풍광을 보러 왔다가** 이곳에서 돌아갔다고 해서 붙은 이름이라고 한다. 하지만 ⑩**시천은 회남재의 북쪽이니 남쪽으로 돌아갔다'는 회남은 말이 되지 않는다**. 남명의 방문이 사실이라면, ⑬**길이 멀더라도 평탄한 외곽으로 악양에 들렀다가 지름길인 회남재로 귀가하려다 산이 너무 험해 왔던 길로 되돌아갔다고 이해하는 것이 맞지 않을까**.[249)]

이 기사에 대해서도 ⑥, ⑦, ⑩은 이미 지적한 바가 있으니 생략한다. 다만 '시천은

249) 김○○, 〈지리산 바라기(3)-하동 회남재(750m)〉, 청학동도인과 빨치산이 넘던 고개, 2023. 5. 29.

회남재의 북쪽이니 남쪽으로 돌아갔다라고 하는 회남은 말이 되지 않는다'라고 단정지었는데, 이에 대해서는 앞에서도 언급했다시피 '회남(回南)'의 '남(南)'은 '남명(南冥)'이지 '남쪽'이 아니라는 점에 대해서는 더 이상 언급하지 않겠다.

끝으로, 위의 인터넷 기사 ⑬이 주장하는 요지는 다음과 같다.

㉮**남명 선생이 멀리 우회하여 악양에 왔다가** ㉯**덕산으로 귀가하기 위해 지름길인 회남재에 올랐으나** ㉰**산이 너무 험해서 포기하고 남쪽인 악양으로 되돌아갔다.**

이 기사에서 위의 ㉮는 1558년 4월 〈유두류록〉을 쓸 당시 남명 선생이 악양지역에 들렸던 사실을 차용한 것으로 보인다. 그러나 ㉯, ㉰는 지금까지 어떤 자료에서도 이런 사실은 주장하지 않았던 새로운 주장이다. 그러나 이를 뒷받침할 수 있는 문헌적 근거는 없다. 또한 이 기사는 '남명의 회남재 전설'의 소재지를 묵계동이 아니라 악양동이라고 왜곡을 하고 있다.

이처럼 아무런 사료적인 근거도 없는 추측성 주장들을 담은 기사가 늘어날수록 이런 주장에 힘이 실리게 되고, 더 나아가 이런 기사를 근거로 또 다른 주장으로 확대 재생산될 우려가 있다.

〈사례4〉 〈사례3〉의 기사를 인용하여 이를 확대 재생산한 사례

이 〈사례3〉의 ⑬과 같은 인터넷 기사가 사실인 양 ○○일보의 〈남명 조식의 회남재(回南岾)에 대한 오해〉"라는 기고문에 인용(아래 ⑯의 ⓕ)됨으로써 이런 논리가 확대 재생산되었다는 점은 아쉽다. 그것은 위 ⑬은 남명 선생의 설화에 관한 한 전문가라고 할 수 없는 개인의 추측성 의견에 불과하기 때문이다. 이 ○○일보의 기고문에서 몇 곳을 소개하면 다음과 같다.

⑭ …회남재는 조선의 유학자 남명 조식이 지금의 산청 시천면에 머물 때 악양의 빼어난 풍광을 보러 왔다가 ⓐ**이곳에서 발길을 돌렸다고** 해서 붙은 이름이다. 조식이 이 회남재에서 ⓑ**악양이 별 볼 게 없어 돌아갔다는 데에 대한 세간의 오해**가 있어….
⑮ 회남재에 대해 전해지는 야사에서는 ⓒ**남명이 말년 은거할 곳을 찾아 하동 악양일대를 둘러보았는데** ⓓ**마땅한 곳이 없어 덕산으로 돌아왔다고 해** '남명이 다시 돌아온(회) 고개(점)'라는 뜻에서 회남재라는 이름이 붙여졌다고 한다.
⑯ 따라서 그 후 ⓔ**조식이 후학들을 데리고 명승지를 찾아 하동에 처음 왔다는 속설은 신뢰하기엔**

무리가 있는 얘기다. 남명의 방문이 사실이라면, 'ⓕ**길이 멀더라도 평탄한 외곽으로 악양에 들렀다가 지름길인 회남재로 귀가하려다 산이 너무 험해 왔던 길로 되돌아갔다고 이해하는 것이 맞지 않을까(김○○ 자전거 여행 발행인)'라는 견해도 있다.…**

⑰ **회남재에 대한 이러한 오해는 오늘날 남명 조식 선생의 발자취가 산청과 합천, 진주와 김해 일대에만 머무르는 오류를 낳는다.** 유두류록에서 보듯이 조식의 발자취는 하동에도 두루 퍼져있음을 밝히는 작업도 이루어져야 하지 않을까.

⑱ **유두류록의 기록에서 조식 일행도 이상향인 이곳에서 일주일이나 머물렀으니**(○○대 ○교수 남명학 교양총서 22) 오늘날의 하동도 조식 선생과 결코 무관한 고장이라 할 수 없다.…[250)]

위 ⑭의 ⓑ는 기고자가 지적한 대로 오해라고 볼 수 있는 여지가 있다. 이 점은 앞서 〈남명의 야승 연구〉의 ②에서도 언급했듯이 이것은 호사가들의 말장난에 불과하다고 생각한다. 그러나 앞서 소개한 대로 남명 선생이 회남재에 오른 목적이 무엇이었는지에 따라서 그 평가는 달라질 수 있다고 본다. 남명 선생이 악양에서 무엇을 보려고 했는지, 그 관점에 따라 '별 볼 게 없을 수도 있고, 별 볼 게 있을 수도 있다'라는 것이다. 그러나 그렇다고 해서 ⓐ의 '남명이 악양을 들리지 않고 회남재에서 발길을 돌렸다.'라는 기존의 설화까지 부정될 수는 없다고 본다.

위의 기고문 ⑮에 대해서, 필자는 다음과 같은 2가지 점을 지적하고 싶다. 첫째, 남명 선생은 말년에 은거할 곳을 찾아 지리산 일대를 찾아다닌 것은 사실이다. 이 같은 사실은 〈유두류록〉에서 덕산동, 청학·신응동, 용유동, 장항동 그리고 백운동을 10번 이상 찾아다녔다고 고백했었기 때문에 우리가 알 수 있다. 앞서 소개한 대로 하동지역의 청학·신응동(화개면 일대)과 용유동(청암계곡 일대)을 여섯 번이나 다녀갔다고 했다. 따라서 기고자는 ⑮의 ⓒ에서 '하동 일대를 둘러보았는데…'라고 해야 할 것을 엉뚱하게도 '하동 **악양** 일대를 둘러보았는데…'라는 식으로 왜곡하고 있다. 남명 선생의 기록 어디에도 '은거를 목적으로 **악양동을 방문**했다'라는 기록이 아직은 발견되지 않았다.

둘째, 위 ⑮의 ⓒ와 ⓓ에는 논리적인 모순을 스스로 내포하고 있다. 이 주장을 요약해 보면 '㊀은거할 곳을 찾아서 악양에 왔다. ㊁마땅한 곳이 없어서 덕산으로 되돌아갔다'라고 주장하고 있는데, 이 ㊀과 ㊁ 사이에는 논리적인 모순이 있다. 왜냐하면 '㊀에서는 여전히 은거할 곳을 찾아 헤매고 있고, ㊁에서는 이미 은거하고 있는 덕산으로 돌아왔다'라는 말이기 때문이다.

다시 말하면 '수많은 현장 답사와 고심 끝에 덕산에 은거지를 정한 남명 선생이 또 다른 은거지를 찾기 위해 악양에 왔다'라는 주장인데 이는 이해하기 어렵다. '덕산에 은거하신

250) 이○○, ○○일보, [기고] 남명 조식의 회남재(回南岾)에 대한 오해, 2023. 8. 31.

이후, 이곳에 만족하지 못하고 또 다른 은거지를 찾아다녔다'라는 주장을 하기 위한 어떤 문헌적 증거도 제시하지 않고 이런 기사를 기고하는 것이 과연 바람직한지 묻고 싶다.

잘 알다시피 남명 선생이 덕산에 자리 잡은 시기는 1561년이었으며, 은거할 곳을 찾아다닌 것은 〈유두류록〉을 쓴 1558년 이전으로 보는 것이 타당할 것이다. 따라서 위의 ⑮에서는 **'남명이 다시 돌아온 고개'라는 뜻에서 회남재라는 이름이 붙었다'**라는 문장 외에는 이해하기 어렵다. 이처럼 이 기고문에서는 앞뒤 주장이 전혀 맞지 않고 모순된 말이 서로 뒤섞여 역사적 사실을 호도하고 있다는 점을 지적하고자 한다.

이어서 ⑯의 ⓕ는 〈사례1〉의 ⑨, ⑩과 같은 주장으로 보인다. 이 기사는 검증되지 않은 개인의 일방적인 주장, 혹은 악양지역의 어떤 특정 개인으로부터 전해 들은 내용을 그대로 옮긴 것이 아닌가 의심된다. 이 내용은 그야말로 출처 불명인 소문 수준의 인터넷 기사에 불과하다. 이렇게 '남명의 회남재 전설'에 관한 비전문가의 추측성 인터넷 기사를 인용하여 지방지에 기고문을 작성했다는 사실이 놀랍다. 과연 격에 맞는 일인지 생각해 볼 문제이다. 특히 ⓔ와 같이 '후학들을 데리고 하동에 처음 왔다'라는 운운의 '불확실한 속설'을 묵계동 사람들이 주장한다는 것으로 보이는데, 이는 분명한 오해라고 생각한다.

⑰에서는 '이 지역 어르신들'이 '회남재의 전설'에 대해 오해하고 있고, 이 오해로 인해 마치 남명 선생이 하동 땅에 발을 내디딘 사실을 모두 부정하는 것처럼 몰아가고 있다. 그렇다면 여기서 '이 지역 어르신들'은 과연 누구를 지칭함일까? 이 기고문의 전반적인 분위기로 볼 때 '이 지역'은 '묵계 청학동'을 지칭하는 것으로 보인다. 왜냐하면 남명의 회남재 전설의 소재지이자 근원지가 묵계동이기 때문이다. 그러나 미안하지만, 묵계동 어르신들은 회남재 전설을 위의 ⑮처럼 말하지도 않으며, 더구나 ⑰의 밑줄처럼 되는 것을 바라지도 않는다. 오히려 남명 선생이 회남재를 다녀가셨다는 점을 강조하고 있을 뿐이다.

⑱은 남명 선생이 화개동에서 일주일 이상 머물렀으니, 혹시 악양동에서도 오랜 시간을 체재하면서 심지어는 회남재까지 올랐을 것으로 기대했는지 모르겠으나 남명 선생의 〈유두류록〉 어디를 보아도 그런 문맥은 없다.

남명 선생의 회남재 전설의 소재지는 분명히 청암면 묵계동이다. 끝으로 이 기고문이 묵계동에서 채집된 회남재의 남명 설화 자체를 부정하고, 이 설화의 소재지를 악양지역으로 변모시키려는 의도로 쓰인 것이 아니길 바랄 뿐이다.

(4) 회남재는 청암면 묵계리와 악양면 등촌리가 공유할 지명이다

이상에서 보듯이 회남재의 남명 설화에 오해를 불러일으킬 수 있는 〈기사〉들을 쉽게 접할 수 있다. 또, 때에 따라서는 잘못된 정보가 확대 재생산되고 있다는 사실도 확인했다. 따라서 아무런 문헌적 근거도 없이 이런 민감한 기사를 생산하는 것은 신중해야겠지만, 이를 무비판적으로 인용하여 전파하는 것 역시 주의해야 할 것이다. 회남재를 둘러싼 지역 간 갈등은 백해무익하다.

회남재는 청암면 묵계리와 악양면 등촌리 양 지역에 모두 등장하는 지명이다. 그런데도 '회남재'와 관련된 지명을 악양면 등촌리의 지명에는 포함했으나, 청암면 묵계리의 지명에서는 제외한 사례가 논문[251]에서도 등장했다. 사실관계를 명확히 하기 위해 먼저 이 논문의 참고 문헌을 조사해 보았다. 그리고 이들 참고 문헌에 등장하는 회남재와 관련된 지명을 정리해 보았더니 다음 [표2]와 같았다.

이 [표2]에서 방언이 포함된 지명은 '**진한 글씨체**(예: **회냄이재**)'로 표시했다. 여기서 보듯이 '**회냄이골**'과 '**회냄이재**'는 방언이 포함된 악양면 등촌리의 지명이며, '**헤내미**', '**회내미**', '**회내미재**'는 방언이 포함된 청암면 묵계리의 지명이다. [표2]에서 보듯이 묵계리 지역에서 통용되어온 '헤내미'와 '회내미재', '헤내미재' 등도 분명히 방언이 포함된 지명이라고 생각한다. 그런데 이 논문에서는 악양면 등촌리의 '**회냄이골**'과 '**회냄이재**'만 방언이 들어간 지명으로 채택하였고, 청암면 묵계리의 '**헤내미**', '**회내미**', '**회내미재**', '**헤내미재**'는 채택하지 않았다.

[표2] 청암면 묵계리와 악양면 등촌리의 회남재와 관련된 지명

지역	참고 문헌	참고 문헌에 등장하는 회남재 관련 지명	비고
악양면 등촌리	《악양면지》	**회냄이골, 회냄이재**	채택
	《하동군지명지》	**회냄이골, 회냄이재**	채택
	《한국지명총람》	**회냄이골, 회냄이재**	채택
청암면 묵계리	《청암》	○회남(헤내미) ○회남재는…… 보통 **회내미재(헤내미재)** 또는 **회내미고개(헤내미고개)**라고 부른다.	불채택
	《하동군지명지》	회남재	
	《한국지명총람》	회남, 회남재, **회내미**, 회남티	불채택

251) 곽재용, 〈하동의 방언이 나타난 지리산 지명〉, 《하동문화》(제40호), 2022

필자는 국어학자나 음운학자가 아니다. 따라서 이런 음운현상에 대해 왈가왈부하는 것이 부적절할지도 모르나, 어릴 때부터 묵계리 삼거리에서 자라면서 '회남'이라는 이웃 동네를 '헤내미'라고 불렀고, '회남재'를 '헤내미재'라고 불러왔다. 이런 경험에서 비추어 본다면 '회남-'을 '**회냄이-**'라고 하는 악양면 등촌리의 지명에서 볼 수 있는 음운현상보다 '**헤내미-**'라고 부른 청암면 묵계리의 지명에 포함된 음운현상이 훨씬 풍성할 것 같다는 느낌이 드는 것은 필자만의 잘못된 생각일까?

이 논문에서는 악양면 등촌리의 지명에 나타나는 '**회냄이골**'과 '**회냄이재**'에서 볼 수 있는 음운현상을 "'회남>회냄'에 접미사 '-이'가 붙은 형태이다. 'ㅏ>ㅐ'가 되어 ㅣ모음역행동화 현상이다"라고 했으며, "'회냄이-'의 음운현상은 '회냄이골'의 설명과 같다"라고 하였다. 이런 관점에서 '**헤내미-**'를 필자 나름대로 분석해 본다면 '회남>헤남>헤냄+이>헤내미'가 되어 '회냄이' 보다 훨씬 다양한 음운현상이 포함된 것으로 보인다.

그런데도 '회남재'를 '**회냄이-**'라고 한 음운현상만 채택했다. 물론 '**헤내미-**'를 이 논문에서 채택하지 않은 것은 저자의 자유 의지에 의한 학자적인 선택과 판단의 결과라고 볼 수 있겠지만, 매우 아쉽게 생각한다.

그것은 독자들에게 마치 '회남재가 악양의 지명이고, 묵계의 지명이 아니라는 오해를 불러일으킬 수도 있다'라는 생각이 들었기 때문이다. 그것은 앞서 소개한 여러 <사례>에서 보았듯이 '회남재'를 악양면 등촌리의 지명이라고 주장하는 근거로 확대 재생산될 우려가 있는 만큼 묵계 동민으로서는 아쉬움과 함께 우려를 표하지 않을 수가 없다.

특히, 이 논문에서 '회냄이재'의 항을 설명하면서 이 논문의 필자는 "**남명 선생이 악양을 구경하고 돌아갔다고 하여 지어진 이름이다.**'라거나 '**남쪽으로 돌아가는 곳이라고도 한다.**'라는 친절한 설명을 곁들이고 있다. 이것은 앞서 소개한 <사례1>의 ⑨, ⑩과 <사례4> ⑯의 ⓕ와 같은 주장을 그대로 인용하고 이를 확대 재생산한 측면이 다분하다는 느낌이 들어 씁쓸한 느낌까지 든다.

이 논문의 주장대로라면, "남명 선생이 악양을 구경하고 **회남재까지 올랐다가** 남쪽인 악양으로 되돌아갔다"라는 주장인데, 이런 문헌적 근거는 남명 선생 자신의 자료는 물론 그의 제자, 문인들의 자료에서도 아직 발견되지 않았다. 학문적으로 권위 있는 분들의 논문이 엉뚱하게 오독되지 않기를 바랄 뿐이다.

중요한 사실은 오늘날 우리가 '회남재'라고 부르고 있는 이름 없는 재에 언젠지는 모르지만, 학문이 깊고 고명한 대현(大賢)인 남명 조 선생께서 다녀감으로써 '회남'이라는 마을 이름과 '회남재'라는 고개 이름을 얻었다는 점이다.

사실 악양동은 묵계동과는 비교할 수 없는 막강한 지역적인 파워(power)를 가졌다고 해도 과언이 아니다. 악양은 역사와 문화 또한 깊고 풍성하다. 인구는 물론 경제력의 규모 등 모든 방면에서 악양동의 지역력(地域力)은 묵계동을 압도한다.

다만 현대에 들어서 묵계 동민들이 악양동의 지역발전에 이바지한 일을 굳이 들자면 묵계동의 소중한 계곡물을 악양동을 위해서 제공하고 있다는 사실이다. 이로 인해 수려한 묵계동의 산천은 회복할 수 없는 상처를 입었다. 게다가 얼마 되지 않은 농업 기반도 다 잃었다. 이러니 묵계 동민들의 상실감 또한 큰 것이 사실이다. 요즘 같은 세상이었으면 묵계호 공사가 과연 가능했을까? 그러나 회남재를 사이에 둔 우리는 이웃이다. 그래서 서로 이해하고 받아들일 뿐이다. 이런 충정을 악양면민들께서도 이해해 주시기 바란다.

앞서 소개했듯이 남명 선생이 만년에 자신이 살 곳을 찾아 덕산동, 청학 · 신응동, 용유동을 각각 세 번씩 드나든 것을 포함하여 지리산 골짝을 열한 번이나 드나든 사실은 자신의 기록으로 남아있다. 그중에 용유동, 즉 청암계곡을 3번이나 드나들었다는 사실 또한 그의 문인인 부사(浮査) 성여신(成汝信, 1546~1632)을 비롯한 당시 진주의 지식인들이 함께 쓴《진양지(晉陽誌)》에 명시된 분명한 기록이다.

만일 남명 선생이 심산유곡의 묵계동에 있는 회남재를 방문했다면 용유동을 찾았었다고 스스로 고백한 그 세 번 중의 어느 한 번이 아닐까? 그런 까닭에 남명이 회남재를 찾은 시기를 굳이 특정해야 한다면 "1550년대"로 하거나, "삼가 뇌룡정에서 제자들을 가르칠 때"로 표현하는 것이 바람직할 것으로 생각된다.

필자는 이《진양지(晉陽誌)》외에 혹시 남명 조선생이 청암의 용유동과 회남재를 방문한 기록이 있는지 찾아보기 위해서 그의 문인들의 문집을 입수되는 대로 검색해 보았으나 아직 추가적인 기록은 발견하지 못했다. 앞으로 기회가 될 때마다 조사해 볼 생각이다. 언젠가 좀 더 확실한 문헌자료가 발견되어 '회남재 남명 설화'에서 '설화' 혹은 '야승'이라는 단어가 사라지기를 바랄 뿐이다.

최근에 장재터 출신의 조병래 씨(70세, 묵계초 11회)로부터 남명 선생과 관련된 새로운 일화를 들었다. 그에 의하면 '남명 선생이 회남재에서 되돌아 나올 때, 삼거리 입구에 있는 삼거리 큰 냇물의 큰 소(沼)에 있는 '노다리'(노디)를 건너다가 다리를 삐었단다. 그래서 그 소(沼)의 이름을 '다리소'라고 이름 지었다.'라는 설화였다. 이 설화를 전해준 그는 함안조씨로 10대째 장재터와 높은터 일대에서 살아온 묵계동의 토박이다. 그의 9대조와 8대조는 묵계동에서 덕망이 높고, 또한 장수하여 나라로부터 수직(壽職)으로 '자헌대부(資憲大夫)'와 '통정대부(通政大夫)'를 증직 받았다는데 이 어른들의 선산은 묵계동의 장재터 마을에 있다.

묵계동 내의 회동과 학동, 양 계곡에서 내려오는 냇물은 삼거리에서 합수하여 큰

내를 이룬다. 이 '다리소'의 노다리를 건너야 헤내미나 헤내미재로 갈 수 있다. 그래서 오래전부터 '삼거리 큰 냇물'이라는 지명으로 불리며, 그 근처에는 큰 소(沼)가 많다. 그러나 지금은 모두 묵계호에 수몰되고 말았다. 애석한 일이 아닐 수 없다.

한편, 이 논문에 의하면 지리산권에 속하는 청암면 묵계리에는 방언이 들어간 지명이 악양면이나 화개면의 지리산권 지역에 비해 월등하게 많고 다양하다는 사실을 알 수 있었다. 하동군 내 지리산권 마을 중에서 방언이 반영된 지명이 75개로 알려졌는데, 이 중에서 39개가 묵계리의 지명이란다. 이는 과거 묵계동 선인들의 언어생활이 얼마나 다양하고 풍성했는지 짐작게 하는 자료이다. 그 구체적인 내용은 〈제3부〉 〈묵계동의 언어〉 편에서 자세히 소개한다.

(5) 회남재 남명 설화는 100여 년 전, 구한말에도 회자되고 있었다

위의 〈사례 4〉의 기고문에 "전해지는 야사에서는 남명이 회남재에 온 때가 불분명하다. 출처를 찾아볼 수 없이 전해진 이야기이지만 **이 지역 어르신들을 만나면** 조식 선생에 대한 정설처럼 얘기하신다"라거나 "회남재에 대한 **지역 어르신들의 오해가 풀렸으면** 한다"라는 대목이 나온다.

여기서 "지역 어르신"은 앞서도 소개했다시피 "현재 묵계동에 생존해 있는 어르신들"을 의미하는 듯하다. 그런데 이 회남재의 남명 설화는 "오늘날 묵계동에 사는 노인들, 그들만의 이야기"가 아니다. 그것은 1세기 전에도 이와 같은 남명 설화가 묵계동 사람들에게 회자하고 있었기 때문이다.

이와 같은 사실은 다음과 같은 두 가지 자료에서 확인할 수 있다. 그것은 수당(修堂) 정종엽(鄭鍾燁, 1885~1940) 선생의 《수당유고(修堂遺稿)》와 자학(子鶴) 정준영(鄭俊永) 선생의 《자학유고(子鶴遺稿)》이다. 대부분이 1세기 전에 묵계동을 다녀간 분들이거나 묵계동으로 이주하신 분이 남긴 글이다.

먼저, 전라북도 진안 출신으로 독립운동가인 수당(修堂) 정종엽(鄭鍾燁)[252] 선생이 애국지사 습재 최제학 선생과 함께 망국 직전인 1909년, 숨어 살 곳을 찾아 전현(前賢)들이 청학동(靑鶴洞)이라고 한 불일암 근처를 찾아보았으나 "이곳은 땅이 평지가 아니니

252) 정종엽(鄭鍾燁)의 자는 택신(宅新), 호는 수당(修堂), 본관은 동래(東來). 1885년 3월 13일 진안(鎭安) 마령방(馬靈坊) 계남촌(溪南村)에서 태어나 남원 호동(壺洞)에서 살았다. 1912년 송사(松沙) 기우만(奇宇萬)을 찾아가 의문 나는 점을 질정하였고, 그 이듬해 부안(扶安)에 있는 간재(艮齋) 전우(田愚)를 만나고 돌아왔다. 정재(靜齋) 이석용(李錫庸)과 절친하였다. 저술로 《수당집》이 있다(최석기 외 《선인들의 지리산 유람록 6》).

천가(千家)와 화죽(花竹)의 무릉도원과는 비길 수 없을 듯하오. 이 근처 어딘가에 진경(眞境)이 있을 것이오. 어찌 다시금 다른 곳을 찾아가지 않으리[253]"라고 하며 악전고투 끝에 우연히 오늘날 묵계 청학동을 찾는다.

묵계 청학동을 찾은 수당은 당시 마을의 모습을 "골짜기가 탁 트여 넓고 산세가 빼어나며 들과 밭이 평탄하고 띄엄띄엄 인가(人家)도 있어 비록 선회하는 청학의 모습은 보지 못할지라도 끼룩끼룩하고 학이 우는 소리가 은은한 가운데서 들려오는 것 같다"라는 유람기를 남긴다.

그리고 죽림촌(竹林村) 도씨(都氏) 집에서 이틀을 묵은 다음, 귀갓길에 아랫마을 삼거리(三街) 주막에서 "이 재는 본래 이름이 무엇인지는 몰라도, 조남명(曺南溟)이 돌아가고 나서부터 그를 추모하여 이렇게 불렀다"라는 "회남재의 남명 설화"를 듣는다. 이 수당의 〈유두류록(遊頭流錄)〉은 〈제3부〉에서 자세히 소개한다.

수당과 습재가 묵계 청학동을 거쳐 간 지 벌써 115년이다. 필자가 지금까지 직접 확인한 자료 중에서 이 기록이 회남재와 남명 설화를 언급한 가장 오래된 자료이다. 수당의 이 《유두류록》이 널리 알려짐으로써 벌써 한 세기 전에도 회남령의 남명 설화는 존재했었다는 사실이 확인되었다. 아무튼 20세기 초반, 즉 일제강점기 이전부터 이곳 묵계 지역 사람들에게는 남명 조 선생의 회남재 방문 사실이 구전으로 전해지고 있었던 것이 확실하다.

수당과 함께 묵계 청학동을 방문한 습재 최제학은 이때의 경험 때문인지는 알 수 없으나 경술국치(庚戌國恥) 이후인 1915년, 전 가족을 데리고 오늘날 묵계 청학동으로 들어와 평생을 보낸다.[254] 뒤이어 1922년 남원에서 회천(晦川) 이규진 선생이 찾아오고, 그 후 1960년대까지 남원 등 전라도 지방에서 갱정유도인(更定儒道人)들이 청학동을 찾아 묵계리 진주암으로 이주함으로써 오늘날 청학동 도인촌이 형성된다. 어쩌면 1909년, 수당과 습재의 우연한 묵계동 방문이 오늘날 묵계 청학동으로 발전하는 데 중요한 마중물이 되었을 것으로 생각한다.

다음으로 앞에서도 소개했다시피 자학 정준영은 1941년, 묵계동 입구의 백바위(白巖) 에서 결사한 청백음사(靑白吟社)라는 시모임에서 "(이곳은) 일찍이 남명 선생이 지나가신 곳, 한록사 낚시하던 곳[百世冥翁曾過處, 一竿錄事舊漁隣]"이라는 시(詩)를 읊었고, 또 《청백사시집》의 발문에서 "남명 선생의 유두류록을 살펴보매 용유동이라 칭하니 또한 이곳이로다. 그렇기에 용유동에서 재를 넘으면 악양(岳陽)이니, 속칭 회남재이다. 이 모두 어진 분을

253) 정종엽, 《국역 수당유고(修堂遺稿)(진안문화원)》, 〈유두류록〉, 2011.

254) 《습재실기(習齋實記)》, 《진안문화(제16호)》, 2007

사모하는 뜻이라."[255]라는 글을 남겼었다.

청암에서는 '산신령'이라는 별호로 더 유명한 자학 선생은 나라가 전복되고 종사가 없어지자 이에 분노하여 가족들을 데리고 묵계동의 학동에 은거하여 이곳에 모인 뜻있는 선비들은 물론 서울에까지 활동 범위를 넓혀 광복을 도모하였으나 역부족임을 느끼고 교육에 힘썼다. 학동에서 청학서당 훈장을 했으나 해방 후에 빨치산에 쫓겨 소개를 나와 평촌 근처 갓점과 놋점골 깊숙한 곳에 은거하며 많은 제자를 길러낸 한학자[256]이다.

이상에서 살펴본 대로 '회남재'와 관련하여 남명 선생의 이름이 회자된 것이 최근에 묵계 청학동 사람들이 지어낸 이야기로 치부하려는 듯한 시도가 엿보이나 이 회남재 남명 설화는 적어도 100년 이상, 아니 500년 가까이 면면히 이어져 왔다. 앞으로 회남재와 관련된 자료가 더 많이 발굴되도록 노력해야겠다.

---

255) 按南冥頭流錄 稱龍遊洞者 亦此洞也 故自龍遊 而踰岳陽也 俗稱回南嶺 皆足寓慕賢之意. 여기서 언급된 자학의 시(詩)와 《청백사시집》의 발문의 전문은 제3부에서 자세히 소개한다.

256) 정준영, 《자학유고》, 〈행장〉에서 인용

04

이상향 청학동은 어떤 모습일까?

예로부터 청학동은 전설적인 이상향(理想鄕)으로 알려져 있다. 이곳 지리산(智異山)에는 일곱 군데의 청학동이 있다고 전해오는데, 고운 최치원 선생이 여기에 묻혀 은둔 생활로 말년을 보냈다고 하니 그분의 전설적인 행적을 더듬어 볼 때 청학동의 신비로움을 한층 더 해준다.

전해 오는 말에 의하면 청학동은 지리산 남쪽 기슭에 있는데 들어가는 입구에 폭포가 있고 폭포를 지나면 석문(石門)이 나오고 또 석문 동굴(洞窟)을 따라 10리쯤 들어가면 주위가 40리나 되는 넓고 평탄한 지역에 신선들이 사는 별천지(別天地)가 나오는데 그곳에는 청학(靑鶴)이 살고 또 청학이 노니는 학연(鶴淵)이 있으며 석정(石井)이 있고 뒤에는 삼신봉(三神峯)이 높이 솟았으며 석각삼봉(石角三峯) 등이 병풍처럼 둘러싸고 해 바위와 달 바위가 있다고 한다.

그리고 청학동은 땅이 기름져 곡식이 잘 되며 삼재(三災) 즉 흉년, 질병, 난리가 들어오지 않고 또 석정(石井)의 물을 마시면 오래 산다고 하였으며 특히 청학동에 살면 인재가 많이 날 것이라고 했다.

청학동은 지리산 곳곳에 알려져 있으나 그 진부(眞否)는 알 길이 없다. 더욱이 앞서 살펴본 것처럼 〈청학동도〉에서 보듯이 청암의 학동, 회동, 묵계 일대가 문헌상에 나타나는 청학동과 일치한다고들 한다. 그럼 먼저 청학동에 관한 옛 기록과 청학동 비결을 일부 살펴보자. 청학동에 관해 가장 오래된 기록은 《파한집》이다. 그 외에도 《택리지》, 《오주연문장전산고(五洲衍文長箋散稿)》에 수록된 〈청학동 변증설〉을 소개한다.

또 청학동 비결에는 〈겸암일기〉, 〈남사고(南師古) 비결(祕訣)〉, 《오산설림(五山說林)》, 〈옥룡자 비결〉, 〈무학대사 청학동결〉, 〈옥계일지〉, 〈이청련의 청학동결〉, 〈일지승결〉, 〈하산 지리산 청학동 35 성이 발흥할 땅〉 등이 있으나 많은 비결이 〈청학동 변증설〉에서 소개되고 있으므로 여기서는 생략한다.

가. 청학동 관련 기록

(1) 파한집(破閑集)

《파한집(破閑集)》은 미수(眉叟) 이인로(李仁老, 1152~1220)가 저술한 시화·잡록집이다. 그가 사망 직전인 1220년(고려 고종 7)에 당시 국내에 떠돌던 각종 고사 및 잡록, 역사, 설화, 우스갯소리, 시 품평 등을 모아놓은 책으로 그의 사후, 40년 뒤인

1260년에 그의 아들 이세황(李世黃)이 책으로 편찬하였다. 이제현의 《역옹패설(櫟翁稗說)》, 최자의 《보한집(補閑集)》과 함께 고려 시대 3대 문학비평서 중 하나로 꼽힌다.

'파한(破閑)'이란 글자 그대로 한가함을 깨뜨린다는 뜻이다. 이 책에서 이인로는 세상사에 마음을 두지 않고 산림에 은둔하며 온전한 한가로움을 얻음이 장기나 바둑 두는 일보다 낫기에 '파한'이라고 이름 붙인다고 하였다.

이 책은 현대인들에게는 김유신의 천관녀(天官女) 설화가 최초로 수록된 책으로 유명하다. 또한, 《파한집》은 한국 시화집의 효시로 1100년~1200년대 한국 고전시학(古典詩學) 연구의 귀중한 자료이다. 저자는 한국의 명유(名儒)들의 시(詩) 작품들이 기록으로 남겨지지 못한 채로 인멸되어 가는 것을 막아야겠다는 사명감을 가졌기 때문에 고대로부터 고려 중기에 이르기까지 다른 문헌에서 찾아보기 힘든 시편들을 평생에 걸쳐 모아놓았다. 주로 시화(詩話), 기사(記事), 자작시(自作詩), 신라의 풍속, 개경, 서경, 궁궐, 사찰 등에 관한 내용이 수록되어 있다.[257)]

청학동에 관한 이야기는 《파한집》의 권(券) 상(上) 〈지리산(智異山)은 혹 이름을 〈두류(頭留)〉라고도 하는데[智異山或名頭流]〉에 나온다. 이 내용은 〈국사편찬위원회〉의 〈한국사데이터베이스〉에서 인용했다. 여기서 이인로는 "화개현(花開縣)에 이르러 신흥사(神興寺)에서 쉬었는데 지나온 곳마다 신선이 사는 곳 같지 않은 곳이 없었으니, 천 개의 바위가 다투어 우뚝했고 만 개의 골짜기에서 강물이 다투어 흘렀다. 대나무 울타리와 초가집들이 있고 복숭아나무와 살구나무가 서로 근사하게 어울려 거의 인간 세상이 아닌 듯하였으나, 이른바 청학동이라는 곳은 결국 찾지 못하였다."라고 했다. 그 전문을 소개하면 다음과 같다.

《파한집(破閑集)》 권상(券上) 〈지리산(智異山)〉에서 청학동[258)]

지리산(智異山)은 혹 이름을 두류(頭留)라고도 하는데, 북조(北朝)의 백두산(白頭山)으로부터 일어나 꽃 같은 봉오리와 꽃받침 같은 골짜기가 끊임없이 이어져 대방군(帶方郡, 지금의 남원)에 이른다. 수천 리를 둘러 감아 엮였으니, 그 안에 10여 고을(州)이 있고, 한 달을 둘러보아야 그 경계의 가장자리에 닿을 수 있다.

智異山或名頭留 始自北朝白頭山而起 花峯萼谷緜緜聯聯 至帶方郡 蟠結數千里

257) 나무위키, 《파한집》에서 인용

258) 《파한집》(권상) 〈지리산-청학동〉, 국사편찬위원회-한국사 데이터베이스에서 인용

環而居者十餘州 歷旬月可窮其際畔

옛 노인들이 서로 전하여 이르기를, "그 사이에 **㉠청학동이 있는데, 길이 매우 좁아서 사람이 다니는 것이 겨우 통한다. ㉡구부리고 엎드려서 몇 리 정도를 지나서야 텅 빈 곳이 나오는데, ㉢사방이 모두 좋은 밭에 비옥한 땅이라 씨앗을 뿌리고 작물 심기에 적절하다. ㉣오직 푸른 학이 그 안에서 거처를 틀고 쉬므로, 이로써 그곳의 이름으로 하였다.** 대개 옛날에 세속에서 숨은 사람들이 살던 곳으로, 무너진 담과 구덩이가 여전히 가시나무가 뒤엉킨 옛터에 남아 있다."라고 하였다.

古老相傳云 其間有**㉠靑鶴洞 路甚狹纔通人行 ㉡俯伏經數里許 乃得虛曠之境 ㉢四隅皆良田沃壤 宜播植 ㉣唯靑鶴棲息其中 故以名焉** 盖古之遁世者所居 頹垣壞塹, 猶在荊棘之墟

옛날에 내가 집안의 형(堂兄) 최상국(崔相國)과 속세를 떠날 뜻[拂衣長往之意]이 있어, 이에 이 동을 찾자고 서로 약속하였다. 살림살이를 넣은 대나무 바구니들을 송아지 두어 마리에 가득 싣고 들어가면 세속과 상관하지 않을 수 있을 것 같았다. 마침내 화엄사(華嚴寺)로부터 화개현(花開縣)에 이르러 신흥사(神興寺)에서 쉬었는데 지나온 곳마다 신선이 사는 곳 아닌 곳이 없었으니, 천 개의 바위가 다투어 우뚝했고 만 개의 골짜기에서 강물이 다투어 흘렀다. 대나무 울타리와 초가집들이 있고 복숭아나무와 살구나무가 서로 근사하게 어울려 거의 인간 세상이 아닌 듯하였으나, **㉤이른바 청학동이라는 곳은 결국 찾지 못하였다.** 이에 시를 암석에 남겨 이르기를,

昔僕與堂兄崔相國 有拂衣長往之意 乃相約尋此洞 將以竹籠盛牛犢兩三以入 則可以與世俗不相聞矣 遂自華嚴寺至花開縣 便宿神興寺 所過無非仙境 千巖競秀 萬壑爭流 竹籬茅舍 桃杏掩映 殆非人間世也 **㉤而所謂靑鶴洞者 卒不得尋焉** 因留詩巖石云

두류산이 멀리 저녁 구름 아래에 있으니	**頭留山逈暮雲底**
수많은 바위와 골짜기가 마치 회계(會稽) 같구나	**萬壑千巖似會稽**
지팡이를 짚으며 청학동을 찾고자 하나	**策杖欲尋靑鶴洞**
숲 너머 산 짐승 울음소리[259]만 헛되이 들리는구나	**隔林空聽白猿啼**
누대(樓臺) 어렴풋이 보이는데 삼산(三山)은 멀고	**樓臺縹緲三山遠**
이끼 아래에 흐릿하게 네 글자가 적혔으니	**苔蘚微茫四字題**

259) "원숭이 우는 소리"로 되어 있으나 원숭이는 지리산에 없으니 "산짐승 우는 소리"로 바꾸었다.

무릉도원(仙源)이 어디인가 짐짓 물어보지만 試問仙源何處是
떨어지는 꽃, 흐르는 물은 사람들 헤매게 하네 落花流水使人迷

어제 서루(書樓)에서 우연히 《오류선생집 (五柳先生集)》을 읽었는데, 〈도원기(桃源記)〉가 있어서 반복하여 보았다. 대개 진(秦)나라 사람들이 난세를 싫어하여 처자식을 이끌고 산과 물로 둘러쳐져 나무꾼(樵蘇)들도 이를 수 없는 깊숙하고 험준한 벽지를 찾아 살았다고 하였다. 진(晉)나라 태원(太元) 연간에 어부가 다행히 한 번 이르렀는데, 곧 그 길을 잊어 다시 찾을 수가 없었다고 한다.

昨在書樓 偶閱五柳先生集 有桃源記 反復視之 盖秦人厭亂 携妻子 覓幽深險僻之境
山迴水復 樵蘇所不可得到者以居之 及晉太元中 漁者幸一至 輒忘其途不得復尋耳

후세에 이를 채색하여 그리고 노래로 읊어 전하였으니, 도원은 선계(仙界)여서 신선들[羽車飆輪長生久視者]이 사는 곳이라고 여기지 않는 자가 아무도 없었다. 대개 이 글(記)을 읽은 것이 미숙할 따름이나, 실로 청학동과 다르지 않다. 유자기(劉子驥)와 같은 고상한 선비가 있더라도 어찌 한 번 가서 찾을 수가 있겠는가.

後世丹靑以圖之 歌詠以傳之 莫不以桃源爲仙界 羽車飆輪長生久視者所都
盖讀其記未熟耳 實與靑鶴洞無異 安得有高尙之士 如劉子驥者 一往尋焉

(2) 택리지(擇里志)[260]

《택리지(擇里志)》는 조선 후기의 실학자 이중환(李重煥, 1690~1752)이 1751년(영조 27)에 저술한 인문 지리서이다. 《택리지》는 1책으로 구성되어 있고, 내용은 이중환이 쓴 서문을 비롯하여 사민총론(四民總論), 팔도총론(八道總論), 복거총론(卜居總論), 총론(總論), 발문(跋文)으로 이루어져 있다. 이 책은 전국 각 지역의 풍수지리적 특성과 함께 자연과 인간 생활과의 관계를 서술하고 있어 인문 지리서의 시초로 평가받고 있다.

그는 이 책에서 가장 많은 부분을 할애하며 살기 좋은 곳의 기준을 자세히 설명하였다. 그는 사람들이 살만한 곳을 선정하는 기준으로 지리(地理), 생리(生利), 인심(人心), 산수(山水)를 조건으로 들어 서술하였다. 이중환은 이 네 요소 중 하나라도 충족하지 못하면 이상적인 거주지가 될 수 없다고 하였다.

먼저 지리는 그 지역의 풍수(風水)를 의미한다. 이중환은 지리를 논하는 데 있어 '우선

260) 우리 역사넷 홈페이지, 〈택리지 조선 시대 인문 지리서의 시초〉에서 주로 인용, 작성했다.

수구(水口)를 보고, 다음으로 들의 형세를 보며, 순차적으로 산의 형태, 흙의 빛깔(土色), 조산(朝山)과 조수(朝水)를 봐야한다라고 하였다. 그리하여 집터는 수구가 꼭 닫히고, 그 안에 펼쳐진 들을 유심히 살펴본 후 구해야 하며, 토질은 사토(砂土)로 굳고 촘촘하면 물도 맑고 차기 때문에 집터로 살 만한 곳이라고 하였다. 만약 흙이 붉은 찰흙과 검은 자갈이 있거나 누런 질흙이면 죽은 흙으로 판단하고 물 또한 좋지 못하므로 살 만한 곳이 못 된다고 하였다.

아울러 조산에 이상한 형태의 돌로 된 봉우리가 있거나, 비뚤어진 모양의 외봉우리가 있는 곳은 살기에 적합하지 않다고 보았다. 또한 봉우리의 형상이 무너지고 떨어지는 것 같거나 엿보고 넘겨보는 모양이 있는 곳, 산 위나 밑에 괴이한 돌과 바위가 보이는 곳, 긴 골짜기로 된 충사(沖砂)가 전후좌우로 보이는 곳도 이중환은 살 수 없는 곳이라고 하였다. 조수는 물 너머의 물을 말하는 것인데, 작은 냇물이 역으로 흘러드는 곳이 좋은 곳이라고 하였다.

생리(生利)는 생활하는데 이로움이 되는 지리적 위치를 말한다. 따라서 벼농사와 목화 재배에 유리한 비옥한 토지, 해상과 육상의 교통이 편리하고 사람과 물자가 모여들어 교역이 활발하게 이루어지는 곳이 강조되었다. 이중환은 전국에서 가장 기름진 땅으로 전라도의 남원(南原)·구례(求禮)와 경상도의 성주(星州)·진주(晋州) 등을 꼽았다.

특히 경상도의 경우 좌도(左道)는 땅이 메마르고 백성이 가난하지만, 우도(右道)는 기름지다고 하며 좌 · 우도의 차이를 언급했고, 전라도에선 지리산 주변이 가장 기름지다고 평했다. 반면, 강원도의 영동과 함경도는 땅이 메마르고, 평안도의 경우 산중 고을은 땅이 메마르나, 바닷가 주변은 기름진 것이 충청도와 비슷하다고 하였다.

목화는 영남과 호남에서 가장 잘 되며, 특산물로 이득을 얻을 수 있는 것은 진안(鎭安)의 담배, 전주(全州)의 생강, 임천(林川)과 한산(韓山)의 모시, 안동(安東)과 예안(禮安)의 왕골[龍鬚]이라고 하였다. 물자를 교류함에 있어서는 조선의 경우 산이 많고 들이 적은 지리적 특성 때문에 수레의 통행이 어려워 상인들이 말을 이용하지만, 비용이 많이 드는 데 반해 이익이 적다고 지적하였다. 그리하여 그 방편으로 배로 운반하는 것이 편리하다고 하며, 각 도 각처에 배가 통행할 만한 강과 항구를 자세히 기록하였다.

인심에서는 풍속의 중요함을 강조하고 팔도 인심을 비교하여 기록하였다. 이중환은 "마을 인심이 착한 곳이 좋다. 착한 곳을 가려서 살지 않으면 어찌 지혜롭다고 하랴"라는 공자의 말을 인용하며 인심의 중요성을 강조하였다. 또한 "옳은 풍속을 가리지 않으면 자신에게만 아니라 자손들도 반드시 나쁜 물이 들어서 그르치게 될 염려가 있다. 그러므로 살 터를 정하는 데에 그 지방의 풍속을 살피지 않을 수 없다"라고 하였다.

그러면서 전국 팔도의 인심에 대해서 평안도가 가장 순후하고, 경상도가 다음으로 풍속이 진실하다고 하였다. 반면, 함경도는 오랑캐 땅과 경계에 있으므로 도민의 성질이 강하고 사나우며, 황해도는 산수가 험한 까닭에 사납고 모질다고 파악하였다. 또한 강원도민은 산골인 지형적 특징으로 어리석고, 전라도민은 간사함을 숭상하여 나쁜 데 쉽게 움직인다고 했다. 경기도의 경우 도성 밖 백성들은 재물이 보잘것없고, 충청도는 세도와 재리만 좇는다고 파악하였다.

마지막으로 이중환은 우리나라의 주요 산계(山系)와 수계(水系)를 살펴 이름난 산수를 논하였다. 그는 집 근처에 유람할 만한 산수가 없으면 정서를 함양할 수 없음을 지적하며, 땅이 기름진 곳을 고르면서 10리나 반나절 거리 이내로 산수 좋은 곳을 매입해 두고 그곳에 가서 시름을 풀고 돌아오는 것이 좋다고 하였다.

이중환은 청학동을 특정하고 있는데, "지리산 안에 만수동(萬壽洞)과 청학동(青鶴洞)이 있다고 예전부터 전해 오는데, 만수동은 지금의 구품대(九品臺)이고, 청학동은 지금은 매계(梅溪)로 근자에 비로소 인적이 조금씩 통한다."라고 하였다. 택리지에서 청학동과 관련된 부분만 발췌해서 소개하면 다음과 같다.

이중환(李重煥)의 《택리지(擇里志)》와 청학동[261]

지리산은 남해상에 있다. 이곳은 백두대간이 크게 끝난 곳이기 때문에 두류산이라고 한다. 세간에서는 금강산을 봉래산(蓬萊山), 지리산을 방장산(方丈山), 한라산을 영주산(瀛洲山)이라고 하는데, 소위 삼신산(三神山)이다. 《지지(地誌)》에서는 지리산을 태을선인(太乙仙人)이 사는 곳이며 뭇 신선이 모이는 곳이라 하였다. 골짝은 서로 뒤섞여 깊고 크다. 흙이 두텁고 기름져서 온산이 모두 사람 살기에 알맞다. 산 안에 100리나 되는 긴 골이 많으며 바깥쪽은 좁고 안쪽은 넓어서, 가끔 사람이 사는 곳을 발견하지 못해서 나라에 세금을 바치지 않는 곳도 있다.

지리산재남해상 시위백두지대진맥 고일명두류산 세이금강위봉래 이지리위방장
智異山在南海上 是爲白頭之大盡脉 故一名頭流山 世以金剛爲蓬萊 以智異爲方丈
이한라위영주 소위삼신산야 지지 이지리위태을소거 군선소회 동부반호심거
以漢拏爲瀛洲 所爲三神山也. 地誌 以智異爲太乙所居 群仙所會 洞府盤互深鋸
토성우육후고옥 일산개의인거 내다백리장곡 외협내광 왕왕유인소부지처
土性又肉厚膏沃 一山皆宜人居 內多百里長谷 外狹內廣 往往有人所不知處
불응관세지
不應官稅地

지역이 남해와 가까워 기후가 따뜻하며 산중에는 대나무가 많고 또 감과 밤이 매우

261) 《택리지(擇里志)》와 청학동의 원문은 디지털 장서각에서 인용, 번역문은 《한국인의 이상향 青鶴洞》에서 인용

많아 저절로 열렸다가 저절로 떨어진다. 기장이나 조를 높은 산봉우리에 뿌려 두어도 무성하게 자란다. 평지밭에도 모두 심으므로 산중에는 촌사람과 스님들이 섞여 산다. 스님이나 속인들이 대나무를 꺾고 감, 밤을 주어 수고하지 않아도 생리가 족하며, 농사일에 공력을 심히 노력하지 않아도 충족한다. 이리하여 이 산에 사는 백성은 풍년·흉년을 모르므로 부산(富山)이라 부른다.

近南海 氣候溫暖 山中多竹 又柿栗極多 自開自落散 黍粟於高峯之上 無不蕪茁
平地田皆畝種收之 故山中村居與僧寺錯居 僧俗折大竹拾柿栗 不勞而足爲生利
農功亦不甚勞易周足 是以一山 不知歲年豊凶 故號爲富山 山之陽面

산 남쪽에 화개동(花開洞)과 악양동(岳陽洞)이 있는데, 모두 사람이 살고 산수가 아름답다. 고려 중엽에 한유한(韓惟漢)이 이자겸의 횡포가 심한 것을 보고 장차 화가 일어날 것을 알았다. 그래서 벼슬을 버리고 가족과 함께 악양동에 숨어 살았다. 그 후 조정에서 그를 찾아 벼슬을 내리고 불렀으나 도망쳐 숨고 세상에 나타나지 않기에 그 마지막을 알지 못하여 어떤 사람은 그가 신선이 되어 갔다고 생각했다.

有花開洞岳陽洞 皆人居 而山水甚佳 高麗末 韓惟漢 見李資謙橫甚 知禍將作
棄官挈家隱岳陽

朝廷物色而拜官召之惟漢仍逃隱 不見於世 不知所終 或以爲仙去

서쪽에 화엄사(華嚴寺)와 연곡사(鷰谷寺)가 있고, 남쪽에는 신응사(神凝寺)와 쌍계사(雙溪 寺)가 있다. 이 절에는 신라 때 사람 고운 최치원(崔致遠)의 화상이 있다. 시냇가 석벽에는 고운이 쓴 큰 글자가 많이 새겨져 있다. 세상에 전해 오기로는 고운이 도를 통해 지금도 가야산(伽倻山)과 지리산 사이를 왕래한다고 한다. 선조 신미(辛未) 1571년에 스님이 바윗돌 사이에서 종이 하나를 주웠는데 다음과 같은 절구 열 수가 적혀 있었다. 그 수련(首聯)은 다음과 같다.

西有華嚴寺燕谷寺 南有新凝寺雙溪寺 寺有新羅崔孤雲致遠畫像 沿溪石壁
多刻孤雲大字 世傳孤雲得道 至今往來於伽倻地異兩山間云 宣廟辛未年間
寺僧得一紙 於岩石間 有十絶句 其首曰

동쪽 나라 화개동은 東國花開洞
항아리 속의 별천지라 壺中別有天
선인이 옥 베개 밀치어 잠을 깨니 仙人推玉枕

이 몸이 속세에서 홀연히 천 년이 지났구나 身世欻千年

글자의 획이 금방 쓴 듯한데, 필법은 세상에 전해오는 고운의 필체와 같았다. **㉠지리산 안에 만수동(萬壽洞)과 청학동(靑鶴洞)이 있다**고 예전부터 전해 오는데, 만수동은 지금의 구품대(九品臺)이고, **㉡청학동은 지금의 매계(梅溪)**로 근자에 비로소 인적이 조금씩 통한다.

字劃如新 其字法則 與世所傳孤雲筆同 **㉠舊傳有萬壽洞靑鶴洞**
萬壽則今九品臺 **㉡靑鶴則今梅溪也** 近始稍通人跡.

(3) 류겸암 선생 일기

류겸암(柳謙菴) 일기(日記)는 서울대학교 규장각(奎章閣)에 소장된 《정감록 비록》의 〈청학동기〉와 《조선비결전집》에 있다[262].

《겸암선생 일기》[263]

〈겸암일기〉에 다음과 같이 기록되어 있다. 나는 본래 산과 물을 지독하게 좋아하였는데 동서남북(東西南北)의 자연을 두루 살피다가 진주(晋州) 서사리(西社里)에 이르러 몇 번 청학동을 보려 했으나 아직 가지 못했다. 어느 날 늙은 중이 찾아와 만나보니 자못 사물을 식별하고 관찰하는 능력이 있고, 아름다운 산수들에 대해 말하다가 이야기가 청학동에 미쳤다. 내가 말하기를 "그대는 비기(祕記)를 얻었는가?"라 하자 스님이 대답하기를 "자세히 압니다."라고 하였다.

《謙菴日記》中有曰 余素有山水之癖 周覽四方山川 至晋州西社里
幾見靑鶴洞而未果矣 有一老僧來訪 頗有識見 多語佳山麗水 語及靑鶴洞 余曰
汝能記得不 僧曰 詳知矣

다음 날 스님과 더불어 같이 길을 떠났다. 11일에 하동(河東) 화개천(花開川) 가의 주막에서 유숙(留宿)하고 다음 날 길을 떠나 어떤 바위굴에서 유숙하고서

262) 류정수 편역, 《한국의 예언》, p.40

263) 원문은 한국고전종합DB의 《오주연문장전산고》〈천지편 지리류/동부(洞府) 191 청학동변증설〉에서 가져왔고, 번역문은 김아네스의 글에서 따왔다.

등촌(橙村)에서 점심을 먹었다. 3일치 양초[糧草: 사람 먹을 식량과 말이 먹을 꼴]를 가지고 길을 가다가 들에서 잠을 잤다. 3일째 되는 날 석문에 이르렀는데 겨우 한 사람 정도 다닐 수 있었다. 석문에 들어 한 구절을 읊으니,

익 일 여 승 해 발 십 일 일 지 하 동 화 개 천 상 점 유 숙 명 일 발 행 득 일 암 혈 유 숙 오 반 등 촌
翌日與僧偕發 十一日至河東花開川上店留宿 明日發行 得一巖穴留宿 午飯橙村
재 삼 일 량 초 행 노 숙 제 삼 일 도 일 석 문 근 용 일 인 지 행 입 석 문 영 일 구 왈
賫三日粮草行露宿 第三日到一石門 僅容一人之行 入石門 詠一句曰

바위 아래 나무에서 새가 울어 사람을 놀라게 하고, 제 조 경 인 암 하 수 **啼鳥驚人巖下樹**
도화뜬 물은 협곡에 흐르네. 도 화 류 수 곡 중 천 **桃花流水谷中天**

걷고 걸어 조금씩 나아가니 40여 리를 돌아올 정도의 평탄한 들판이 크게 열렸다. 가히 천석(千石)지기의 논을 만들 수 있고 되(升)의 씨를 뿌리면 석(石)을 수확할 수 있는 땅이라. 가히 천여 집이 살만했다. 여기는 마땅히 임좌병향하며 백운산 세 봉우리가 바로 안산이 되어야 한다. 인하여 한 구절을 읊으니,

보 보 점 진 회 포 사 십 리 대 개 평 원 가 작 답 천 석 승 종 석 출 지 지 가 거 천 여 호 지 우 당 처
步步漸進 回抱四十里 大開平原 可作畓千石 升種石出之地 可居千餘戶 至于當處
임 좌 병 향 백 운 삼 봉 위 정 안 인 영 일 구 왈
壬坐丙向 白雲三峯爲正案 因詠一句曰

많은 복숭아꽃 대밭 속에 듬성한데 만 수 도 화 총 죽 리 **萬樹桃花叢竹裏**
늦가을 단풍잎처럼 시냇가에 붉게 피었네. 삼 추 풍 엽 벽 간 변 **三秋楓葉碧澗邊**

돌우물 하나가 있는데 돌 위에 큰 글씨로 "고려 낙운거사 이청련(高麗樂云居士李靑蓮)이 쓰다"라고 되어 있다. 20년을 살면서 인간 세상과 통하지 않고, 20년을 지나면 우레가 돌문을 깨뜨려 네 마리의 말이 달릴 수 있는 길이 생기며, 40년을 살면 이름난 정승과 판서[높은 벼슬]와 어진 선비와 영걸한 재목들이 무리로 배출되는 가장 좋은 명승지이다.

유 일 석 정 정 면 대 서 왈 고 려 낙 운 거 사 이 청 련 서 거 이 십 년 불 통 인 세 이 십 년 뇌 파 석 문
有一石井 井面大書曰 高麗落雲居士李靑蓮書 居二十年 不通人世二十年 雷破石門
가 용 사 마 거 사 십 년 명 공 거 경 현 사 영 재 배 출 최 위 명 승 야
可容駟馬 居四十年 名公巨卿賢士英才輩出 最爲名勝也

지대는 높으나 서리가 늦게 내리며 흉년이 들지 않고 병화가 이르지 않는다. 노(盧), 이(李), 정(鄭), 류(柳), 강(姜)씨들이 가장 번성하고 다섯 성씨가 갖추어 발복(發福)하는 땅이다. 골(洞) 가운데 푸른 청학이 많이 있어 청학동이란 이름을 붙였는데, 혹은 학판[鶴板: 청학 판], 적야[돌 무더기 들]라고도 했다.

지고이상만 흉년불입 병화부도 이정류장강최저 이오성구발지지 동중다유청학
地高而霜晩 凶年不入 兵火不到 李鄭柳張姜最著 而五姓俱發之地 洞中多有靑鶴
고유시명 이일운학판 혹운적야
故有是名 而一云鶴坂 或云磧野

(4) 옥룡자 청학동결

옥룡자《청학동결》[264)]

또 옥룡자《결(訣)》에서 말하기를 우리나라에 세 승지(勝地)가 있으니 세상에 전해지기를 보배로운 곳이다. 선을 쌓은 몇 가문이 이곳에 들어와 후손을 이었네. 그중 하나가 청학동이니 길한 운이 천년이라. 삼기(三奇)가 내리비치고 오복성(五福星)이 태방(兌方)에서 모여서 하나로 합치도다.

우유옥룡자 결 왈 동국삼동 전세지보 적선기가 입차이예 일왈청학 운길천년
又有玉龍子《訣》曰 東國三洞 傳世之寶 積善幾家 入此移裔 一曰靑鶴 運吉千年
삼기강조 오성취회
三奇降照 五星聚會

하늘에서 문창성(文昌星)이 지켜주고, 땅은 임자[壬子: 黑鼠]에 응한다. 둘레가 40리인데, 돌문이 그곳의 자물쇠라. 북쪽 머리의 동쪽이 높으니 임좌(壬坐)를 상서롭게 맞이했노라. 삼태성(三台星)이 뚜렷하며, 땅이 평평하고 넓게 열렸도다. 백운산이 안산(案山)이 되니, 갑좌(甲坐)가 다음으로 길하다. 열리는 해는 어느 해인가? 누런 닭[己酉: 黃鷄]이 하늘에 울 때로다. 이 하늘이 어떤 하늘이기에 하늘을 이고 땅에 떨어졌나. 처음 생겨난지 20년 만에 돌문이 흔들리고 깨지리라.

천수문창 지응흑서 주사십리 석문쇄지 북수동고 임좌영서 분명삼태 광개평탄
天守文昌 地應黑鼠 周四十里 石門鎖之 北首東高 壬坐迎瑞 分明三台 廣開平坦
백운정안 갑좌차길 벽지하사 황계명천 차천호천 대천추지 수창입세 석문진파
白雲正案 甲坐次吉 闢之何祀 黃鷄鳴天 此天胡天 戴天墜地 首創卄世 石門震破

비록 작은 지역이라고 말하나 중국보다 더 낫다. 30년 뒤에는 사마거(駟馬車)를 수용하리라. 공자의 문하를 사숙하여 유가의 학문을 천명한 이 누구인가? 나라에 스승이 될 사람 몇이나 될까? 재상(宰相)이 많이 나오고, 이름 높은 현인(賢人)이 곱으로 나오리다. 최고의 명승지이니 속된 세상과는 아주 다른 세상이구나! 신선의 학이 노는 골짜기 가운데는 류씨(柳氏)가 살 곳을 정한 땅이요, 학 타고 피리 부는 곳은

264) 원문은 한국고전종합DB의《오주연문장전산고》〈천지편 지리류/동부(洞府) 191 청학동변증설〉에서 가져왔고, 번역문은 김아네스의 글에서 따왔다.

강씨(姜氏)가 점지한 땅이도다. 신선 학이 밭으로 내려온 듯한 곳은 정씨(鄭氏)가 받은 땅이요, 학이 내려와 옥녀[玉女: 仙女]와 같이 있는 곳은 서씨(徐氏)가 주인인 땅이다. 소가 학림에 누워있는 곳은 노씨(盧氏)가 전할 땅이도다.

수왈소방 승어중화 전삼십재 사마용지공문사숙 천지수야 국가사부 임지기인
雖曰小邦 勝於中華 傳三十載 駟馬容之孔門私淑 闡之誰也 國家師傅 任之幾人
경상다출 명현배지 최작명승 별천지야 선학중곡 류지복지 학배취적 강지점지
卿相多出 名賢倍之 最作名勝 別天地耶 仙鶴中谷 柳之卜地 鶴背吹篴 姜之占地
선학하전 정지수지 학하옥여 서지주지 우와학림 노지전지
仙鶴下田 鄭之受地 鶴下玉女 徐之主地 牛臥鶴林 盧之傳地

달리는 노루가 어미를 돌아보는 듯한 곳은 김씨(金氏)가 밝힌 땅이도다. 누런 용이 배를 업은 듯한 곳은 하씨(河氏)가 머무를 땅이며, 매가 하강해 꿩을 쫓는 듯한 곳은 장씨(張氏)가 응할 땅이며, 신선의 소매가 춤추는 듯한 곳은 이씨(李氏)가 맡은 땅이며, 옥등을 벽에 건듯한 곳은 천씨(千氏)가 들어올 땅이며, 다섯 신선이 바둑을 두는 듯한 곳은 박씨(朴氏)가 들어올 땅이로다. 이곳은 진주와 하동 사이에 있다.

주장고모 김지조지 황룡부주 하지수지 응하축치 장지응지 선인무수 이지임지
走獐顧母 金之照地 黃龍負舟 河之守地 鷹下逐雉 張之應地 仙人舞袖 李之任地
옥등괘벽 천지필지 오선위기 박지입지 진주 하동지간
玉燈掛壁 千之必地 五仙圍碁 朴之入地 晋州、河東之間

(5) 청학동변증설(靑鶴洞辨證說)

〈청학동변증설〉은 오주(五洲) 이규경(李圭景, 1788~1856)의《오주연문장전산고(五洲衍文長箋散稿)》의 천지편(天地篇) 지리류(地理類) 동부(洞府)에 수록되어 있다. 이 책[265]은 19세기의 학자 이규경이 쓴 백과사전식 저서이다. 각 항목에 대한 이규경 자신의 주장보다는 해당 주제와 관련된 자료를 모아 필요한 경우 "변증설(辨證說)"이라는 이름으로 고증하는 방식을 취했다. 이 책은 조선 후기의 과학사, 기술사, 농업사, 의학사 등 광범위한 분야에서 소중한 정보를 수록하고 있어 조선의 박물 고증서의 역할을 하고 있다.

이 책은 총 60권이며 각 항목을 총 1,416편의 변증설로 처리하여 구성하였다. 참고로 〈청학동변증설〉은 그의 191번째 변증설이다. "변증"이란 말을 붙인 것으로 보아 이규경 스스로가 고증에 주안점을 두고 있음을 알 수 있다. 그는 책의 서문에서 "조선이 명목(名目), 사물(事物), 법식(法式), 수량(數量)을 아울러 일컫는 명물도수(名物度數)의 학문이 마치 이단처럼 취급하는 것은 옳지 않다"라고 하며 현실에 도움이 되는 학문을 수용하는 태도를 보였다.

265) 이글의 내용은 주로 〈우리 역사넷〉의《오주연문장전산고》에서 인용하여 작성했다.

이 글은 당시까지 알려진 청학동에 관해 총정리를 해 놓은 것으로 〈청학동 백과사전〉이라고 할 수 있는 글이다. 여기서는 당시까지 알려진 청학동에 관한 글 대부분이 수록되어 있다. 예를 들면 중국 당나라 두광정(杜光庭)의 《동천복지기(洞天福地記)》, 의상(義湘)대사의 《청구기(靑丘記)》, 성여신의 《진양지(晉陽誌)》, 이인로(李仁老)의 《파한집(破閑集)》, 김종직(金宗直)의 〈유두류록(遊頭流錄)〉, 《지리지》, 이수광(李睟光)의 《지봉유설(芝峯類說)》, 청나라 강희제(康熙帝) 때의 《연감유함(淵鑑類函)》, 격암(格庵) 남사고(南師古)의 《비결(祕訣)》, 차천로(車天輅, 1556~1615)의 《오산설림(五山說林)》과 《문제록(門弟錄)》, 류운용의 〈겸암일기〉, 옥룡자 《결(訣)》 등이 등장한다.

청학동변증설(靑鶴洞辨證說)[266] 천지편 ○지리류/동부, 天地篇 ○地理類/洞府

우리나라 자연의 형세는 매우 험하다. 산이 서리고 물이 휘감고 있어, 양의 창자처럼 굽이굽이 돌고 새(鳥)만이 날아 넘을 수 있는 험한 고개가 없는 곳이 없다. 그러므로 그사이에 동천(洞天: 사방이 산으로 에워싸인 산간마을)과 복지가 많다. 중국의 무릉도원(武陵桃源)이나 휘이초귀(徽黟樵貴)와 같은데가 한두 곳이 아니다. 【초귀곡(樵貴谷)은 휘주(徽州) 이현(黟縣)에 있다. 이곳은 옛날 그 고장 사람이 산에 들어가 7일 만에 한 비스듬한 굴에 이르렀는데, 그곳을 지나자 주위가 30리나 되는 넓은 지역이 나타났다. 땅은 매우 평평하고 비옥하였으며, 그 안에 10여 집이 있었다고 한다.】

해동형세험조 산반수회 무비양장조도 고간다동천복지 여중원무릉도원
海東形勢險阻 山盤水廻 無非羊腸鳥道 故間多洞天福地 如中原武陵桃源
휘이초귀자 불가일이도야 초귀곡재휘주이현북
徽黟樵貴者 不可一二道也【樵貴谷在徽州黟縣北
석토인입산행칠일 지일사혈활연 주위삼십리 지심평옥 중유십여가운
昔土人入山行七日 至一斜穴豁然 周圍三十里 地甚平沃 中有十餘家云】

당나라 두광정(杜光庭)이 지은 《동천복지기(洞天福地記)》에 36동천과 72복지가 있다고 한다. 중국은 천하의 큰 나라인데, 이른바 동천복지가 어찌 적단 말인가?

두소릉(杜少陵, 두보 杜甫)의 시(詩)에 '방장산(方丈山, 지리산)은 바다 건너 삼한(三韓)에 있네?'라는 구(句)가 있다. 시를 해설하는 사람들이 '삼신산(三神山)은

266) 원문은 한국고전종합DB의 《오주연문장전산고》 〈천지편 지리류/동부(洞府) 191 청학동변증설〉에서 가져왔고, 번역문은 최석기 외 《선인들의 지리산 유람록》에서 따왔다.

모두 우리나라에 있는데 방장산은 지리산에 해당하고, 영주산(瀛洲山)은 한라산(漢拏山)에 해당하고, 봉래산(蓬萊山)은 금강산(金剛山)에 해당한다'라고 한다. 그러므로 지리산을 방장산이라고 한다. 신라 시대 승려 의상(義湘)대사의 《청구기(靑丘記)》에 '두류산은 1만의 문수보살(文殊菩薩)이 머무는 세계이다. 산 아래 지역은 해마다 풍년이 들고, 백성들은 공손하다.' 하였다.

당두광정저 동천복지기 유삼십육동천 칠십이복지 이천하지대
唐杜光庭著《洞天福地記》有三十六洞天 七十二福地 以天下地大
기소위동천복지 일하선야 두소릉시유 방장삼한외 지구 설자이위삼신산개재아동
其所謂洞天福地 一何尠也 杜少陵詩有'方丈三韓外'之句 說者以爲三神山皆在我東
이방장이지리산당지 영주이한라산당지 봉래이금강산당지고이지리위방장
而方丈以智異山當之 瀛洲以漢拏山當之 蓬萊以金剛山當之故以智異爲方丈
신라석의상 청구기 두류산일만문수주세 기하세풍민원
新羅釋義相《靑丘記》頭流山一萬文殊住世 其下歲豊民愿

지리지(地理誌)《진양지(晉陽誌)》에는 지리산을 태을(太乙: 천제 天帝)이 사는 곳, 신선들이 모여 사는 곳이라 하였다. 【두류(頭流)란 백두산의 맥(脈)이 남(南)으로 흘러내려 이 산이 되었기 때문에 이름한 것이다.】 고려 시대 쌍명재(雙明齋) 이인로(李仁老)의《파한집(破閑集)》에 다음 글이 있다. 〈중략〉 지금 내가 수백 년 뒤에 이 글을 읽으니 나도 모르게 아득히 옛일이 생각난다. 대저 청학동은 고려 시대부터 이름이 있었지만 끝내 그곳에 가본 사람은 없었다. 우리 조정에 이르러 비로소 닫혀 있던 산이 드러나게 되어, 온 세상에 알려져 모르는 사람이 없게 되었고 가보지 않은 사람이 없게 되었다.

지지 이지리위태을소거 군선소회 두류자 백두산맥남류위차산 고명두류
《地誌》以智異爲太乙所居 群仙所會【頭流者 白頭山脈南流爲此山 故名頭流】

고려쌍명재이인로 파한집
高麗雙明齋李仁老《破閑集》<중략> *《파한집》은 별항 참조.
영아독차어루백재지하 불각묘연기감 대저청학동 자려대이유명언 연종무지언자
令我讀此於屢百載之下 不覺渺然起感 大抵靑鶴洞 自麗代已有名焉 然終無至焉者
지우아조 시득개산로견 회자일세 무인부지 이무인불견자
至于我朝 始得開山露見 膾炙一世 无人不知 而无人不見者

점필재(佔畢齋) 김종직(金宗直)의 〈유두류록 (遊頭流錄)〉에 '악양현(岳陽縣)의 북쪽을 청학사동 (靑鶴寺洞)이라 하고, 동쪽을 쌍계사동(雙溪寺洞)이라 한다.'라고 되어 있다. 《지리지》에는 '두류산 골짜기의 동네는 주위를 둘러싼 산세가 깊고도 크다. 토질이 두텁고 비옥하여 온 산이 사람이 살기에 모두 알맞다. 산 안에는 백 리나 되는 긴 골짜기가 많은데, 왕왕(往往) 사람의 발길이 닿지 않아 국가에 세금을 내지 않는 곳도 있다. 땅이 남해(南海)에 가까워 기후가 따듯하다. 산속에는 대나무가 많으며 감나무와 밤나무도 많다. 이런 나무들은 사람이 가꾸지 않아도 저절로 꽃이 피었다가 진다. 높은 봉우리 위에서도 서속(黍粟)을 거두는데, 농사가 잘되지 않는 곳이 없다. 민가(民家)와

절이 뒤섞여 있다. 힘들여 농사짓지 않아도 먹을 것이 넉넉하다.

점 필 재 김 공 종 직 유 두 류 록 악 양 현 지 북 왈 청 학 사 동 기 동 왈 쌍 계 사 동
佔畢齋 金公宗直《遊頭流錄》岳陽縣之北曰青鶴寺洞 其東曰雙溪寺洞
지 지 두 류 동 부 반 호 심 거 토 성 육 후 고 옥 일 산 개 의 인 거 내 다 백 리 장 곡
《地誌》頭流洞府 盤互深鉅土性肉厚膏沃 一山皆宜人居 內多百里長谷
왕 왕 유 인 소 부 도 처 불 응 관 세 지 근 남 해 기 후 온 난 산 중 다 죽 우 다 시 율 자 개 자 락
往往有人所不到處 不應官稅 地近南海 氣候溫暖 山中多竹 又多柹栗 自開自落
살 서 속 어 고 봉 지 상 무 불 촬 무 촌 거 여 승 거 상 잡 농 공 불 로 이 주 족
撒黍粟於高峯之上 無不茁茂 村居與僧居相雜 農功不勞而周足

산의 남쪽에 화개동(花開洞)과 악양동(岳陽洞)이 있는데, 모두 사람들이 살며 산수(山水)가 매우 아름답다. 예로부터 전하는 말에 이 근처에 만수동과 청학동이 있다고 하는데 만수동은 지금의 구품(九品)이고, 청학동은 지금의 매계(梅溪)이다. 산의 서쪽에는 화엄사(華嚴寺)와 연곡사(燕谷寺)가 있고, 남쪽에는 신응사(神凝寺)와 쌍계사(雙溪寺)가 있다고 하였다. 쌍계사는 신라 시대 최고운(崔孤雲 휘諱 치원致遠)의 유적이 많으며, 고운의 영정(影幀)도 있다. 세상에 전하기를 '최고운이 도(道)를 얻어 지금까지 가야산과 지리산을 오간다.'라고 한다.

산 지 양 유 화 개 동 악 양 동 개 인 거 이 산 수 심 가 구 전 유 만 수 동
山之陽有花開洞 岳陽洞 皆人居 而山水甚佳 舊傳有萬壽洞
청 학 동 만 수 즉 금 구 품 대 청 학 즉 금 매 계 동 서 유 화 엄 사 연 곡 사 남 유 신 응 사
青鶴洞 萬壽 卽今九品臺 青鶴 卽今梅溪洞 西有華嚴寺 燕谷寺 南有神凝寺
쌍 계 사 쌍 계 사 다 신 라 최 고 운 유 적 급 고 운 영 정 세 전 고 운 득 도 지 금 왕 래 어 가 야
雙溪寺 雙溪寺多新羅崔孤雲遺蹟及孤雲影幀 世傳孤雲得道 至今往來於伽倻
지 리 양 산 간 운
智異兩山間云

또 전하는 말에 '청학동 안에는 석벽(石壁)이 있는데 쇠로 만든 큰 자물쇠로 잠가놓았다'라고 한다. 사람들이 말하기를 "그 안에 고운의 비결서가 있는데 누군가 그 자물쇠를 건드리면 온 산이 울며 움직이고 천둥이 치고 비가 내리는 기이(奇異)한 일이 일어난다. 그러므로 아무도 감히 그 석벽을 건드리지 않는다. 그 석벽 아래는 만 길이나 되는 절벽이다."라고 한다. 야사(野史)에 청학동과 관련된 고사(故事)가 많이 실려 있지만, 다 기록할 수 없어 뒷날을 기다린다.

우 전 언 청 학 동 중 석 벽 상 유 석 문 이 대 철 쇄 쇄 지 인 언 기 중 장 고 운 비 서 인 약 동 기 쇄
又傳言青鶴洞中石壁上有石門 以大鐵鎖鎖之 人言其中藏孤雲秘書 人若動其鎖
즉 일 산 명 동 차 유 뢰 우 지 이 고 불 감 동 석 벽 하 만 인 절 학 야 야 사 다 재 청 학 동 고 사
則一山鳴動 且有雷雨之異 故不敢動 石壁下 萬仞絶壑也 野史多載青鶴洞故事
미 가 진 기 이 사 후 일
未暇盡記 以俟後日

이수광(李睟光)의《지봉유설(芝峯類說)》에는 지리산 청학동은 예전에 청학이 깃들이어 살았기 때문에 청학동이라 이름하였다. 고려 시대 이인로(李仁老)는 신흥사(新興寺)에 이르러 청학동을 찾다가 찾지 못하고, 다음과 같은 시구(詩句)를 남겼다.

이 지 봉 수 광 유 설 지 리 산 청 학 동 구 유 청 학 서 지 고 명 전 조 이 인 로 지 신 흥 사
李芝峯睟光《類說》智異山 靑鶴洞 舊有靑鶴棲止 故名 前朝李仁老至神興寺
심 청 학 동 부 득 유 시 왈
尋靑鶴洞不得 有詩曰

지팡이를 짚고서 청학동을 찾아가니,
숲속에는 부질없이 산짐승 울음소리뿐

책 장 욕 심 청 학 동
策杖欲尋靑鶴洞
격 림 공 청 백 원 제
隔林空聽白猿啼

이를 보면 청학동이란 이름이 붙은 것은 아마도 오래전의 일인가보다. 이곳에 사는 승려가 나를 위하여 말하기를 "어느 날 짓궂은 한 젊은이가 돌을 던져 청학의 날개를 부러뜨렸습니다. 이로부터 청학이 다시는 날아오지 않았습니다. 그리고 오래지 않아 임진왜란(壬辰倭亂)이 일어났습니다."라고 하였다. 아마도 청학이 기미(機微)를 보고 떠나간 듯하다. 이상은《지봉유설》상권 지리부.

동 지 득 명 개 구 의 거 승 위 여 언 평 시 유 협 소 투 석 상 학 시 학 유 차 불 부 래
洞之得名蓋久矣 居僧爲余言 平時有俠少投石傷鶴翅 鶴由此不復來
미 구 유 임 진 지 란 개 견 기 이 작 야 지 봉 유 설 상 권 지 리 부
未久有壬辰之亂 蓋見幾而作也《芝峯類說》上券 地理部

남주학(南趎學)은 일찍이 연단술(煉丹術)을 수련하고, 과거에 합격하여 벼슬길에 나아갔다. 기묘사화(己卯士禍) 때 곡성(谷城)으로 유배되었다가 그대로 눌러앉았다. 노비(奴婢)를 시켜 편지를 가지고 지리산 청학동으로 들어가게 하였다. 노비가 청학동에 들어 가보니 집들이 깔끔하고 화려하였다. 두 사람이 바둑을 두고 있었다. 한 사람은 흰 관에 붉은 옷을 입고 있었는데 옥 같은 얼굴이 단아하였으며 한 사람은 노승으로 매우 예스럽고 건강해 보였다. 노비가 하룻저녁 묵은 뒤 답장을 받아서 돌아왔다. 2월에 산으로 들어갔는데 나와보니 9월이었다. 상락군 권청(權淸)이 미친 척하고 중이 되어 이 산으로 들어갔는데 고운과 마찬가지로 자유자재로 나타나기도 하고 숨기도 하였다.

남 주 학 수 련 등 제 당 기 묘 사 화 적 곡 성 잉 유 언 상 송 노 지 서 입 지 리 산 청 학 동
南趎學修煉登第 當己卯士禍謫谷城 仍留焉 嘗送奴持書入智異山靑鶴洞
견 채 우 정 려 유 이 인 대 기 일 인 저 운 관 자 의 옥 모 도 아 일 인 내 노 승 형 심 고 건
見彩宇精麗 有二人對棋 一人著雲冠紫衣 玉貌都雅 一人乃老僧 形甚古健
노 유 일 일 수 답 서 이 환 이 이 월 입 산 급 출 내 구 월 야 상 락 군 권 청 양 광 위 승 입 차 산
奴留一日 受答書而還 以二月入山 及出乃九月也 上洛君權淸佯狂爲僧 入此山
여 고 운 은 현 무 방
與孤雲隱顯無方

《지봉유설(芝峯類說)》에 지리산에 사는 한 늙은 중이 산의 석굴(石窟)에서 기이한 책 여러 질(帙)을 얻었는데, 그 가운데 최치원이 쓴 시(詩) 1첩(帖) 16수가 있었다. 지금 그 가운데 반(半)은 잃어버렸다. 구례(求禮) 수령(首領) 민대륜(閔大倫)이 그것을 얻어 나에게 주었다. 내가 그 필적을 살펴보니 최치원의 필적(筆跡)이었으며 시(詩) 또한

기이하고 예스러웠다. 최치원이 지은 것을 의심할 나위가 없으니 매우 진귀한 것이라 하겠다. 그 가운데 이런 시편(詩篇)들이 있다.

《芝峯類說》智異山有一老髡 於山石窟中得異書累帙 其中有崔致遠所書詩一帖十六首 今逸其半 求禮倅閔君大倫得之以贈余 見其筆蹟 則眞致遠筆 而詩亦奇古 其爲致遠所作無疑 甚可珍也 詩曰

동국의 화개동은, / 東國花開洞
항아리 속의 별천지라 / 壺中別有天
선인(仙人)이 옥 베개를 밀치니, / 仙人推玉枕
이 몸의 세월이 문득 천년이 되었네 / 身世欻千年

만 골짜기에 우렛소리 일어나, / 萬壑雷聲起
천 봉우리에 우기가 생기네 / 千峯雨色新
산승(山僧)은 세월을 잊어, / 山僧忘歲月
나뭇잎 보고 봄을 알 뿐이네 / 惟記葉間春

비 온 뒤 대나무 파릇파릇, / 雨餘多竹色
자리를 옮기니 흰 구름 걷히네 / 移坐白雲開
고요히 그대로 나를 잊으니, / 寂寂仍忘我
솔바람 베갯머리에 불어오누나 / 松風枕上來

봄이 오면 꽃이 대지에 가득, / 春來花滿地
가을 가면 낙엽이 하늘에 나네 / 秋去葉飛天
지극한 도(道)는 문자(文字)를 떠난 것, / 至道離文字
원래의 모습 눈앞에 있도다 / 元來在目前

시냇가 달이 처음 뜨는 곳, / 澗月初生處
솔바람도 불어오지 않는 때 / 松風不動時
소쩍새 울음소리 들리니, / 子規聲入耳
그윽한 흥취 절로 알겠네 / 幽興自應知

산수간 흥취(興趣)를 시로 읊조리니, / 擬說林泉興

그 누가 이 기미(機微)를 알랴	何人識此機(하인식차기)
무심(無心)히 달빛을 바라보며,	無心見月色(무심견월색)
묵묵히 앉아 돌아갈 줄 모르네	默然坐忘歸(묵연좌망귀)
은밀한 뜻 어찌 구구하게 말하리,	密旨何勞舌(밀지하노설)
맑은 강물에 달그림자 드리웠네	江澄月影通(강징월영통)
긴 바람 만(萬) 골짜기서 일어,	長風生萬壑(장풍생만학)
단풍 든 가을 산이 텅 비었네	赤葉秋山空(적엽추산공)
소나무 위엔 푸른 칡이 얽히고,	松上青蘿結(송상청라결)
냇물 속엔 하얀 달이 떠가네	澗中流白月(간중류백월)
바위틈 퐁퐁 솟는 샘물 소리뿐,	石泉吼一聲(석천후일성)
온 골짜기엔 새하얗게 눈이 내리네	萬壑多飛雪(만학다비설)

수암(守庵) 박지화(朴枝華)의 〈청학동〉 시이다.

朴枝華守庵《青鶴洞詩》(박지화수암 청학동시)

고운은 당에서 급제한 진사(進士),	孤雲唐進士(고운당진사)
애초 신선을 배우지 않았네,	初不學神仙(초불학신선)
삼한(三韓)이 각축하던 때,	蠻觸三韓日(만촉삼한일)
온 세상엔 풍진(風塵)이 가득.	風塵四海天(풍진사해천)
영웅 마음 어찌 헤아릴 수 있으리,	英雄那可測(영웅나가측)
참된 비결은 전함이 없는 것	眞訣本無傳(진결본무전)
한 사람 명산에 들어가 사라지니,	一入名山去(일입명산거)
오백 년 동안 청풍이 이어지네.	淸風五百年(청풍오백년)

수암은 선조(宣祖) 때 사람인데 임진년 시냇물에 육신(肉身)을 벗어놓고 신선이 되었다. 자세한 것은 홍만종(洪萬宗)의 《해동이적(海東異蹟)》과 남효온(南孝溫)의 《사우명행록(師友明行錄)》에 보인다.

守庵 宣廟朝人 壬辰尸解於溪水 詳見《海東異蹟》及《師友錄》(수암 선묘조인 임진시해어계수 상견 해동이적 급 사우록)

고려 시대 승려 옥룡자(玉龍子) 도선(道詵)이 당(唐)나라에 들어가 밀교(密敎) 승려인 일행(一行)의 유법(遺法)을 배우고서 《현묘내외경(玄妙內外經)》 2편을 저술하였다. 이 책의 서문(序文)에 “신라 말 ○오년(○午年) ○월 ○일 옥룡자가 서문을 쓰다”라고 되어 있다. 지리산 청학동에 이 책을 은밀히 숨겨두었는데 5백 년 뒤에 묘엄존자(妙嚴尊者) 무학(無學)이 이 책을 얻어 세상에 전하였다.

麗僧玉龍子道詵 入唐學一行遺法 著《玄妙內外經》二編 而《序》以爲羅季 午年月日
玉龍子《序》秘藏於智異山青鶴洞 後五百年 妙嚴尊者無學得之以傳焉

청학동은 우리나라의 작은 한 골짜기에 불과(不過)한데 천하에 이름이 나게 되었다. 예컨대 청나라 성조(聖祖, 강희제 康熙帝) 때 만든 《연감유함(淵鑑類函)》에 “조선 지리산(智異山) 안에 청학동이 있다. 그 지경이 매우 넓으며 사방은 좋은 농지로 토질이 비옥하여 농사에 알맞다. 청학(青鶴)만이 그 안에 서식(棲息)하기 때문에 청학동이라고 이름하게 되었다”라고 실려있다.

青鶴洞不過東方一小洞壑 而有名於天下 如清聖祖《淵鑑類函》
載朝鮮智異山中有青鶴洞 其境虛曠 四隅皆良田沃壤 宜播植 唯青鶴棲其中
故以爲名云

대체로 우리나라에는 비경(祕境)으로 이름난 곳이 매우 많은데 청학동이 유독 세상에 이름이 났다. 이것이 이른바 만나는 경우도 있고, 만나지 못하는 경우도 있으며, 다행한 일도 있고 불행한 일도 있다는 것이다. 이제 청학동은 심이 기이치 아니하여 두류동으로 돌아왔다.【속전에 두류동은 남북 두 곳이 있는데, 남쪽 두류는 지리 산중에 있고, 북두류는 곡산(谷山) 안협(安峽)에 있다. 평강(平康) 이천(伊川) 등 땅의 경계에 이르기를】 석정곤은 물과 계곡은 매우 빼어난 수곡 대승이다.〈이하 생략〉

蓋我邦以秘境名者甚多 而青鶴洞獨名於寰宇 是所謂遇與不遇 幸與不幸也
今則青鶴不甚爲奇 而復以頭流洞【俗傳 頭流有南北二處。南頭流在智異山中
北頭流在谷山安峽 平康伊川等界地云】石井崑水谷大勝

나. 만인이 꿈꾸던 청학동은 과연 어떤 곳인가?

(1) 청학동은 은둔의 이상향이다[267)]

중국이나 우리나라에서는 옛날부터 깊은 산간의 선경이나 동천복지(洞天福地)를 환상적인 이상향의 공간으로 여겼는데 중국의 무릉도원과 우리나라의 청학동을 대표적인 장소로 보고 있다. 특히 우리나라의 청학동과 같은 이상향은 자연 귀속적인 성향이 크다. 우리나라 이상향에 나타나는 대표적인 특징은 심산의 골(洞)이며 그런 장소로 가장 많이 등장하는 곳이 청학동인 셈이다. 지리산 청학동 존재 여부의 자료 가치를 지닌 대표적인 문헌들은 고려 시대 문신 이인로의 《파한집》, 조선 시대 이수광의 《지봉유설》, 《동국여지승람》, 《진양지》 등이 있다.

앞에서 소개했듯이 이인로(李仁老)의 《파한집》은 청학동을 은둔지로서 '이상향'으로 여기고 그 장소를 찾고자 하는 내용이다. 그가 청학동을 찾은 까닭은 세상과 인연을 끊기 위해서였다. 은거할 뜻을 세운 것은 당시 무신정권의 성립으로 정치적 현실에 불안과 불만을 느꼈기 때문이다. 이미수도 멀리 지리산에 숨을 생각이었다.

그가 찾고자 한 청학동은 무릉도원(武陵桃源)에 묘사된 도화원과 유사하다. "그곳에는 아름다운 연못이 있고, 수백 그루의 복숭화 꽃이 만발하여 우거진 대숲이 있는 선계의 장소이며, 토지가 비옥하여 살기 좋고 모든 것이 풍요로운 장소로 그려진다.

그곳은 매우 좁은 길을 따라 들어가면 탁 트인 넓은 절경이 펼쳐지는 이상향이다". 《파한집》에는 무릉도원과는 달리 '청학이 있는 이상향이다.'라는 특징이 있다.

《도화원기》를 근간으로 하는 이상향은 이수광의 《지봉유설》에서도 볼 수 있는데 《파한집》의 내용과 닮았다. 다만 남주(南趎)라는 사람을 빌려 이상향 청학동을 다녀온 이야기인데, 그는 "이인로가 다녀간 신흥사 일대가 바로 청학동이다"라는 입장이다. 이것은 조선 시대에 청학동을 찾은 선비들의 생각과 유사한 것으로 보인다.

《신증동국여지승람》에서는 청학동의 위치를 "진주 서쪽 147리"라고 추정했다. 그러나 전체적인 내용은 《파한집》과 별반 차이가 없고, 청학동의 위치를 정확하게 특정하지 못하고 있다. "청학동은 지리산 속에 있다. 길이 몹시 좁아서 겨우 한 줄로 통한다. 몸을 구부리고 올라가 몇 리쯤 가면 넓게 트인 지경에 들어가게 되는데 사방이 트이고 기름진 옥토라 곡식을 가꾸기에 알맞다. 청학이 그 안에 있으므로 청학동이라고 부른다."[268)]라고 하였다.

267) 이 장은 주로 고원규의 《청학동의 상품화와 전통의 창출》, 민속원, 2016, 및 김아네스의 〈한국인의 이상향과 지리산 靑鶴洞〉(《지리산과 이상향》, 도서출판 선인, 2016)을 인용하여 작성했다.

268) 고원규, 《청학동의 상품화와 전통의 창출–상상의 이상향에서 관광명소로》에서 인용.

《진양지》는 청학동을 "지리산 속에 있으니 주(州)에서 거리가 서쪽으로 147리로 동국여지승람에서 볼 수 있다[靑鶴洞 智理山中 距州西 一百四十七里 見勝覽]."[269]라고 하면서 이인로의 《파한집》과 류방선(柳方善, 1388~1443)[270]의 청학동 시를 소개한다.

이 시를 통해서도 청학동의 지형 특성을 "좁은 벼랑길을 겨우 통과하면 병 속[壺中]처럼 넓게 퍼진 명승지에 땅 또한 기름지니, 이곳에 집을 지어 살고 싶다"라고 하였다. 이는 이인로의 주장과 별로 다름이 없다.

류방선 시(柳方善 詩)

지리산이 둥그스름한 모습 쳐다보니,	瞻彼智異山穹隆 (첨피지리산궁륭)
운연이 만첩에 항상 자욱하구나	雲煙萬疊常溟濛 (운연만첩상명몽)
뿌리는 백여리 서리었으매 형세가 절로 빼어나,	根盤百里勢自絶 (근반백리세자절)
뭇 골짜기들은 감히 겨루지 못한다.	衆壑不敢爲雌雄 (중학불감위자웅)
층층의 멧부리와 가파른 절벽은 기운이 뒤섞여 들쭉날쭉하고	層巒峭壁氣參錯 (층만초벽기참착)
성긴 소나무와 푸른 잣나무는 추위에도 무성하게 우거졌네	疎松翠柏寒蒨葱 (소송취백한천총)
시내를 돌고 골 지나 별천지가 있으니,	溪回谷轉別有地 (계회곡전별유지)
한 구역 좋은 경치가 참으로 항아리 속인듯하네	一區形勝眞壺中 (일구형승진호중)
사람은 죽고 세상은 변해도 물은 저절로 흐르는데,	人亡世變水空流 (인망세변수공류)
숲속이 우거져서 동서를 분간하기 어렵네	蓁莽掩翳迷西東 (진망엄예미서동)
지금도 푸른 학만 홀로 깃드니,	至今靑鶴獨棲息 (지금청학독서식)
벼랑에 붙은 한 가닥 길이 겨우 통하네	緣崖一路纔相通 (연애일로재상통)
좋은 밭 비옥한 땅이 평상처럼 고른데,	良田沃壤平如案 (양전옥양평여안)
무너진 담과 훼손된 길이 쑥대 속에 묻혔다.	頹垣毁逕埋蒿蓬 (퇴원훼경매호봉)
숲이 깊어 닭과 개도 다니는 것 안 보이고,	林深不見鷄犬行 (임심불견계견행)
해지니 다만 산짐승 울음소리만 들린다.	日落但聞啼猿狨 (일락단문제원융)

269) 경상국립대 고문헌도서관의 《진양지》에서 인용.

270) 조선 전기에 《태재집》 등을 저술한 학자. 류방선은 조선의 학자이다. 본관은 서산(瑞山). 자는 자계(子繼), 호는 태재(泰齋). 시학(詩學)에 뛰어났다. 저서에 《태재집》이 있다(한국민족문화대백과사전).

아마도 이곳은 옛날 은자가 살던 곳인데,	의시석시은자거 疑是昔時隱者居
사람은 신선 되어 가서 산이 비어 있는 듯.	인혹우화산잉공 人或羽化山仍空
신선 있고 없음은 논할 겨를 없지만	신선유무미가론 神仙有無未暇論
다만 속세에서 도망간 고사(高士)가 좋구나.	지애고사도진롱 只愛高士逃塵籠
나도 여기 집 짓고 숨어 살면서,	아욕복축어언장 我欲卜築於焉藏
해마다 요초 캐며 생을 마치고 싶다	세습요초감장종 歲拾瑤草甘長終
천태산의 고사271)는 참으로 허황하고,	천태왕사진황괴 天台往事儘荒怪
무릉도원 유적도 도리어 몽롱하다.	무릉유적환몽롱 武陵遺跡還朦朧
장부의 출처가 어찌 구차할 수 있으랴,	장부출처개가구 丈夫出處豈可苟
몸을 깨끗이 하려다 인륜을 어지럽힘은 참으로 어리석은 짓	결신난윤성공공 潔身亂倫誠悾悾
내 지금 노래 지으매 뜻이 무궁하니,	아금작가의무극 我今作歌意無極
옛날에 시 남긴 늙은이 우습기도 하여라	소살당일유시옹 笑殺當日留詩翁

또한 앞서 《파한집》에서 본 것처럼 그는 후세 사람들이 도화원을 신선이 사는 곳으로 여기는 것을 "**후세 사람들이 그곳을 그림으로 그리고 노래와 시로 전하였다. 도원을 선계(仙界)로 여기고 우거표륜(羽車飇輪)을 타고 장생불사하는 신선들이 사는 곳이라고 생각하지 않음이 없었다. 이는 도화원기를 제대로 읽지 않았기 때문일 것이다. 실은 저 청학동과 다름이 없는 곳이다. 어찌 유자기(劉子驥)와 같은 고상한 선비가 그곳에 갈 수 있겠는가?**"라며 비판하였다. 이 대목은 앞서 《파한집》에서 원문과 함께 소개해 두었다.

이미수가 소개하는 도화원은 속세를 떠난 이상향이었다. 그리고 도화원과 청학동을 비교하기를 후세 사람들이 도화원을 신선이 사는 곳으로 여기는 것은 〈도화원기〉를 제대로 읽지 않은 까닭에 선계로 잘 못 생각하였다는 것이다. 그는 두 곳 모두 난리를 피하여 살았던 사람들의 터전이었던 만큼 다르지 않다고 한 것이다. 또 이미수는 청학동을 정치적 화를 피하여 은거할 만한 이상향으로 인식하였다. 청학동은 속세를 멀리 피하여 숨어 살기 좋은 곳으로 인간의 세상이지 신선의 세계가 아니라고 생각했다.

271) 천태산은 절강성 천태현 북쪽에 있는 산이다. 중국 한나라 명제 때 양주 회계군 섬현에 살던 유신(劉晨)·완조(阮肇)가 약초를 캐러 갔다가 길을 잃어 아름다운 선녀들과 인연으로 잠시 그녀들의 거처에 머물다 고향 생각이 간절해 속세로 돌아왔는데 이미 3백 년이 지났다는 설화가 있다(경상국립대 권난희 박사의 첨삭 지도와 김영진, 《인터넷 불교뉴스 주간불교》, 〈중국 거사 불교의 현장을 가다〉-절강성 천태산〉에서 인용).

그러다가 조선 시대에 이르면 특정 장소를 청학동이라고 불렀다. 《동국여지승람》에서는 "진주 서쪽 147리 떨어진 곳에 청학동이 있다"라고 하면서 대체로 신흥사 근처나 쌍계사 뒤쪽 불일암 주변, 악양의 북쪽 청학사 골짜기를 청학동이라고 불렀다. 그리고 기이한 풍광을 찾아서 유람하고 그 기록을 남겼다. 그들은 청학동을 보면서 이상향을 떠올렸다. 이리하여 세상을 피해 숨는 은일(隱逸)의 이상향을 꿈꾸는 흐름은 조선 시대까지 이어졌다.

(2) 청학동은 풍수지리적으로 명당이다[272)]

조선 후기에 청학동을 소재로 한 예언서가 퍼졌다. 청학동에 관한 비기(祕記)와 더불어 청학동 지도가 나타났다. 19세기 중엽 이규경(李圭景)은 〈청학동변증설(靑鶴洞辨證說)〉을 쓰면서 청학동기(靑鶴洞記)와 청학동도(靑鶴洞圖)를 구해 보았다고 했다. 그는 청학동에 관한 예언서라고 할 수 있는 〈겸암일기(謙菴日記)〉[273)]의 내용을 인용했다. 겸암(謙菴) 유운룡(柳雲龍, 1539~1601)이 썼다고 알려진 일기는 그가 직접 청학동을 둘러본 목격담의 형식으로 되어 있다. 그 내용은 청학동에 이르는 노정, 지형과 토질 및 지세, 석정과 예언에 관한 것인데, 이를 요약하면 다음과 같다.

첫째, 노정인데, 그는 청학동을 잘 알고 있다는 승려와 함께 진주에서 출발하여 화개동을 거쳐 5일 만에 석문에 이르렀다.

둘째, 지형과 지세의 특징인데, 청학동 입구에는 겨우 한 사람이 다닐 수 있는 좁은 석문이 있고[僅容一人行 入石門], 이곳을 통과하면 산골짝의 둘레가 40리에 달하는 분지형의 땅이 열렸다[回抱四十里 大開平原]. 이곳은 1,000석지기 논밭을 일굴 수 있고, 가히 1,000여 호가 살아갈 수 있는[可作畓千石 可居千餘戶] 그야말로 천가화죽(千家花竹)[274)]의 땅에

---

272) 이 장은 주로 김아네스의 〈한국인의 이상향과 지리산 靑鶴洞〉(《지리산과 이상향》, 도서출판 선인, 2016)을 참고, 인용하여 작성했다.

273) 겸암이 청학동에 들어가서 읊은 시[因詠一句曰] 한 구절이 겸암일기에 소개되어 있다. "꽉 들어찬 많은 대나무 숲속에 복숭아꽃이 있고[萬樹桃花叢竹裏] 가을의 석 달 단풍잎은 소나무 가의 산골 물에 있도다.[三秋楓葉碧澗邊]"이다. 이 시는 나중에 소개될 〈청학동도〉에도 소개된 유명한 시(詩)이다(원문은 한국고전종합DB 〈청학동변증설〉에서 인용).

274) 필자는 수당(修堂) 정종엽(鄭鍾燁)의 〈유두류록〉에서 千家와 花竹이라는 글귀를 처음 접했다. 1909년 망국의 위기에 근심과 분노를 느낀 수당과 습재(習齋) 최제학(崔濟學, 1882~1959)은 피세의 땅을 찾기 위해 지리산 청학동을 찾아 나선다. 청학동으로 널리 알려진 불일암 근처의 뛰어난 경치를 보고 "정말 기이하고 오묘한 명승이다.[眞奇妙勝區也]. 그러나 이곳은 땅이 평지가 아니니[然地非平陸] "천가와 화죽의 무릉도원과는 비교될 수 없다."[恐不與桃源之千家散花竹幷擬]. 이 뒤쪽 어딘가에 진짜 청학동이 있을지 어찌 알랴![則安知後有眞境乎] 그러

석정(石井)이 있다.

셋째, 청학동은 풍수학적으로 길지로 서북 방향을 등지고 동남 방향으로 트였으며[壬坐丙向], 백운산 3봉이 안산[白雲三峯爲正案]이 된다.

넷째, 청학동은 토질이 비옥하다. 한 되의 씨앗을 뿌리면 한 섬을 거둘 수 있는 땅이라 양식을 충분히 자급자족할 수 있으니 풍요로운 땅이다.[升種石出之地 至于當處].

다섯째, 예언하기를 청학동은 인재를 배출할 땅이다. 20년 뒤에는 수레가 다니고 40년 뒤에는 이름난 관료 등이 날 명승지이다. 이씨, 정씨, 류씨, 장씨, 강씨의 다섯 성씨가 흥성할 땅이다.

조선 후기에 청학동 비기와 청학동도가 유행한 까닭은 무엇이었을까? 널리 알려져 있듯이 조선 후기에 《남사고비결》, 《정감록》과 같은 예언서가 유행하면서 비기와 도참을 이용한 예언 사상이 대두하였다. 예언 사상은 세도정치의 폐해와 사회경제적 모순이 커지는 19세기[초부터 두드러졌다. 19세기 지배층의 비리로 비롯된 삼정의 문란과 민란의 발발로 사회경제적 불안이 커졌다. 전국적 수해와 콜레라[호열자 虎熱刺]의 만연으로 많은 백성이 목숨을 잃었다. 이양선(異樣船)의 출몰로 위기의식이 높아졌다. 백성들은 전란과 굶주림, 질병을 피할 수 있는 곳에 살기를 바랐다. 그래서 십승지[十勝之地]가 관심을 끌었고, 청학동의 비기도 역시 피난과 보신의 땅에 관한 것이었다.

청학동에 관한 예언서로는 앞에서 소개한 대로 〈겸암일기(謙菴日記)〉, 〈옥룡자 청학동결(玉龍子 青鶴洞訣)〉 외에도 〈무학선사 청학동결(無學禪師 青鶴洞訣)〉, 〈옥계일지(玉溪日誌)〉, 〈류겸재일기(柳謙齋日記)〉, 〈하산지리산청학동(河山智異山青鶴洞)〉 등이 있다.

이 중에 앞서 소개한 〈겸암일기〉와 비교할 때 청학동 지형의 풍수적 특징, 주변 경관, 내부구조, 미래의 모습을 좀 더 자세히 묘사한 〈하산지리산청학동〉의 내용을 요약하면 다음과 같다.

첫째, 청학동은 제비집 형상으로 조선의 이름난 길지이다. 사방이 제비집처럼 둘러싸여 바람을 막아주고, 뒤에 석각삼봉이 있다. 그 아래로 물이 흐르며, '임좌병향'의 남동향으로 자리를 잡았다. 백운산이 안산이 되고 남해를 마주한다. 즉 청학동은 풍수상의 길지로 산·수·방위가 풍수의 이상적인 형국이다.

둘째, 청학동에서는 장생하며 흉년을 피할 수 있다. 청학동은 1,000석의 농사를 지어

니 어찌 다른 곳을 찾지 않으리![無寧更加別尋]"라고 하면서 뒷산을 넘어 묵계동을 찾아오는 장면이 나온다. 수당의 머릿속에는 지리산 청학동이 사람이 숨어들어 농사를 지으며 살만한 땅이라면 적어도 "천가화죽"할 수 있는 공간이어야 한다고 나름대로 판단 기준을 가진 것으로 보았다. 여기서 겸암일기를 접하면서 비로소 그 의미를 알 것 같다.

풍성한 수확을 얻을 수 있는 땅으로 경제적으로 윤택하다. 즉 청학동은 질병과 흉년과 병화의 삼재(三災)가 들지 않는 승지(勝地)이다.

셋째, 청학동에서 인재가 날 것임을 예언하였다. 영남과 호남의 존사(尊師)들이 모여서 10년 안에 촌락을 이룰 것이다. 30년이 지나면 석문이 사라져 수레가 드나들 것이다. 40년 안에는 높은 관리와 이름난 인물이 날 것이다. 수많은 문인과 무인이 나올 땅이다. 이처럼 청학동은 지금 당장은 아니지만, 장차 후손이 성공할 복지였다.

05

청학동을 특정한 조선의 선비들

최원석은 '청학동이 화개와 악양을 중심으로 공간적인 변이가 있었다.'[275]라고 주장한다. 그는 문헌상으로 나타나는 최초의 청학동에 관한 비정지는 화개동천의 범왕리 일대, 즉 신흥사 부근인데, 고려 시대 이인로(李仁老)의《파한집(破閑集)》(1260년)이 그 근거이다.

또, 조선 시대에 들어서는 점필재 김종직(金宗直)이 1472년 〈유두류록(遊頭流錄)〉에서 악양 매계리 청학사 골짝을 비정[이하, 〈악양 청학사 부근 청학동설〉]했으며, 1489년 탁영 김일손(金馹孫)의 〈속두류록〉(혹은 〈두류기행록(頭流記行錄)〉), 1558년 남명 조식(曺植)의 〈유두류록(遊頭流錄)〉, 1640년 미수 허목(許穆)의 〈지리산청학동기(地異山靑鶴洞記)〉 등에서는 불일암 근처로 비정[이하, 〈불일암 부근 청학동설〉]했다.

1751년 이중환(李重煥)의《택리지(擇里志)》, 1736~1806년에 이긍익(李肯翊)이 저술한《연려실기술(練藜室記述)》, 1861~1866년에 김정호(金正浩)가 편찬한《대동지지(大東地志)》에서는 악양 매계[이하, 〈악양 매계 청학동설〉]를 주장했고, 1934년 김택술(金澤述)은 〈유두류산록(遊頭流山錄)〉에서 화개 대성리 덕평이라고 비정[이하, '〈화개 덕평 청학동설〉']했고, 1879년 송병선(宋秉璿)의 〈두류산기(頭流山記)〉, 1934년 정기(鄭琦)의 〈유방장산기(遊方丈山記)〉, 1940년 정덕영(鄭德永)의 〈방장산유행기(方丈山遊行記)〉에서는 세석평전[이하, 〈세석평전 청학동설〉]을 주장했다. 끝으로 1909년 정종엽(鄭鐘燁)은 〈유두류록(遊頭流錄)〉에서 묵계동의 학동을 청학동으로 비정[이하, 〈묵계 청학동설〉]했다.

그렇다면 조선 시대 선비들은 어떤 근거로 그 지역을 청학동이라고 주장했을까? 최원석의 분석을 근거로 〈악양 청학사 부근 청학동설〉, 〈불일암 부근 청학동설〉, 〈악양 매계 청학동설〉, 〈화개 덕평 청학동설〉, 〈세석평전 청학동설〉, 〈묵계 청학동설〉을 대상으로 각각의 지리적 · 지형적 특징을 분석해 보고, 묵계 청학동을 1960년 이후에 벌어진 관광지 청학동에만 초점을 맞추어 '이상향의 모조품으로 전락했다'라는 평가에 대해서 재평가를 할 수 있는 실마리를 찾아보고자 한다.

가. 고려 시대 이인로는 청학동을 특정하지 않았다

기록으로 볼 때, 최초로 청학동을 찾아 나선 인물은 고려 시대 이인로이다. 그는 이미 앞에서 소개했듯이 화개동 일대에서 무릉도원과 같은 청학동을 찾았으나 결국 실패했다고 고백했다.

---

275) 최원석, 〈한국 이상향의 공간적 특징-청학동의 시공간적 전개(표3)〉,《대한지리학회지》(44-6), 2009, p.751.

그의 사후 40년이 지난 뒤인 1260년에 초간본이 출판된《파한집(破閑集)》이 그 근거이다.

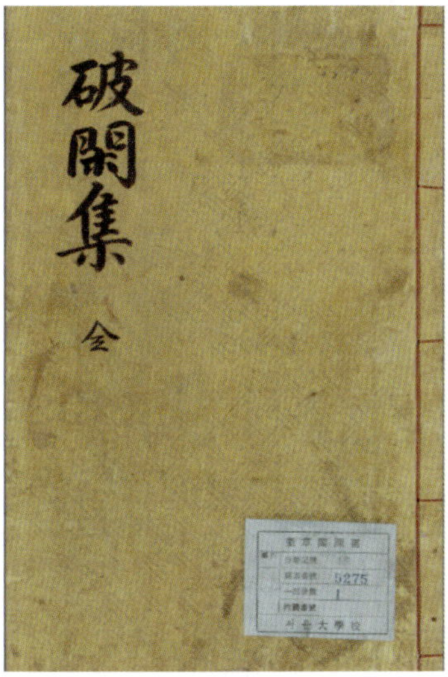

《파한집》(규장각 원문검색서비스에서 인용)

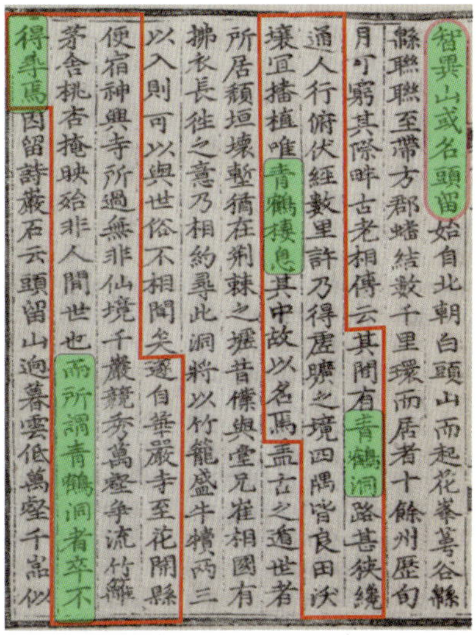
智異山或名頭留始自北朝白頭山而起花峯萼谷緜
緜聯聯至帶方郡蟠結數千里環而居者十餘州歷旬
月可窮其際畔古老相傳云其間有青鶴洞路甚狹纔
通人行俯伏經數里許乃得虛曠之境四隅皆良田沃
壤宜播植唯青鶴棲息其中故以名焉盖古之遁世者
所居頹垣壞塹猶在荊棘之墟昔僕與堂兄崔相國有
拂衣長往之意乃相約尋此洞將以竹籠盛牛犢兩三
以入則可以與世俗不相聞矣遂自華嚴寺至花開縣
便宿神興寺所過無非仙境千巖競秀萬壑爭流竹籬
茅舍桃杏掩映殆非人間世也而所謂青鶴洞者卒不
得尋焉因留詩巖石云頭留山迴暮雲低萬壑千巖似

"지리산 청학동이 있는데… 끝내 찾지 못했다"

이인로의 자는 미수(眉叟), 호는 쌍명재(雙明齋)이다. 과거에 장원급제했지만 크게 쓰이지 못하여 포의(布衣)로 자연을 벗하고 시와 술을 즐기며 세칭 죽림고회(竹林高會)를 만들어 소요자적(逍遙自適)한 인물이다. 앞서 소개한 《파한집》에서 이인로가 제시한 청학동의 지형적 조건, 그 특성을 정리해 보면 다음과 같다.[276]

㉠ 청학동은 들어가는 길이 매우 좁아서 사람이 겨우 통행할 수 있다. 路甚狹 纔通人行(로심협 재통인행)
㉡ 몸을 구부리거나 엎드리다시피 하면서 수리(數里)를 가면 넓게 트인 공간이 열린다. 俯伏經數里許 乃得虛曠之地境(부복경수리허 내득허광지지경)
㉢ 청학동은 토질이 비옥하여 농사짓기에 알맞은 공간이다 四隅皆良田 沃壤 宜播植(사우개양전 옥양 의파식)
㉣ 청학이 그 안에서 서식하여서 청학동이라고 이름한다 唯青鶴棲息其中 故以名焉(유청학서식기중 고이명언)
㉤ 청학동을 끝내 찾지 못했다 而所謂青鶴洞者 卒不得尋焉(이소위청학동자 졸부득심언)

이인로의 이 기록은 청학동에 관해 언급한 최초의 문헌인 만큼 청학동에 관한 지형·지리적 특징 등을 위의 ㉠, ㉡, ㉢, ㉣의 4가지로 정의하였는데, 이것은 후인들에게 청학동의 지형적 조건으로서 강렬하게 각인(刻印)시켰을 것으로 생각된다.

276) 《파한집》의 더 구체적인 내용은 앞서 소개한 〈청학동 관련 옛 기록〉-(1) 《파한집》을 참고하세요.

나. 악양 청학사 부근 청학동설

파도치듯 이어진 지리산 99곡-점필재, 탁영, 연재도 이런 풍경을 보았으리라!

악양의 청학사 부근을 청학동이라고 비정한 사람은 점필재(佔畢齋) 김종직(金宗直) 선생이다. 그는 함양군수로 재직 중이던 1472년 8월 14일부터 18일(4박 5일)까지 추석에 지리산 천왕봉을 등산하고 기행록인 〈유두류록(遊頭流錄)〉을 남긴다. 그의 나이 41살 때였다.

그는 밀양 출신으로 본관은 선산(善山), 자는 효관(孝盥)·계온(季昷), 호는 점필재(佔畢齋)이다. 정몽주와 길재의 학통을 계승하여 김굉필, 조광조로 이어지는 조선 시대 도학 정통의 중추적 역할을 하였다. 그가 생전에 지은 〈조의제문(弔義帝文)〉은 항우(項羽)가 죽인 초나라 회왕(懷王), 즉 의제(義帝)를 조상하는 글인데, 이것은 세조에게 죽임을 당한 단종(端宗)을 의제에 비유한 것으로 세조의 찬탈을 은근히 비난한 내용이었다. 이 글을 김종직의 제자인 김일손(金馹孫)이 사관(史官)으로 있을 때 사초(史草)에 적어 넣었는데, 이것이 무오사화(戊午史禍)의 원인이 된다.

아무튼 〈유두류록〉은 조선 시대 사대부들의 지리산 산행에 크게 영향을 준 소위 '베스트셀러(best seller)'였다. 후대 선비들의 지리산 유람의 지침서[277]가 되었다는

277) 〈김종직과 유두류록〉, 《디지털함양문화대전》에서 인용

평가이다.

그는 여행 제4일째인 8월 17일 저녁 무렵, 하산 길에 세석(細石)을 지나 영신봉 근처의 창불대(唱佛臺)에서 멀리 섬진강 등지의 장대한 풍경을 감상한다. 그로부터 4세기 후인 1879년 8월 3일 새벽, 지조 높은 한 선비가 세석평전에서 멀리 지리산 산 아래를 굽어보고, "수많은 봉우리와 골짜기가 겹겹이 굴곡져 마치 파도가 출렁거리는 듯하여 마음과 눈을 즐겁게 했다"라는 기록을 남겼다.[278)]

아마 점필재도 파도가 출렁이듯 생동감 넘치는 지리산 골짝 골짝의 파노라마에 즐거운 마음으로 몰입되었을 것이다. 저물녘에 높고 험한 창불대(唱佛臺)에 올라 섬진강 끝자락의 산과 바다가 서로 겹친 절묘한 경치를 감상한다. 바로 그때, 길 안내를 맡은 해공(解空) 스님이 화개의 신흥사 골짝에서 있었던 에피소드를 소개하고, 이어서 악양현 북쪽을 가리키면서 "저기를 청학사 골짝이라고 한다"라고 소개한다. 해공은 당시 덕봉사(德峯寺)[279)]의 스님으로 점필재의 등산길을 인도하는 등산 가이드였다. 점필재는 적어도 직선거리로 약 15km 밖에 있는 악양현을 멀리 바라보며 청학동을 비정한 것이다.

따라서 '〈악양 청학사 부근 청학동설〉'은 엄밀히 말하면 김종직이 청학동을 비정했다기보다는 지리산 가이드인 '해공 스님의 설명을 듣고 이를 그대로 〈유두류록〉에 실은 것에 불과하다.'라고 해야 타당할 것 같다. 〈유두류록〉에서 그 대목을 찾아보면 다음과 같다.

점필재의 〈유두류록(遊頭流錄)〉과 청학동[280)]

또, 해공이 또 악양현(岳陽縣)의 북쪽을 가리키며 말하기를 "저곳이 청학사(靑鶴寺)가 있는 골(洞)입니다"라고 하였다. 아! 이곳이 옛사람이 말한 신선(神仙)이 놀던 곳이란 말인가? 속세와 그리 멀지 않은데, 미수(眉叟) 이공(李仁老)은 어찌하여 이곳을 찾지 못했단 말인가? 그렇다면 호사자(好事者)들이 그 이름을 사모하여 절을 짓고서 그렇게 이름을 붙인 것이 아닐까?

우 지 악 양 현 지 북 왈 청 학 사 동 야 희 차 고 소 위 신 선 지 구 여 기 여 인 경 불 심 상 원
又指岳陽縣之北曰 靑鶴寺洞也 噫 此古所謂神仙之區歟 其與人境 不甚相遠
이 미 수 하 이 심 지 이 부 득 여 무 내 호 사 자 모 기 명 구 사 이 지 지 여
李眉叟何以尋之而不得歟 無乃好事者慕其名 構寺而識之歟

278) 우암 송시열 선생의 9대손인 연재(淵齋) 송병선(宋秉璿)의 〈두류산기(頭流山記)〉에서 인용

279) 함양군 병곡면 광평리 마평 마을 회관에서 임도를 따라 북쪽으로 약 600m 지점에 있었던 고려 전기 절터. 고려 전기에서 조선 후기까지 사찰이 지속되었던 것으로 추정된다(한국학중앙연구원-향토문화전자대전).

280) 원문은 한국고전종합DB의 《점필재집(2권)》에서, 번역문은 최석기 외, 《선인들의 지리산 유람록》에서 인용

이상에서 보듯이 점필재는 악양을 직접 방문하지 않았다. '세석'에서 멀리 지리산 골짝 골짝을 감상하면서 등산 가이드인 해공 스님의 설명을 전해 듣고, 그것을 기록으로 남겼다는 점은 좀 아쉽다. 점필재가 주장한 '〈악양 청학사 부근 청학동설〉'의 특징은 다음과 같다.

> ㉠ 악양현 북쪽 청학사 일대가 청학동이다(해공 스님의 전언).
> ㉡ 청학사 일대의 청학동은 속세와 지척에 있다.
> ㉢ 청학사 일대 청학동에 관한 지형적 · 지리적 특징을 기록으로 남기지 않았다.
> ㉣ 이 미수(眉叟) 인로가 이곳을 못 찾은 이유에 대해 의문을 품는다.
> ㉤ 후세의 호사가들이 청학동을 사모하여 지어낸 이야기가 아닐까 의심한다.

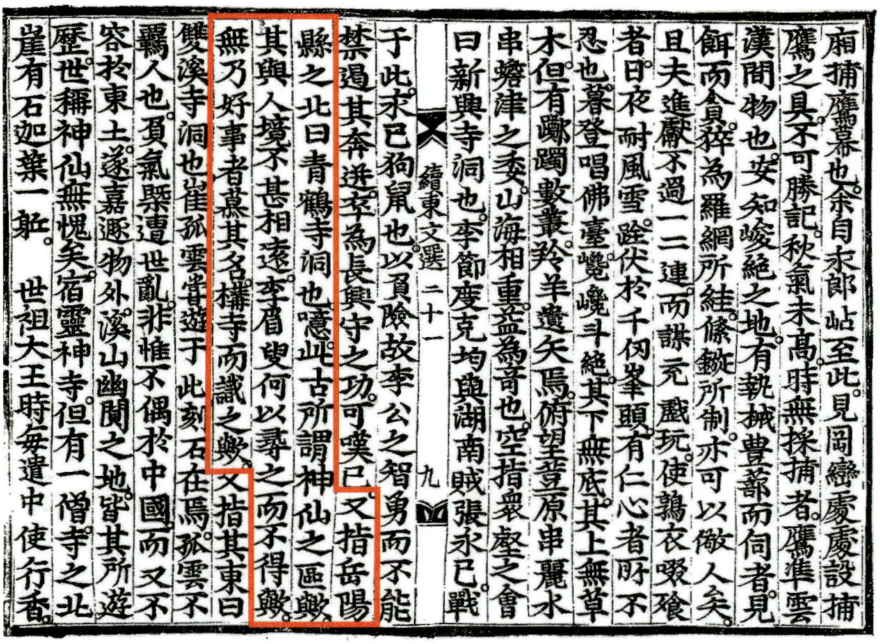
廂捕鷹幕也余自永郎岾至此見岡巒處處設捕
鷹之具不可勝記秋氣未高時無採捕者鷹準雲
漢間物也安知峻絶之地有執械豐蔀而伺者見
餌而貪猝為羅網所絓絛鏇所制亦可以儆人矣
且夫進獻不過一二連而謀充戲玩使鶉衣啜飧
者日夜耐風雪蹤伏於千仞峯頭有仁心者所不
忍也暮登唱佛臺巉巉斗絶其下無底其上無草
木但有躑躅數叢羚羊遺矢焉俯望萱原串麗水
串蟾津之委山海相重盎為奇也空指衆壑之會
曰新興寺洞也李節度克均與湖南賊張永已戰
續東文選 二十一 九
于此求已狗鼠也以負險故李公之智勇而不能
禁遏其奔迸卒為長興守之功可嘆已又指岳陽
縣之北曰青鶴寺洞也噫此古所謂神仙之區歟
其與人境不甚相遠李眉叟何以尋之而不得歟
無乃好事者慕其名構寺而識之歟又指其東曰
雙溪寺洞也崔孤雲嘗遊于此刻石在焉孤雲不
羈人也負氣槩遭世亂非惟不偶於中國而又不
容於東土遂嘉遯物外溪山幽閴之地皆其所遊
歷世稱神仙無愧矣宿靈神寺但有一僧寺之北
崖有石迦葉一躯世祖大王時每遣中使行香

《속동문선》(21) 〈유두류록〉 한국고전종합DB에서 인용(빨간 선내에 "又指岳陽縣之北曰 青鶴寺洞也 噫此古所謂神仙之區歟 其與人境 不甚相遠 李眉叟何以尋之而不得歟 無乃好事者慕其名 構寺而識之歟"라고 되어 있다. 이것이 〈악양 청학사 부근 청학동설〉의 유일한 기록이다.)

다. 불일암 부근 청학동설

초봄의 불일암(2024. 3. 6)

쌍계사 뒤 불일암 일대를 청학동이라고 비정한 사례는 매우 많을 것으로 생각된다.

1487년 추강 남효온은 그의 지리산 유람록인 〈지리산일과(智異山日課)〉에서 "쌍계사 위 불일암(佛日庵) 아래에 청학연(靑鶴淵)이 있으니, 여기가 청학동임은 의심할 것이 없다[**則石門內雙溪寺前 無乃是耶 雙溪寺上佛日庵下 亦有靑鶴淵 此爲靑鶴洞無疑矣**]"[281]라고 하였다. 이 기록이 불일암 부근을 '청학동'이라고 비정한 최초의 기록이 아닌가 생각된다.

추강에 이어 그 2년 후에 탁영(濯纓) 김일손(金馹孫)이 다녀갔고, 약 60년 후 남명(南冥) 조식(曺植) 선생이 다녀갔으며, 그로부터 약 80년 후에는 미수(眉叟) 허목(許穆) 선생이 이곳 불일암 근처를 직접 방문하여 이곳을 청학동이라고 비정했다. 그래서인지 이들을 전후하여 이곳을 청학동이라고 찾은 선비들은 많을 것으로 생각되지만 이 세분의 유람록을 통해 왜 이곳을 청학동이라고 비정했는지, 그들이 본 〈불일암 부근 청학동설〉의 특징은 무엇인지 분석해 보자.

---

281) 남효온, 〈지리산일과〉, '則石門內雙溪寺前 無乃是耶 雙溪寺上佛日庵下 亦有靑鶴淵 此爲靑鶴洞無疑矣'

(1) 탁영 김일손 선생의 청학동설

탁영(濯纓) 김일손(金馹孫) 선생은 1489년 4월 11일에 출발하여 28일까지 지리산을 견문한 기록을 매일 기록하여 〈두류기행록(頭流紀行錄)〉[282]을 남겼다. 탁영(濯纓)은 일두(一蠹) 정여창(鄭汝昌) 선생과 함께 지리산을 유람한다. 당시 탁영은 28살, 일두는 40살이었다. 이 기행문은 그의 스승인 김종직(金宗直)의 〈유두류록(遊頭流錄)〉과 비슷한 구성[283]이다. 탁영이 찾은 청학동의 모습은 과연 어떨까?

탁영 김일손의 〈두류기행록(頭流紀行錄)〉과 청학동[284]

(4월) 28일(병진) 쌍계사의 동쪽 골짜기를 따라 다시 지팡이를 짚고 길을 떠났다. 돌층계를 오르기도 하고, 위태로운 잔도(棧道)를 기어오르기도 하면서 몇 리를 가자, 꽤 넓고 평평하여 농사짓고 살만한 동부(洞府)가 나왔다. 여기가 세상 사람들이 청학동(靑鶴洞)이라고 하는 곳이다. 우리들은 여기에 올 수 있었는데, 이미수(李眉叟)는 어찌하여 오지 못했던가? 어쩌면 미수가 여기까지 왔었는데 느슨한 마음으로 자세히 살피지 못한 것은 아닐까? 아니면 청학동이란 정말 없는데, 세상에서 그 소문만 계속 전해오는 것인가?

이십팔일병진 연쌍계지동 부부공반석등 측위잔행수리 득일동부
二十八日丙辰 緣雙溪之東 復扶笻攀石磴 側危棧行數里 得一洞府
초관평가경 세이차위청학동운자야 잉사오배득이지차 즉이미수하이불능도여
稍寬平可耕 世以此爲靑鶴洞云者也 仍思吾輩得以至此 則李眉叟何以不能到歟
기미수도차이만불성기여 역과무청학동자 이세전상잉여
豈眉叟到此而謾不省記歟 抑果無靑鶴洞者 而世傳相仍歟

앞으로 수십 보를 걸어가자 가파른 골짜기가 나타났다. 잔도를 타고 올라서 한 암자에 이르렀는데, 불일암(佛日庵)이라 하였다. 암자가 절벽 위에 있어 앞은 아슬아슬한 낭떠러지였고, 사방의 산은 기이하고 빼어나 이를 데 없이 상쾌하였다. 동쪽과 서쪽으로 향로봉(香爐峯)이 있는데, 좌우로 마주 보고 있었다. 아래에는 용추(龍湫)와 학연(鶴淵)이 있는데 깊이를 헤아릴 수 없었다.

---

282) 김일손의 문집인 《탁영집(濯纓集)》에는 〈두류기행록(頭流紀行錄)〉이지만 《속동문선(續東文選)》(21권)에는 〈속두류록(續頭流錄)〉이라는 제목이다. 번역문은 '최석기 외 옮김'의 《선인들의 지리산 유람록》에서 인용했다.

283) 〈속두류록〉, 《한국민족문화백과사전》에서 인용

284) 원문은 한국고전종합DB에서, 번역문은 한국고전종합DB에서 인용, 작성

前行數十步臨絶壑 閃過棧道 得一菴曰佛日 構在絶壁上 前臨無地 四山奇峭
爽概無比 東西有香爐峯 左右相對 下有龍湫鶴淵 深不可測

이 암자의 승려가 말하기를 "매년 늦여름이 되면 푸른 몸에 붉은 정수리와 긴 다리를 가진 새가 향로봉 소나무에 모이는데, 용추로 날아내려 물을 마시고 곧 떠나갑니다. 이 암자에 사는 승려들은 여러 번 보았는데, 이 새를 '청학(靑鶴)'이라 합니다."라고 하였다.

菴僧云每歲季夏 有青身赤頂長脛之禽 集香爐峯松樹 飛而下飮於湫則去
居僧度度見之 是青鶴云也

이상에서 보듯이 탁영은 쌍계사 뒤편 불일암을 찾기 위해 돌계단 길의 가장자리를 붙잡고 오르기도 하고, 위태로운 잔도를 기어오르면서 불일암 근처에서 청학동을 찾고 나서 "우리가 여기를 올 수 있는데, 이미수(李眉叟)는 어찌하여 오지 못했던가. 미수가 여기를 오고도 기억을 못 했던가? 그렇지 않으면 과연 청학동이란 것은 없는데, 세상에서 서로 전하기만 하는 것인가?"라며 감격해한다. 이 글에서 탁영이 본 청학동의 특징을 정리해 보면 다음과 같다.

㉠ 불일암 청학동은 험난한 돌 언덕과 위태로운 잔도를 올라야 도달할 수 있다.
㉡ 불일암 근처의 청학동은 꽤 넓고 평평하여 농사짓고 살만하다.
㉢ 불일암 아래에는 용추(龍湫)와 학연(鶴淵)이 있고, 동서 양쪽에 향로봉(香爐峯)이 있다.
㉣ 몸체는 파랗고, 이마는 붉고, 다리가 긴 청학이 매년 여름에 날아와 향로봉 소나무에 모였다가 학연에서 물을 마시고 떠난다(불일암 스님 전언)
㉤ 불일암은 높은 절벽 위에 있어서 매우 상쾌한 공간이다.
㉥ 점필재처럼 이미수(眉叟)가 이곳을 왜 못 찾았는지 의문을 품는다.
㉦ 점필재처럼 후세의 호사가들이 청학동을 사모하여 지어낸 이야기가 아닐까 의심한다.

(2) 남명 조식 선생의 청학동설

남명(南冥) 조식 선생은 1558년 음력 4월 10일부터 25일까지 진주목사 김홍(金泓), 이공량(李公亮), 고령 현감을 역임한 이희안(李希顔), 청주목사 이정(李楨) 등과 함께 화개동 일대의 지리산을 여행한다. 당시 남명 선생은 58세였다. 그가 합천 토동에서 지리산 덕산동 산천재로 이거(移居) 하기 3년 전의 일이었다.

〈유두류록(遊頭流錄)〉에 의하면, 4월 10일, 삼가에서 출발한 남명 선생의 유람 팀에 진주와 사천에서 여러 사람이 가세하여 사천에서 배를 타고 섬진강을 거슬러 올라가서 악양의 삽암에서 고려 시대 은사 한유한과 악양 도탄[오늘날의 화개면 덕은리]에서 일두(一蠹) 정여창(鄭汝昌)의 유적을 둘러보고 화개동천의 쌍계사, 불일암, 신응사 등지를 유람한다.

귀로에는 악양 개치에서부터 도보로 삼가식현[오늘날 삼화실재]을 넘어 횡보역[하동군 횡천면], 정수역[하동군 옥종면]을 거쳐 4월 25일에 삼가 토동으로 귀가한다. 남명 선생이 직접 체험하면서 비정한 청학동은 과연 어떤 모습이었을까?

여름 불일폭포(2024. 8. 1)

초봄의 불일폭포(2024. 3. 6)

겨울 불일폭포(사진: 이종수 시인)

남명 선생의 〈유두류록(遊頭流錄)〉과 청학동[285)]

(4월) 19일 아침밥을 재촉해서 먹고 청학동으로 들어가려고 하는데 〈중략〉 북쪽으로 오암(猠巖)을 오르는데 나무를 잡고 잔도를 타면서 나아갔다. 〈중략〉 열 걸음에 한 번 쉬고 열 걸음에 아홉 번 돌아보며 비로소 불일암(佛日庵)에 도착하였다. 여기가 바로 세상에서 소위 청학동이라고 말하는 곳이다. 이 암자는 허공에 매달린 듯한 바위 위에 있어서 아래로 내려다볼 수가 없었다. 동쪽에 높고 가파르게 떠받치듯 솟아 조금도 양보하려고 하지 않는 것은 향로봉(香爐峯)이고, 서쪽에 푸른 벼랑을 깎아내어 만길 낭떠러지로 우뚝 솟은 것은 비로봉(毗盧峯)이다.

십구일촉식장입청학동 북상오암 연목등잔이진
十九日促食將入青鶴洞 <중략> 北上猠巖 緣木登棧而進<중략>
십보일휴십보구고 시도불일암 내세소위청학동자야 암만약현공 이하불가부시
十步一休十步九顧 始到佛日菴 乃世所謂青鶴洞者也 菴巒若懸空 而下不可俯視
동유줄률탱돌략불상양자 왈향로봉 서유창애삭출벽입만인자 비로봉
東有崒嵂撐突略不相讓者 曰香爐峯 西有蒼崖削出壁立萬仞者 毗盧峯

청학 두세 마리가 그 바위틈에 깃들어 살면서 가끔 날아올라 빙빙 돌기도 하고 하늘로

285) 원문은 경상국립대 고문헌도서관에서 인용, 번역문은 오이환의 《남명록(南冥集)》과 문찬인의 《한국인의 이상향 青鶴洞》을 참고하여 작성

솟구쳤다가 내려오기도 한다. 아래에는 학연(鶴淵)이 있는데 까마득하여 보이질 않는다. 좌우상하에는 절벽이 빙 둘러 서 있고 층층으로 이루어진 폭포는 문득 소용돌이치며 쏜살같이 쏟아져 내리다가 문득 합치기도 하였다. 그 위에는 수초가 우거지고 초목이 무성하여 물고기나 새도 오르내릴 수 없었다. 바람과 우뢰 같은 폭포 소리가 뒤얽혀 서로 싸우니, 마치 천지가 개벽하려는 듯 낮도 아니고 밤도 아닌 상태가 되어 문득 물과 바위를 구별할 수 없었다. 그 안에 신선, 거령, 큰 교룡, 작은 거북 등이 살면서 영원히 이곳을 지키며 사람들이 접근하지 못하도록 하는 것인지도 모르겠다.

청학양삼서기암극 유시비출반회상천이하운 하유학연유암무저
青鶴兩三棲其巖隙 有時飛出盤廻上天而下云 下有鶴淵黝暗無低
좌우상하절벽환잡층층우층후회후합 예회몽울 풍뢰교투 불주불야부지
左右上下絶壁環帀層層又層候回候合 翳薈蒙鬱 風雷交鬪 不晝不夜不知
기중은유선 주거령장교단귀호장기택 만고가호이사인부득근야
其中隱有仙 儔巨靈長蛟短龜互藏其宅 萬古呵護而使人不得近也

남명 선생은 일행들이 이런저런 이유로 불참한 가운데 1558년 4월 19일, 쌍계사 뒤편 청학동을 찾아 나선다. 나무를 붙잡고 잔도를 타며, 열 걸음에 한 번 쉬고, 열 걸음에 아홉 번 돌아보면서 비로소 불일암에 도착한다. 그는 여기를 청학동이라고 했다. 남명이 본 청학동의 특징을 정리해 보면 다음과 같다.

㉠ 불일암이 청학동이다.
㉡ 불일암은 아득히 높은 절벽 위에 매달린 듯 서 있다.
㉢ 불일암 동쪽에는 향로봉이 있고, 서쪽에는 비로봉이 있다.
㉣ 청학 두세 마리가 비로봉 바위틈에 서식한다.
㉤ 불일암 아래에 학연(鶴淵)이 있는데 까마득하여 보이질 않는다.
㉥ 학연의 좌우 상하에는 절벽이 빙 둘러 서 있고, 층층으로 이루어진 폭포가 있다.
㉦ 폭포 안에는 신선과 거령, 큰 교룡, 작은 거북 등이 살면서 영원히 이곳을 지키며 사람들이 접근하지 못하도록 막고 있는 것 같다.

한편, 남명 선생은 불일폭포를 오르는 도중에 바위에 새겨진 '이언경(李彦憬)', '홍연(洪淵)' 등)의 이름을 보고 "바위에 이름을 새기는 짓은, 그 이름을 오래 기억해 달라는 취지일 것이나 이를 기억해 줄 후인들은 없다. 이것은 나는 새의 그림자만도 못하다."라고 강하게 나무랐다. 이에 대해서는 앞서 〈남명 조 선생의 장구지소(杖屨之所)에 대한 소고(小考)〉 편에서 자세히 다루었으니 참고하시기 바란다.

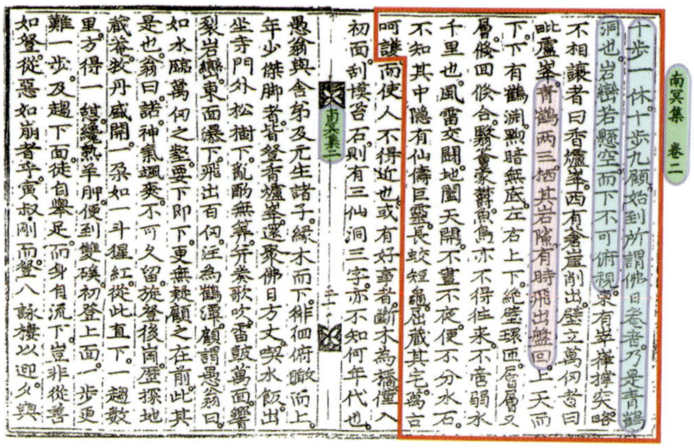
南冥集 卷二

十步一休。十步九顧。始到所謂佛日菴者。乃是青鶴
洞也。岩巒若懸空。而下不可俯視。東有崒嵂撑突。略
不相讓者曰香爐峯。西有蒼崖削出。壁立萬仞者曰
毗盧峯。青鶴兩三。棲其岩隙。有時飛出盤回。上天而
下。下有鶴淵。黝暗無底。左右上下。絕壁環匝。層層又
層。倏回倏合。翳薈蒙蔚。魚鳥亦不得往來。不啻弱水
千里也。風雷交鬪。地闔天開。不晝不夜。便不分水石。
不知其中隱有仙倫巨靈。長蛟短龜。屈藏其宅。萬古
呵護。而使人不得近也。或有好事者。斲木爲橋。僅入
初面。刮摸苔石。則有三仙洞三字。亦不知何年代也。
愚翁與舍弟及元生諸子。緣木而下。徘徊俯瞰而上。
年少健脚者。皆登香爐峯。還聚佛日方丈。喫水飯出
坐寺門外松樹下。亂酌無算。弁奏歌吹。雷鼓萬面。響
裂岩巒。東面瀑下。飛出百仞。注爲鶴潭。顧謂愚翁曰。
如水臨萬仞之壑。要下卽下。更無疑顧之在前。此其
是也。翁曰。諾。神氣颯爽。不可久留。旋登後崗。歷探地
藏菴。牧丹盛開。一朶如一斗。猩紅。從此直下。一趨數
里。方得一鮮饌熟羊肺。便到雙磎。初登上面。一步更
難一步。及趨下面。徙自擧足。而身自流下。豈非從善
如登。從惡如崩者乎。寅叔剛而登八詠樓。以迎久與

《남명집》(권2), 〈유두류록〉 4월 19일 자 원문(한국고전 종합DB 인용) ‘十步一休十步九顧 始到佛日菴乃世所謂靑鶴洞者也’라든가 ‘靑鶴兩三 棲其巖隙 有時飛出盤廻’라는 등이 보인다.

(3) 미수 허목 선생의 청학동설

미수(眉叟) 허목(許穆) 선생은 조선 후기 성균관 제조, 이조판서, 우의정 등을 역임한 문신이다. 본관은 양천(陽川), 자는 문보(文甫)·화보(和甫)이다. 과거를 보지 않고 학문과 글씨에 전념해 독특한 전서체를 완성했다. 예론에 뛰어나 두 차례 예송 논쟁에서 서인의 영수 송시열을 대상으로 남인의 주장을 대변했다. 현종 대에는 서인의 주장이 관철되면서 좌천되었으나 숙종 대에 남인의 주장이 채택되어 대사헌을 거쳐 우의정에 올랐다.

1638년(인조 16) 인조가 청나라에 항복했다는 소식을 듣고 주변의 조정 출사 권유를 받았으나 거절했다. 출사 권유를 뿌리친 뒤 모 부인이 피난 중이던 의령(宜寧) 모의촌(慕義村)으로 내려가 생활했다. 1641년 다시 사천(泗川)으로 이주했다가, 창원(昌原), 칠원(漆原) 등지에서 10여 년간을 우거(寓居) 하면서 강론(講論)과 저술(著述)을 게을리하지 않는 한편 지리산과 남해안을 유상(遊賞)하고 선세 유적(先世 遺跡)을 기행, 답사했다.[286]

미수는 1640년에 지리산 청학동을 찾는다. 당시 그의 나이는 46살. 그해 9월 3일 악양에서 섬진강을 거슬러 올라가서, 화개동의 삼신동을 지나, 쌍계사 입구의 쌍계석문(雙溪石門)과 쌍계사에서 진감선사비(眞鑑禪師碑)를 관람하고 불일암에 올라 〈지리산청학동기(智異山靑鶴洞記)〉를 지었다. 여기서 미수는 쌍계사 뒤 불일암 남쪽 골(洞)을 청학동(靑鶴洞)으로 비정했다. 그럼 미수가 묘사한 청학동은 어떤 모습이었을까?

286) 허목, 위키백과에서 인용

미수 허목(許穆) 선생의 〈지리산청학동기(智異山靑鶴洞記)〉와 청학동[287)]

남쪽의 산중에서 지리산만이 가장 깊숙하고 그윽하며 신산(神山)이라 불린다. 그윽한 바위와 뛰어난 경치는 하나하나 다 기록할 수 없을 것이다. 그중에서도 유독 청학동이 제일 기이하다고 일컬어져 예로부터 기록되어 있는데, 쌍계사(雙溪寺) 석문 위에 있다. 옥소(玉簫)의 동쪽 계곡을 지나면 모두 수심이 깊고 바위가 커서 사람의 발이 닿지 않는다. 쌍계사 북쪽 언덕에서 산굽이를 따라 암벽을 붙잡고 올라가 불일암(佛日庵) 앞 대(臺)의 석벽 위에 이르러 남향해 서면 바로 청학동이 내려다보인다. 돌로 이루어진 골짜기에 깎아지른 암석들이 우뚝 서 있고, 암석 위에는 소나무 · 대나무 · 단풍나무가 많다.

남 방 지 산 유 지 리 최 심 수 묘 명 호 위 신 산 기 유 암 절 경 태 불 가 수 기 이 독 칭 청 학 동 우 기
南方之山 惟智異 最深邃杳冥 號爲神山 其幽巖絶境 殆不可數記 而獨稱靑鶴洞尤奇
자 고 기 지 개 재 쌍 계 석 문 상 과 옥 소 동 학 개 심 수 대 석 인 적 불 통 종 쌍 계 북 애
自古記之 蓋在雙[288)]溪石門上 過玉簫東壑 皆深水大石 人跡不通 從雙溪北崖
수 산 곡 이 상 반 부 암 벽 지 불 일 전 대 석 벽 상 남 향 립 내 부 림 청 학 동 석 동 참 암 암 석 상
隨山曲而上 攀傅巖壁 至佛日前 臺石壁上 南向立 乃俯臨靑鶴洞 石洞嶄巖 巖石上
다 송 다 죽 다 풍
多松多竹多楓

서남쪽 석봉에는 옛날에 학(鶴)이 사는 둥지가 있었다. 산중 노인이 전하기를 "학은 날개는 검고 정수리는 붉으며 다리는 자색이었지만 햇빛 아래서 보면 날개와 깃이 다 푸르렀다. 아침이 되면 빙 돌며 날아올라서 하늘 속으로 사라졌다가 저녁이 되면 둥지로 돌아왔는데, 지금은 오지 않은 지가 거의 백 년이 되었다." 한다. 이리하여 이 봉우리를 청학봉, 골짜기를 청학동이라 하였다. 남쪽으로는 향로봉(香爐峯)을 마주하고, 동쪽에는 세 개의 석봉이 늘어서 있으며, 동쪽 골짜기는 모두 층층 바위와 기암괴석이다. 전날 저녁 큰비가 내려 골짜기에 폭포수가 가득하였다. 그곳 대(臺) 위의 돌에는 완폭대(玩瀑臺)라고 새겨져 있고, 그 아래는 깊은 못이다.

서 남 석 봉 구 유 학 소 산 중 노 인 상 전 학 현 시 단 정 자 경 일 색 하 견 시 우 개 청
西南石峯 舊有鶴巢 山中老人相傳 鶴玄翅丹頂紫脛 日色下見翅羽皆靑
조 즉 반 회 이 상 입 어 묘 명 석 즉 귀 소 금 부 지 자 기 백 년 운 고 봉 왈 청 학 봉
朝則盤回而上 入於杳冥 夕則歸巢 今不至者幾百年云 故峯曰靑鶴峯
동 왈 청 학 동 남 대 향 로 봉 기 동 열 위 삼 석 봉 기 동 학 개 층 석 기 암 전 석 대 우 폭 포 만 학
洞曰靑鶴洞 南對香爐峯 其東列爲三石峯 其東壑皆層石奇巖 前夕大雨 瀑布滿壑
기 대 상 석 각 왈 완 폭 대 기 하 담 수
其臺上石刻曰玩瀑臺 其下潭水

---

287) 《기언(記言)》제28권 하편-산천(하)-〈지리산청학동기〉 원문과 번역문은 한국고전종합 DB에서 인용.

288) 원문에는 靃(소낙비확, 소낙비척, 쌍쌍)이나 이 한자가 'ᄒᆞᆫ글'에서 제공되지 않아서 이체자(異體字)인 雙으로 바꾸어 넣었다(이하 같다).

이 글에서 미수가 본 청학동의 특징을 정리해 보면 다음과 같다.

> ㉠ 청학동은 쌍계 석문 위쪽, 옥소암의 동쪽 골짜기를 지나야 한다.
> ㉡ 옥소암 동쪽 골짜기는 물이 깊고 큰 바위가 많아 다닐 수가 없고, 북쪽의 험난한 산굽이를 따라 올라가면 불일암이 나온다.
> ㉢ 불일암에서 남쪽을 향해 서면, 바로 청학동이 굽어 보인다.
> ㉣ 불일암 서남쪽 석봉에 학의 둥지가 있었다. 그래서 청학봉인데, 이곳에서 학이 사라진 지 100년이 넘었다(현재 학은 살지 않는다).
> ㉤ 학은 날개는 검고, 정수리는 붉으며 다리는 자색이나 공중에 날면 깃과 날개가 푸르다(산중 노인의 전언).
> ㉥ 불일암 남쪽에 향로봉이 있고, 그 동쪽에는 석봉이 세 개 늘어서 있고, 그 골짜기는 모두 층층의 기암절벽인데 여기에 폭포가 있다.
> ㉦ 대(臺) 위에 완폭대(玩瀑臺)라는 글귀가 새겨진 바위가 있고, 그 아래는 못이 있다.

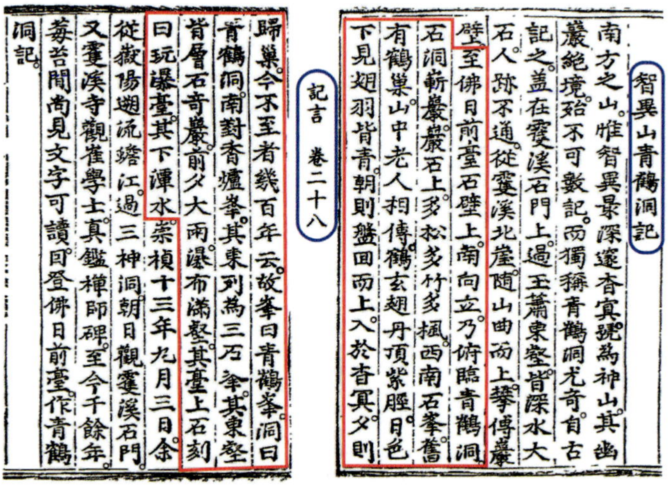
智異山青鶴洞記
南方之山。惟智異最深邃杳冥。號爲神山。其幽
巖絶境。殆不可數記。而獨稱青鶴洞尤奇。自古
記之。蓋在雙溪石門上。過玉簫東壑。皆深水大
石。人跡不通。從雙溪北崖。隨山曲而上。攀傳巖
壁。至佛日前臺石壁上。南向立。乃俯臨青鶴洞。
石洞嶄巖巖。石上多松多竹多楓。西南石峯。舊
有鶴巢山中。老人相傳。鶴玄翅丹頂紫脛。日色
下見翅羽皆青。朝則盤回而上。入於杳冥。夕則

記言 卷二十八

歸巢。今不至者幾百年云。故峯曰青鶴峯。洞曰
青鶴洞。南對香爐峯。其東列爲三石峯。其東壑
皆層石奇巖。前夕大雨。瀑布滿壑。其臺上石刻
曰玩瀑臺。其下潭水。崇禎十三年九月三日。余
從嶽陽遡流蟾江。過三神洞。朝日觀雙溪石門
又雙溪寺觀崔學士眞鑑禪師碑。至今千餘年。
蘚苔間尙見文字可讀。回登佛日前臺。作青鶴
洞記。

《기언(記言)》(28권) 〈지리산청학동기〉(한국고전종합DB에서 인용)

(4) 불일암 부근 청학동설에 대한 소고(小考)

앞서 소개했듯이 지리산 청학동이 '화개와 악양을 중심으로 공간적인 변이가 나타났다.'라는 주목받는 연구가 있다. 이 연구에서 제시된 '청학동의 시·공간적 전개'라는 표를 바탕으로 여러 청학동설을 시간적으로 세분화해서 전개해 보면 아래 [표]와 같다[289]

289) 최원석, 〈한국 이상향의 공간적 특징-청학동의 시공간적 전개(표3)〉, 《대한지리학회지》(44-6), 2009, p.751의

[표] 청학동의 시 · 공간적 전개

현재 행정 구역	청학동설 (비정 위치)	시기 및 출처						
		12-13 세기 (고려)	15세기 (조선)	16세기	17세기	18세기	19세기	20세기
화개면 범왕리	**신흥사 부근, 찾지 못함**	**이인로 (파한집)**						
악양면 매계리	**악양 청학사 부근 청학동설**		**김종직 (1472)**					
화개면 운수리	**불일암 부근 청학동설**		남효온(1487) **김일손(1489)**	**조식 (1558)**	유몽인(1611) 박민(1616) 성여신(1616) 조위한(1618) 양경우(1618) **허목(1640)** 오두인(1651) 김지백(1655) 송광연(1680)	김창흡(1708) 신명구(1720) 정식(1724) 김도수(1727) 정식(1743) 황도익(1744) 이주대(1748)	남주헌(1807) 하익범(1807) 유문룡(1808) 전기주(1883) 김성렬(1884) 하겸진(1899)	문진호(1901) 송병순(1902) 안익제(1903) **정종엽(1909)** 이보림(1937) 양회갑(1941)
악양면 매계리	**악양 매계 청학동설**					**이중환 (택리지) 이긍익 (연려실기술)**	**김정호 (대동지지)**	
화개면 대성리	**화개 덕평 청학동설**							**김택술(1934)** 현지 제보
시천면 내대리	**세석평전 청학동설**						**송병선(1879)**	김택술(1934) **정기(1934)** **정덕영(1940)**
청암면 묵계리	**묵계 청학동설**							**정종엽(1909)**

이 [표]를 보면 확연히 알 수 있듯이 15세기 말에 '불일암 부근 청학동설'이 제기된 이후, 많은 선비들이 꾸준히 불일암을 찾았다. 현재 남아있는 지리산 여행기를 대상으로 분석해 보았을 때, 압도적으로 많았다는 이야기이다. 이 표에서 알 수 있듯이 조선 시대에 선비들은 지난 5세기 동안 '지리산 청학동'이라 하면 '불일암'으로 인식했던 것으로 보인다. 그러니 '청학동의 변이'라는 용어가 무색할 정도다. 그런 한편 다른 청학동설은 조선의 선비 사회에서 크게 주목을 받지 못한 것 같다.

그것은 "지리산 유람록에 나타난 청학동은 대개 불일암 · 불일폭포가 있는 쌍계사 위쪽 일대로 일관되게 나타난다."라는 연구가 이를 뒷받침한다.[290)]

표3을 바탕으로 《지리산권 유산기 선집》을 인용하여 재작성했다. 단, '현지 자료 및 제보'에 의한 '화개 의신 청학동설'은 문헌 자료를 확보하지 못해 제외했다.

290) 강정화, 〈智異山 遊覽錄으로 본 崔致遠〉, 《한문학보》(25집), p.194 및 각주의 내용을 재인용 하면 다음과 같

이처럼 '불일암 부근 청학동설'이 요지부동이었던 이유는 무엇이었을까? 그것은 앞에서 본 것처럼 15세기 말에 탁영 김일손 선생을 시작으로 16세기 중엽에는 남명 조식 선생, 뒤이어 17세기 중엽에는 미수 허목 선생의 경우처럼 저명한 선비들이 연속적으로 이곳을 청학동이라고 비정한 것이 영향을 주었을 것으로 생각한다. 그렇다면 이들 유명 인사들의 청학동설, 즉 '불일암 부근 청학동설'은 얼마나 설득력이 있었을까? 그들의 '지리산 유람기'에 근거하여 분석해 보면 다음과 같다.

먼저, "불일암 청학동은 진입하기가 쉽지 않았다."라는 점이다. 이 청학동설의 선두주자인 탁영은 이를 "험난한 돌 언덕과 위태로운 잔도를 올라야 도달할 수 있다"라고 했으며, 남명은 "나무를 잡고 잔도를 타면서 나아갔다. 열 걸음에 한 번 쉬고 열 걸음에 아홉 번 돌아보면서 비로소 불일암에 도착하였다"라고 했으니 얼마나 험난한 길이었는지 짐작할 수 있다. 이것은 이인로가 "청학동은 들어가는 길이 매우 좁아서 사람이 겨우 통행할 수 있다"라고 한 내용과 일맥상통한다. 따라서 '청학동은 진입하기가 까다롭다.'라는 관점에서 본다면 '불일암 부근은 청학동답다'라고 말할 수 있겠다.

다음으로 '청학동'을 처음 공론화했던 '이인로'에 의하면 청학동에 진입하는 과정은 어렵지만, 그 난관을 돌파하고 나면 넓게 트인 공간이 나타나며, 토질이 비옥하여 농사짓기 좋은 공간이다. 이곳에서는 많은 사람이 마을을 이루고 살아갈 수 있는, 소위 천가화죽(千家花竹)의 마을이 전개된다고 했다. 청학동에서 무릉도원과 같은 이상향을 상상한다면 누구나 그런 공간을 기대했을 것이다.

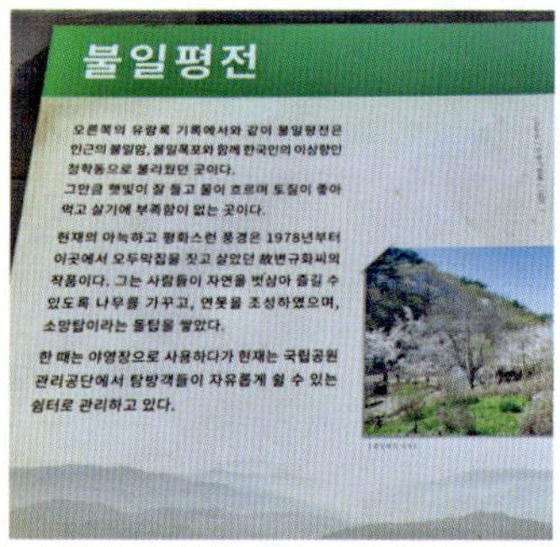

'불일평전' 안내 간판
(지리산 국립공원경남사무소)

그렇다면 탁영과 남명, 미수가 언급한 '불일암 부근 청학동설'은 과연 그러할까? 먼저 탁영은 불일폭포 직전의 '불일평전' 일대를 청학동으로 비정했다. 그는 이곳을 '꽤 넓고 평평하여 농사짓고 살만한 곳'으로 평가했다. 그러나 이곳에서 사람들이 농사짓고, 자급자족하며 이상향적인 삶을 살아가는 모습을 직접 목격한 것은 아니었다. 탁영이 이곳을 지나간 이후, 과거 500여 년 동안 이곳에 '이상향

다. '허목(許穆, 1640) · 변사정(邊士貞, 1580) · 양대박(梁大撲, 1586) · 성여신(成汝信, 1616) · 조위한(趙緯韓, 1618) · 양경우(梁慶遇, 1618) · 김지백(金之白, 1655) · 신명구(申命耈, 1720) · 오두인(吳斗寅, 1651) · 정식(鄭栻, 1724) · 송광연(宋光淵, 1680) · 황도익(黃道翼, 1744) · 김도수(金道洙, 1727) 등이 불일암 일대를 청학동으로 인식하고 유람록을 남겼다.' 여기서 괄호 안의 숫자는 청학동을 유람한 연대인데, 최석기 외 옮김, 《선인들의 지리산 유람록》(6권)의 부록을 참고하여 필자가 찾아 넣었다.

청학동'이라고 할 만한 마을을 이룬 흔적은 없다. 다만 국립공원에서 세운 안내 간판을 통해 '1978년부터 이곳에 오두막집 한 채를 짓고 아늑하고 평화스러운 풍경에서 살았던 고(故) 변규화씨의 사례'가 있었을 뿐이었다.

게다가 남명과 미수는 불일암 주변을 청학동이라고 비정했다. 잘 아시다시피 불일암은 불일폭포 옆의 높은 언덕 위에 있다. 이런 곳에 과연 마을을 이루며 사람이 살 수 있을지 의문이다. 실제로 남명 선생 자신도 〈유두류록〉에서 "이 암자는 허공에 매달린 듯한 바위 위에 있어서 발아래는 너무 아찔해 굽어볼 수가 없었다"라고 했고, 1618년 윤사월에 이곳을 방문한 제호(霽湖) 양경우(梁慶遇, 1568~1629)도 "잔도가 끝나자 불일암이 보였는데, 아득히 구름 끝에 매달린 풍경 같았다."라는 기록을 남겼다.[291)]

또한, 구한말 의령지역의 대표적인 선비인 서강(西岡) 안익제(安益濟, 1850~1909)는 1903년에 지은 지리산 유람기 〈두류록(頭流錄)〉에서 "지금 불일암에 도착해 보니, 암자는 무너지고 산사만 있는데 산사 앞에 대(臺)가 있다. 조금 평평하여 10여 명이 앉을 수 있다. 미수가 이른바 '전대(前臺)'라고 한 것이 이곳일 것이다. 그 아래 용추는 요란하게 소용돌이치는데, 깊이를 측량할 수 없다. 용추는 청학봉과 백학봉 사이에 있다. 나는 나무를 붙잡고 절벽에 붙어 서서 내려다보았는데, 눈에 현기증이 일어 떨어질 뻔하였고, 발이 기울어져 아찔하였다.[292)]"라고 할 정도였다. 이들의 말을 빌리지 않더라도 불일암 일대는 사람들이 마을을 이루고 살아가기 어려운 공간임은 이곳을 한 번 가본 사람이라면 쉽게 알 수 있다. 실제로 1903년에 이곳을 찾은 서강은 "이곳은 구경할만한 청학동이지 거주할 만한 청학동은 아니다(**此可觀之青鶴 非可居之青鶴**)"라는 결론을 내렸다.[293)] 또, 1909년 진안 사람 수당(修堂) 정종엽(鄭鍾燁)과 애국지사 습재 최제학(崔濟學)은 불일암 근처의 지리산 청학동을 찾는다. 그러나 실제로 와서 보니 산만 있고 사람이 살아갈 평지가 없으니, "여기는 천가(千家) 화죽(花竹)의 무릉도원과는 비교될 수 없다. 진짜가 있을지 어떻게 알랴. 어찌 다시 다른 곳을 찾지 않으리"[294)]라며 두 사람은 졸지에 불일암 뒷산을 넘어 오늘날 '묵계 청학동'을 발견하게 된다.

이상에서 보듯이 일찍이 탁영(1489)과 남명(1558), 미수(1640)는 **'불일암 근처'**를

291) '棧窮而佛日庵出焉 縹渺若懸磬雲端'. 최석기 외 옮김, 지리산 유람록, 《용이 머리를 숙인 듯 꼬리를 치켜든 듯》, 보고사, 2008에서 인용. 제호 양경우는 임진왜란 때 의병장 제봉(霽峰) 고경명(高敬命, 1533~1592)의 막하에서 활동한 인물이다.

292) '余扶樹附 壁而附看 目眩而隕 足傾而凜'. 안익제, 〈두류록〉, 최석기 외, 《선인들의 지리산 유람록 5》

293) 안익제의 위 책과 최석기 외 옮김의 위 책에서 인용

294) 정종엽, 〈유두류록〉, 《수당유고》, 최석기 외 옮김, 《지리산 유람록〉(6권)에서 인용

'청학동'이라고 비정하면서 이곳에서 사람들이 무릉도원과 같은 마을을 이루고 살 수 있는 공간인지에 대한 고려는 없었던 것으로 보인다. 이렇게 마을을 이룰 수 없는 곳을 청학동이라고 비정한 상황은 그 후 여기를 청학동이라고 믿고 찾아온 많은 선비들도 마찬가지였다. 이런 비합리적인 '권위(authority)'는 수 세기 동안 지속되어 오다가 안익제나 정종엽 등의 사례에서 본 것처럼 20세기 초가 되어서야 비로소 깨어지기 시작한다. 그렇다면 왜 이들은 사람이 살 수 없는 이런 산중의 오지를 굳이 이상향 청학동이라고 비정했을까? 필자는 그 원인을 다음과 같은 두 가지로 보았다. 첫째, 이인로가 청학동에 들어가며 남긴 **'시(詩)'**와 관련이 깊어 보인다. 둘째로는 **'청학'**의 존재 때문이라고 생각한다. 쌍계사 일대에는 고운 선생과 관련된 유적이 많다. 특히 불일암 근처에는 청학과 최고운이 노닐던 곳으로 알려진 '학연(鶴淵)'이 있고, 불일암을 오르는 도중에 있는 '환학대(喚鶴臺)'의 전설도 이곳을 청학동이라고 비정할 때 영향을 주었을 것으로 생각한다.

일찍이 이인로가 '화개동에서 청학동을 찾지 못했다'라고 고백했지만, 조선 시대 선비들은 '화개동 내의 어딘가에 청학동이 있다'라는 확신을 가졌던 것으로 보인다. 특히 이미수가 청학동을 찾지 못한 것은 그가 주로 신흥동 일대를 둘러보았기 때문이고, 그가 찾지 않았던 나머지 공간, 즉 쌍계사와 그 뒤쪽 불일폭포 근처 어딘가에 청학동이 있을 것으로 믿었던 것이 아닌가 추측된다. 그 대표적인 사례가 추강 남효온이다. 추강이 이곳을 청학동이라고 믿은 근거는 바로 이인로의 시(詩)에서 실마리를 찾은 것 같다.

자, 그럼 이인로가 청학동에 들어가며 남긴 '시(詩)'를 음미해 보자. 이 시는 〈청학동 관련 기록〉의 《파한집》(p.197), 〈청학동변증설〉(p.208), 송병선의 〈두류산기〉(p.256) 등 곳곳에서 다루고 있다.

지팡이 짚고서 청학동 찾으려 하니	장책욕심청학동 杖策欲尋靑鶴洞
숲 너머로 들리는 건 원숭이 울음뿐	격림유청백원제 隔林惟聽白猿啼
누대는 아득하고 삼신산은 저 멀리이니	누대표묘삼산원 樓臺縹渺三山遠
이끼 속에 어렴풋이 네 글자 적혀있네	태선의희사자제 苔蘚依稀四字題

1487년, 지리산 여행 중에 쌍계사 입구의 석문에 도달한 추강 남효온은 동행한 승려에게 "어디가 청학동입니까?"라고 묻는다. 그러자 승려 의문(義文)은 석문 밖의 다른 마을을 들어 "그곳이 옛날의 청학동인 듯합니다"라고 대답한다. 이에 추강은

이미수의 시구(詩句)를 읊으며 "이인로는 청학동을 석문 밖이 아니라 석문 안쪽과 쌍계사 아래(石門內雙溪寺前)라고 여긴 것이 아닐까?"라며 청학동의 위치를 추정한다.[295] 그는 이 '네 글자'가 새겨진 석문을 청학동의 입구로 받아들인 것이다. 뒤이어 불일암 아래에 있는 '청학연'의 존재를 들어 "이곳이 청학동인 것은 의심할 나위가 없다."라는 결론을 내린다.

왼쪽 바위엔 '쌍계(雙磎)'가 새겨져 있고,

'쌍계석문' 쌍계사 입구 석문. '석문 안, 쌍계사 아래(石門內雙溪寺前)'가 청학동?

오른쪽 바위엔 '석문 (石門)'이 새겨져 있다.

여기서 '네 글자'는 바로 석문에 각자(刻字) 되어 있는 '쌍계석문'을 지칭하는 것은 자명하다. 특히 이 글씨가 고운 선생의 친필로 믿고 있으니 더욱 그랬다. 따라서 청학동은 추강의 주장처럼 '석문 안쪽, 쌍계사 아래'라는 인식이 굳어진 것으로 보인다. 이런 생각은 비단 추강만이 느끼는 생각은 아니었던 것 같다. 1934년 지리산을 여행한 후창(後滄) 김택술(金澤述)이 쌍계사에서 청학루를 보고 "천여 년 전에 청학이 이미 이곳을 날아와 청학루를 짓게 되었으니 청학루가 있는 곳이 바로 청학동이다"라고 한 것도 같은 맥락이라고 본다. 이처럼 그의 뒤를 이어 이곳을 찾아온 선비들도 바로 그 '네 글자'가 희미하게 남아있는 그곳이 바로 청학동의 입구라고 이해한 것이다. 이처럼 '석문 안쪽'을 청학동으로 보는 시각은 수백 년을 면면히 이어오면서 선비들 사이에서 청학동의 위치에 대한 인식이 중첩되어 강화된 것으로 보인다.

다음은 추강 남효온의 〈지리산 일과〉의 일부이다.

> 1487년 10월 9일(을해), …진주에 속한 화개동에 이르렀다. …서쪽에서 동쪽으로 시내를 건너니 양쪽에 문같이 생긴 바위가 있었는데, '쌍계석문(雙溪石門)'이라는 네 글자가 큰 글씨로 새겨져 있었다.

295) 남효온, 〈지리산 일과〉, 《추강집》, 한국고전종합DB에서 인용

> 이 글씨는 최문창후(崔文昌侯)가 손수 쓴 것이다. 석문 1, 2리쯤 안쪽에 쌍계사가 있었다. 내가 승려에게 묻기를 "어디가 청학동입니까?"라고 하니, 승려 의문이 "석문 밖 3~4리쯤 못 가서 동쪽에 큰 동네가 있는데 그 동네 안에 '청학암(靑鶴庵)'이 있습니다. 아마도 그곳이 옛날의 청학동인 듯합니다."라는 말을 듣는다. 내 생각으로는, 이인로(李仁老)의 시(詩)에 "지팡이 짚고서 **청학동을 찾아가니**, 숲속에선 부질없는 원숭이 울음소리뿐. 누대에서 삼신산이 아득히 멀리 있고, 이끼 낀 바위에는 **네 글자가 희미하네**"라고 하였으니, 그는 석문 안 쌍계사 앞쪽을 청학동이라고 여긴 것이 아닐까? **쌍계사 위 불일암 아래에도 청학연(靑鶴淵)이란 곳이 있으니 이곳이 청학동인 것은 의심할 나위가 없다.**"

한편, 탁영은 자신의 약 보름에 걸친 지리산 여행을 회고하면서 유람기를 마무리한다. 그 내용은 다음과 같다.

> 등구사에서 이곳에 이르기까지 15일이 지났다. 지나는 곳마다 온갖 바위들이 빼어남을 다투고 많은 골짜기 물이 다투어 흘러 기뻐하고 놀랄만한 경치가 한둘이 아니었지만, **가장 마음에 드는 곳은 불일암 한 곳뿐**이었다. 또 **학에 관한 이야기를 듣고 이미수가 찾던 곳이 여기가 아닐까 의심했다**. 그러나 **계곡이 높고 가팔라서 원숭이가 아니면 다닐 수 없고, 처자식을 데리고 소를 끌고 들어오더라도 너무 좁아 용납할 곳이 없었다.** 엄천사(嚴川寺)와 단속사 같은 곳은 모두 승려들의 도량이 되었고, **청학동은 끝내 찾을 수 없으니, 어찌할거나!**[296]

여기서 느낄 수 있듯이 그는 불일암 부근은 사람들이 마을을 이루며 살기 어려운 환경임을 잘 알고 있었다. 그런데도 이곳을 청학동이라고 비정한 이유는 바로 '청학'의 존재 때문이었다는 사실이 확연히 드러났다. 앞서 소개한 것처럼 "불일암 승려의 **학에 관한 이야기를 듣고 이미수가 찾던 곳, 즉 청학동이 바로 여기가 아닐까 의심했다**."라고 했다. 결국 제3 자인 스님의 학 이야기 때문에 이곳을 청학동이라고 특정했다는 것이다. 이인로 이후, '청학'은 사실 청학동을 동정(同定)할 때 절대적인 존재였다. 그렇다면 '불일암 청학동설'을 주장한 세 분 선비들의 '청학'에 대한 인식은 어떠했을까?

먼저, 탁영은 "ⓐ**매해 늦여름에 몸은 파랗고, 이마는 붉고, 다리는 긴 새가 향로봉 소나무에 모였다가 날아 내려와 못의 물을 마시고는 곧바로 날아간다. 여기 사는 중들이 자주 보는데, 이것이 청학이다**."라고 했다. 그가 직접 청학을 본 것은 아니지만, 불일암 스님의 전언(傳言)을 매우 신뢰한 것 같다. 또, 남명 선생은 전해 들은 말인지 자신이 직접 체험한 사실인지는 알 수 없으나 "ⓑ**청학 두세 마리가 그 바위틈에 깃들어 살면서 가끔**

296) 최석기 외 옮김, 《선인들의 지리산 유람록》(5권), 〈무한한 회포를 품고 인간 세상을 내려다보니-두류기행록〉에서 인용. 탁영이 쓴 원문에서는 '16일간의 여행'이라고 되어 있으나 의 번역자들의 분석 결과, 실제로는 15일이었다고 한다. 그래서 15일로 수정했다.

날아올라 빙빙 돌기도 하고 하늘로 솟구쳤다가 내려오기도 한다.”라고 했으며, 끝으로 미수 선생도 ‘ⓒ**서남쪽 석봉에는 옛날에 학(鶴)이 사는 둥지가 있었다. 산중 노인이 전하기를 “학은 날개는 검고 정수리는 붉으며 다리는 자색이었지만 햇빛 아래서 보면 날개와 깃이 다 푸르렀다. 아침이 되면 빙 돌며 날아올라서 하늘 속으로 사라졌다가 저녁이 되면 둥지로 돌아왔는데, 지금은 오지 않은 지가 거의 백 년이 되었다.**”라고 했다.

이상에서 보듯이 세 분의 청학에 대한 기록은 조금씩 차이가 있지만 모두 청학의 외형, 생태적인 특성까지 상당히 구체적으로 언급하고 있다. 이처럼 불일암이라는 특정 장소에 ‘청학’이라는 요소가 등장함으로써 이곳을 청학동으로 동정한 것으로 보인다. 따라서 조선 시대 선비들은 이미수의 ‘시’를 통해 ‘석문 안쪽’이라는 비교적 넓은 범위의 공간에 청학동이 있을 것으로 규정하고, 또 ‘학연’과 ‘청학’이라는 핵심적인 요소를 통해 불일암을 청학동으로 동정했다.

탁영과 미수는 제3 자인 스님과 산중 노인으로부터 전해 들었다는 사실을 밝히고 있지만, 남명은 그에 대한 언급이 없다. 아무튼 남명과 미수는 청학이 이곳에 둥지를 틀고 깃들어 사는 텃새라고 보았지만, 탁영은 여름 철새라고 했다. 또, 그들이 말한 청학은 몸체의 색깔이라는 요소를 빼면 우리의 두루미와 유사해 보인다. 특히 청학이 향로봉 소나무에 모여 앉아 있기도 하고, 못에서 물을 마시거나 아침이면 둥지를 떠나 어디론가 멀리 나갔다가 저녁에 돌아오는 것으로 묘사된 것으로 보면 청학이 불일암을 중심으로 상당한 거리에서 먹이 활동을 했을 것으로 짐작된다.

중국 진(晉)나라 최표(崔豹)의 《고금주(古今注)》〈조수(鳥獸)〉에 “학이 천년 뒤에는 푸른색으로 변하고, 또 2천 년 뒤에는 흑색으로 변하는데, 이것이 이른바 현학(玄鶴)이다.”[297]라는 기록이 있다. 그렇다면 청학동(靑鶴洞)에 살고 있다는 청학(靑鶴)은 바로 천 살 된 학이라는 말이다. 그래서인지 예로부터 학은 신령스러운 존재로 알려져 왔고, 옛 그림에는 학을 그린 것이 유난히 많다. ‘두루미는 옛날부터 민간 신앙에서는 신령한 새로서 신선이 타고 날아다니거나, 혹은 신선이 변신할 수 있는 새로 흔히 알려져 있다.’[298]

특히 소나무와 함께 그린 송학도(松鶴圖)는 푸른 소나무 위에 고고한 두루미가 앉아 있는 모습인데, 고고함과 절개의 상징인 소나무와 두루미를 닮고자 하는 우리 선비들의 생각이

297) “鶴千歲則變蒼 又二千歲變黑 所謂玄鶴也”. 한국고전종합DB, 최치원(崔致遠), 《계원필경집(桂苑筆耕集)》(제16권) 〈소(疏)/여러 도관의 중수를 위해 보시하기를 청한 글〔求化修諸道觀疏〕〉의 ‘현학(玄鶴)’의 ‘각주 정보’에서 인용.

298) 나무위키, 〈두루미〉

그 안에 깃들어 있다.[299] 그래서인지 우리나라에는 민화 '송학도(松鶴圖)'가 있고, 중국 전통의 길상 문양에 '송학장춘(松鶴長春)'이 있다는 사실은 잘 알려져 있다.

그런데, 위의 ⓐ, ⓑ, ⓒ에는 오늘날 학(鶴)에 관해 우리가 알고 있는 상식과 차이가 나는 표현이 일부 등장한다. 물론 상상 속의 새인 청학과 현실의 새인 학을 비교한다는 것이 어불성설이지만, 위에서 소개한 최표(崔豹)의 《고금주(古今注)》 이야기를 좀 확대해석하여 '늙어서 청학으로 변하기 전에는 학[두루미]과 같다'라고 가정해 본다면 매우 재미있는 분석도 가능할 것 같다.

첫째, 위의 ⓐ에서 탁영은 **'학은 매년 늦여름에 나타나는 여름 철새'**라고 했고 ⓑ, ⓒ에서 남명과 미수는 **'텃새'**라고 했다. 불일암 스님(ⓐ)과 산중 노인(ⓒ)의 증언이 다른 셈인데, 누구 말이 맞을까? 잘 알다시피 우리나라에서 두루미류는 매년 10월 말경 왔다가 월동을 하고 다음 해 3월이면 서식처인 러시아와 중국의 국경지대인 아무르강 유역으로 되돌아간다. 따라서 두루미는 겨울 철새이므로 한반도에서는 여름철에는 볼 수 없는 새다. 또, 한일(韓日) 양국에서 화투장 속의 '송학'은 1월을 의미한다. 다시 말해서 우리 서민들의 정서 속에 송학은 1월, 즉 겨울의 이미지가 강하다. 따라서 우리나라에서 학은 여름 철새가 아니며, 또한 텃새도 아니다. 따라서 ⓐ, ⓑ, ⓒ 모두 잘못된 상식이다.

〈소나무와 학〉, 전조지운필송학도(傳趙之耘筆松鶴圖)–국립중앙박물관에서 인용

둘째, '이마는 붉고, **다리 긴 새가 향로봉 소나무에 모였다**.'라고 한 점이다. 위에서 보았듯이 한·중·일 동양 3국에서는 송학도가 비교적 친숙한 편이다. 소나무와 학을 함께 그리는 것이 상식이지만, 사실 두루미는 소나무를 비롯하여 나무 위에 둥지를 만들지 않는다. 다음 페이지 그림에서 보듯이 두루미는 발가락의 구조상 나뭇가지를 잡고 앉을 수가 없다. 나뭇가지를 제대로 붙잡으려면 뒷발가락, 즉 제1지가 잘 발달하여야 한다. 그러나 학은 제1지가 퇴화하였고, 게다가 약간 높이 달려있어서 나뭇가지를 잡기 어렵다. 그런데 사실은 두루미와 외형이 비슷한 새가 있다. 바로 황새인데, 황새는 나무 위에 집을 짓고 산다. 황새는 항상 두루미와 비교된다. 그러나 황새는 바깥날개깃이 모두 검고, 두루미는 셋째 날개깃만 검은색이다. 또한 두루미는 머리에, 황새는 눈가에 붉은 피부가

299) 블로그 《어이무사의 게으른 공부방》, 〈겸재정선화첩9: 일출송학도〉에서 인용

드러나 있다. 사실 두루미는 기본적으로 지면(地面)에서 생활하므로 나무 위에 올라갈 필요가 없는 새이다. 즉 '두루미류는 물가에서 물고기나 개구리 등을 먹이로 하고 있으며, 땅 위에서 한 발로 선 채 잠을 자며, 프러포즈할 때 추는 사랑의 춤도 땅에서 추며, 알을 낳고 새끼를 치는 둥지도 지상에 만든다.'[300]

단정학(두루미)과 황새의 발 모양 비교

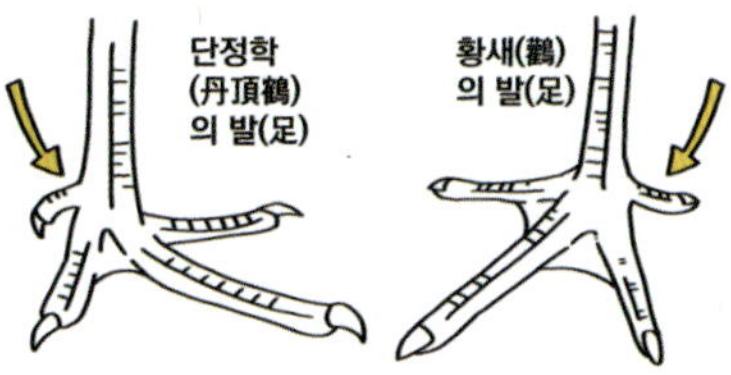

단정학은 일본 오카야마(岡山) 고라쿠엔(後樂園) 공원(2017.1.27.)에서 촬영, 황새(위키피디아에서 인용)

'단정학'의 발자국 모형

'황새'의 발자국 모형

(왼쪽) 단정학은 뒷발가락(제1지)이 퇴화하였고, 약간 높이 달려있어서 바닥에 찍히지 않는다. 앞 발가락과 같은 평면상에 있지 않아서 나뭇가지를 붙잡기 어려운 구조이다. (오른쪽) 황새는 뒷발가락(제1지)이 잘 발달한 편이고, 앞 발가락과 같은 평면상에 있어서 나뭇가지를 비교적 잘 잡을 수 있다.
(그림 제공: 일본 '고도리 페스토리(コトリペストり, 발가락 일러스트)' 및 '일본 우에노과학사(日本 上野科学社, 발자국 모형)'의 허가를 받아 실었다.

셋째, 위의 ⓑ, ⓒ에서 '깃들어 산다', '둥지가 있다'라고 했다. '청학'이 이곳에 '서식(棲息)한다'라는 말은 '한곳에 머물러 산다'라는 뜻인데, 그렇다면 번식과 육추(育雛)는 어떻게 하며, 무엇보다 가장 중요한 먹이는 무엇인지, 또, 그 먹이터는 어디이며, 먹이 활동은 어떻게 하는지 등등에 대해 궁금해하는 것은 당연하다. 참고로 두루미는 식성이 잡식성으로 수서곤충과 그 유충, 게나 가재, 새우 등 갑각류, 고둥과 민물조개와 같은 패류, 어류는 물론 논바닥의 낙곡(落穀)과 미나리도 먹는다. 번식기에는 그 활동 범위가

300) 고토리페스토리 (コトリペストリ, https://kotori-pastry.com/turu-matu-toritigai/592/)에서 인용

1~7km로 상당히 넓은 편이다. 즉, 먹이터가 상당히 넓으므로 화개는 물론 인근 악양과 산 너머 청암 묵계에서도 발견될 가능성이 있다. 따라서 만일 청학이 이곳 '불일암의 학연에서만 발견된다.'라고 하면, 이 또한 상식에 어긋난 것이라고 생각된다.

라. 악양 매계 청학동설

악양 매계(梅溪)를 청학동으로 비정한 사례는 이중환(李重煥)의 《택리지(擇里志)》를 필두로 이긍익(李肯翊)의 《연려실기술(練藜室記述)》, 김정호(金正浩의 《대동지지(大東地志》 등 모두 《지리지》에서 다루고 있다는 점이 특징이다.

그리고 매우 간략하게 기술되어 있다. 이것은 전국적인 《지리지》이므로 비교적 특정 사안에 대해서 기록할 수 있는 지면(紙面)이 좁아서일 것으로 이해는 되지만 왜 매개가 청학동인지에 관한 설명이 부족한 것이 특징이라면 특징이다. 그 내용은 다음과 같다.

(1) 《택리지(擇里志)》 속의 청학동

청담(淸潭) 이중환(李重煥, 1690~1756)은 조선 후기의 문신이자 실학자, 사상가, 철학자이다. 본관은 여주(驪州)이고, 자는 휘조(輝祖), 또 다른 호는 청화산인(青華山人)이다. 그는 영조가 즉위할 무렵부터 탄핵을 받아 몰락한 사대부로서 30년간을 전국을 돌아다니며 지리·사회·경제 등을 연구하였다.

그는 조선 전역 강토를 두루 답사했으며, 이 과정에서 당시 전국의 인심과 풍속 및 물화의 생산지, 집산지 등을 파악할 수 있었고, 이를 간략하게 기록으로 남겼다가 후에 택리지 등을 저술할 때 참고하였다. 그는 실학자인 성호(星湖) 이익(李瀷)의 문인으로 그의 학풍을 물려받아 인문학 연구에 전념하여 인문 지리학의 선구자로 활약하고, 그 학풍을 계승하여 1751년에 《택리지(擇里志)》를 저술[301]하였다. 그렇다면 앞서 소개한 《택리지(擇里志)》의 마지막 부분에서 '청학동(青鶴洞)'을 소개한 내용[302]을 정리하면,

301) 이중환, 《택리지》, 위키백과 및 《한국민족문화백과사전》에서 인용

302) 택리지 원문은 디지털 장서각에서 인용, 번역문은 《한국인의 이상향 青鶴洞》에서 인용

이중환(李重煥)의 《택리지(擇里志)》와 청학동[303)]

지리산 안에 만수동(萬壽洞)과 청학동(靑鶴洞)이 있다고 예전부터 전해 오는데, 만수동은 지금의 구품대(九品臺)이고, 청학동은 지금은 매계(梅溪)로, 근자에 비로소 인적이 조금씩 통한다.

구 전 유 만 수 동 청 학 동 만 수 즉 금 구 품 대 청 학 즉 금 매 계 야 근 시 초 통 인 적
舊傳有萬壽洞靑鶴洞 萬壽卽今九品臺 靑鶴卽今梅溪也 近始稍通人跡.

이상에서 본 것처럼 이중환은 ㉠지리산에는 예로부터 만수동과 청학동이 있었다.
㉡청학동은 지금의 매계(梅溪)이다.

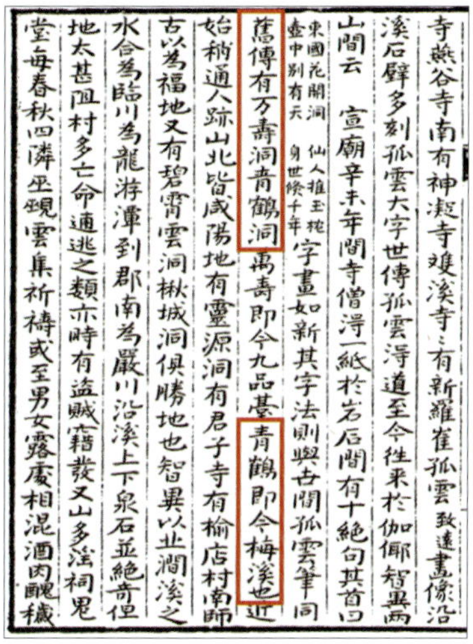
寺燕谷寺南有神凝寺雙溪寺寺有新羅崔孤雲致遠畫像沿
溪石壁多刻孤雲大字世傳孤雲得道至今往來於伽倻智異兩
山間云 宣廟辛未年間寺僧得一紙於岩石間有十絶句其首曰
東國花開洞 壺中別有天 仙人推玉枕 身世倏千年 字畫如新其字法則與孤雲筆同
舊傳有万壽洞青鶴洞万壽即今九品臺青鶴即今梅溪也近
始稍通人跡山北皆咸陽地有靈源洞有君子寺有楡店村南師
古以為福地又有碧霄雲洞楸城洞俱勝地也智異以北澗溪之
水合為臨川為龍游潭到郡南為嚴川沿溪上下泉石並絶奇但
地太甚阻村多亡命逋逃之類亦時有盜賊竊發又山多淫祠鬼
堂每春秋四隣巫覡雲集祈禱或至男女露處相混酒肉醜穢

《택리지》〈매개 청학동설〉
(한국학중앙연구원의 디지털장서각 인용)

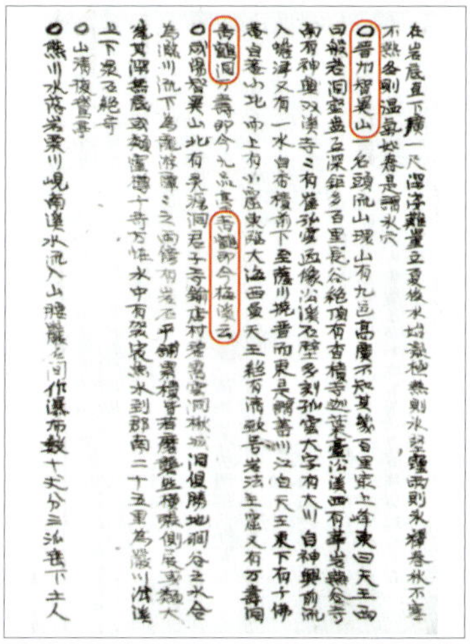

《연려별집(燃藜別集)》(16)〈지리전고(地里典故)
-매개 청학동설〉(규장각도서관 인용)

(2) 《연려실기술(燃藜室記述)》 속의 청학동

연려실(燃藜室) 이긍익(李肯翊, 1736~1806)은 조선 후기의 실학자다. 자는 장경(長卿), 호는 완산(完山) 또는 연려실(燃藜室)이며, 한성부 출생이다. 본관은 전주(全州)이며, 조선의 제2대 임금인 정종 이경의 서자 덕천군 이후생[德泉君]의 후손이다. 어려서 서예가이며, 현대 한국학의 시조로 알려진 아버지 이광사(李匡師)에게 수학하여 학문과 글씨가 뛰어났으며, 실학을 제창하고 고증학자로서도 유명하였다. 《연려실기술(練藜室記述)》은 이긍익이 평생에 걸쳐 저술한 역사서이다.

303) 원문은 디지털 장서각에서 인용, 번역문은 《한국인의 이상향 靑鶴洞》에서 인용

이긍익이 실증적 역사서인《연려실기술》을 서술할 수 있었던 것은 그의 역사에 관한 관심 때문이었다. 이긍익은 출세를 포기하고 초야에 머물면서 어릴 적 13살 때 꾸었던 "꿈"에 관한 생각을 놓지 않았다. 왕이 자신에게 시를 짓게 하였고, 완성하지 못한 시의 구절을 왕이 "임금 모시는 학사의 꽃이 부럽지 않네"로 완성해 주었다는 내용이었다.

그 꿈 이야기를 들은 아버지 이광사는 어전에서 붓을 가질 징조라고 하면서 역사를 편찬하는 사관이 될 꿈이라고 해몽하였다. 훗날 이긍익 스스로 "어릴 적 꿈이 현실로 이루어져《연려실기술》을 편집하게 되었다"라고 말했다.[304] 전 50권에 이르는 방대한 저술인《연려실기술》은 그의 평생의 저작이라 할 수 있다.

이 책은 원집(原集), 속집(續集), 별집(別集)의 세 편으로 되어 있는데, 원집은 총 33권으로, 조선 태조 때부터 18대 왕 현종 때에 이르기까지 일어난 일들을 왕조별 · 사건별로 수록하고, 각 왕조 기사의 끝에는 그 왕조의 상신(相臣)·문형(文衡)·명신(名臣)의 전기를 쓰고 있다. 속집은 총 7권으로, 제19대 왕인 숙종의 재위 47년 동안[1674~1720]에 있었던 일들을 원집의 형식대로 수록하고 있다.

별집은 총 19권으로, 조선 시대의 관직을 비롯하여 전례(典禮) · 문예(文藝) · 천문 · 지리 · 변위(邊圍) · 역대 고전 등으로 편목(篇目)을 나누어 연혁(沿革)을 수록하였고, 인용 서명을 부기하고 있다. 원집 · 속집은 정치편이라 볼 수 있고, 별집은 문화편이라고 볼 수 있다.

《연려실기술 별집》(제16권)의 〈지리전고(地理典故)〉에는 도성, 궁궐, 주군(州郡), 산천, 온천 등이 서술되었다. 그중 네 번째 〈산천의 형성〉 조에 소개된 '진주지리산(晋州智異山)'에서 청학동을 소개한다. 그럼 그는 이 책에서 청학동을 어떻게 묘사하고 있을까?

이긍익(李肯翊)의《연려실기술(燃藜室記述)》과 청학동[305]

진주지리산(晋州智異山) 만수동 · 청학동이 있는데 만수동은 지금의 구품대(九品臺)이고, 청학동은 지금은 매계(梅溪)[306]라 한다.

우 유 만 수 동 청 학 동 만 수 즉 금 구 품 대 청 학 즉 금 매 계 운

晋州智異山 又有萬壽洞靑鶴洞 萬壽 則今九品臺 靑鶴 則今梅溪云

304) 〈연려실기술-조선 시대 야사의 집대성〉,《우리 역사 넷-교과서 속 우리 역사》에서 인용

305) 원문과 번역문은 한국고전종합DB-《연려실기술(燃藜室記述) 별집(別集)》(제16권-지리전고(地理典故)-산천의 형승(形勝)-○진주 지리산에서 인용

306) 원문에는 "해계(海溪)"로 되어 있으나 이는 오기라고 판단하여 "매계(梅溪)"로 수정했다.

燃藜室記述 別集 卷之十六 地理典故（山川形勝） 695

號巖法主窟. 又有萬壽洞青鶴洞. 萬壽. 即今九品臺. 青鶴. 即今梅溪云.

《연려실기술 별집제16권》 지리전고-산천의 형성-진주 지리산 원문 이미지(한국고전종합DB 인용)

이상에서 본 것처럼 이긍익은 ㉠ 지리산에는 만수동과 청학동이 있었다.
㉡ 청학동은 지금의 매계(梅溪)이다.

(3)《대동지지(大東地志)》 속의 청학동

《대동지지(大東地志)》는 고산자(古山子) 김정호(金正浩)가 조선 후기에 펴낸 지리서이다. 《대동지지》는 《동여도지(東輿圖志)》를 근간으로 삼고, 《여도비지(輿圖備志)》를 참고하여 이를 보완한 지지(地志)이다. 책의 분량은 《동여도지》가 22책, 《여도비지》가 20책인데, 《대동지지》는 15책으로 다소 그 분량이 줄어들었다. 1862년부터 1866년까지 편찬하였으리라고 여겨진다. 이 《대동지지》에서는 청학동을 어떻게 소개하고 있을까?

김정호(金正浩)의 《대동지지(大東地志)》와 청학동[307)]

지리산(智異山) ○청학동(青鶴洞)은 지금은 매계(梅溪)라고 일컫는다. 동쪽으로 진주와 147리 떨어져 있다. ○악양동(岳陽洞)은 산수가 매우 아름답다.

지리산 청학동 금칭매계 동거진주일백사십칠리 악양동 산수심가
智異山○青鶴洞 今稱梅溪 東距晋州一百四十七里 ○岳陽洞 山水甚佳

김정호의 《대동지지》에서도 청학동은 앞서 두 책과 같이 아주 간단하게 소개하고 있다.

이상에서 본 것처럼 김정호는 ㉠ 청학동은 지금의 매계(梅溪)이다.
㉡ 청학동에서 동쪽으로 147리에 진주(晋州)가 있다.

자, 그렇다면 '매계 청학동설'을 담고 있는 《택리지(擇里志)》, 《연려실기술(練藜室記述)》, 《대동지지(大東地志》에서 청학동(青鶴洞)에 관한 서술(敍述)을 비교해 보자.

307) 원문과 번역문은 《대동지지 3 경상도》 (제3권 경상도 23읍 12 하동도호부 산수), 경인문화사에서 인용. 원문은 p.66~67에 있고, 번역은 p.292~293에 있다.

○ 택리지(擇里志)	유만수동청학동 만수즉금구품대 청학즉금매계야 有萬壽洞青鶴洞 萬壽則今九品臺 青鶴則今梅溪也
○ 연려실기술(燃藜室記述)	유만수동청학동 만수즉금구품대 청학즉금매계운 有萬壽洞青鶴洞 萬壽則今九品臺 青鶴則今梅溪云
○ 대동지지(大東地志)	청학동금칭매계 동거진주일백사십칠리 青鶴洞今稱梅溪 東距晋州一百四十七里

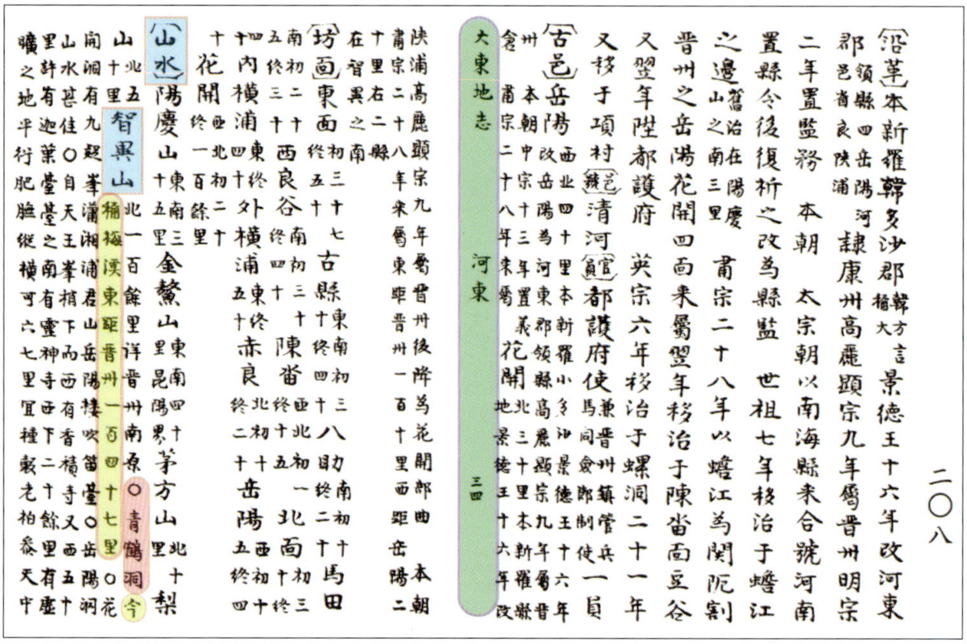

《대동지지》〈지리산-매개 청학동〉(한국고전종합DB 인용)

이상을 종합해 보면, 첫째, '매개 청학동설'의 가장 큰 특징은 모두《지리지》에서 주장하고 있다는 점이다. 둘째, 모두 '지금[今 혹은 今稱]'이라는 용어를 쓰고 있다.

《택리지》이후《대동지지》가 집필되기까지는 1세기 정도의 시차가 있다. 그런데도 한결같이 '지금(今)'이라는 단어를 채용하고 있었다. 필자는 이 '지금(今)'이라는 어휘에 주목한다. 이것은 '먼저 편찬된《택리지》의 표현을 나중에 편찬한《지리지》의 저자들이 참고한 것이 아닌가?'라고 생각되는 한편, '지금까지는 주로 쌍계사 뒤 불일암 근처를 청학동이라고 비정한 사람이 많았는데, 그것은 과거의 흘러간 이야기이고, 지금부터는 매계가 바로 청학동이다'라는 강조의 의미로 쓰인 것일 수도 있겠다는 생각도 들었다.

그렇다면《택리지(擇里志)》,《연려실기술(練藜室記述)》,《대동지지(大東地志)》와 같은 책에서 주장한 '매계 청학동설'은 그 후 조선 시대 선비사회에 얼마나 많은 영향을 주었을까?

《택리지》가 편찬된 1751년을 전 · 후해서 지리산을 여행한 선비들이 많다. 그러나 그 무렵, 청학동을 유람한 많은 선비 중에서 〈악양 매계(梅溪) 청학동설〉을 믿고 찾아간 기록은 거의 찾아볼 수 없다. **택리지 등 각종 지리지에서 "지금은 매계가 청학동입니다! 그곳이 아니랍니다!"라고 강조했건만, 그 이후에도 많은 선비는 여전히 그 이전의 탁영 김일손, 남명 조식, 미수 허목 등과 같이 쌍계사 뒤쪽에 있는 불일암 근처를 청학동이라고 생각하고 찾아가고 있었던 것이다.**[308)]

이것은 무엇을 말하고 있는가? **18세기 중엽 이후 《택리지(擇里志)》나 《연려실기술(練藜室記 述)》, 《대동지지(大東地志)》와 같은 지리지에서 〈악양 매계 청학동설〉을 일관되게 주장했지만 "조선 시대 말기 선비사회에서조차 〈악양 매계 청학동설〉에 대한 소구력(訴求力, appealing power)은 별로 없었다."**라고 말할 수밖에 없다.

이런 관점에서 보면, '청학동 이상향의 공간적인 변이'를 논설한 글[309)]도 있으나 《택리지(擇里志)》, 《연려실기술(練藜室記述)》, 《대동지지(大東地志)》에서 **'매개 청학동설'을 주장한 이후, 과연 청학동에 대한 세간의 인식이 '화개 불일암 부근'에서 '악양 매계'로 변이가 일어난 것인지에 대해서는 여전히 의문이 남는다.**

따라서 **'매계 청학동설'은 단지 하나의 '설(說)'이었을 뿐이었고, "'완전한 다른 개체로 변했다'라고 할 수 있을 정도로 변이(變異)가 일어난 것도 아니었고, '바뀌고 변했다'라고 할 수 있는 變移(변이)가 일어난 것도 아니었다"**라는 느낌을 지울 수가 없다.

그것은 '탁영 김일손, 남명 조식, 미수 허목 등과 같이 여전히 유학계에 영향력 있는 인사들의 청학동 비정에 대한 신뢰성이 여전히 높았다'라고 볼 수도 있고, 그런 한편 각종 지리지에서 전하는 기록이 너무나 단순하여 '이곳이 왜 청학동이라고 불리는지, 얼마나 신비스럽고 이상향적인 청학동인지 그 매력을 부각하는 데 실패했기 때문이 아닌가'라는 생각이 든다. 이 이야기는 다음으로 이어진다.

셋째, 기존의 '불일암 청학동설' 등과 달리 '매개 청학동설'에서는 청학동의 지형적 · 지리적 특성을 전혀 언급하고 있지 않다. 이미 살펴보았듯이 고려 시대 이인로 이래로 상징되던 청학동다운 지형적, 지리적 특징에 관한 소개가 전혀 없다. 이것은

---

308) 1720년 4월 남계(南溪) 신명구(申命耉, 1666~1742)의 〈유두류속록(遊頭流續錄)〉, 1727년 9월 춘주(春洲) 김도수(金道洙, 1699~1733)의 〈남유기(南遊記)〉, 1743년 4월 명암(明庵) 정식(鄭植)의 〈청학동록(青鶴洞錄)〉, 1748년 4월 이주대(李柱大)의 〈유두류산록(遊頭流山錄)〉, 1807년 3~4월 남주헌(南周獻)의 〈지리산행기(智異山行記)〉, 1807년 3~4월 사농와(士農窩) 하익범(河益範)의 〈유두류록(遊頭流錄)〉, 1808년 8월 괴천(槐泉) 류문룡(柳汶龍)의 〈유쌍계기(遊雙溪記)〉 등. 이상은 《한국인의 이상향 青鶴洞》을 참고하여 작성.

309) 최원석, 〈한국 이상향의 성격과 공간적 특징-청학동을 사례로-〉, 《지리산과 이상향》, 도서출판 선인, 2016.

이들 책이 특정 지역을 여행하고 쓴 글이 아니라 전국적인 지리지 혹은 역사서이다 보니 '청학동'이라는 한 주제를 상세히 기록할 수 없었을 것이라는 그 한계점은 인정하지만, "지리산에 청학동이라는 곳이 있는데, 그곳이 어디냐 하면 '지리산 남쪽 악양현의 매계'입니다"라는 식으로 단순한 나열, 내지는 전달에 그치고 말았다. "저자가 직접 이곳을 방문해서 이런저런 정황을 보니 이곳 매개라는 곳이 고려 시대 이인로가 《파한집》에서 소개한 청학동의 모습과 이러이러한 점이 유사하다든지, 혹은 중국의 무릉도원과 이런 점이 유사하니 여기가 바로 청학동이다."라는 식의 체험적이고 사실적인 기록이 아니었다.

바로 이런 점이 〈악양 매개 청학동설〉의 약점이 아니었을까? 따라서 조선 시대 후기에도 여전히 지리산 유람의 주요 고객들인 조선의 선비들, 특히 경상우도의 선비사회에 '매계 청학동설'의 이미지를 강렬하게 심어주지 못한 것으로 보인다. 이런 점은 1474년에 지리산을 여행한 점필재(佔畢齋) 김종직(金宗直)이 천왕봉을 오른 다음, 하산하는 길에 세석평전 근처에서 멀리 지리산 골짝 골짝을 내려다보면서, "저쪽이 여수요, 저쪽이 백운산이요, 이쪽이 화개동과 신흥동입니다. 그리고 저쪽이 악양인데 그 북쪽에 청학사가 있으니 그곳이 청학동입니다."라고 말한 등산 가이드 해공 스님의 설명을 듣고, 그 일대를 청학동이라고 비정하여 기록으로 남긴 것과 같은 맥락이라는 점을 지적하지 않을 수 없다.

넷째, 《택리지(擇里志)》보다 시대적으로 후대에 쓰인 《연려실기술(練藜室記述)》 이나 《대동지지(大東地志)》는 청학동을 기술(記述)할 때 《택리지》를 참고했을 가능성이 있다. 그것은 이미 위에서 보았듯이 〈악양 매계 청학동설〉을 주장하는 문장이 《택리지》와 너무나 유사하기 때문이다. 《연려실기술》의 저자 이긍익은 《택리지》가 편찬된 1751년에 불과 16살의 소년이었다. 1755년 그의 나이 20세 때, 그의 아버지 이광사(李匡師)가 '나주괘서사건'[310]에 연루되어 함경도로 유배 간다. 그 후 집안이 붕당 간 권력다툼에 희생되어 정치적 진출이나 사회활동에 어려움이 있자, 그는 과거를 포기하고 평생을 야인으로 생활하였다. 따라서 《연려실기술(燃藜室記述)》은 그의 나이 20세 이후에 쓴 것으로 보이는데, 당시에 《택리지》는 출판된 지 얼마 안 된 상당히 주목받는 신간(新刊)이었을 것으로 보인다.

310) 나주괘서사건(羅州掛書事件)은 1755년(영조 31) 소론(少論) 일파가 노론을 제거할 목적으로 일으킨 역모 사건. 조선 영조 31년(1755)에 소론파인 윤지(尹志)가 나주 객사에 붙인 벽서와 관련하여 일어난 역모 사건. 나주벽서사건(羅州壁書事件), 을해옥사(乙亥獄事), 윤지의 난(尹志-亂)이라고도 한다. 이 사건의 여파로 이광사는 백부 이진유(李眞儒)가 처벌을 당할 때 이에 연좌되어 함경북도 부령(富寧)으로 유배(51세)되었다. 사건 당시 이광사가 옥중에서 사사되었다는 소문이 돌아, 이 소식을 들은 부인 문화 류씨가 자살하는 비극적인 일이 일어난다. 이후 부령에서 재지의 문인에게 글과 글씨를 가르쳐 선동한다는 죄목으로 전라남도 신지도(薪智島)(전라남도 완도군 신지면 금곡리)로 이배(58세) 되었으며 그곳에서 일생을 마쳤다(이상은 위키백과, 한국민족문화대백과사전에서 인용, 작성).

또, 대동지지의 참고 문헌을 보면 《여지승람(輿地勝覽)》(노사신, 서거정 등), 《택리지》[이중환 찬], 《연려전고(燃藜典故)》[이긍익 편], 《연려기술(燃藜記述)》[이긍익 편], 《연암외집(燕巖外集)》(박지원 저), 《서포만필(西浦漫筆)》(김만중 저) 등 65권의 국내외 인용서목(引用書目)이 등장하고 있는 것으로 보아 《택리지(擇里志)》보다 후대에 쓰인 《연려실기술(練藜室記述)》이나 《대동지지(大東地志)》의 집필에 《택리지》를 참고하여 그대로 옮겨쓴 것이 아닌가 생각된다.

다섯째, 1611년에 이행(李荇) 등에 의해 편찬된 《신증동국여지승람(新增東國輿地勝覽)》(30권)) 경상도(慶尙道) 진주목(晉州牧) 산천(山川) 조(條)에서 "청학동은 지리산 중에 있고 진주에서 서쪽으로 147리 떨어져 있다"라고 했다. 이와 같은 기술(記述)은 1656년에 유형원(柳馨遠)에 의해 편찬된 《동국여지지(東國輿地志)》(4권, 하) 경상도 진주목 〈산천 조(條)〉, 1760년 홍문관(弘文館)에서 편찬한 《여지도서(輿地圖書)》, 1894년에 편찬된 오횡묵(吳宖默)의 《여재촬요(輿載撮要)》(7권)에서도 똑같다. 다음 표를 참고하기를 바란다.

<table>
<tr><td>○신증동국여지승람(1611, 진주 편)</td><td rowspan="4">청학동 지리산 산중에 있다. 진주에서 서쪽으로 147리 떨어진 곳에 있다.(靑鶴洞 在智異山中 距州西一百四十七里).</td></tr>
<tr><td>○동국여지지(1656년, 진주 편)</td></tr>
<tr><td>○여지도서(1760년, 진주 편)</td></tr>
<tr><td>○여재촬요(1894년, 진주 편)</td></tr>
<tr><td>○대동지지(1866년, 하동 편)</td><td>청학동 지금은 매계라고 일컫는다. 동쪽으로 147리에 진주가 있다.(靑鶴洞 今稱梅溪 東距晋州西一百四十七里).</td></tr>
</table>

청학동은 진주목 소속이고 "진주에서 서쪽으로 147리"라고만 하고 있을 뿐 청학동의 위치를 특정하고 있지 않았다. 그러나 1866년 김정호가 편찬한 《대동지지(大東地志)》(9권)의 경상도(慶尙道) 하동(河東) 편에서만 "지금은 매계[今稱梅溪]라고 일컫는다. 동쪽으로 147리애 진주가 있다"라고 거리와 함께 지역까지 특정했다.

참고로 '악양현과 화개현은 오랜 세월 진주목(晉州牧)의 속현(屬縣)이었다. 중종 13년(1518)에는 백성들이 관곡 수납에 어려움이 많다 하여 악양에 의창을 설치했을 때도 그랬고, 남명 선생이 〈유두류록〉을 집필하던 당시에도 그랬다. 그 후 1702년(숙종 28)에 비로소 악양현은 화개, 진답, 적량과 함께 하동으로 이속(移屬)되었다.'[311]

311) 《증보 하동군지(增補 河東郡誌)(1972)》에서 인용.

여섯째, 《연려실기술(燃藜室記述)》 별집에서만 청학동을 '해계(海溪)'라고 했는데 이는 '매계(梅溪)'의 오기(誤記)가 아닌가 생각한다. 왜냐하면 다른 책에서는 모두 매계(梅溪)라고 했기 때문이다. 또, 악양면, 화개면의 자연마을 명에 '해계'라는 지명은 없다.[312] 따라서 청학동을 '해계'라고 한 것은 '매계(梅溪)'의 오기(誤記)라고 본다.

다만, 한국고전종합DB에서 제공하는 《연려실기술 별집》(16권) 〈지리전고-산천의 형승(形勝)〉 조(條)에 제시된 '원문 이미지'가 판본이 아니다. 2025년 2월 14일, 규장각 디지털 자료실에서 《연려실기술 별집》(16권) 〈지리전고〉 판본을 확인한 결과, '매계(梅溪)'임을 확인했다.

마. 후창(後滄) 김택술(金澤述)의 화개 덕평 청학동설

후창 선생을 배향한 〈창동서원〉 전북 정읍시 이평면 창동리
(사진: 2013 정읍시 공식 블로그 단이와 풍이-'정읍 여행'에서 인용)

김택술(金澤述, 1884~1954)의 자(字)는 종현(鍾賢), 호는 후창(後滄)으로 일제강점기에 전라북도 부안(扶安)에서 활동한 근대 유학자인데 간재(艮齋) 전우(田愚)의 수제자이다. 일제의

312) 《증보(增補) 하동군지(河東郡誌)》의 〈행정구역(行政區域)〉 조(條)에서 확인.

통치를 거부해 감시대상이었으며, 후학 교육에 힘썼다. 《후창집(後滄集)》을 저술했다.

1910년 일제에 의해 강점된 뒤로 망국의 한을 품어오던 중, 1915년 일제의 상사금(賞賜金)을 질척(叱斥: 꾸짖으며 물리침)했고, 또 큰아들을 일본인의 학교에 입학시키라는 강요를 단호히 뿌리쳤다. 항상 복수, 설욕의 일념으로 왜적을 타도할 기회를 엿본다는 뜻으로 불망실(不忘室)을 건립해 일생의 고절(高節)을 수립하고, 후학의 교육에 힘썼다. 그는 도학과 문장이 전우의 수재로서 일시의 사표로 칭송되었다.[313]

김택술은 1934년 3월 19일에서 4월 7일까지 지리산을 유람하고 〈두류산유록(頭流山遊錄)〉을 남겼다. 그야말로 근대에 나온 청학동설인 셈이다. 그는 여기서 "혹자는 세석평이나 덕평(德坪) 등지를 청학동이라 한다."라고 서술했다. 그 구체적인 내용을 살펴보자.

후창 김택술(金澤述)의 〈두류산유록(頭流山遊錄)〉과 청학동[314]

초3일 시내를 따라 내려와 세이암(洗耳巖)에 이르렀다. 최고운이 노닐던 곳이라고 한다. 수석이 매우 기이하였고 제명(題名)이 아주 많았다. 다음 시를 지었다.

초삼일 연계이하 지세이암 운시고운유지 수석심기 다유제명 유시왈
初三日 沿溪而下 至洗耳巖 云是孤雲遊地 水石甚奇 多有題名 有詩曰

고인이 귀를 씻었다는 바로 그곳	고인세득이근여 高人洗得耳根餘
속세인의 공명심은 씻어지지 않네	속자명심세미제 俗子名心洗未除
최고운이 노닐던 곳이라고 하던데	운시고운유상지 云是孤雲遊賞地
바위에 어지러이 이름만 새겨 있네	각제석면분분여 刻題石面紛紛如

여기서부터 20리를 가서 쌍계사로 들어갔다. 쌍계사는 두 개의 시내가 합류하는 안쪽에 있어서 이런 이름을 얻은 것이리라. 골짜기 입구의 좌우 석벽에는 '쌍계(雙溪)'와 '석문(石門)'이라는 네 글자가 나뉘어 새겨져 있다. 최고운이 쇠지팡이로 바위에 썼다고 전하는데 과연 그러하지는 않을 것이다. 쌍계사는 중찰(中刹)일 뿐인데도 전각이 매우 화려하다. 문루에는 '청학루(青鶴樓)' 세 글자가 걸려 있다. 최고운이 이곳에서 거문고를 연주하고 생황을 불면 청학이 날아와 왔기 때문에 후인들이 '청학루'라 이름했다고

313) 《한국민족문화백과사전》에서 인용.

314) 원문과 번역문은 《선인들의 지리산 유람록 6》에서 인용.

전한다. 걸려 있는 시에 차운하였다.

自此行二十里 入雙溪寺 寺在雙溪合流之內 故得是名歟 洞口左右石壁分刻雙溪石門四字 傳謂孤雲以鐵杖書石 是果然否 寺僅爲中刹 而殿閣則甚華麗門樓揭靑鶴樓三字 傳謂孤雲彈琴吹笙於此 靑鶴飛來 故後人因以名樓 乃次板上韻題詩曰

청학을 맞이하려 청학루를 세우니　　爲迎靑鶴起樓臺
물 외의 선인들이 얼마나 찾아왔나!　　物外仙人幾度來
선인도 청학도 가버린 천년 뒤엔　　仙去鶴歸千年後
늙은이가 여기서 서성일 줄 어찌 알았으랴　　豈知滄老此徘徊

세상에는 지리산 속에 청학동이 있다고 전한다. 십승(十勝) 중 하나이고 만 명이 먹고살 수 있으며, 삼재(三災)도 들지 않는다고 한다. 높은 꼭대기나 깊은 골짜기까지 샅샅이 찾아보고서, 혹자는 세석평이나 덕평 등지를 청학동이라 한다. 그러나 거의 알 수 없다. 친여 년 전에 청학이 이미 이곳에 날아와 청학루를 짓게 되었으니, 청학루가 있는 곳이 바로 청학동이다. 대개 화개 시장 위쪽에서부터 벽소령(碧霄嶺) 밑에 이르기까지 위아래 거리가 45리이다. 산이 높고 골짜기가 깊으며 북쪽을 등진 남향이고 풍기가 온화하며 토질이 비옥하고 물이 풍부하여 곡식과 과실이 모두 넉넉하고 연초(煙草)가 많이 생산된다. 온 지리산 중에서 최적의 낙지(樂地)라 일컬을 만하다. 만 명이 살만하고 삼재도 들지 않으니 이곳이 어찌 청학동이 아니겠는가.

世稱智異山中 有靑鶴洞 爲十勝之一 萬人可活 三災不入 窮搜探覓 於絶頂邃谷或以細石 德坪等之 當之 然殊不知 千餘年前 靑鶴早已來此之作靑鶴之樓 樓之所在旣爲靑鶴洞也 蓋自花開市以上 至碧霄嶺低 上下四十五里 山高谷深 背北向南風氣溫和 土沃水豊 穀果俱備 烟草多産 可謂一山中最樂地 萬人可活 三災不入豈非此耶

이율곡(李栗谷)이 두류산으로 들어가는 사람을 전송하며 준 시에서 "그대는 지금 청학동 속 사람"이라 하였으니, 또 한 이 골짜기를 가리킨다. 그 당시 어찌 세석평이나 덕평 등지와 같이 인적이 닿지도 않는 그런 궁벽하고 위험한 곳을 가리켜 청학동이라 했겠는가.

栗谷送人頭流山中詩[315]云 "君今靑鶴洞中人" 亦指此洞也 當時 豈指窮荒絶險 人跡不到 若細石德坪等處而云云乎

이상에서 본 것처럼 후창(後滄) 김택술(金澤述)은 "혹자는 세석평이나 덕평 등지를 청학동이라 한다."라고 〈화개 덕평 청학동설〉을 언급하고 있으나 뒤이어 반전이 일어난다. 즉, 그는 "그러나 거의 알 수 없다."라고 한 것이다.

그는 특히, "화개 시장 위쪽에서부터 벽소령(碧霄嶺) 밑에 이르는 골짜기를 온 지리산 중에서 최적의 낙지이니 이곳이 어찌 청학동이 아니겠는가?"라고 되묻는다. 따라서 **후창(後滄)은 세간에 퍼진 '덕평 청학동설'을 부정하고 오히려 화개 시장에서부터 벽소령까지 화개골 전체를 청학동이라고 보고 있다.** 그의 청학동설의 특징은 다음과 같다.

㉠ 쌍계사에는 천여 년 전에 이미 청학이 날아와 청학루를 짓게 되었으니, 청학루가 있는 이곳이 바로 청학동이다.
㉡ 화개골은 화개시장에서부터 벽소령까지 45리로 산이 높고 골짜기가 깊고 삼재도 들지 않는 지리산 최낙지이다.
㉢ 화개골은 남향이라 기후가 온화하고, 토질이 비옥하고, 물이 풍부하여 곡식과 과실이 풍성하다.

바. 세석평전 청학동설

(1) 연재(淵齋) 송병선(宋秉璿) 선생의 청학동설

송병선(宋秉璿, 1836~1905) 선생의 본관은 은진(恩津), 자는 화옥(華玉), 호는 연재(淵齋) · 동방일사(東方一士)이다. 대전시 회덕(懷德) 출신으로 우암(尤庵) 송시열(宋時烈) 선생의 9세손이다. 큰아버지인 송달수에게서 성리학과 예학을 배웠다.

315) 《율곡 선생 전서(栗谷 先生 全書)》(제1권) 〈시 상(詩 上)〉 〈송이가겸증유두류산(送李可謙贈遊頭流山) 1557년 정사년(丁巳)〉에 소개된 시는 다음과 같다. "두류산 풍악(楓嶽)은 가히 진(眞)을 찾을 만한데(頭流楓嶽可尋眞) 누구라 이 경내(境內)를 벗어나 마진(馬塵)에서 헤매는고(誰脫區寰沒馬塵) 내가 일찍이 백운대에서 놀았는데(我昔白雲臺上客) 그대는 지금 청학동 속의 사람이구나(君今靑鶴洞中人) 읊조리며 채찍질하여 나그넷길이 천리(千里)요(吟鞭驛路春千里) 미투리 신고 산계(山溪)에 드니 달이 둥글도다(蠟屐山磎月一輪) 연하(煙霞)를 수습함이 몇 번이던고(收拾煙霞知幾許) 비단 주머니에 이로부터 청신(淸新)한 시(詩)가 찼더라(錦囊從此貯淸新)"(원문과 번역문은 《증보 하동군지》 〈산세(山勢)〉 편 〈지리산(智異山)〉 조(條)에서 인용했다. 번역문을 제공해 주신 고산 김삼주 선생께 감사드린다.)

1905년 11월 일제가 무력으로 위협하여 을사조약(乙巳條約)을 강제로 체결하고 국권을 박탈하자 두 차례의 '청토흉적소(請討凶賊疏)'를 올렸다. 그러나 이에 대한 비답(批答)[316]이 없자 상경하여 고종을 알현하고 을사오적을 처형할 것, 현량(賢良)을 뽑아 쓸 것, 기강을 세울 것 등의 십조봉사(十條封事)를 올렸다.

그해 음력 12월 30일 국권을 강탈당한 데 대한 통분으로, 황제와 국민과 유생들에게 유서를 남겨 놓고 세 차례에 걸쳐 다량의 독약을 마시고 자결하였다. 유서에서 을사오적 처형, 을사늑약 파기, 의(義)로써 궐기하여 국권을 회복할 것을 호소하였다.

연재 송병선 선생 영정
(《한국민족문화대백과사전》 인용)

그런 올곧은 선비 송병선은 1879년 8월 1일부터 9일까지 지리산을 여행하고 〈두류산기(頭流山記)〉를 남겼다.[317] 그는 청학동으로 알려진 세석평(細石坪)을 보고 싶어서 8월 2일 신흥사(神興寺) 옛터로 갔다. 여기서 그는 이 고을 선비 한정리(韓廷履)를 만나 불일암(佛日庵)과 학연(鶴淵), 그리고 매년 6월이면 향로봉(香爐峯)에서 날아드는 청학(青鶴)에 관한 이야기를 듣는다. 뒤이어 신흥사 옛터에서 최고운(崔孤雲)의 글씨로 알려진 '삼신동(三神洞)', '세이암(洗耳巖)'이라는 각자(刻字)를 둘러보고 세석평으로 가기 위해 '단천(丹川)'[318]으로 들어가 가파르고 험난한 단천령(丹川嶺)을 엉금엉금 기어오른다.

드디어 그 정상에서 기이하고 장엄한 석문을 만나 환호한다.[從者驚喜 狂叫高唱]. 여기서부터 남부능선을 따라 올라가다가 외세석(外細石)에 도착하여 바위 아래서 노숙을 한다. 그리고 다음 날 새벽, 발아래 펼쳐진 수많은 봉우리와 골짜기가 겹겹이 굴곡져 마치 파도가 출렁이는듯한 지리산 굽이 굽이의 장엄한 장관을 내려다보며 감동을 맛본다.

뒤이어 내세석(內細石)에서 부너진 집터를 둘러보면서, "그 터가 넓어 수천 호가 살만하다"라는 결론을 내린다. 무엇보다 이곳에 관방을 설치한다면 국가에 변고가 있을

316) '비답(批答)'은 조선 시대 관원과 일반 백성, 중앙과 지방의 아문이 국왕에게 올린 상소(上疏) 등 문서에 대한 하답을 통칭하는 개념으로 사용되기도 한다. 그러나 실제로는 국왕에게 올린 문서에 대해 국왕이 직접 처결하는 형식의 하답은 비답(批答)과 판부(判付)가 있다(한국민족문화대백과사전).

317) 송병선, 〈무수한 봉우리들이 섬처럼 찬란하게 보였다〉, 《선인들의 지리산 유람록 5》에서 인용

318) 《증보 하동군지(增補 河東郡誌)》 화개면(花開面)-자연부락(自然部落)-구동명(舊洞名)에서 인용

때 진(秦)나라의 함곡관(函谷關)[319]보다도 더 훌륭한 요새가 될 것이라는 견해도 밝힌다. 또 바위에 '학동임(鶴洞任)'이라는 각자를 보고서 "이는 아마도 기괴한 일을 좋아하는 요즘 사람의 짓인듯하다.[此以近世好詭者之事矣]."라고 일축(一蹴)하고, '연수(延壽)'라는 우물과 축대 뒤편에 우뚝 솟아있는 촛대봉 바위에 새겨진 율시(律詩) 한 수(首)를 발견한다.

또 그 옆에 '낙운거사이청련서(落雲居士李青蓮書)'라는 여덟 글자를 보고 "사람들의 말에 의하면 미수(眉叟) 이인로(李仁老)의 옛 자취라고 한다.[人言李眉叟古迹也]."라는 글을 남긴다. 뒤이어 그는 그가 체험한 내세석(內細石)의 풍광을 소개하면 다음과 같다.

연재 송병선(宋秉璿)의 〈두류산기(頭流山記)〉와 청학동[320]

새벽에 일어나 아래를 굽어보니 수많은 봉우리와 골짜기가 겹겹이 굴곡져 마치 파도가 출렁거리는 듯 하여 마음과 눈을 즐겁게 했다. 조금 더 들어가 내세석(內細石)으로 가자 산기슭이 성첩(城堞)처럼 둘러싸고 있는데 바깥쪽은 험하고 안쪽은 평탄하였다. 삼단으로 축대가 쌓여 있었고 그 터가 수천 호가 살만하였다. 예전에 수십 가구가 살았는데 관에 의해 집이 헐리고 쫓겨났다고 한다. 이곳에 관방(關防)을 설치한다면 국가에 변고가 있을 때 대비가 될 터이니 진(秦)나라 함곡관(函谷關)도 여기보다 낫지 않을 것이다. 〈중략〉

효기부시 천봉만학 인순고하 약해도기복 역쾌심목 전입내세석 산록환여성첩
曉起俯視 千峯萬壑 嶙峋高下 若海濤起伏 亦快心目 轉入內細石 山麓環如城堞
외험내이 유대삼층 광가거루천호 상유수십인가 자관훼출운 차지약설관방
外險內夷 有臺三層 廣可居屢千戶 嘗有數十人家 自官毀出云 此地若設關防
당위국가완급지비 이진관백이 불필과차의 중략
當爲國家緩急之備 而秦關百二 不必過此矣 <中略>

맨 위쪽 축대 위의 왼편에 와암(臥巖)이 있었다. 여기에 단면을 만들어 '학동임(鶴洞任)'이라는 세 글자를 새겨 놓았는데 이는 아마도 기괴한 일을 좋아하는 요즘 사람의 짓인듯하다. 아래에 작은 연못이 만들어져 있고, 다시 몇 걸음 내려가자 '연수(延壽)'라 이름한 우물이 있었다. 축대 뒤편에 촉봉(燭峯)이 우뚝 솟아 있었다. 바위에 다음과 같은 율시 한 수(首)가 새겨져 있었다.

319) 춘추전국시대, 진나라 수도였던 함양(咸陽)을 방어하는 최후의 보루였다. 연합군이 몇 번씩이나 구성되어 진나라를 침공했을 때 번번이 함곡관에서 공세가 저지되는 경우가 많았다. 따라서 전국시대 진나라로서는 생명줄이었지만 타 국가들에게는 통곡의 벽으로 기능했다. 북쪽은 황허, 남쪽은 효산으로 되어 있어 중간의 길이 마차 한 대 지나갈 정도밖에 안 되어 천하제일험관(天下第一險關)으로 불렸으며 진나라가 중원으로 진출하는 데 교두보 역할을 했다(나무위키에서 인용).

320) 원문과 번역문은 《선인들의 지리산 유람록 5》에서 인용.

上臺左有臥巖 作崖面 刻鶴洞任三字 此似近世好詭者之事矣 低築小池 又下幾步 有井曰延壽 臺後燭峯聳出 巖面刻一律詩曰

두류산 골짜기에 저녁 구름 낮게 깔리니 頭流山洞暮雲低
천만 봉우리와 골짜기 회계산 같네 萬壑千巖似會稽
지팡이 짚고서 청학동 찾으려 하나 杖策慾尋青鶴洞
숲속엔 부질없이 산짐승 울음만 들리네 隔林空聽白猿啼
누대에선 삼신산 가까이 다가오고 樓臺縹緲三山近
이끼 낀 바위에는 네 글자가 희미하네 笞蘇依稀四字題
묻노니 무릉도원 어디에 있느뇨 試問仙源何處是
시냇물에 흘러가는 꽃잎이 사람을 미혹시키네 落花流水使人迷

그 옆에 '낙운거사이청련서'라는 여덟 글자가 있었다. 사람들의 말에 의하면 이미수[李仁老]의 옛 자취라고 한다. 대개 이 산에 청학동이 있다고 하는데 탁영의 〈두류기행록〉에 '쌍계사에서 동쪽으로 몇 리를 가자, 넓고 평평하여 농사짓고 살만한 곳이 나왔다. 세상에서는 이곳을 청학동이라고 한다.'라고 하였다. 남명 조식도 이곳에 대해 이렇게 말하였다. 내가 산 아래 사는 사람에게 물어보니 이곳은 아마도 불일암 부근인듯한데 암벽과 골짜기가 험준하고 깊어 사람이 거처하기 어렵다고 하였다.

傍有落雲居士李青蓮書八字 人言李眉叟古跡也 蓋此山有青鶴洞云 而濯纓遊記曰 雙溪東數里 得一洞府 寬平可耕 世以爲青鶴洞 南冥稱之亦如此 余問諸山下人 此似佛日近地 而巖谷峻深難爲人居

어떤 이는 세석평전을 청학동이라고 한다. 그러나 산의 절정에 자리하고 있어 산성을 축조하기 위한 것이 아니라면, 절을 짓기에나 합당한 곳이다. 일찍이 악양은 토양이 비옥하고 넓고 평탄하여 이 산 가운데 가장 살만한 곳이라는 말을 들었다. 지금 살펴보건대 세석평전의 한 줄기는 정기가 모여 남쪽으로 1백 리 가까이 달려가 악양에 이르고 멈추었으며 둘러싸고 있는 형국은 백운산을 마주 보고 섬진강을 두르고 있다. 이미수가 청학동이라 한 곳이 이곳이 아니라고 어찌 장담할 수 있겠는가?

且或以細石坪青鶴洞 然在山絶頂 若非爲山城 亦可合一緇場也 曾聞岳陽土厚平廣 最爲茲山内可居之地也 今見細石一支 會精聚氣 南馳近百里 至岳陽而止 環抱成局 對白雲山 襟蟾津江 李眉叟所稱者 安知不在此歟

이상에서 보듯이 연재(淵齋) 송병선(宋秉선)은 "어떤 이는 세석평전을 청학동이라고 한다."라고 전할 뿐이다. 그는 <세석평전 청학동설>에 의문을 가지고 오히려 지리산 자락에서 가장 사람 살기 가장 좋은 고장으로 알려진 '악양'이야말로 "고려 시대부터 이미수[이인로]가 찾던 청학동이 아닐까?"라면서 여행기를 마친다. 그의 청학동설의 특징을 정리해 보자.

㉠ 내세석(內細石)은 산기슭이 성 위에 낮게 쌓은 담[성첩, 城堞]처럼 둘러싸여 있고, 삼단으로 축대가 쌓여 있는 안쪽은 평탄하여 수천 호가 살만한 터가 있다.
㉡ 축대 위의 와암(臥巖)에 '학동임(鶴洞任)'이라는 각자가 있으나 이는 기괴한 일을 좋아하는 요즘 사람의 짓일 것이다.
㉢ 축대 뒤 우뚝 솟은 촉봉(燭峯)에 '청학동'을 찾는 율시 한 수(首)가 새겨져 있는데, 이것은 고려 시대 청학동을 찾아 나섰던 이미수(李眉叟)의 자취라 전해진다.
㉣ 내세석을 청학동이라고 하는 설이 있으나, 이곳은 산성을 축조하거나 절을 짓기에나 합당한 곳으로, 이곳에 관방을 설치하면 진나라 함곡관보다 더 견고할 것이다.
㉤ 탁영 김일손과 남명 조식은 불일암 근처를 청학동이라 하였으나 이곳은 암벽과 골짜기가 험준하고 깊어서 사람이 거처하기는 어려운 곳이다.
㉥ 악양은 토양이 비옥하고 넓고 평탄하여 지리산에서 사람이 가장 살만한 고장이다. 백운산을 마주하고 섬진강이 두르고 있으니 이곳이야말로 이미수가 찾던 청학동이 아닐까?

(2) 율계(栗溪) 정기(鄭琦) 선생의 청학동설

정기(鄭琦, 1878~1950) 선생은 19세기 말에서 20세기 초까지, 경남 합천과 전남 구례를 중심으로 강학한 유학자이다. 자는 경회(景晦)이고, 호는 율계(栗溪)이다. 본관은 서산(瑞山)이고, 경상남도 합천(陜川) 율진(栗津) 출신이다. 1899년(광무 3)에 노백헌(老柏軒) 정재규(鄭載圭)의 문하에서 성리학을 수학하였다.

1905년(27살) 을사늑약이 체결되면서 국력이 쇠잔해지기 시작하였다. 정재규는 정기와 함께 일본에 대항하고자 계략을 세우고 노성(魯城, 현 논산)의 궐리사(闕里祠)로 가서 최익현(면암, 1833~1906)을 만났다. 뒤에 최익현은 정기에게 글을 띄워 송병선(연재, 1836~1905)과 곽종석이 있는 곳으로 달려가 나라를 붙들도록 독려하였다. 그래서 정기가 눈보라를 무릅쓰고 달려가 조정에 상소하려고 하였으나 스승 정재규의 만류로 그만두었다. 그러나 정기는 황준헌의 《조선책략》 사건에 항거하다 참형 당한 홍재학(여지, 1848~1881)과 일제의 세력 확장에 대해 반박, 성토하다 사형당한 백낙관(추강,

1846~1883)과 같은 열사들과 뜻을 함께하지 못한 것을 늘 한스러워하였다.[321]

1914년에 합천 무산(武山)에 정사(精舍)를 짓고 학문에 몰두하였으며, 제자들에게 학규십조(學規十條)[322]를 지어 훈계하였다. 1921년에 만주(滿州)와 간도(間島)를 세 차례나 왕복하면서 빼앗긴 국권 회복에 힘썼으나 왜세(倭勢)가 더욱 거세어지자 뜻을 잃고 가슴 아파하며 금강산(金剛山), 두류산(頭流山) 등을 주유(周遊)하면서 망국의 한을 달랬다. 1927년에 '다섯 성씨 여섯 집안[五姓 六家][323])'을 거느리고 전남 구례군(求禮郡) 토지면(土旨面) 덕천(德川)으로 이사하여 오원재(五爰齋)와 덕천정(德川亭)을 짓고 강학당(講學堂)으로 삼아 후진을 양성하였다.[324] 그의 덕을 기리기 위해서 1967년에 덕천정 후정(後庭)에 덕천사(德川祠)를 건립하여 배향하였다.

그는 1934년 8월 17일부터 24일까지 지리산을 유람하고 〈유방장산기(遊方丈山記)〉를 남겼다. 이때는 구례에서 강학할 시기였다. 그래서인지 구례에서 노고단으로 올라가서 반야봉, 명선봉과 벽소령을 거쳐 세석평전으로 올라간다. 세석평전에서 화개동으로 내려가 신흥사, 칠불사, 쌍계사를 거쳐 구례로 돌아간다.[325]

최원석의 〈한국 이상향의 성격과 공간적 특징-청학동을 사례로-〉라는 논문과 이를 인용한 문찬인의 《한국인의 이상향 청학동(青鶴洞)》에 의하면 그 역시 '내세석(內細石) 청학동설'을 소개한 것으로 분류하고 있다. 그의 여행기를 따라가 보자.

---

321) 문수현, 〈정기(鄭琦)의 시 세계〉, 《배달말》(57)

322) 학규십조(學規十條)는 1916년 병진(丙辰)에 정기(鄭琦) 선생이 지었다. 그 내용을 살펴보면, 제1조(一曰) 定趨向(정추향), 제2조(二曰) 收放心(수방심), 제3조(三曰) 立課程(입과정), 제4조(四曰) 謹言行(근언행), 제5조(五曰) 勵名節(여명절), 제6조(六曰) 愼服餙(신복희), 제7조(七曰) 寡慾(과욕), 제8조(八曰) 省過失(성과실), 제9조(九曰) 闢異敎(벽이교), 제10조(十曰) 擇朋友(택붕우)(이상은 호남국학종합 DB, 《율계집(栗溪集)》에서 인용)

323) 오성 육가(五姓六家) 또는 '오호 육가'라 하기도 한다. 이들은 정기와 그의 아늘 성하종(鄭河鍾), 김기추-김문옥(金琪錘-金文鈺) 부자, 주기인-주우석(周基仁-周禹錫) 부자, 김봉운-김규태(金琫運-金奎泰) 부자, 정현복(鄭鉉輻)과 그의 부친 정태규(鄭泰圭), 정현복의 생부 정민규(鄭敏圭)가 그들이다. 모두 30여 명이었다. 같이 이거한 사람들은 몇 년 후 고향으로 돌아가거나 다른 지방으로 이사(김문옥은 화순으로, 정현복은 진주로)하여 흩어졌는데, 김규태는 구례 토지면 오미리에서 정기와 끝까지 함께하였다. 서예가 유당 정현복(惟堂 鄭鉉輻, 1909~1973)은 율계의 제자이다(이상은 문수현, 〈정기(鄭琦)의 시 세계〉, 《배달말》(57)에서 인용).

324) 김규태(金奎泰) 지음, 박완식 옮김, 《고당집(顧堂集)》(2권), 구례문화원, 〈율계 정선생에게 올림[上栗溪鄭先生]〉의 인용문에서 인용.

325) 정기, 〈천기를 즐긴 우리가 바로 신선〉, 《선인들의 지리산 유람록 6》에서 인용.

덕천정(후원에 덕천사가 있다)

덕천사(덕천정 뒤쪽에 있다)

율계 정기(鄭琦)의 〈유방장산기(遊方丈山記)〉와 청학동[326]

벽소령으로부터 30리를 가는데 기암과 수석은 어제 본 것처럼 장관이었다. 서로 앞서거니 뒤서거니 신선대(神仙臺)에 올라 멀리 조망해 보니 천왕봉(天王峯) 정상이 가까웠다. 그러나 일행이 모두 피곤하여 더는 올라갈 수 없어서 하산하여 세석평전(細石坪田)의 초막(草幕)에 유숙하였다.

자벽령삼십리 기암수석 여작일관자 상상하등신선대 조망광원 천왕봉박재정상
自碧嶺三十里 奇巖秀石 如昨日觀者 相上下登神仙臺 眺望曠遠 天王峯迫在頂上
일행개인뇌부득행 하숙
一行皆因惱不得行 下宿

세석평전은 매우 광활하여 농사를 짓고 집을 지을만 했다. 그러나 지대가 매우 높은데다 추워서 거주할 수는 없었다. 세석평전 입구 바위에 '청학동이라 새겨져 있는데 이는 틀림없이 호사가가 한 짓일 것이다. 한 바퀴 둘러보니 점치는 터라는 표식이 세워져 있거나, 혹 묵은 밭을 일궈 모종을 파종했는데 모종이 말라 죽어 있었다. 말세의 풍속은 허위를 자라게 하고 인심은 미신을 숭상하는 것이 한결같이 이런 지경에 이르렀다. 이에 내가 시 한 수를 지어 그 점을 분변하며 일행들에게 화답하게 하였다.

세석평초막 평심광벽 가전가가 연극고한불감거 평구암면유각왈청학동
細石坪草幕 坪甚廣闢 可田可家 然極高寒不堪居 坪口巖面有刻曰靑鶴洞
시필호사자소위 일조순시 혹점지식표 혹기치파앙 이앙즉고의 말속지자위
是必好事者所爲 一遭巡視 或占址植標 或起菑播秧 而秧則枯矣 末俗之滋僞
인심지미신 일하지차위부일률이변지 사제공화지
人心之迷信 一何至此爲賦一律以辯之 使諸公和之

326) 원문과 번역문은 《선인들의 지리산 유람록 6》에서 인용

율계(栗溪) 정기(鄭琦) 선생은 '내세석 청학동설'에 대해 회의적이었다. 즉 그는 세석평전은 너무 지대가 높고 추워서 사람이 살기 어려운 곳인 만큼 내세석 청학동설을 부정하고 있다. 정기의 세석평전 청학동설의 특징은 다음과 같다.

> ㉠ 세석평전 입구 바위에 '청학동'이라 새겨져 있는데 이는 호사가가 한 짓으로 보았다.
> ㉡ 세석평전은 매우 광활하여 집을 지을 수 있으나 지대가 매우 높고 추워서 거주할 수는 없다.
> ㉢ 세석평전에는 밭을 일굴 토지는 넓지만 파종한 모종이 말라 죽은 것을 보니 농사짓기에도 부적절한 곳이다.
> ㉣ 세석평전에는 미신을 숭상하는 점치는 터가 있다. 이는 말세의 풍속이다.

(3) 위당(韋堂) 정덕영(鄭德永) 선생의 청학동설

정덕영(鄭德永, 1885~1956) 선생의 자는 직부(直夫), 호는 위당(韋堂)이며 본관은 연일(延日)이다. 조부 때부터 살아온 덕산 석남촌(石南村)에서 태어났으나 그의 선대는 진주 대평(大坪)에 살았다. 어려서부터 총명하였고 부모의 가르침을 어김없이 따랐다. 하제(河濟) 남경락(南經洛)·직암(直庵) 박원종(朴遠鐘) 등과 교유하였다. 학행(學行)으로 인근 고을까지 이름이 알려졌으며 특히 예학(禮學)에 밝았다. 예학(禮學)에 관한 제 학설과 자신의 의론(議論)을 모아 《예의문답(禮疑問答)》이라는 책으로 간행하기도 하였다. 문집으로 《위당유고(韋堂遺藁)》 3권이 전한다. 권1에는 시(詩), 권2에는 서(書), 권3에는 제문(祭文) 및 잡저(雜著) 등이 있다.

진주시 대평면에 있는 고산정(孤山亭)은 그의 선대인 조선 중기의 학자 학포(學圃) 정훤(鄭暄, 1588~1647) 선생이 숨어 지내며 남은 삶을 보내던 곳이다. 학포 공(公)은 광해군의 포악한 정치에 휩쓸리기 싫어서 이곳에 내려와 44세 때인 1631년에 정자를 짓고 고산정이라 불렀다. 현재 고산정은 포은 정몽주 선생과 학포 정훤 공을 향사(享祀)하는 곳이다. 건물은 앞면 4칸, 옆면 2칸의 규모로 지붕은 옆면에서 볼 때 여덟 팔(八)자 모양인 팔작지붕이며, 앞뒤에 툇간(退間)을 두었고 좌우 양쪽에 대청을 두고, 뒤를 제외한 정면과 좌우 3면에 계자난간(鷄子欄干)을 둘렀다.

위당 일행의 지리산 유람은 1940년 8월 27일부터 시작하여 9월 7일까지, 10박 11일간의 장정이었다. 8월 27일, 위당의 거주지인 남사(南沙)[327]에 멀리 성주에서 찾아온

327) 《선인들의 지리산 유람록 6》에 소개된 위당 정덕영 선생의 〈방장산유행기〉, 〈하늘을 부여잡고 세상을 내려다 보다〉에는 유람의 출발점을 '집'이라고 했지만 '집'이 어딘지 명확하지 않았다. 다만 9월 4일자 여행 기록에 '사곡에서 온

이기원을 맞으면서부터 여행 기록은 시작된다. 이기원은 한주 이진상 선생의 손자인데, 그와는 그 전해 가을에 방장산을 함께 구경하기로 약속한 사이였다. 다음날 일행과 함께 수곡의 사곡(士谷)으로 가서 회봉 하겸진 선생을 문후드리는 등으로 소일하며 1박을 한다. 29일, 위당은 사곡에서 비로소 이기원의 방장산 유람팀에 합류하기로 뒤늦은 결정을 한다. 그 이유는 가을일이 임박한 농사철이었기 때문이었다. 9월 2일에 사곡에서 출발한 일행과 칠정(七亭) 객점에서 만나기로 약속하고, 행구(行具)를 갖추기 위해 일단 귀가하였으나 비가 내리는 바람에 하루 늦은 9월 3일 출발하여, 칠정, 입덕문(入德門), 산천재(山天齋)를 지나 곡점에서 일행과 합류한다. 모두 21명이 내대, 거림을 통해 세석평전으로 올라가서 천왕봉, 법계사, 순두류, 중산리를 거치며 지리산 유람을 했다.[328] 그 유람기가 〈방장산유행기(方丈山遊行記)〉인데, 여기서 위당은 "**세속에서 이른바 청학동이란 것이 바로 이 세석평전이다.**"라는 기록을 남긴다. 그의 여행기를 따라가 보자.

고산정 전경. 고산정은 진주시 대평면 대평리 430번지에 있다(사진: 고산정 회장 온산(蘊山) 정옥영(鄭玉永) 동방한학연구원 이사장 제공).

사람이 13명, 남사에서 온 사람이 5명이며, ……' 등으로 미루어 위당의 집을 '남사'로 추측할 뿐이었다. 그런데 고산정의 회장인 온산 정옥영 영일정씨 포은공파종약원 부이사장이 1940년 당시 위당이 살던 곳이 '남사'마을 이었다는 사실을 확인해 주었다. 온산 선생님께 감사드린다.

328) 정덕영, 〈하늘을 부여잡고 세상을 내려다 보다〉, 《선인들의 지리산 유람록 6》에서 인용.

위당 정덕영(鄭德永)의 〈방장산유행기(方丈山遊行記)〉와 청학동[329)]

날이 밝아오자 곧바로 일어나 일행들에게 빨리 밥을 먹고 길을 나서게 했는데, 이날이 5일(신사)이었다. 아침을 먹은 뒤 세석평전을 향해 산에 올라갔다. 봉우리들이 깎아지른 듯 서 있고, 하늘에 솟구친 바위가 우뚝우뚝하였다. 한 걸음 한 걸음 내딛기가 매우 어려워 물고기를 한 줄로 꿰어놓은 것처럼 한 줄로 기어 올라갔다. 정상에 이르니 산등성이가 칼날처럼 솟아 겨우 길 하나만 통하며 높고 험준하였다. 그리고 소나무 · 잣나무 · 상수리나무 등이 빽빽하게 우거져 있고 쓰러져 썩어 있기도 하였다.

일욕서즉기 사지속반발행 즉오일신사야 식후향세석평등산
日欲曙卽起 使之速飯發行 卽五日辛巳也 食後向細石坪登山
봉령삭립 참천참암건산 보보난등 여관어양 지정상 산척여검립 재통일로
峯嶺削立 參天嶄岩蹇嵼 步步難登 如貫魚樣 至頂上 山陟如劍立 纔通一路
기구증준 이송백상월 울밀전부
崎嶇嶒峻 而松栢橡樾 鬱密顚腐

몇 리쯤 더 가니 바위 두 개가 좌우로 깎아지른 듯 서 있었다. 문과 빗장같이 생겼는데 높이는 수 길이나 되고 폭은 수레가 지나갈 수 있을 정도였다. 이것은 세석평전의 석문이었다. 석문으로 들어가 바위 위에서 잠시 쉬는데 도토리 줍는 여자 두 명이 내려왔다. 이들은 세석평전의 산막에 사는 사람인데 점점 산 아래로 내려와 있었다. 세석평전은 과연 산 위에 들판이 남쪽을 향해 펼쳐져 있는데 상중하 세 층이며 모두 평범하게 자연스럽게 저절로 만들어진 형국이었다. 주위 둘레가 30~40리나 될 만하였다.

지기허리 쌍석삭립좌우 약문경 이고가수장 광가이용차륜 차위세석석문야
至幾許里 雙石削立左右 若門扃 而高可數丈 廣可以容車輪 此爲細石石門也
입문잠게우암석상 유습상여자이인하래 차기세석평초막인야 점지산하
入門暫憩于岩石上 有拾橡女子二人下來 此其細石坪草幕人也 漸至山下
과유산상평야향남개장 상중하삼층이개평포자작국 주회가위삼사십리운이
果有山上平野向南開張 上中下三層而皆平鋪自作局 周回可爲三四十里云耳

대개 이 세석평전은 반야봉이 서쪽에서 동쪽으로 몇 리를 치달려 산봉우리와 산줄기가 험준한데 이곳 세석평전에 이르러 머리를 세워 기운을 축적하고 거슬러 북쪽으로 30리를 올라가 천왕봉을 만든 것이다. 그러므로 이처럼 크게 펼쳐지게 된 것이다. **동쪽 천왕봉과 서쪽 반야봉은 사람이 양쪽 어깨에서 팔을 펼친 것과 같고 솟은 산줄기는 새가 두 날개를 펼쳐 날아오르려 하는 것과 같다.** 그러므로 **세속에서 이른바 청학동이란 것이 바로 이 세석평전이다.**

329) 원문과 번역문은 《선인들의 지리산 유람록 6》에서 인용.

개차평 반야봉자서동치수리 봉척험준 지차기두축기 역행북상삼십리
蓋此坪 般若峯自西東馳數里 峯脊險峻 至此起頭畜氣 逆行北上三十里
작천왕봉자야 고여시대개장동서양봉 여인지량견이전비 용산용자
作天王峰者也 故如是大開張東西兩峰 如人之兩肩而展臂 聳山龍者
여오지장익욕비자야 고언소위청학동시세석평야
如烏之張翼欲飛者也 故諺所謂靑嶋洞是細石坪也

술인(術人)과 은사(隱士)들이 많이 왕래하며 집을 지었지만 끝내 거주할 수 없었다. 산이 높고 날씨가 추워 곡식이 익지 않으니 어떻게 오래도록 거주할 수 있겠는가? 예전에는 나무도 없고 띠 풀만 무성했는데, 섬 오랑캐들이 와서부터 '대학림'이라 부르며 나무를 심고 숲을 길렀다. 그러나 기후가 매우 추워 곡식이 많이 자랄 수 없고 화전을 금지하였기 때문에 산 사람들이 거주할 수 없게 되었다고 한다. 저 섬 오랑캐들의 가혹한 정치가 어찌 이렇게 빡빡하단 말인가.

술인은사다왕래작가 이종부득거야 산고천한 오곡불숙 기하이구주야 전자무수목
術人隱士多往來作家 而終不得居也 山高天寒 五穀不熟 其何以久住耶 前者無樹木
이지유모자총옹 자도이래칭이대학림 종목양림 연이기후지한혹 불능다장
而只有茅茨蔥蓊 自島夷來稱而大學林 種木養林 然以氣候之寒酷 不能多長
금지화전 고산인부득거운의 피이지가정 하약시밀밀야
禁止火田 故山人不得居云矣 彼夷之苛政 何若是密密也

이상에서 보았듯이 위당(韋堂) 정덕영(鄭德永) 선생은 "동쪽 천왕봉과 서쪽 반야봉은 사람이 양쪽 어깨에서 팔을 펼친 것과 같고, 솟은 산줄기는 새가 두 날개를 펼쳐 날아오르려 하는 것과 같으므로 세속에서 이른바 청학동이 바로 이 세석평전이다."라는 '내세석 청학동설'을 지지한다. 정덕영의 세석평전 청학동설의 특징을 정리해 보면 다음과 같다.

㉠ 세석평전 입구에는 수레가 지나갈 정도로 넓고 높은 석문(石門)이 있다.
㉡ 세석평전은 산 위에 들판이 남쪽을 향해 펼쳐져 있는데 상중하 세 층이며, 둘레가 30~40리나 된다.
㉢ 세석평전에는 술인(術人)과 은사(隱士)들이 많이 왕래하며 집을 지었지만 끝내 거주할 수 없었다.
㉣ 세석평전은 산이 높고 날씨가 추워 나무도 없고 띠 풀만 무성했으며, 곡식이 익지 않는다.

19~20세기에 지리산을 유람한 송병선(宋秉璿) ・정기(鄭琦)・정덕영(鄭德永)은 각자의 지리산 유람기를 통해 〈세석평전 청학동설〉을 전하고는 있다. 이 세 사람의 〈세석평전 청학동설〉을 종합해 보면 그 특징은 다음과 같다.

㉠ 세석평전은 매우 광활하여 수천 호가 살만한 터가 있다(송병선, 정기, 정덕영).
㉡ 세석평전은 지대가 매우 높고 추워서 사람이 거주하기 어렵다(송병선, 정기, 정덕영)
㉢ 세석평전에는 밭을 일굴 토지는 넓지만 농사짓기에도 부적절하다(정기, 정덕영)
㉣ 세석평전은 산성을 축조하거나 절을 짓기에나 합당하며, 이곳에 관방을 설치하면 진나라

함곡관보다 더 견고할 것이다(송병선).
ⓜ 탁영 김일손과 남명 조식은 불일암 근처를 청학동이라 하였으나 이곳은 암벽과 골짜기가 험준하고 깊어서 사람이 거처하기는 어려운 곳이다(송병선).
ⓑ 악양은 토양이 비옥하고 넓고 평탄하여 지리산에서 사람이 가장 살만한 고장으로 이곳이야말로 이미수가 찾던 청학동이 아닌가 생각한다(송병선).

19~20세기에 지리산을 여행한 선비들은 "세석평전은 이상향 청학동이 될 만한 지형적인 특성은 충족하고 있으나, 지대가 너무 높고 기온이 너무 낮아 농사짓기에도 부적절하며, 따라서 사람이 오래 살 만한 곳이라고 하기 어렵다."라는 결론을 내리고 있다.

따라서 , '세석평전 청학동설'은 앞서 소개한 '덕평 청학동설'과 함께 "이상향 청학동"의 논의에서 크게 주목받지 못한 것으로 보인다.

사. 수당(修堂) 정종엽(鄭鍾燁) 선생의 〈묵계 청학동설〉

수당 정종엽 선생 (디지털 진안문화대전에서 인용)

수당 선생 추모비. 진안군 마령면 계남리 내산사(萊山祠)와 도장각((道長閣) 입구에 있다.

정종엽(鄭鍾燁 1885~1940)의 자는 택신(宅新), 호는 수당(修堂)이며, 본관은 동래(東來)이다. 진안군 마령면 계남리에서 태어나 남원 호동(壺洞)에서 살았다. 간재(艮齋) 전우(田愚), 송사(松沙) 기우만(奇宇萬)과 교유하였다. 28세 때에는 이석용과 항일 우국 결사

조직인 '임자동밀맹단(壬子冬密盟團)'에 가입하여 활동하였다. 이석용이 일본 경찰에 붙잡히자 정종엽은 일본 경찰을 피하여 수시로 개명하고 정처 없이 옮겨 다녔다. 말년에는 마령면 계남리 도장각(道長閣)[330] 에서 후진을 양성하였다.

2003년 8월 15일에 우국충정과 항일 운동 업적이 인정되어 보훈처에서 건국 포장을 수상하였다. 현재 1957년 유림회에서 세운 내산사(萊山祠)에 향사(享祀)되어 있다. 저술로는 《수당유고(修堂遺稿)》가 있다.[331]

수당 정종엽은 1909년 1월 28일부터 2월 8일까지 애국지사 습재(習齋) 최제학(崔濟學)과 함께 남원 삼구정(三求亭)을 출발하여 숙성치와 산동, 구례를 거쳐 화개, 쌍계사, 불일암, 묵계 학동, 묵계 삼거리(三街), 회남령, 악양, 화개, 구례, 곡성까지 여행하면서 《유두류록(遊頭流錄)》을 남긴다. 그는 묵계 청학동과 회남령에 관한 최초의 기록을 남긴다. 이 내용은 본서 〈제3부〉에서 좀 더 자세하게 다루므로 여기서는 한문 원문을 생략한다.

정종엽(鄭鐘燁)의 〈유두류록(遊頭流錄)〉과 청학동[332]

천하의 명산이 하나만은 아니지만, 동해의 삼신산(三神山)이 가장 신령하니 남쪽의 두류산이 그 가운데 하나이다. 두류산의 명승에 대해 귀가 따갑도록 들었지만 찾아볼 여가가 없었다.

융희 연간 3년 기유년(己酉年, 1909) 1월 어느 날, 습재(習齋) 최제학(崔濟學) 형과 더불어 용성(龍城)의 호동(壺洞)에 머물면서 세도(世道)의 침체를 탄식하고 시사(時事)의 대변(大變)을 근심했다. 근심과 분노 때문에 초래된 것으로, 자취를 감출 곳을 정하려 했다. 내가 이르기를 "방장산은 신선이 머무는 곳일 뿐만 아니라 그 가운데 청학동이

330) '도장각(道長閣)'은 전라북도 진안군 마령면 계서리 344-1에 있다. 향토문화유산 제16호이다. 이곳은 원래 수당(修堂) 정종엽(鄭鍾燁) 선생이 근방의 학동들을 모아 글을 가르치던 강당으로, 1932년 건립되었다. 정면 3칸, 측면 3칸 팔작지붕 기와집으로, 앞쪽은 툇마루로 이어져 있다. 정면에는 '도장각'이라 쓰인 현판이 걸려 있고, 옆면 벽에는 수당 선생의 〈도장각기(道長閣記)〉와 정동휘(鄭東暉)의 〈내산사기(萊山祠記)〉 편액이 나란히 걸려 있다. 현재 도장각은 내산사의 부속 건물 중 하나이다. 내산사는 일제강점기 유학자이자 애국지사인 수당 선생의 공적을 기리고 충절을 추모하기 위해 1957년 유림회에서 세운 사당이다. 동래 정씨 문중 선산 기슭에 자리하고 있으며, 2003년 현충 시설로 지정되어 수당 선생의 직계 손자인 정상렴 씨가 관리하고 있다. 수당 선생은 2003년 건국포장이 추서되었다(이상은 《한국학중앙연구원 디지털인문학연구소》에서 인용).

331) 정종엽, 《향토문화전자대전》 및 〈유두류록〉, 《선인들의 지리산 유람록 6》에서 인용, 작성

332) 번역문은 《선인들의 지리산 유람록 6》을 인용하고, 전북 진안문화원에서 편찬한 《국역 수당집》을 참고했다.

깊으면서도 널찍하여 예로부터 피세(避世)의 땅이라 전해오니, 시험 삼아 진경을 찾아가 묵은 빚을 갚을 수 있다면 어떻겠습니까?"라고 하고서 같이 가기로 약속했다.

1월 28일(정묘 丁卯)에 길을 나섰다. 〈중략〉

1월 30일. 일찌감치 새벽밥을 먹고 서둘러 출발했다. 화개동(花開洞)에 이르러 일두(一蠹) 선생이 지은 "'바람에 이리저리 물결치는 부들(風蒲獵獵[333])'이라는 시구(詩句)"를 떠올렸다. 당시 강학하던 정자가 날개를 펼칠 듯한 모습이 어제의 일만 같아 우러러 사모하고 풍모를 그리워하면서 감개무량했다. 〈중략〉 시내를 따라 동쪽으로 10리쯤 골짜기로 들어가니 도솔동천(兜率洞天)에 청결한 법계가 열려 있었다. '쌍계석문(雙溪石門)'이라는 네 개의 큰 글자는 최고운의 필적이다. 자획이 가늘면서도 굳세며 빼어나고 예스러워 보면 볼수록 더욱 기이했다. 석문으로 들어가자 사찰의 금벽이 눈길을 빼앗았다. 청학루(靑鶴樓)에 올라 시 한 수를 읊고 난 후, 절 뒤쪽으로 난 길을 따라갔다. 벼랑을 타고 암벽에 붙어 조금씩 더디게 나아가며 걸음마다 쉬었다. 겨우 험하고 거친 돌길을 지나가자 여러 아름드리 되는 고목이 눈앞에 쓰러져 있었다. 어떤 사람은 옷을 걷어 올려 그 위를 넘어갔고 어떤 사람은 갓을 벗고 그 아래로 빠져나갔다.

나무다리를 건너고 폭포와 웅덩이를 내려다보면서 **불일암(佛日庵) 옛터에 이르렀다. 이곳이 바로 선현들이 말한 청학동(靑鶴洞)**이다. 남쪽에는 향로봉(香爐峯)이 있고 서쪽에는 청학봉(靑鶴峰)이 있는데 천길 높이에서 떨어지는 폭포가 그 앞으로 쏟아지니 정말 기이하고 오묘한 절경이었다. **하지만 땅이 평지가 아니므로 아마도 천 가구의**

---

333) 《지리산유람록 6》의 번역자 주에 따르면 "이 시는 일두 정여창이 동문인 탁영(濯纓) 김일손(金馹孫)과 더불어 지리산을 유람하고 난 뒤에 그 감회를 읊은 것"이라고 했다. 그래서 한국고전번역원 한국고전종합DB에서 찾아보니, 《일두선생유집(一蠹先生遺集)》(제1권) 시(詩)의 맨 처음에 이 시가 등장한다. 시제(詩題)는 〈岳陽(악양)〉이다. 그 시의 전문은 "물 위 부들 잎은 바람 따라 흔들리고(風蒲泛泛弄輕柔) 4월 화개 땅엔 보리가 다 익었네(四月花開麥已秋) 두류산 천만 봉을 두루 다 돌아보고(看盡頭流千萬疊) 외로운 배 또 섬진강 강물 따라 내려가네(孤舟又下大江流)"였다(이상의 본문과 번역문은 한국고전번역원 한국고전종합DB에서 인용). 그런데 이 글에서 수당(修堂) 정종엽(鄭鐘燁)은 "일두(一蠹)의 시구에서 風蒲燁獵이라는 시구를 떠 올렸다."라고 했으나 위에서 보았듯이 일두의 시에서는 실제로 '風蒲泛泛'이었다. 이에 대해 한국고전번역원 한국고전종합DB의 번역자는 주석에서 "중국 송(宋)나라 때 문장가 소식(蘇軾)과 친분이 깊었던 참료자(參廖子)라는 스님의 시에 '바람에 부들 잎이 가볍게 흔들리니(風蒲燁獵弄輕柔) 앉으려는 잠자리는 앉지를 못하네(欲立蜻蜓不自由) 오월 임평 땅 산 아래 길에는(五月臨平山下路) 무수한 연꽃이 물가에 가득하네(藕花無數滿汀洲)'가 있다. 따라서 첫 구절은 이 시에서 차용한 듯하다."라고 했다. 이렇게 보면 당시 수당 정종엽은 25살의 젊은 선비에 불과하였지만, 일두(一蠹)는 물론 중국의 여러 시까지 두루 섭렵한 상당한 수준의 선비였다고 평가할 수 있다.

사람이 살아가고 꽃과 대가 흩어져 피어있는 무릉도원과 비교될 수는 없다. 그러니 나중에 참된 곳이 있으리라 어찌 알랴. 어찌 다시금 다른 곳을 찾아가지 않으리.

가시덤불을 헤치고 넝쿨을 타고 오르며 걸음을 크게 떼고 아스라한 곳을 오르며 몸을 구부리고 험난한 곳을 지났다. 이처럼 수십 리를 가자, 겨우 희미한 길을 찾을 수 있었다. 점점 이르러 10여 걸음을 걸으니 얼음 덮인 가파른 벼랑이 갑자기 눈앞에 나타났다. 발을 붙일 곳이 없었고 조금만 다른 데로 가려 하면 하늘을 찌를 듯한 나무들이 있어 몸을 놓일 수가 없었다. 기어가기도 하고 넘어지기도 하면서 양쪽 짚신에 징을 박아 미끄러지지 않도록 해서 백척간두로 나아갔다.

시내를 따라 6~7리를 가자 동천이 널찍하고 산악이 수려하며 전야가 평평하고 인가가 드문드문 있었다. 비록 선회하는 청학의 모습은 보이지 않으나 은은한 가운데 우는 소리가 울려 나오는 듯했다. 날은 이미 어둑어둑해졌다. 길에서 어떤 사람을 만나 묵을만한 곳을 물어보니 멀리 대숲 속에 있는 마을을 가리켰다. 낮은 산기슭을 넘어 문을 바라보며 찾아가니 초가집 서너 채에 저녁밥을 짓는 연기가 짙었고 갓을 쓴 노인이 뜰을 거니는 모습이 보였다. 그 노인에게 하룻밤 묵게 해달라고 청했다. 〈중략〉 우리를 이끌고 방으로 들어갔다. 노인은 도씨(都氏)였다. 토지 · 인물 · 생업 · 풍속 등을 차례대로 물어보니 "**이곳은 본래 이름은 '학동(鶴洞)'인데** 중고(中古) 때 '불지(佛地)'로 이름이 바뀌었습니다.

광무연간(1897~1906)에 토지를 측량할 적에 서기(書記)가 '이곳은 산세가 학의 형체가 아닌 곳이 없다.'라고 말하고서 '학동'으로 이름했습니다. **세상 사람들은 청암면(靑巖面)의 학동을 청학동이라고 합니다.** 거주하는 사람은 각기 먼 곳으로부터 들어와서 모여 산지가 여러 해 되었습니다. 생활은 **오곡이 모두 갖추어져 있으며 쑥과 도토리가 풍족해 구황 때 주린 배를 채울 수 있습니다.** 다만 문물이 개화되지 못하고 교양이 법도가 없어 오랑캐를 피하려다 오랑캐가 된 것에 가깝다고 하겠습니다."라고 말했다. 이날 밤에 눈이 내렸다.

2월 1일. 바람과 눈이 하늘에 닿을듯하고 습재가 안질에 걸려 아파했으므로, 그 집에서 하루를 더 묵었다. 정오에 나만 홀로 동쪽 산봉우리에 올랐다. 어떤 사람을 만나 자세히 캐물으니 밝단이[단천] · 가는골[세동] · 시리봉 골[증봉] · 대밭 땀[죽전]을 모두 합쳐 '학동'이라고 이름하며, 그 아래 석문에 이르기까지는 마을과 골짝마다 각기 다른 이름이 있는데 낱낱이 다 말할 수 없다고 말했다.

얼마 지난 후 머무는 곳으로 돌아와 보니 어떤 노인이 있었다. 겉모습은 야위었고 의관은 남루했다. 하지만 담론과 견식은 매번 이치에 합당한 것이 많았으니, 이 노인은 산간에 숨어 사는 일민(逸民)일 것이다. 성은 박(朴)이며, 해주(海州)에서 왔다. 율곡(栗谷)의 문인 박여룡(朴汝龍)의 후손이라고 했다. 함께 깊은 밤까지 이야기를 나누다 같이 유숙했다.

2일. 박 노인 및 도씨 주인과 이별하고 동구를 나가 8~9리를 가니, 곧 삼거리[三街]의 주막이었다. **사람들의 말에 의하면 시내를 따라 내려가면 석문이 깊이 닫혀 있고 수구(水口)가 긴박하게 막고 있어 몇 시간을 소비하며 즐길 만하다고 했다.** 혹 시일을 허비하여 지체하게 될까 봐 염려되어 지름길을 물어 회남령(回南嶺)에 올랐다. **회남령은 본래 어떤 이름이었는지 알 수 없지만, 조남명이 돌아간 일로 인해 나중에 일컬어진 것이라고 전한다.** 한 폭의 그림 같은 악양(岳陽)을 굽어보니, 산을 등지고 강을 두르고서 마을이 즐비하고 논밭이 널찍이 펼쳐져 한순간 별천지가 나타난 듯했다. 둔촌(屯村)에 이르러 동정호(洞庭湖)를 감상했다. 봉황성(鳳凰城)과 악양루(岳陽樓)는 훼손되어 터만 남아 있었다. 호상서숙(湖上書塾)에 투숙하여 하룻밤을 지냈다.

이상, 수당 정종엽과 습재 최제학이 찾은 묵계 청학동설을 정리해 보면 다음과 같다.

㉠ 불일암(佛日庵)은 선현들이 말한 청학동(靑鶴洞)인데, 향로봉(香爐峯)과 청학봉(靑鶴峰)이 있으며 천길 폭포가 그 앞으로 쏟아지니 정말 기이하고 오묘한 절경이다.
㉡ 그렇지만 땅이 평지가 아니므로 아마도 천 가구의 사람이 살아가고 꽃과 대가 흩어져 피어있는 무릉도원과 비교될 수는 없다. 그래서 뒷산 어딘가에 있을지도 모를 새로운 곳을 찾아 나섰다.
㉢ 불일암 뒷산을 넘자 동천이 널찍하고 산악이 수려하며 전야가 평평하고 인가가 드문드문 있는데, 비록 선회하는 청학의 모습은 보이지 않으나 은은한 가운데 우는 소리가 울려 나오는 듯했다.
㉣ 이곳은 '학동(鶴洞)'인데 세상 사람들은 청암면(靑巖面)의 학동이므로 '청학동'이라 부른다.
㉤ 오곡이 모두 갖추어져 있고, 쑥과 도토리가 풍족해 구황(救荒) 때 주린 배를 채울 수 있다.
㉥ 시내를 따라 내려가면 석문(石文)이 깊이 닫혀 있고 수구(水口)가 긴박하게 막고 있어 몇 시간을 소비하며 즐길 만하다.
㉦ 회남령(回南嶺)은 남명 조 선생이 돌아간 일로 인해 나중에 일컬어진 것이다.
㉧ 회남령에서 바라본 악양은 산을 등지고 강을 두르고서 마을이 즐비하고 논밭이 널찍이 펼쳐진 별천지였다.

아. 조선 시대 선비들의 청학동설 비교 분석

지금까지 최원석의 연구에서 제시한 조선 시대 선비들의 여러 청학동설을 자세히 살펴보았다. 잘 아시다시피 청학동이 세인의 주목을 받게 된 시발점은 이미수의 《파한집》이다. 그리고 청학동을 처음으로 특정한 사람은 점필재였다. 그 뒤 약 4세기 동안에 청학동은 〈악양 청학사 부근설〉, 〈불일암 부근설〉, 〈악양 매계설〉, 〈화개 덕평설〉, 〈세석평전설〉, 〈묵계 청학동설〉 등으로 전전해 가며 공간적인 변이를 해 왔다.

조선 시대 선비들이 특정한 여러 청학동설을 분석해 보자. 그리고 이들 각 청학동들이 《파한집》에서 이미수가 제시한 청학동의 조건에 얼마나 부합하는지 비교해 보기로 했다. 이미수가 처음으로 "지리산 속에 청학동이 있는데 이러저러하다"라고 제시한 것을 전통적인 청학동의 판단 기준 혹은 청학동의 기본적인 조건이라고 보고 그 내용을 일단 〈대조군〉으로 삼았다. 이에 비해 과거 수 세기 동안 조선의 선비들이 주장한 청학동설을 〈실험군〉으로 간주하고, 〈대조군〉과 비교하여 그 특징을 분석해 보려고 한다. 앞에서 본 것처럼 이미수가 제시한 청학동은 다음과 같다.

조건 A: 청학동에 진입하는 길은 험난하다.
조건 B: 조건 A를 통과하면 넓게 트인 공간이 열린다. 이곳이 공간 B이다.
조건 C: 공간 B에는 토질이 비옥하여 농사짓기에 알맞다.
조건 D: 공간 B에는 청학이 서식한다. 그래서 청학동이다.
조건 E: (이미수)는 끝내 청학동이 어디인지 특정하지 못했다.

만일 여기서 조건 A를 만족하지 못하면 '조건 A의 미충족, 혹은 반(Anti) A 조건'이라고 평가하여 '$\overline{A}$'라고 표시하기로 하자. 이것을 'A bar' 혹은 '안티 A'로 부른다. 앞에서 보았듯이 율계(栗溪) 정기(鄭琦)는 〈세석평전설〉을 주장한 것으로 분류되고 있지만, 세석평전에 가서 보니 "지대가 너무 높고 추워서 사람이 거주할 수 없고, 땅은 넓지만 농사짓기에 부적절하다"라고 했다. 따라서 정기의 〈세석평전설〉은 '조건 B(땅은 넓지만)는 충족하지만, 조건 C는 미충족(농사짓기 부적절)'이므로 평가는 'B와 $\overline{C}$'라는 식으로 분류한다. 단, 조건 E는 평가는 하되 크게 의미를 두지 않기로 한다.

이렇게 해서 과연 어떤 청학동이 이미수가 제시한 전통적인 청학동에 가장 가까운지 비교해 보자. 이렇게 평가한 결과는 다음 표와 같다.

[표 3] 조선 선비들이 주장한 각 청학동설의 특성 비교 분석표

〈대조군〉	〈실험군: 비교 대상 청학동설〉					
청학동의 기본 조건: 파한집(이인로) (고려 후기)	악양 청학사 부근설(점필재) (조선 초기)	불일암 부근설 (탁영/남명/ 허미수) (조선시대)	악양 매개설 (이중환/연려실/ 고산자) (조선후기)	화개 덕평설 (김택술) (일제시대)	세석평전설 (송병선: 조선 후기) (정기/정덕영: 일제시대)	묵계 학동설 (수당 정종엽) (구한말, 20세기 초)
〈종합평가〉	$\overline{A}BC\overline{DE}$	$AB\overline{B}C\overline{C}$ $D_1D_2D_3\overline{E}$	$\overline{A}BC\overline{C}\ \overline{DE}$	$\overline{A}BC\overline{DE}$	$AB\overline{CDE}$	$ABCD_4\overline{E}$
A 길이 매우 좁아 겨우 통행	$\overline{A}$ 언급 없음	A 위태로운 잔도, 겨우 통행.	$\overline{A}$ 언급 없음	$\overline{A}$ 화개시장에서 벽소령까지	A 밖은 험하고 안은 평탄. 석문, 함곡관 이상 견고	A 석문, 수구가 긴박하게 막힘
B 넓게 트인 공간이 열림	B 악양동 북쪽	B 불일암 근처 꽤 넓고 평평 (탁영) $\overline{B}$ 불일암 남쪽 절벽과 폭포 (남명, 미수)	B 악양은 산수가 아름답다 (고산자)	B 넓은 화개동이 최낙지	B 매우 광활, 수천 호가 살 터	B 동천이 널찍, 산악이 수려, 전야가 평평
C 토질 비옥, 농사짓기 알맞은 공간	C 속세와 지척	C 불일암 근처, 농사지을 만함 (탁영) $\overline{C}$ 언급 없음 (남명, 미수)	C 근자에 비로소 인적 통함 (이중환) $\overline{C}$ 언급 없음 (연려실, 고산자)	C 화개는 토질 비옥, 곡식과 과실 풍성, 연초 다량 생산	$\overline{C}$ 지대 높고 추워 살기 어렵고, 곡식이 익지 않아 농사에 부적절	C 오곡 풍성, 쑥 · 도토리 등 구황식물 풍족
D 청학 서식	$\overline{D}$ 청학 서식 언급 없음	D_1 청학 직접 못 봄, 전해 들음. 여름 철새(탁영) D_2 비로봉에 청학 서식, 텃새(남명) D_3 둥지는 있으나 백 년 전에 살았고, 현재는 없음 (허미수)	$\overline{D}$ 청학 서식 언급 없음	$\overline{D}$ 청학 서식 언급 없음	$\overline{D}$ 청학 서식 언급 없음	D_4 비록 선회하는 청학은 보이지 않으나 우는 소리가 은은히 울려 들리는 듯함
E 청학동을 찾지 못함	$\overline{E}$ 악양 북쪽 청학사 일대가 청학동	$\overline{E}$ 청학동은 불일암 근처	$\overline{E}$ 청학동은 악양의 매계(梅溪)	$\overline{E}$ 청학동은 화개골 전체	$\overline{E}$ 악양이 가장 사람 살만한 고장(송병선).	$\overline{E}$ 산세가 모두 학체, 청암의 학동, 청학동

〈특징〉	〈특징〉	〈특징〉	〈특징〉	〈특징〉	〈특징〉	〈특징〉
화개동 일대가 모두 선경이 아닌 곳이 없으나 끝내 청학동은 찾지 못함	작접 방문한 경험도 없이 등산에 동행한 스님의 전언으로 청학동을 특정하였다	직접 방문 후 불일암 주변 승구를 청학동으로 특정하나 청학을 보지 못한 사람이 대부분	왜 매개를 청학동으로 특정했는지 설명 없음, 김정호만 "진주에서 147 리" 라는 기록 남김	덕평 청학동 설을 주장했다기 보다는 덕평을 포함한 화개골 전체를 청학동이라고 특정	불일암 부근과 세석평전 청학동설 부정. 악양을 이미수가 찾던 청학동으로 추측(송병선)	불일암 부근 청학동설 부정, 산 넘어 묵계동에서 청학동 만남. 동행한 습재 등은 수년 후 직접 이곳에 이주함

첫째, 점필재의 〈악양 청학사 부근 청학동설〉은 "이미수의 기준에 비추어 볼 때 그 절반만 충족($\overline{A}BC\overline{DE}$)"한 것으로 평가된다. 이것은 점필재의 기록과 "악양이 지리산에서 가장 사람 살기 좋은 고장"이라는 세간의 인식도 고려한 평가이다. 그러나 공간이 너무 열려 있는 것이 악양동의 단점이다. 그런 관점에서 악양이 복지인 것은 틀림이 없으나 이미수가 제시한 청학동에 관한 기준에서 본다면 아쉬움이 많다. 아무래도 은둔처로서 이상향 청학동과는 거리가 있어 보인다. 이것은 고려 시대 한녹사의 사례가 그것을 잘 말해주고 있다고 생각한다.

둘째, 탁영과 남명, 허미수의 화개 쌍계사 뒤쪽 〈불일암 부근 청학동설〉은 상당히 복잡한 양상이기는 하지만 이미수의 기준에서 본다면 상당히 청학동의 조건을 잘 갖추고 있는 것($AB\overline{B}C\overline{C}D_1D_2D_3\overline{E}$)은 사실이다. 그러나 가장 큰 약점은 사람들이 마을을 이루며 살 수 있는 공간, 즉 이상향의 공간으로 보기에는 좀 한계가 있어 보인다. 세월이 흐른 후, 〈불일암 부근 청학동설〉에 대해 의문을 가지고 비판하는 사람들이 나타나기 시작한다. 먼저, 조선 후기에 송병선은 탁영과 남명이 청학동이라고 특정한 장소에 관해서 "이곳은 아마도 불일암 부근인듯한데 암벽과 골짜기가 험준하고 깊어 사람이 거처하기 어렵다"라고 평가하고 있으며, 또 구한말 의령지역의 대표적 선비(士人) 서강(西崗) 안익제(安益濟)는 1903년 지리산을 유람하고 남긴 유람기(遊覽記) 〈두류록(頭流錄)〉에서 상당히 평론가(評論家)다운 태도로 선인들의 유람기를 비평했다. "쌍계사에서 불일암으로 올랐다. 〈중략〉. 내 생각은 이렇다. 형세로써 찾아보면 세상에 청학동은 없다. 명칭으로 찾아보면 불일암의 청학동이 그에 해당할 듯하다. 그러나 이곳은 구경할만한 청학동이지 거주할 만한 청학동은 아니다."라고 비평했다. 그리고 1909년 남원에 살던 수당 정종엽은 애국지사 습재 최제학과 함께 "피세의 땅 불일암 부근 청학동을 찾아 나섰다. 그리고 불일암(佛日庵) 옛터에 이르렀다. 이곳이 바로 선현들이 말한 청학동(靑鶴洞)이다. 〈중략〉. 정말 기이하고 오묘한 절경이다. 하지만 땅이 평지가 아니므로 아마도 천 가구의 사람이 살아가고 꽃과 대가 흩어져 피어있는 무릉도원과 비교될 수는 없다. 그러니 나중에 참된 곳이 있을 줄 어찌 알랴. 어찌 다시금 다른 곳을 찾아가지 않으리"라고 하며 뒷산을 넘어 묵계동으로 찾아 들어간다. 이처럼 송병선과 안익제, 정종엽은 한결같이 불일암 부근에는 이상향 청학동이 될 수 없다고 평가했다. 이것이 〈불일암 부근 청학동설〉의 최대 약점이다.

셋째, 〈악양 매계 청학동설〉은 이중환의 택리지를 필두로 주로 《지리지》에서 언급되고 있었다. 그래서인지 한결같이 "매계가 청학동"이라는 간략한 기술만 남긴 점이 특징이다. 따라서 이미수의 기준으로 본다면 미흡($\overline{A}BC\overline{DE}$)할 수밖에 없었다고 본다.

넷째, 최원석은 김택술의 〈두류산유록(頭流山遊錄)〉을 〈화개 덕평 청학동설〉을 주장한 것으로 분류하고 있으나 그 자신은 "혹자는 세석평이나 덕평 등지를 청학동이라 한다. 그러나 거의 알 수 없다. 천여 년 전에 청학이 이미 이곳에 날아와 청학루를 짓게 되었으니, 청학루가 있는 곳이 바로 청학동이다."라고 하면서 "화개 시장에서 벽소령까지 45리이다. 〈중략〉. (이곳이야말로) 지리산 중에서 최적의 낙지(樂地)라 일컬을 만하다."라고 평가한 만큼 〈덕평 청학동설〉을 주장한 인물로 분류하는 것이 옳은지 의문이다. 그런 반전 때문인지 이미수의 기준으로 본다면 역시 좀 아쉬운 결과($\overline{A}BC\overline{DE}$)라고 할 수 있다.

다섯째, 〈세석평전 청학동설〉 또한 반전이다. 우선 이미수의 주장에 근거한 평가 결과는 좀 미흡($\overline{A}BC\overline{DE}$)한 편이다. 무엇보다 직접 이곳을 여행한 선비들로부터 "세석평전은 지대가 매우 높고 추워서 사람이 거주하기 어렵다(송병선, 정기, 정덕영)"라거나 "세석평전에는 밭을 일굴 토지는 넓지만 농사짓기에도 부적절하다(정기, 정덕영)"라는 기록 등을 보면 〈세석평전 청학동설〉이 얼마나 비현실적인지 알 것 같다.

여섯째, 묵계동의 〈학동 청학동설〉은 1909년에 묵계동을 여행한 수당 정종엽에 의해서 처음으로 제기된 청학동설이다. 그 평가 결과($ABCD_4\overline{E}$)에서 보듯이 묵계 청학동이야말로 이미수의 기준에 가장 적합한 조건을 갖춘 것으로 볼 수 있다. 수당은 앞서 소개했듯이 불일암 부근 청학동을 찾아 "이곳이 도저히 천가와 화죽의 무릉도원과는 거리가 멀다"라는 실상을 파악하고, 이 산 뒤쪽 어딘가에 혹시 있을지도 모를 진짜 청학동을 찾아 나선 결과 도착한 곳이 바로 묵계동이었다.

그는 "(험난한 산을 넘고) 시내를 따라 6~7리를 가자 동천이 널찍하고 산악이 수려하며 전야가 평평하고 인가가 드문드문 있었다. 비록 선회하는 청학의 모습은 보이지 않으나 은은한 가운데 우는 소리가 울려 나오는 듯했다."라고 했다. 그는 학동마을 시리봉골의 도씨 노인으로부터 "세상 사람들은 청암면(青巖面)의 학동을 청학동이라고 합니다. 거주하는 사람은 각기 먼 곳으로부터 들어와서 모여 산지가 여러 해 되었습니다. 생활은 오곡이 모두 갖추어져 있으며 쑥과 도토리가 풍족해 구황 때 주린 배를 채울 수 있습니다."라는 말을 듣는다.

그래서인지 이때 동행한 애국지사 습재 최제학은 그 6년 후인 1915년 전 가족을 데리고 이곳으로 들어온다. 그는 면암 최익현의 제자이다. 또, 간재 전우 선생의 제자로서 평소 습재 최제학과 지인으로 중추부 의관 벼슬을 지낸 남원사람 회천(晦川) 이규진(李圭鎭) 선생은 1919년 고종의 승하와 1922년 스승 간재가 세상을 뜨자 지리산 묵계동 상불지로 이거하여 두문불출하며 제자들 양성에 힘쓰며 평생을 보낸다. 그는 지인으로부터 출산(出山) 권고를 받자 "내 이산이 얕아 한이라. 입산 때 마음이 오랑캐와 같이 안 살기로 맹세했다.[**吾恨此山之猶不深 入山初心誓不與夷獸相混**]"334)라고 하며 듣지 않았다. 회천의 청학동 입거는 앞서 들어온 습재의 영향이 큰 것으로 생각된다.

그리고 수당의 묵계동 학동 청학동설은 1950~1960년대 갱정유도인들이 진주암으로 대거 이주해 오게 된 전주곡이 아니었나 생각한다. 이들은 소위 '관광지 청학동'의 주역들로서 진주암 도인촌 형성의 주역들이 남원을 중심으로 한 호남지역 출신이었다는 점 때문이다. 따라서 수당 정종엽의 〈묵계동 학동 청학동설〉은 오늘날 '관광지 청학동'뿐만 아니라 그 이전의 '묵계 청학동' 형성에도 큰 역할을 한 것으로 평가된다.

자. 묵계 청학동만큼 청학동다운 곳은 없다.

청학동의 공간 변이에 관한 논문에 의하면 고려 시대에 이미수가 화개동을 처음 찾은 이후, 청학동은 화개동에서 악양동으로 왔다 갔다 하면서 변이를 해 왔다고 주장한다. 그러나 이곳은 모두 섬진강을 따라 접근이 쉬웠던 공간적인 특성이 있다. 이렇게 화개와 악양 사이에서 청학동을 두고 이러쿵저러쿵 주고받는 논란의 와중에 이 두 지역이 중심이 된 기존의 청학동설에 의문을 가지고 비평하는 사람들이 나타나기 시작했다. 이와 함께 지리산 끝자락인 악양동과 화개동과는 달리 해발 1000m를 넘나드는 삼신지맥에 막혀 태곳적부터 격리되고 고립된 땅, 심산유곡 묵계동에 관심을 가진 사람들이 나타나기 시작했다.

앞서 살펴본 것처럼, 이곳 묵계동은 관광지 청학동으로 소문나기 전부터 옛 선인들이 꿈에 그리던 이미수의 청학동에 가장 유사한 공간(ABCD$_4$E)이었으나 다만 지형적으로 접근성이 나빴기 때문에 조선 시대 선비들의 출입이 많지 않았고, 그 결과 세상과 고립되어

---

334) 이규진, 《회천유고》, 〈유허비명 병서〉에서 인용

널리 소문이 안 났을 뿐이었다. 그 이유를 정리해 보면 다음과 같다.

첫째, 묵계동은 이미수의 전통적인 청학동 기준에서 볼 때 상당히 적합한 곳이다.

둘째, 《신증동국여지승람》 등 각종 지리지에서 묵계사 혹은 묵계동은 "계곡 사이가 매우 험하고 좁아서 진입하기 어렵고, 묵계사 부근은 하늘이 트이고 토지도 또한 비옥하며 평평하다. 지리산에서 최명승경이다."라는 기록이 있다.

셋째, 1489년 이곳 묵계사를 스쳐 지나간 탁영이 오늘날 묵계 삼거리로 추정되는 마을에서 "꽃이 피니 봄인 줄 알고, 낙엽이 지니 가을인 줄 아는 그런 이상향적인 산촌"임을 기록으로 남긴 바 있다.

넷째, 남명 선생이 1558년 이전에 이곳 청암계곡, 즉 용유동을 세 번이나 찾은 기록이 있고, 이와 관련이 깊은 것으로 추정되는 '남명의 회남재 전설'이 이곳 묵계동 회남마을과 회남재에 남아있다.

다섯째, 임진왜란을 전후해서 진주사람 백암 김대명과 송정 하수일이 휴양 혹은 피란을 위해 묵계동을 찾았다.

여섯째, 《진양지》에서도 "고려 은사 한유한이 지리산 깊은 골짝에 숨어들었는데 그 깊은 골짜기를 바로 묵계동(默契洞)"이라고 하였으며, 이곳 묵계동의 '삼거리[三街]'는 조선 초기부터 진주목 서면 오대리의 한 속방 마을로 기록되어 있다.

일곱째, 무엇보다 현대 과학·기술로 제작된 지리산 일대의 지도를 근거로 작성한 지형도에서 본 것처럼 제비집 형상 혹은 호리병과 가장 유사한 지형은 묵계동이 독보적이며, 또한 청학동도의 청학동의 형상과 묵계동의 형상은 그 '싱크로율(Synchronization Rate)'이 대단히 높다.

여덟째, 이양선의 출몰, 대한제국의 몰락 등으로 세상이 시끄러울 때마다 묵계동으로 지식인들이 이주해 온 흔적이 있다.

아홉째, 수당 정종엽의 〈유두류록〉에서 '묵계동의 학동 청학동설'이 제기된 이후 습재 최제학, 회천 이규신 등 호남지역 지식인·종교인들이 대거 옮겨 왔다.

열째, 지리산에서 빨치산이 토벌되고, 안정을 되찾자 갱정유도인들이 집단으로 이주하여 진주암과 그 부근에 도인촌이 형성되고, 근래에 삼성궁이 조성된 역사는 결코 우연이 아니었다고 생각한다.

이처럼 묵계 청학동은 1000m가 넘는 낙남정맥과 삼신지맥으로 둘러싸인 고립된 분지로 선비들의 접근성이 나빴고, 지리산 천왕봉 등산 루트에서도 벗어난 심산유곡이라 조선시대에는 선비들의 관심도 별로 받지 못했고, 기록도 많이 남아있지 않다.

묵계 청학동이 1970년대에 들어 갱정유도인들의 생활 풍습 등이 매스컴에 의해 세상에 공개된 이후, 관 주도로 개발이 진행되는 등으로 '청학동'의 지위를 행정적으로 선점한 것은 사실이나 묵계 청학동을 '관광지 청학동'이라는 관점에서만 연구·논의되는 것은 바람직하지 않다.

이것은 묵계 청학동의 오랜 역사를 잘 모르기 때문이다. 구한말 이후, 묵계동에는 **습재 최제학 선생, 회천 이규진 선생, 자학 정준영 선생, 도재 하진락 선생, 학송재 강구용 선생, 묵계 강도익 선생에 이어 운당 노용제 선생, 오헌 양삼준 선생, 죽헌 강응위 선생으로 이어지는 학자·선각자**들이 줄을 이었다. 이들에 대해서 〈제3부〉에서 좀 더 자세히 소개할 예정이나 향후 이들에 대한 심도 있는 조사·연구가 필요하다고 생각된다.

그리고 이들이 통한의 망국을 몸소 겪으면서 항일 독립정신으로 나라의 미래를 걱정하고 주민 교화와 후세 교육에 힘쓴 그 정신이 바로 '묵계 청학동 학로계의 정신'이다. 우리는 그 정신을 되새기며 대를 이어가야 한다. 앞으로 많은 후인(後人)이 이 작업에 동참해 주기를 바란다. 이로써 〈제1부〉 '묵계동천과 청학동'의 전반부를 마치고, 뒤이어 〈제1부〉의 하이라이트인 〈묵계동천의 각 마을〉을 소개하고자 한다.

06
묵계동천의 마을

가. 묵계동천의 개황

(1) 묵계리는 어떤 곳인가?

묵계리는 묵계호가 있는 '묵계' 마을 즉, '삼거리'와 '섬들'을 중심으로 Y자형 골짜기가 형성되어 있는데, 그 오른쪽이 '회동' 마을이고, 왼쪽이 '학동' 마을이며, 그 맞은편에 '헤내미(회남)'가 있다. 댐 아래로 '높은터'와 '장재터', '백바위' 등이 이어진다. 멀리 오른쪽 묵계재 너머 천왕봉이 보인다(드론 사진: 이영근).

묵계동의 형성 시기는 정확히 고증할 수 없다. 그러나 묵계사, 진주암, 미륵암, 불자사, 대밭담 절터 등의 오래된 절터가 남아있다. 특히 묵계사 절터에서 신라 시대 기와 조각이 발견되는 것으로 보아 불교의 전성기인 신라말이나 고려 초가 아닐까 생각한다.

묵계(默溪)[335]라는 지명은 묵계사(默契寺), 묵계동과 관련되는 지명으로 아무리 폭우가 퍼부어도 시냇물 소리가 들리지 않아서 그렇게 불리었다고 한다. 지리산 삼신봉에서 이어진 산줄기가 마을 뒤를 감싸고, 그 지맥들 사이에 형성된 Y자 모양 골짜기를 따라 농경지가 펼쳐져 있다. 작은 분지에 나지막한 산언덕을 등지고 자연마을이 자리 잡았다. 묵계리는 청암면 최북단에 자리 잡고 있다.

1632년에 편찬된 진양지(晋陽誌)에 의하면 묵계동은 임진왜란 이전의 조선 초기에는

335) 묵계리, 《한국향토문화전자대전》에서 인용

'진주목(晋州牧) 서면(西面) 오대리(五臺里)'의 한 속방(屬坊) 마을인 '삼가(三街)'[336]였다. 현재 묵계 초등학교가 있는 '삼거리'가 묵계동 마을 전체를 대표한 셈이다.

임진왜란 후에 인구가 줄자, 진주목(晋州牧) 서면(西面) 운곡리에 통합되었다가, 18세기에 들어 '진주목(晋州牧) 서면(西面) 청암리(靑巖里)'[337]가 되었다가, 19세기에 들어 진주목 청암면(靑巖面)[338]이 되었으며, 1906년[광무 10] 9월 4일에 진주목에서 하동군 청암면 묵계리로 편입되었다.

일제강점기인 1914년 4월 1일, 행정구역 개편 시에 장재터, 높은터, 삼거리, 회남, 박석거리, 서재땀[339], 전나무동, 원묵계, 아랫몰, 대밭땀, 새터, 미륵골, 진주암, 가는골 등을 법정 통합하였으며, 그 뒤 묵계, 상계로 분리되었다가 다시 장고, 묵계, 회동[원묵], 학동, 청학마을이 행정리 · 동으로 분리되었다.

경상남도 지방도 1014호[340][화개-수곡선]가 수곡에서 출발하여 옥종을 지나 질매재와 열두모랭이를 넘어 묵계리 삼거리 마을을 지나 삼성궁 입구까지 연결되어 있다. 경상남도 지방도 1047호선[악양-시천선]이 2003년 신설되었고, 2004년 삼신봉 터널[2,102m]이 개통되면서 삼성궁에서 중산리까지 최단 거리로 이어주며, 현재 진주에서 청학동을 연결하는 버스노선이 신설되는 등 소통이 더욱 편리해졌다.

지금 진행 중인 '악양-묵계간 터널 개설과 도로 확 · 포장 공사'가 예정대로 2027년 초에 개통되면 묵계 삼거리는 사통팔달하는 명실상부한 현대적인 삼거리가 형성되어 청학동

---

336) 《진양지(晋陽誌)》, 성여신, 1624. 한국고전종합DB에서 인용

337) 1757년에 편찬을 시작한 《여지도서》 〈진주목 지도〉

338) 1851년에 편찬을 시작한 《여도비지》 〈진주목〉

339) 서재(書齋)는 원래 "서적을 갖추어 두고 책을 읽거나 글을 쓰는 방"을 의미하지만, 서당, 즉 "한문을 사사로이 가르치던 곳"을 말한다. 그런데 이 서재를 "서지"라고 불렀다. 그래서 "서지땀"이라고 부르기도 한다(이상은 《표준국어대사전》에서 인용 작성했다).

340) 지방도 제1014호선(화개~수곡선)은 경상남도 하동군 화개면 용강삼거리와 진주시 수곡면 수곡삼거리를 잇는 경상남도의 지방도이다. 지방도 제1023호선과 분기하면서 시작되는데, 화개면~청암면 구간은 미개통되어 있다. 청암면에서 지방도 제1047호선과 분기하고, 옥종면에서는 국도 제59호선, 지방도 제1005호선과 교차한다. 진주시 수곡면에서 지방도 제1001호선과 만나면서 끝난다. 총연장 39.8km. 주요 경유지는 먼저, 하동군 구간은 화개면 (1차선 구간: 용강삼거리–쌍계2교–쌍계초등학교–쌍계사) (미개통 구간: 운수리–상불재), 청암면(미개통 구간: 상불재–묵계리)–삼성궁–청학동–묵계초등학교–묵계호–묵계리–(미포장 구간: 길마재), 옥종 (미포장 구간: 길마재)–궁항리–궁항교–옥종 저수지–위태삼거리–회신 삼거리–괴정교–단암교–월횡리–월횡교–병천사거리–옥종 생태 다목적 복합센터–청룡교–미산사거리–법대리–대곡리–창촌교이고, 진주시 구간은 수곡면 창촌교–창촌삼거리–창촌리–대천리–사방교–진서중 · 고등학교–대천교–수곡삼거리(이상은 위키백과에서 인용)

관광과 지리산 경제활동의 중심지가 될 것이다.

2024년 7월 17일 현재, 묵계리의 면적은 32.91㎢로 이 중 논 · 밭이 1.38㎢(논은 거의 기능을 상실한 것으로 보인다), 임야가 30.26㎢이다. 또 353세대에 582명(남자 307, 여자 275)의 주민이 살고 있는데, 청암면 전체에서 묵계리가 차지하는 비중은 세대수 기준으로 42.5%, 총인구수 기준으로는 43.8%에 달한다.

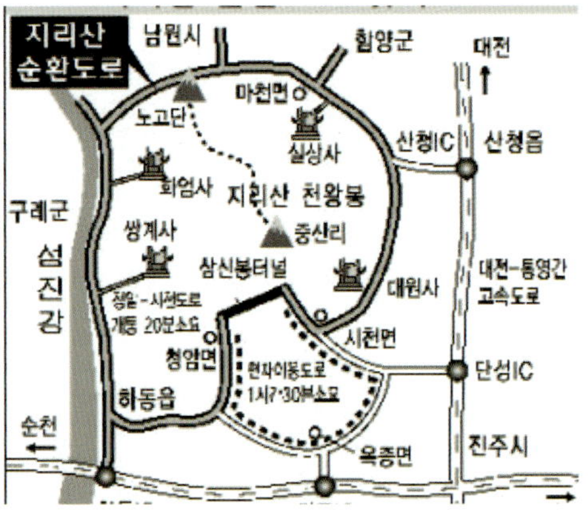

삼신봉터널 개통 관련 기사〈지리산 외곽 순환도로 개통〉
(부산일보 2004.7.3.에서 인용)

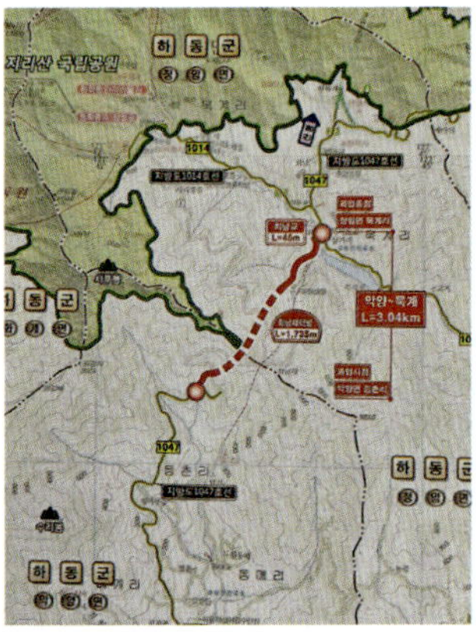

악양-묵계간 터널 및 도로 확 · 포장 공사 개요
(자료 제공: 휴암 양영욱)

남쪽으로 청암면 상이리, 옥종면 궁항리와 이웃하고, 장고·묵계·원묵·학동·청학동 등의 자연마을로 이루어졌다. 묵계리는 현대에 와서 청학동으로 불리고 있는데, 20세기 후반 경상남도 하동군 청암면 묵계리 도인촌이 주민들의 독특한 생활양식과 마을의 문화 경관으로 대중 매체를 통해 알려지게 되었고, 때마침 사회적으로 문화와 관광 붐이 전국적으로 유행하면서 이곳이 지리산의 대표적 관광지로 떠오르게 되고 마침내는 '지리산 청학동'으로 공식 지정되기에 이르렀다.

묵계댐 건설로 '묵계호에는 산 그림자가 한 폭의 그림이 되고, 자연이 수려하여 묵계 계곡을 찾는 관광객의 증가로 식당과 숙박 시설이 즐비하며, 향토 음식으로는 '산채비빔밥', 대나무 통을 이용해 만든 '대통 밥' 등의 인기가 높다.'[341] 또한 곶감과 고로쇠도 유명하여 매년 3월 고로쇠 축제가 열리고 있으며, 신선 도장인 삼성궁이 있어, 매년 10월 개천 대제가 열린다. 그리고 매년 4월 곡우(穀雨) 무렵에는 묵계리 삼신계 계원들이 지리산 산신에게 제사를 지내는 청학동 산신제도 있다.

---

341) 이 부분은 휴암 양영욱 님의 첨삭 의견을 받아들여 작성했다. 휴암 님께 감사드린다.

(2) 진주목 서면 오대리의 속방 마을 '삼가(三街)'는 어디인가?

오대리에는 오래된 절 오대사(五臺寺) 터가 남아있다. 그 아랫마을 이름도 '오대(五臺)'이다. 15세기 말, 조선 전기에 지리산 묵계동 일대를 여행한 선비들의 여행기를 보면 반드시 오대사[342]가 나온다. 16세기 말, 임진왜란 때는 송정(松亭) 하수일(河受一) 선생이 그의 가족들이 피란해 있는 오대사(五臺寺)로 찾아가면서 읊은 시(詩)[343]를 남길 정도이니, 오대사는 이 지역의 랜드마크(landmark)였다고 생각된다.

따라서 오대리(五臺里)라는 지명은 오대사(五臺寺)와 관련이 깊을 것으로 생각한다. 그 이유는 진양지에서 오대리나 전두리에는 '사족이 살지 않았다[無士族]'라는 기록도 있는 만큼 이런 지리산의 심산유곡에는 절의 스님들이 그 마을에서 가장 유식한 지식인 집단이었을 것이다. 따라서 그 마을의 리더인 장리(長吏) 혹은 이정(里正)도 스님 출신이거나 스님으로서 환속한 사람이 주로 맡았을 것으로 생각된다. 그것은 《고려사(高麗史)》 지리지 진주목 조(條)에 "진주목에는 화개(花開)와 살천(薩川) 두 부곡이 있다. 그 우두머리는 모두 머리를 깎아 승수(僧首)라고 칭하였다[344]"라고 했으며, 또 《경상도지리지(慶尙道地理志)》에서도 "(진주목에는) 곡사(谷司)가 둘인데 화개와 시천(矢川)이다. 이들 두 곡사는 그 장리(長吏)가 삭발하여 승수라 불리었다"라고 한 기록이 이를 뒷받침한다. 따라서 오대리를 관리하는 이정(里正)도 오대사와 관련이 깊은 인물이었을 가능성이 크고, 속방리의 지명 또한 오대리로 정한 것이 가장 인식하기 쉬웠을 것으로 생각한다.

《진양지》에 의하면 오대리의 속방(屬坊) 마을에는 노현(蘆峴), 삼가(三街), 회인(會仁), 가리암(加里巖)이 있다고 했다. 이런 마을은 오늘날 어느 마을을 지칭할까?

첫 번째, 오대리의 속방(屬坊) 마을 중에서 가장 관심이 가는 곳이 **삼가(三街)** 마을이다. 옛 오대리 지역 중에서 삼가(三街), 즉 삼거리라고 하면 묵계동에 있는 삼거리를 지칭한 말이었다. 현재 묵계초등학교가 있는 마을인데, 이곳은 묵계리의 서북쪽 계곡인

---

342) 1463년에 여행한 청파(靑坡) 이륙(李陸)의 〈유두류산록(遊智異山錄)〉, 1487년 추강(秋江) 남효온(南孝溫)이 지은 〈지리산일과(智異山日課)〉, 1489년의 탁영(濯纓) 김일손(金馹孫)의 〈두류기행록(頭流紀行錄)〉 등이 있다.

343) 〈도적을 피해 오대사로 가면서 감회에 젖음[避盜五臺寺有感(피도오대사유감)]〉이라는 시(詩)이다. 송정 선생은 임진왜란이 일어난 1592년 겨울을 묵계동의 삼신봉 아래 진주암(眞住菴)에서 피란하면서 〈진주암에서 제야를 맞음[眞住菴遇除夜(진주암우제야)]〉이라는 시도 남겼다. 이들 시는 '청학동 마을' 편의 〈송정굴의 주인공, 송정 하수일은 누구인가〉에서 자세히 소개한다. 이상 시는 하수일 선생의 《송정선생문집》(1권, 시)에서 인용했다,

344) 화개 부곡, 디지털하동문화대전에서 인용.

학동마을과 동북쪽 계곡인 회동지역에서 내려오는 계곡물이 합수하여 남쪽으로 빠져나가는 묵계리의 중심적인 마을이다.

삼거리는 주민들이 당시 수부(首府) 도시였던 진주로 나가기 위한 남행길(경상남도 지방도 1014호 방향)과 묵계재[한찰재]와 고운동재를 넘어 산청군 시천면으로 가는 북행길[경상남도 지방도 1047호], 회남재를 넘어 섬진강과 악양면으로 가는 서행길이 만나는 교통의 요지였다. 한마디로 약초와 농 · 임산물 등 지리산의 물산과 소금, 미역, 생선, 김 등 섬진강과 남해안의 해산물이 거쳐 가는 중간 기착지라고 할 수 있는 곳이다.

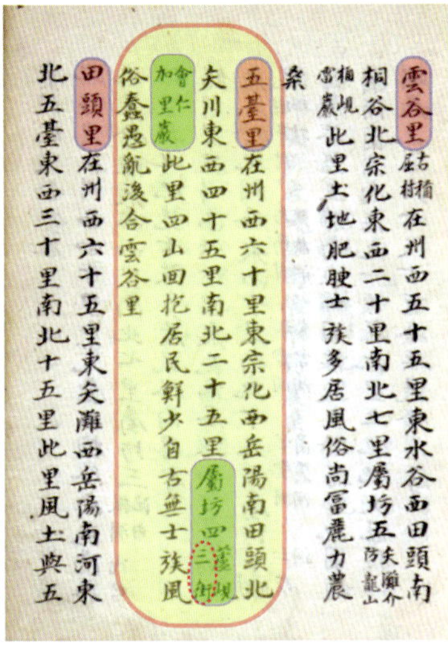

1632년 부사 성여신의 《진양지(晉陽誌)》 속의 〈삼가(三街)〉는 삼거리로 추정된다. 삼가(三街)는 〈오대리(五臺里)〉의 4개 속방(屬坊) 마을 중의 하나였다.

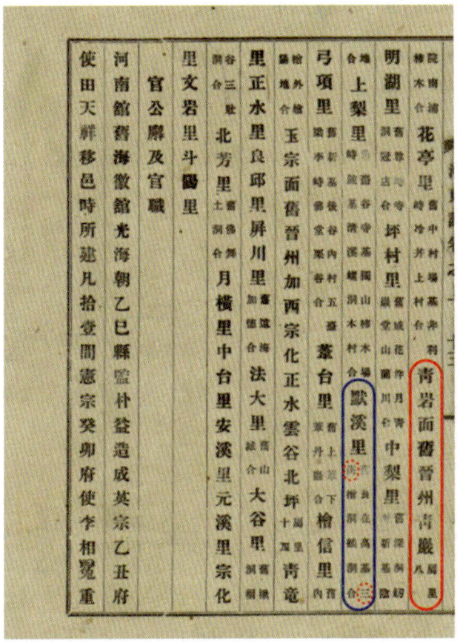

1930년 관해 여종엽이 쓴 《하동지속수(河東誌續修)》 속의 청암면(靑岩面) 묵계리(默溪里) 삼가(三街). '구진주청암(舊晉州 靑巖)'이라 함

이곳 삼거리에서는 장꾼들이 회남재를 넘어 섬진강까지, 또, 이곳에서 묵계재를 넘어 내대 · 중산리까지, 혹은 고운동재를 넘어 덕산장에까지 하루 만에 왕복할 수 있는 위치에 있다. 또, 이곳 삼거리를 '삼가(三街)'라고 기록한 사례가 곳곳에서 보인다.

그 첫 번째 사례는 덕산에 살던 회산(悔山) 성채규(成采奎, 1812~1891) 선생이다. 그는 묵계동을 여행하면서 8편의 연작시(連作詩)를 남겼다. 그중에 〈삼가리(三街里)〉라는 제목의 시의 수련(首聯)에서 '삼가를 가다 물으니 지형은 트이고[三街行問地形疎]'라며 삼거리를 소개하고 있다. 이 시의 전문은 나중에 자세히 소개한다.

두 번째 사례는 1909년 남원의 수당(修堂) 정종엽(鄭鍾燁) 선생이 쓴 여행기 〈유두류록(遊頭流錄)〉이다. 1905년 을사늑약에 저항한 대표적인 의병장인 면암(勉庵)

최익현(崔益鉉)과 함께 의병봉기에 나섰다가 실패한 습재(習齋) 최제학 선생은 스승인 면암이 일본 대마도에 끌려가 단식을 하며 저항하다가 순국하자 실의에 빠진다. 기울어져 가는 나라 형편을 안타깝게 여긴 수당과 習재는 예로부터 피세처(避世處)로 알려진 불일폭포 일대의 청학동을 찾았으나 "이곳은 사람이 살만한 땅이 아니다. 도원(桃源)의 천가(千家) 화죽(花竹)과는 비길 수 없을 듯하니 아무래도 이곳은 진정한 청학동이 아닌 것 같다. 이 뒤에 진경(眞境)이 있는지 어찌 알겠는가?[345)]"라며 가시덤불을 헤치고 넝쿨을 부여잡는 등 악전고투 끝에 불일폭포 뒤의 재를 넘어 오늘날 묵계 청학동을 우연히 찾는다.

수당과 습재 선생은 시리봉골 도씨(都氏) 집에서 이틀을 묵으면서 이곳을 "청암(青巖)의 학동(鶴洞), 즉 청학동(青鶴洞)"이라는 말을 들었으며, 귀갓길에 그 아래 마을인 '삼가(三街)'를 지나 남명 선생의 설화가 깃든 회남재를 올라 악양으로 넘어간다. 여기서도 '삼가'는 곧 오늘날 '삼거리' 마을을 지칭한다. 이때의 경험 탓인지는 알 수 없으나 1915년, 습재는 가족을 데리고 묵계 청학동으로 들어와 평생을 보낸다.

삼거리를 '삼가(三街)'라고 한 세 번째 사례는, 관해(觀海) 여종엽(余琮燁, 1886~1935) 선생이 1930년에 지은 《하동지속수(河東誌續修)》(상권) 청암면(青巖面) 조(條)에 "옛날 장재, 고기, 삼가, 회동, 학동을 합하여 묵계리라 하였다[默溪里 舊長在 高基 三街 檜洞 鶴洞合]"라는 기록이다. 청암면이 진주에서 하동에 편입된 것은 1906년, 광무 10년이었다.

이 책을 쓴 관해(觀海) 선생은 1906년 광무 10년(고종 43) 5월 3일(양력 6월 24일) 참봉(參奉)으로 임명[346)]된 분으로 하동에서는 '여참봉'으로 널리 알려진 하동의 대부호(富豪)였다. 그는 1927년에 하동지역 유림인사들과 함께 섬호정계(蟾湖亭契)를 조직하고, 옛 하동 객사인 하남관(河南館)의 영접문인 계영루(桂影樓)를 사서 그 재목(材木)으로 하동향교 뒷산에 '섬호정(蟾湖亭)'을 건립하였다. 섬호정은 하동포구를 가장 잘 내려다 볼 수 있는 명소인데, 그는 〈섬호정 발기문(蟾湖亭 發起文)〉, 〈섬호정 상량문(蟾湖亭 上樑文)〉 등을 남겼다. 또한 그는 진주지역 사회에서 유명한 '인물담'의 주인공으로 알려져 있다.[347)]

그런데 옛날 오대리 관내에 "삼거리"라는 지명이 또 있었다. 2003년 청암면에서 옥종면으로 편입된 "회신 삼거리"이다. 필자는 어린 시절, 묵계 삼거리에서 살았는데, 세

---

345) 정종엽, 《국역 수당유고(修堂遺稿)》, 〈유두류록〉, 진안문화원, 2011.

346) 《승정원일기》 3196책, 고종 43년 5월 3일 및 《비서감일기(秘書監日記)》 광무10년 병오 5월 3일, 양력 6월 24일에 "여종엽을 기자능 참봉에 임명함[余琮燁任箕子陵參奉]."(이상 《승정원일기》는 국사편찬위원회, 《비서감일기(秘書監日記)》는 규장각 원문검색 서비스에서 인용)

347) 〈여종엽과 기생 향도꾼〉(《향토문화전자대전》에서 인용)

살 위의 중형(仲兄)이 옥종중학교에 다녔다. 그래서 부모님을 따라 가끔 이곳을 지난 적이 있다. 그 당시에는 "고십징이[괴십정] 삼거리"라고 했는데, 지나가는 길손을 맞이하는 주막이 있는 작은 마을이었다. 이곳은 돌고지로[돌고지재, 횡천 · 청암면 평촌 방향과 위태리 · 궁항리 방향]와 호계천로[옥종으로 내려가는 길]가 만나 삼거리가 형성된 곳이다.

그러나 지형적으로 좁은 협곡 사이로 흐르는 물길을 따라 길이 열려 있어서 큰 마을이 형성될만한 조건이 갖추어지지 못했다. 즉, 사람과 물류의 통과지점일 뿐 머물 수 있는 큰 마을이 형성될 수 있는 공간이 아니었다. 그래서인지 이곳 삼거리에서 돌고지재 방향과 위태리 방향으로 각각 약 500m 떨어진 곳에 '양지마을'과 '갈성마을'이 있다. 또, 약 1km 남쪽에는 옥종면 월횡리 '고암마을'이 있다. 즉 지명으로서 '삼거리'로 불릴 뿐 마을 이름은 '고십징이(괴십정)'이었다. 따라서《진양지》의 〈산천(山川)〉 조(條)에 소개한 진주목(晉州牧) 서면(西面) 오대리(五臺里)의 속방(屬坊) 마을인 삼가(三街)는 오늘날 묵계 삼거리가 확실하다.

세 번째, 오대리의 속방(屬坊) **가리암(加里巖)**은 오늘날 가리바위, 즉 가례암(家禮巖)이 아닐까 생각한다. 가례암은 청암면 상이리 감나무골, 즉 시목(柿木)마을에 속한 지명이다. 이곳은 고려 시대 녹사 한유한의 설화가 남은 백바위와 가리바위 등이 있다. 이곳은 지리산 일대의 여러 계곡 중에서 곡류가 가장 심한 곳으로 마치 머리핀(hair pin)처럼 강물이 곡류한다. 시목마을에서 절터 마을까지 도로상으로는 약 2km에 불과하다. 그런데 다음 그림에서 보듯이 이 좁은 공간 안에 계곡물이 여섯 번이나 방향을 거의 180도씩 급변하면서 요동친다. 이곳은 묵계동의 수구(水口)가 막힌 곳으로 마치 용이 꿈틀대며 약동하는 듯한 이런 절경을 보면 누구든 감탄하지 않을 수 없을 것이다.

그뿐만 아니라 그 바로 상류의 백바위는 묵계동 최고의 명승지이다. 묵계동의 아름다운 자연을 사랑한 진주사람 눌암(訥菴) 박지서[348)](朴旨瑞, 1754~ 1819)는 백암의 경치를 중국의 "여산(廬山)의 호계(虎溪), 서호(西湖)와 영은(靈隱)은 알지 못하지만, 이와 같지

348) 눌암 박지서는 조선 후기, 즉 18세기 말 진주를 중심으로 한 강우지역의 학풍을 부흥시키는 데 주도적 역할을 한 선비로《눌암 문집(訥庵文集)》,《태안박씨무첨록(泰安朴氏無忝錄)》,《동유심화(東儒心畫)》,《동현영적(東賢零蹟)》 등을 저술한 학자이다. 필자가 매주 드나드는 진주향교 입구에는 세월의 흔적이 느껴지는 오래된 비석이 있다. "영남진주교궁이건사적비(嶺南晉州校宮移建事蹟碑)"이다. 이 비석은 1812년에 세웠다고 하니 무려 200년이 넘었다. 이 비의 비문을 지은 사람(撰者)이 "순성(蓴城) 박천건(朴天健)"인데, 순성은 태안(泰安)의 옛 이름이고, 박천건은 박지서의 초명(初名)이다. 1811년에 진주목사 홍대연(洪大淵)과 경상감사 김회연(金會淵)의 도움으로 1812년 정월에 진주향교 대성전 이건 공사를 완성했는데, 이때 이 공사를 주도한 인물이 바로 눌암 박지서이다. 그 오래된 비 앞에는 1993년(단기 4326년, 癸酉)에 새로 세운 석비가 서 있다(이상은 강동욱의《강우유맥 계승에 평생을 바친 눌암 박지서》(남명학교양총서 28)에서 인용).

않겠는가?"라고 말할 정도로 좋아하여, 말년에 묵계동의 가례암에 오두막을 짓고 살고 싶어 했으나 뜻을 이루지 못하자 백암(白巖)을 그리워하면서 〈백암수석기(白巖水石記)〉를 남긴다. 여기서 눌암은 "고려 시대 은사 녹사 한유한은 지리산 서쪽 기슭에 있는 청암리의 묵계동 백암에서 노닐었다[錄事居默溪洞而遊白巖水石 是頭流西麓而在州治西靑巖里]. 백암 아래에 가례암이 있다[自巖而下行數里許 有所謂家禮巖者]."라고 했다.

〈용유동과 묵계동〉 가례암 부근에 역동적으로 용틀임하는 청암계곡. 남명 선생이 지리산에 세 번 들렀다는 용유동(龍遊洞)이 바로 이곳이다(구글 지도에서 작성).

필자가 중학생 시절에는 묵계동 구간의 도로가 좁아서 버스가 들어올 수 없었다. 당시 버스 종점은 시목[감나무골]이었다. 그래서 주말이면 시목에서 걸어서 묵계 삼거리 집에까지 20리 길을 걸어서 다녔다. 감나무골에서 버스에 내려 모시 고개를 넘어 멀리 묵계천 건너 동네인 독뫼를 바라보면서 구정기, 가리바위, 녹사암, 절터, 백암, 구무바위를 지나 깔딱고개, 석문, 장재터, 된비리, 높은터, 배나무징이, 쎄꼬빵이, 연지네 밭골, 복숭나무거리를 지나야 비로소 삼거리 동구가 나온다. 이 20리 구간의 계곡은 정말 절경이다. 누구든 이곳을 통과하면서 계곡을 내려다본다면 감탄하지 않는 이가 없을 것이다. 오대리 속방 마을 가례암은 오늘날 상이리에 속하나, 당시 조선 시대에는 현재 하동호에 수몰된 중이리 지역도 포함되었을 것으로 생각한다.

네 번째로, **노현(蘆峴)**에 대해 살펴보자. 참고로 진양지의 다른 편집본에서는 노현의

'노(蘆)'를 '노(盧)'라고 하는 사례도 있다. '노(蘆)'는 갈대를 의미하는데, 위태리의 '위(葦)'자도 '갈대'를 의미하니 뭔가 유사성이 있어 보인다. 또, 《하동군 지명지》에 의하면 이 지역의 중심 마을인 위태리에는 옛날부터 칡넝쿨이 무성했다고 알려진 "갈곡(葛谷)"이 있는데, 이로 인하여 '갈성(葛成)', '갈고개', '갈티재', '위태' 등의 이름이 유래했다고 한다. 칡 또한 갈대와 함께 무성한 풀이니, 지명을 한자로 표현하는 과정에서 전성(轉成)되었을 것으로 보인다.

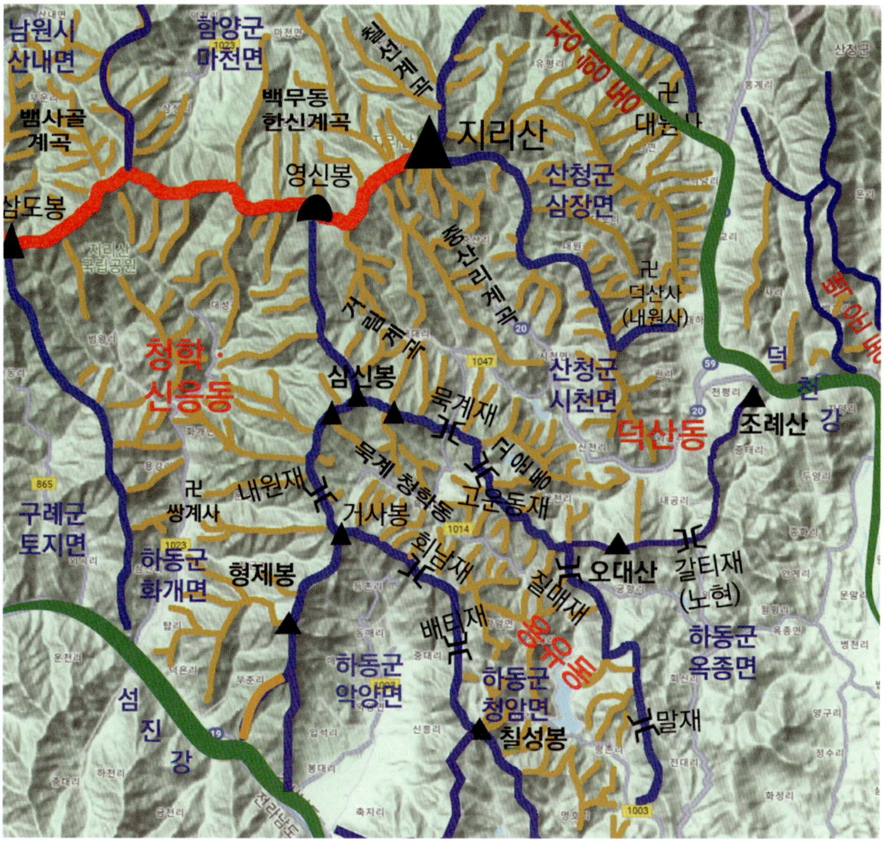

덕산동(살천)과 오대산, 노현(구글 지도에서 작성)

또, 회신리에는 돌고지재[횡천, 하동으로 이어지는 서쪽]가 있고, 궁항리에는 질매재[궁항리 북쪽에 있는데 묵계리로 이어진다.]가 있으며, 위태리 쪽에는 산청군 시천면 외공리로 이어지는 '갈티재[葛峙]'가 있다. 이렇게 오대리의 중심지였던 이곳에는 풀과 고개와 관련된 지명이 많고, '고개'와 '재'를 의미하는 '현(峴)'이 들어간 '노현(蘆峴)'이라는 지명도 이 위태리 근처일 것으로 판단하였다.

그런데 최근 《진양지》에서 우연히 '지리산의 덕산동(德山洞)'과 관련된 자료를 보다가 뜻밖에도 '노현(蘆峴)'을 발견했다. 내용인즉, "덕산동. 지리산 동쪽에 있다. 천왕봉의 한 가지가 동남쪽으로 내려와서 오대산(五台山)이 되고 노현(蘆峴)이 되고, 노현(蘆峴)에서 동쪽으로 살천(薩川)의 앞에 가로 놓여 있다"[349]라고 한 것이었다. 그래서 실제로 네이버 지도에서 지리산 천왕봉에서부터 산줄기를 따라가 내려가 보기로 했다.

영신봉에서 시작된 낙남정맥 줄기가 삼신봉과 외삼신봉, 고운동재, 오봉산을 지나 질매재 방향과 주산(오대산, 828m) 방향으로 'ㅅ[시옷]'자 모양으로 분기한다. 그리고 오대산(주산)에서부터는 산줄기가 반시계 방향으로 크게 원호를 그리면서 시천면 외공리 앞산까지 이어진다. 그 원호의 가운데쯤에 시천면 외공리와 옥종면 위태리를 이어주는 갈티재(葛峙)가 있다. 이 산줄기는 산천재 맞은편에 있는 조례산(324.1m)까지 직선적으로 이어지다가 덕천강을 만나면서 숨는다. 실제로 오대산(주산))과 조례산은 거의 일직선상에 있고, 주산에서 보면 산줄기가 동쪽으로 흘러가는데, 이것은 진양지의 기록과도 일치한다.

이 산줄기는 세석고원의 영신봉에서부터 내려오면서 살천[산청군]과 화개동의 의신[하동군], 살천과 묵계동[하동군], 살천과 궁항 · 위태리[하동군 옥종면]의 경계를 이루는데, 이 경계선이 《진양지》에서 소개한 '덕산동'의 경계와 같다. 따라서 진양지에서 오대산에 이어서 등장하는 노현(蘆峴)은 바로 오늘날의 갈티재[葛峙]라고 볼 수 있다. 따라서 오대리(五臺里)의 속방(屬坊) 마을인 노현(蘆峴)은 위태리(葦台里) 일대로 오대리의 행정 중심이었을 것으로 생각된다.

다섯 번째로, **회인(會仁)**은 특별한 자료를 찾지는 못했지만, 오늘날 회신리(檜信里)가 아닌가 생각된다.

이상, 진양지에서 언급한 오대리의 속방 마을, 즉, 노현(蘆峴), 삼가(三街), 회인(會仁), 가리암(加里巖)의 위치를 동정해 본 결과, 진양지에서 언급한 오대리는 2003년 이전 청암면[궁항리, 위태리, 회신리를 포함, 이하, 구 청암면]에서 횡천에 가까운 평촌리, 명호리를 제외한 범위였을 것으로 판단된다.

1906년 진주부의 청암면이 하동군으로 편입되면서 당시 청암면사무소는 위태리의 옛날 위태초등학교 뒤편에 있었다. 그 후, 1910년에 산 너머 평촌리 난천[難川, 현재 하동호 뚝이 있는 곳]으로 옮겼다가 1920년에 현재의 평촌마을로 옮겨갔다. 그런 후에도 이 자리에는

349) 《진양지》, 〈산천-지리산-덕산동〉, "德山洞 在智異山東 天王峯一支東南來爲 五台山爲蘆峴 自蘆峴而東橫於薩川之前"(원문: 서울대규장각 원문검색서비스, 번역문: 진주문화원 《국역진양지》에서 인용)

청암면 위태출장소[350]가 설치되어 이 지역의 행정 중심지 역할을 계속했다. 시대의 흐름에 따라 도로가 발전함으로써 오대리의 중심도 바뀐 것으로 보인다.

오늘날의 도로를 기준으로 보면 궁항리와 위태리, 회신리가 왜 청암면에 속해 있었는지 이해하기 어렵다. 그러나 조선 시대에는 청암면이 진주목의 일부였던 만큼, 모든 소통의 중심이 진주 읍내였다. 따라서 오대사 아래의 동네인 위태, 궁항, 회신 쪽이 묵계나 청암골 보다 진주목과 가깝고, 진주에 접근하기 편리한 곳이었으니 이곳이 오대리 행정의 중심이었을 것으로 판단된다.

(3) 묵계 청학동 형성의 약사(略史)[351]

진주암에 형성된 도인촌의 역사는 그렇게 오래되지 않았다. 지리산 빨치산 공비들의 위험에서 벗어난 1950년대 말부터 60년대 초반에 그들이 집단으로 이주해 들어 왔고, 1970년대 진주암의 도인촌과 그들의 생활이 언론에 크게 알려지면서 묵계 청학동이 세인(世人)의 주목을 받게 되었다. 그로 인해 최근 60여 년 동안 묵계 청학동에는 큰 변화를 가져왔고, 70년대 이후 산업화의 바람으로 원주민들이 떠난 자리에 외지인들이 들어와 정착하였다. 1978년 초등학교 의무교육으로 도인촌의 서당 교육이 제도권 교육으로 흡수되면서 큰 변화를 맞는다. 전통적인 서당 교육이 현대사회에 필요한 인재를 길러내는 데는 한계가 있었던 만큼 이들에게도 신식교육이 필요했다. 이런 시점에 도인촌의 서당은 외부인을 위한 예절교육으로 명성을 얻게 되었고, 특히 당시 교육부가 인성교육을 강조하면서 수많은 '전통 서당'이라는 이름의 서당 붐이 일어났다. 또한 도인촌 인근에 삼성궁의 대역사(大役事)가 일반에 공개되면서 주목을 받았다.

그러나 묵계 청학동의 역사는 길다. 묵계 청학동을 피란처 혹은 이상향인 청학동이라 생각하고 외지인들이 이주한 역사는 훨씬 더 오래되었다고 봐야 할 것이다.

먼저, 회동 서재땀에는 '하동정씨 세거지'라는 입석(立石)과 재실인 덕원재가 있다. 재실에 걸려 있는 기문(記文) 현판에 의하면 그들 또한 1700년대에 "비결(祕決)을 보고 지리산 청학동 금환낙지(金環落地)를 찾아다니다가 이 고장의 지명이 학동이니 청학동이 아닌가 하고 정착했다"라는 기록이 있다. 이렇게 보면 하동정씨의 역사는 약 3세기가 되었다.

---

350) 《하동군 지명지》, 하동문화원, 1999.

351) 강동의(姜東毅), 〈지리산(智異山) 묵계(默溪) 청학동(靑鶴洞)의 형성 과정(形成 過程)〉(2013.8), 경상국립대 한문학과 석사학위 논문과 고원규의 《청학동의 상품화와 전통의 창출 상상의 이상향에서 관광 명소로》 인용 · 작성

청학동에서 대를 이어 서당을 운영 중인 강동의 훈장의 연구[352]에 의하면 광산노씨 운당(雲堂) 노용제(盧庸濟) 가(家)는 그의 8대조인 노정필(盧廷弼)이 묵계파의 파조인데, 그의 아들 노세영이 1738~1750년 사이에 광주에서 원묵계로 옮겨와 대대로 살게 되었다고 하니, 광산노씨의 역사 또한 약 300년 가까이 되었다.

전주이씨 송암(松巖) 이기영(李起榮) 가(家)는 구한말(舊韓末) 이래 묵계동에서 가장 세력이 좋았던 가문이다. 그의 집안 족보에 의하면 그는 1824년 높은터(高基)에서 출생했으며, 1744년생인 그의 조부 이익봉(李益鳳)의 묘가 진주암에 있는 것 등으로 미루어 1700년대 중·후반에 들어온 것으로 짐작된다. 전주이씨의 역사도 약 300년 가까이 되었다.

최근 묵계동에 18세기 말에 수직(壽職)으로 증직(贈職) 받은 집안이 있다는 사실을 알았다. 장재터에 터를 잡은 함안조씨(咸安趙氏) 입향조(入鄕祖)로 알려진 휘(諱) 원주(元珠, 1712~1795)는 정2품 하계(下階)의 품계인 자헌대부(資憲大夫)를 증직 받았고, 그의 아들 휘(諱) 채진(採鎭) 또한 정3품 통정대부(通政大夫)를 증직 받았다. 그는 장재터 조병래씨의 9대조로 알려져 있다. 이렇게 보면 함안조씨의 묵계동 이주 역사 또한 약 300년 가까이 되었다.

울산김씨의 경우, 임진왜란 직전에 백암 김대명이 묵계동을 드나든 역사가 있고, 그의 7대손으로 1807년생인 김찬연(金贊鍊)이 묵계동으로 입거한 후 약 200년의 세월이 흘렀다.

남원양씨 오헌(旿軒) 양삼준(梁三俊) 가(家)는 1871년 신미양요가 일어나자 청학동 비결을 믿은 양주수(梁柱壽) 등 3형제가 하동군 옥종에서 피난처로 학동(지금의 청학동)을 택했다. 또 다른 남원양씨 일파는 옥종에서 들어와 회동에 자리 잡았다. 이들의 역사도 150년이 넘었다. 남원양씨들은 모두 단성에서 명성이 높은 대사간 양사귀의 후손들이다.

효자로 유명한 면천박씨 박수정(朴壽正)의 3형제는 1894년, 황해도 해주에서 청학동 비결을 믿고 난세를 피해 동천복지를 찾아 들어왔다고 하니 이들 또한 130년이 되었다.

강동의 훈장의 증조부인 진주강씨 강성준(姜聖埈)은 거창군 가조에서 1913년 동천복지를 찾아 들어왔고, 왜정을 피해 9가구가 집단으로 이주했다. 이들 또한 100년이 넘었다.

면암(勉庵) 최익현(崔益鉉)의 제자로서 전북 진안에 살던 애국지사 습재(習齋) 최제학(崔濟學) 선생은 1905년 을사늑약으로 나라가 흔들리자 스승인 면암을 도와 의병을 일으켰으나 실패하고 옥고를 치른 다음 대마도에서 순국한 면암을 운구하여 장례를

352) 위 강동의(姜東毅)의 석사학위 논문.

마치고 고향으로 돌아가 의병궐기를 계획하였으나 경술국치(庚戌國恥)로 나라가 망하자, 1915년 가을 학동으로 옮겨 이곳에서 평생을 보낸다. 습재는 그 6년 전에 수당(修堂) 정종엽(鄭鍾燁)과 함께 불일암 근처로 알려진 청학동을 찾아 나섰다가 우연히 묵계동을 찾은 전력이 있다.

경주이씨(慶州李氏) 회천(晦川) 이규진(李圭鎭) 선생은 1922년에 남원군(南原郡) 주천면(朱川面) 고촌(高村)에서 학동으로 입거했다. 간재(艮齋) 전우(田愚)의 문인인 그는 중추원(中樞院) 의관(議官) 벼슬을 지냈다. 1919년에 고종황제가 승하(昇遐)하고 스승 전우가 별세하자, 통곡하고 입산을 결심하였다. 그의 청학동에 들어온 목적은 이상향 청학동을 찾아 들어온 것이 아니라, 세상에 뜻을 잃은 나머지 은둔(隱遁)을 목적으로 청학동에 들어온 것으로 알려져 있다. 회천과 습재는 학동으로 이거하기 전부터 알던 사이였으며, 습재의 학동 입거가 회천 선생에게도 영향을 끼친 것으로 알려져 있다. 남원양씨 오헌(旿軒) 양삼준(梁三俊) 선생이 그의 제자이자 사위이다.

성주도씨(星州都氏) 도상홍(都相洪, 1865~1939) 가(家) 또한 20세기 초에 학동 시리봉골 일대에서 상당한 재력을 가졌던 것으로 보인다. 1909년 수당 정종엽과 습재 최제학이 묵계 청학동을 찾았을 때, 묵은 곳이 바로 시리봉골[甑峯]의 도씨(都氏) 노인 집이었다. 도씨(都氏) 노인이 누군지 알 수 없으나, 도씨 집안 족보에 의하면 당시 55세였던 도상홍 어른일 가능성이 크다. 도씨 집안 족보에 의하면 도씨의 집성촌은 고성군 회화면이며, 그의 친척들의 묘가 고성군 거류면에 있다. 1885년에 졸(卒)한 도상홍의 부(父) 원준(元俊)의 묘가 통영군 용남면에 있으나 그의 모(母) 김해김씨의 묘는 학동 시리봉골에 있는 것으로 보아 이들 또한 구한말에 피난처를 찾아 묵계 청학동으로 입거한 것으로 보인다.

해주오씨(海州吳氏) 학산(鶴山) 오태환(吳泰煥) 가(家)는 17세기 중반 그의 11대조인 어은(漁隱) 오국헌(吳國獻, 1599~1672)[353] 선생이 외가인 단성(丹城)의 도천(道川)에 옮겨 살면서 어은정사(漁隱精舍)를 열고 마을 이름을 어은동(漁隱洞)이라 고치니 동학(同學)의 우암(尤菴) 송시열(宋時烈, 1607~1689)이 '어은(漁隱)'이라는 편액을 써주었다. 이들은 모두 김장생(金長生)의 문인이다. 어은공(漁隱公)은 향시(鄕試)에 여러 번 합격하였으나 정시(庭試)에 실패하였고, 병자호란의 치욕이 있고 난 뒤에는 벼슬을 포기하고 학문에 전념하였다. 성리학과 예학에 밝았으며, 나중에 음직(蔭職)으로 여러 번에 걸쳐 참봉에 제수되었으나 번번이 사양하고 부임하지 않았다. 어은 선생과 그의 아들 5형제,

353) 오국헌(吳國獻), 1599(선조 32)~1672(현종 13). 조선 후기의 학자. 본관은 해주(海州). 자는 중현(仲賢), 호는 어은(漁隱). 저서로는 《사서해의(四書解義)》 2권, 《역계해의(易繫解義)》 1권, 《잡저(雜著)》 3권, 《유후귀감(遺後龜鑑)》 3권이 있었다고 하나 전하지 않고 《어은유고(漁隱遺稿)》 5권만이 전한다(이상은 《한국민족문화백과》에서 인용)

손자와 증손자 2명까지 합해 9명이 효자 정려(旌閭)를 받아 '구효가문(九孝家門)'으로 이름이 높았다. 그는 1712년(숙종 38)에 승훈랑(承訓郎)과 호조 좌랑에 추증되었고, 1888년(고종 25)에 이조참판 겸 동지춘추관사에 추증되었다. 그의 아버지는 동지중추부사 오산립(吳山立)이며, 어머니는 남원양씨(南原梁氏)로 대사간 양사귀(梁思貴)의 딸이다. 학산의 7대조가 시천면 반천으로 이거하여 대대로 살았다. 그의 선친(先親)인 오정근(吳正根)이 반천마을 지도자로서 3.1만세운동에 참여했다는 이유로 왜경(倭警)의 검색이 강화되자 고운동재 너머 회동의 전나무동으로 입거하여 은둔했으니 벌써 100년이 넘었다. 오태환 가의 내력은 하동향교(河東鄉校)에서 펴낸《속수하동향안(續修河東鄉案)》에 등재되어 있다.[354)]

어은정사(漁隱精舍)(산청군 생비량면 도전리 어은동)

구효정려(九孝旌閭)(금산군 추부면 장산리)

또 학동에 '유풍수'로 소문난 유흥석(柳興奭) 풍수는 문화유씨로 한국전쟁 당시 한청기동대원으로 활동하여 '청암지서 4일 전투(제3부 참조)'에도 참전하였으며 학동마을 이장을 역임한 유주은씨의 조부이다. 유풍수는 풍수지리학자이자 유학자로서 경기도 의왕에 살 때 단발령을 반대하고 왜경과 싸우고 난 뒤 피란처인 청학동을 찾아 학동 아랫몰에 입거(入居)하여 사시다가 이곳에서 돌아가셨다. 그 후 자손들은 1963년에 모두 고향인 경기도로 돌아가 살고 있다. 특히 증손자 경열(慶烈, 字 道世)은 의왕시청 기획실장을 역임했다.

참고로 1940년대에 학동마을에는 무려 '8풍수'가 살았는데, 유풍수는 평전에 묘를 잘 쓰시는 분이고, 김풍수는 먼당에 잘 쓰고, 천풍수는 굼턱에 묏자리를 잘 잡아 썼다는 일화가

354) 하동향교,《속수하동향안(續修河東鄉案)》, 1963년 계묘(癸卯) 5월, p.68에 '오정근(吳貞根, 字順敬, 號 鶴松)-태환(泰煥)-세진(世珍, 字東秀)'에서 인용

전한다. 유풍수가 남긴 풍수지리서를 고산 김삼주선생이 소장하고 있다.

그 외에도 묵계 청학동에는 많은 성씨가 입거한 흔적이 있다. 1961년에 결성한 묵계리 〈학로계〉 명단에 의하면 회원만 해도 모두 40여 성씨가 등장한다.

> **"경주김씨, 경주최씨, 광산김씨, 김해김씨, 남평문씨, 단양우씨, 단양장씨, 달성서씨, 달성하(夏)씨, 밀양박씨, 밀양변씨, 밀양손씨, 성주배씨, 성주이씨, 순흥안씨, 안동권씨, 안동김씨, 양천허씨, 연일정씨, 옥천조씨, 은진송씨, 전주신씨, 전주최씨, 진양정씨, 진양하씨, 청주한씨, 풍양조씨, 함양박씨, 함평이씨, 합천이씨, 행주은씨, 혜덕송씨(이상 "가나다 순")**

향후 이들 각 성씨의 묵계 청학동 이주 역사에 대해 체계적으로 조사 · 연구가 필요할 것으로 사료(思料)된다.

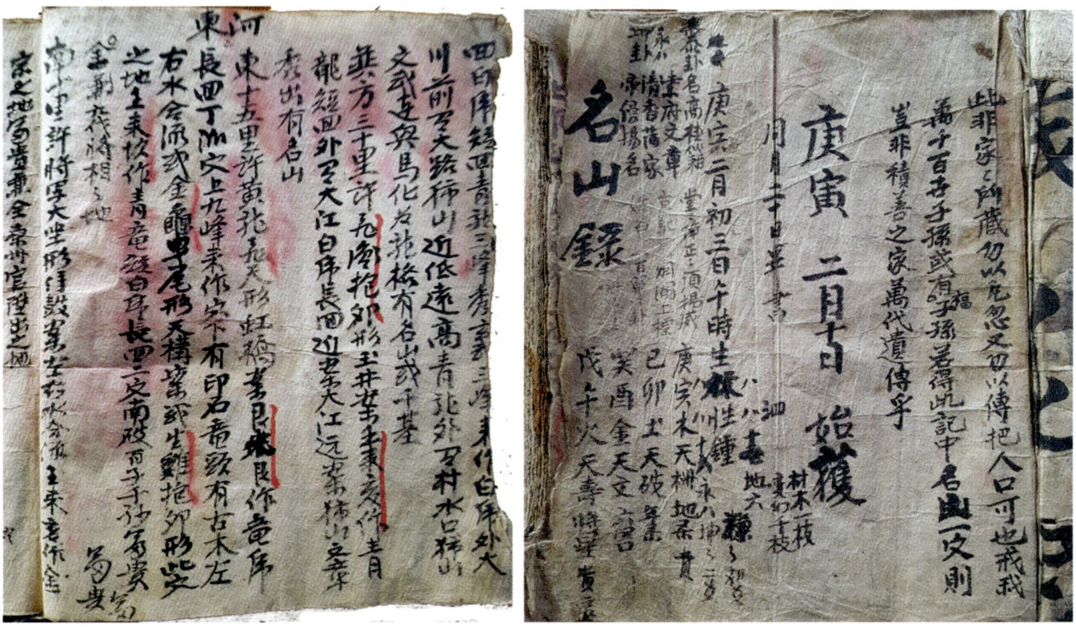

유풍수의 유품《명산록–하동편》(자료 제공: 청학동 고산 김삼주 선생)

(4) 묵계동을 노래한 연작 시 8수

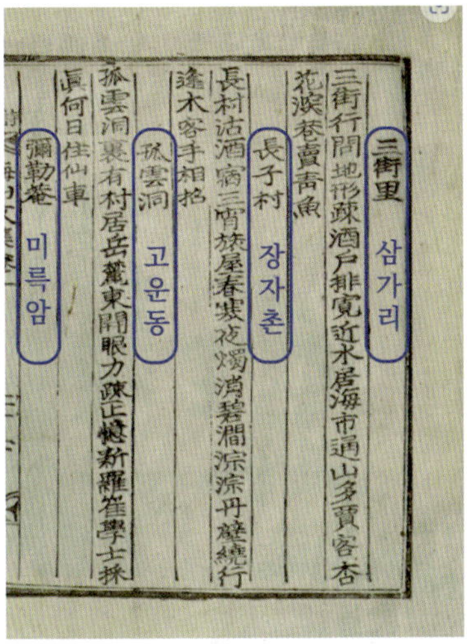

성채규, 《회산문집》

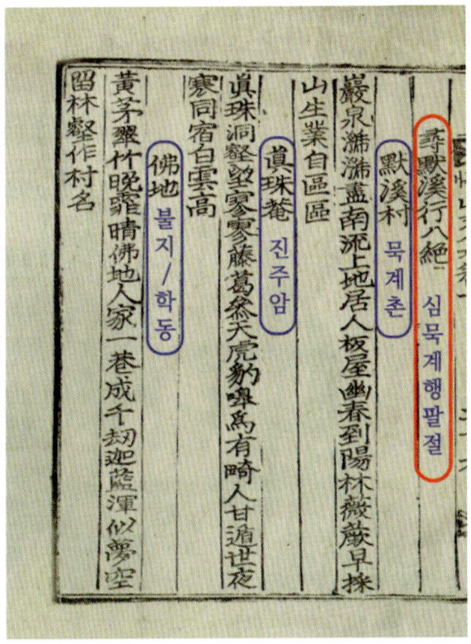

경상국립대 고문헌도서관에서 인용

묵계동은 선비들이 도보로 접근하기는 쉽지 않은 곳이었다. 그런데 인근의 덕산에 살던 회산(悔山) 성채규(成采奎, 1812~1891) 선생이 묵계동을 직접 여행하면서 8편의 연작시(連作詩)를 시리즈(series)로 남겼다.[355] 그는 젊어서부터 '시문에 뛰어난 사람'으로 중국에까지 소문난 인물인데, 이렇게 묵계동을 순회하면서 연작시를 남긴 사례는 드물다. 이 연작시는 언제, 왜 지었는지 알 수 없지만, 묵계동 전체를 며칠 동안 순회하면서 지은 시로 보인다.

《진양속지》 제6권 인물 편에 의하면, '성채규의 자(字)는 천거(天擧), 호(號)는 회산(悔山), 본관(本貫)은 창녕(昌寧)이고, 거주지(居住地)는 산청(山淸) 덕산(德山)이다. 그는 유학(儒學)을 보위하는 데 한결같은 정성이 있었다. 범상한 일에도 남명(南冥) 선생과 관계되는 것이 있으면 반드시 분명하게 드러내는 일에 매우 힘썼다'라고 소개되어 있다.

그가 일찍이 금당(琴塘)을 지나다가 시(詩)를 지어 이르기를 "갯버들 개아지 솜털[356]이 텅

355) 성채규, 《회산문집》, 〈尋默溪行 八絶(심묵계행 팔절)〉

356) 봄의 전령사가 뜰에 매화라면 강가에는 '갯버들'이다. '버들강아지' '버들개지' '버들개비'로도 불리는 이 나무는 제아무리 추워도 봄은 온다는 희망을 주는 나무이다. 무엇보다 따사로운 햇살에 솜털을 뒤집어쓴 갯버들꽃 이삭은 허기를 때우는 주전부리로 제 몫을 톡톡히 했으니 아삭거리는 식감에 달콤한 그 맛을 잊지 못한다. 잎 표면은 털이 덮여 있다가 없어지고, 뒷면은 털이 촘촘히 나서 흰빛이 돈다. 〈중략〉 열매가 푹 익으면 버들개지가 목화송이처럼 하얗게 피어오르고, 다른 버드나무들처럼 새하얀 솜에 매달린 씨앗이 갯바람에 날려[風散]간다. 덜 익은 열매는 그대로 따먹고,

빈 여울에 떨어져 고기가 듣겠으니[落絮虛汀魚聽立] 공연히 물결을 일으켜 하늘의 기미를 어긋나게 말지로다[莫敎作浪敗天機]"라는 시가 절창의 곡조였기 때문에 세상에 회자(膾炙)되었단다. 이 글귀가 중국에까지 알려지게 되었는데, 어떤 노숙(老宿)한 선비가 칭찬하고 탄복하며 이르기를 "이 사람의 가슴속에는 한 점의 티끌도 없을 것이고 하늘에 제사하고 비를 비는 뜻[舞雩]만 있을 것이다"[357]라고 했다는 일화가 전한다. 문집(文集)에 《회산집(悔山集)》이 있다.

묵계동 연작시의 제목은 각각 '묵계촌[원묵계]', '진주암', '불지', '삼가리[삼거리]', '장자촌[장재터]', '고운동', '미륵암'[2편]이다. 회산 선생의 묵계동 연작시 8수는 다음과 같다.

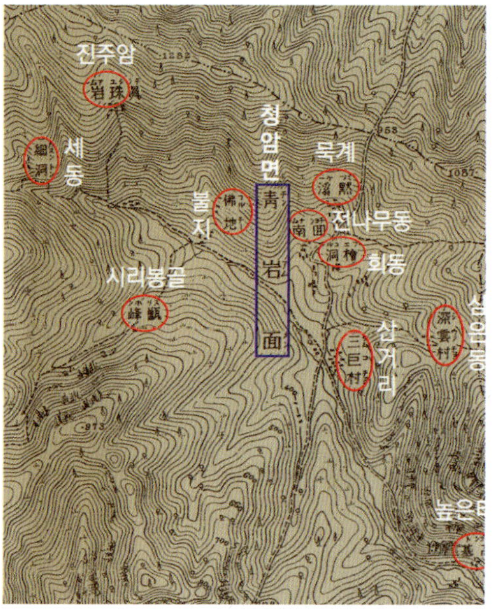

'학동(鶴洞)'을 '불지(佛地)', '원묵계'를 '묵계(黙溪)'라고 명시한 지도(국립중앙박물관의 조선총독부박물관 2차 지도에서 인용)

첫째, '묵계촌(黙溪村)'이라는 시(詩)는 아마 원묵계를 포함한 회동마을을 노래한 것으로 보인다. 그 이유는 먼저 '원묵계는 묵계동의 본래 마을이었다.[358]'라는 기록이 있으며, 무엇보다 국립중앙박물관이 소장하고 있는 조선총독부박물관 지도(오른쪽 지도 참조)[359]에 의하면 오늘날 '원묵계' 마을을 '묵계'라고 명시하고 있었기 때문이었다. 게다가, 이 시(詩)의 기구(起句)가 '암천괵괵(巖泉漍漍)'으로 시작하는 것도 그렇게 판단한 근거가 되었다. 즉, 이 묵계촌은 바위 사이에서 샘물이 콸콸 힘차게 솟아올라 개울이 시작되는 곳임을 암시한다. 그래서 '궁수원(窮水源)'이라는

약용으로는 황달·옻·두통에 쓰는데 장복하면 위장장애가 올 수 있다 한다(권오길의 생물 읽기 세상 읽기 174. 갯버들, 2017년 02월 27일, 교수신문에서 인용)

357) 성채규, 《회산문집》(1권), 시(詩), 〈과금당(過琴塘)〉이라는 시의 원문은 경상국립대 남명학고문헌시스템에서 찾았는데, 그 전문은 다음과 같다. "春塘三月綠初肥, 楊柳東頭水半扉, 落絮虛汀魚聽立, 莫敎作浪敗天機". 또, 《진양속지(晋陽續誌)》(5권), 〈증보 인물(增補 人物)〉 편에 이 시가 중국에까지 알려져 절찬을 받았다는 이야기가 전한다. 그 원문은 다음과 같다. "嘗過琴塘有詩曰 落絮虛汀魚聽立 莫敎作浪敗天機 以絶調膾炙 于世流入中國 有老宿稱嘆曰 此人胸中 無一點塵埃 有舞雩意思云"

358) 《한국지명총람》(10권)에서 인용.

359) 국립중앙박물관 조선총독부박물관이 사용, 보관하던 지도인 '순천5-화개장대(花開長垈)(측도연도 1909, 제판연도 1912, J023-005-003)'에서 인용.

단어가 연상되는데, 이 말은 청파(靑坡) 이륙(李陸)의 〈유지리산록 (遊智異山錄)〉과 《신증동국여지승람》 등에서 묵계사를 소개할 때마다 등장하는 말이다. 또한 '묵계사'가 있었던 마을을 '원묵계'라고 불렀으니 그렇게 보아도 무방할 듯하다.

〈원묵계에서[默溪村(묵계촌)]〉

巖泉㶁㶁盡南流(암천괵괵진남류) 바위에서 콸콸 솟는 샘물은 남으로 흘러가고
上地居人板屋幽(상지거인판옥유) 상지(上地) 사는 사람은 판옥(板屋)에 고요하구나
春到陽林薇蕨早(춘도양림미궐조) 봄이 양지 숲에 이르렀으나 고사리 꺾기엔 일러
採山生業自區區(채산생업자구구) 산에서 채집하는 생업에 스스로 부지런히 일하네

두 번째 시는 '진주암(眞珠菴)'이라는 시이다. 진주암은 묵계동에서 고도가 가장 높은 마을이다. 임진왜란 이후 피난처로 알려진 심심산골임을 느낄 수 있는 시이다.

〈진주암에서[眞珠菴(진주암)]〉

眞珠洞壑望寥寥(진주동학망요료) 진주암 깊은 골짝 바라보니 쓸쓸하고 고요한데
藤葛參天虎豹嘷(등갈참천호표호) 넝쿨들은 하늘을 가리고 산짐승 울부짖네
爲有畸人甘遁世(위유기인감둔세) 기인이 세상과 떨어져 숨어 살기 좋으니
夜寒同宿白雲高(야한동숙백운고) 흰 구름 높은 곳에서 추위와 함께 잠을 자네

세 번째 시는 '불지(佛地)'이다. '불지'는 '학동'의 옛 이름이다. 이 시를 통해서 이곳에는 오래전에 절도 있었고, 대밭이 있었다는 사실을 전해준다. 필시 대밭땀이 인상적이었나 보다. 불지는 이 일대에서는 가장 큰 마을임을 느낄 수 있다. 1909년 수당 정종엽이 묵계 청학동을 지나면서 쓴 〈유두류록〉의 도씨 노인의 말에 의하면 '원래 학동인데, 불지로 바뀌어 불리었으나, 구한말 고종 연간에 토지 측량을 하고 난 이후, 다시 학동이라고 불리었다.'라는 기록이 있다. 또, 위의 지도에서 보듯이 오늘날 학동마을을 구한말에는 불지(佛地)라고 한 것이 분명해졌다. 따라서 이 시는 그 이전에 쓰인 것으로 보인다.

〈불지 마을에서[佛地]〉

黃茅翠竹晩霏晴 누런 초가와 푸른 대숲에 비 개이니
佛地人家一巷成 불지의 인가는 하나의 거리를 이루어었네
千劫迦藍渾似夢 천 겁의 가람은 그야말로 꿈과 같은 것인데
空留林壑作村名 헛되이 숲 골짜기에 남아서 마을 이름을 만들었네

네 번째 시는 '삼가리(三街里)'라는 시이다. 이 시(詩)에서는 오늘날 삼거리 마을에 대해서 많은 정보를 제공해 주고 있다.

첫째, 삼거리는 "지형이 넓게 트였다"라고 한 점이다. 이것은 1530년에 편찬된 《신증동국여지승람》에서 묵계사를 소개하면서 "지역이 조금 트이고[有地稍開曠]"라고 했거나, 1656년에 반계(磻溪) 유형원이 편찬한 《동국여지지》에서는 묵계동을 "땅이 평평하고 넓다[有地高平開曠]"라고 한 사실과 일맥상통한다.

둘째, 삼가리에는 "물가를 따라 주막이 즐비하다"라고 했다. 필자의 기억에도 삼거리 주막촌은 물레방앗간으로 이어지는 수로, 즉 섬들로 가는 길옆에 있었다. 당시에는 삼가(三街) 주막촌을 지나야만 회동으로 올라가는 길과 섬들을 거쳐 학동으로 올라가는 길이 분기하였다. 또한 주막촌 인근에는 방앗간도 있었고, 양조장도 있었다.

셋째, 삼가(三街)는 "해시(海市)와 산이 통하니 상인이 많다"라고 했다. 여기서 작가인 회산이 언급한 '해시(海市)'는 섬진강의 '개치(開峙) 시장'임이 분명하다. 《악양면지》에 의하면 개치마을에는 국립여관 격인 개치원(開峙院)이 있었고, 1518년에 '진주목의 악양현과 화개현 주민의 관곡 수납 편의를 위해 의창(義倉)인 화악창(花岳倉)을 현재의 개치마을인 창촌(倉村)에 세웠다.[360)]'라는 기록도 있다. 개치 시장은 조선 시대 이전부터 범포(帆浦) 시장으로 유명하여 개시일이 2일과 7일이었다. 1927년에 하동으로 시장이 옮겨가기 전까지 하동에서 가장 큰 시장이었다.

넷째, "청어를 파는 어물전이 있었다"라는 구절 또한 흥미롭다. 청어의 제철은 음력 2~3월이니, 회산이 묵계동을 찾은 시기는 봄철이었음이 분명하다. 삼거리에서 청어를 파는 상인은 필시 개치 시장 어물전에서 청어를 사서, 지게에 지거나 머리에 이고 한나절이면 회남재를 넘어 삼거리까지 운반해왔을 것이다. 따라서 묵계동 사람들은 지리산 깊은 산중에 있었지만, 개치 시장이 열리는 날 오후, 혹은 그다음 날이면 개치 시장에

360) 개치원(開峙院)과 화악창(花岳倉)은 1930년 하동향교[전교 여종엽]에서 펴낸 《河東誌續修(하동지속수)》와 1940년 정원호(鄭源鎬)가 펴낸 《嶠南誌(교남지)》(경상도지리지)에서도 그 존재를 확인할 수 있다.

진열된 생선을 맛볼 수 있었을 것으로 짐작된다.

참고로 정약전(丁若銓, 1758~1816)의 《자산어보(玆山魚譜)》[361]에 의하면 "청어(青魚)는, 길이는 1척 남짓이다. 몸통은 좁고 색이 푸르다. 물에서 오래 나와 있으면 뺨이 적색으로 된다. 맛은 담백하고 싱거워 국이나 구이에 좋으며, 젓갈이나 어포로도 좋다. 1월에 바닷가로 들어와 연안을 따라다니면서 알을 낳는데, 이때 수만 수억 마리가 떼를 지어 도달하면 바다를 덮을 지경이다. 3월 사이에 산란을 마치면 물러난다. 이런 뒤에 길이가 0.3~0.4척 되는 청어 새끼가 그물에 들어온다……"라고 했다.

이로 미루어 회산 선생이 묵계동을 거쳐 간 시기는 청어가 제철인 음력 2~3월의 봄철이었을 것으로 생각된다. 그런데 개치 시장에 입하(入荷)되는 해산물은 청어만이 아니었을 것이다. 1940년 정원호가 쓴 《교남지(嶠南誌)》에 의하면 하동의 토산품[362]에 대구 등 생선이 많았다고 하니 철마다 제철 생선이 회남재를 넘었을 것으로 생각된다.

〈삼거리에서[三街里]〉

三街行問地形疎	삼거리 가는 길 물으니 지형은 트이고
酒戶排寬近水居	술집이 물 가까이 늘어섰네
海市通山多賈客	해시(海市)와 산이 통하니 상인이 많고
杏花深巷賣青魚	살구꽃 핀 거리에 청어를 파는구나!

다섯 번째 시는 '장자촌(長子村)'이라는 시이다. 아마 '장재터(長在基)'를 지칭하는 것 같다. 여기서 '재(在)'는 '재(峙)'에서 음차(音借)한 것으로 보이는데, '장재'라는 마을 이름은 길고 험한 '열두모랭이'가 있었기 때문으로 보인다. 필자가 어릴 때는 '장개터'라고도 불렀던 기억도 있다. 이곳은 지방도 1014호선이 지나는 길목이다. 실제로 덕천강 유역의 곡창지역인 옥종 시장은 쌀과 보리 시세가 하동시장 보다 가격이 헐했다고 한다. 따라서 옥종지역의 곡물이 이곳을 통해서 묵계동으로 유통되었을 가능성이 크다. 그래서인지 장재터는 오가는 길손이 많았고, 따라서 주막이 성했던 모양이다. 그래서 작가인 회산도

361) 정약전, 《자산어보》, "長尺餘 體狹色青 離水久則頰赤 味淡薄 宜羹炙 宜醢鱐 正月入浦 循岸而行 以産其卵 萬億爲隊至則蔽海 三月間旣産則退 伊後其子長三四寸者入網……"

362) 대구(大口魚), 복(鰒), 문어(文魚), 은어[銀口魚], 대합조개[蛤], 상어[沙魚], 홍어(洪魚), 굴[石花], 게[蟹], 해삼(海蔘), 수어[首魚, 秀魚], 농어(鱸魚) 등이 있다(경상국립대 남명학고문헌시스템에서 인용).

이곳에서 사흘을 머물렀다고 했다.

〈장재터에서[長子村]〉

長村沽酒宿三宵 장자촌 주막에서 사흘 밤을 묵었는데
旅屋春寒夜燭消 주막집은 봄인데도 추워 밤에 촛불 사라지네
碧澗淙淙丹壁繞 푸른 시내 졸졸 흘러 붉은 벽을 두르고
行逢木客手相招 다니는 길손(木客) 만나 손을 서로 잡는구나

여섯 번째 시는 '**고운동에서[孤雲洞]**'라는 시이다. 고운동도 옛날에는 묵계동이었다는 사실을 작가가 확인해 준 셈이다. 고운동은 묵계동에서 덕산으로 이어지는 중요한 중간 기착지로서 특히 고운 최치원 선생의 전설이 깃든 곳이다. "고운동은 '배바위(舟巖)' 동북쪽에 있는 마을로 신라 말기의 학자 고운(孤雲) 최치원(崔致遠)이 이곳에 은거하였다고 하여 고운동이라 부르게 되었다고 한다. 해발 700m에 있는 고운동은 이 일대 고운계곡에 마을을 이루는 곳이었으며 마을의 역사가 거의 1200년에 이른다. 예전부터 고운동 일대는 풍수지리학자들 사이에서도 명당자리로 알려졌다고 전한다. 하지만 지리산 산청양수발전소가 만들어지면서 댐이 건설되고 고운계곡의 마을은 수몰되었고 사람들 대부분이 마을을 떠났다.

현재는 고운동의 예전 모습은 사라지고 고운호(인공호수) 주변의 몇몇 집들만 남아있다.고운호는 산청양수발전소의 상부댐이다. 발전소의 시설용량은 700MW이며 35만kW 발전기 2기가 운용된다. 1호기는 2001년 9월 28일, 2호기는 같은 해 11월 8일에 준공되었다. 상부댐의 높이는 92m이고 댐의 길이는 380m이다. 하부댐은 시천면 내대리에 있으며 댐의 높이는 69m이고 길이는 318m이다. 상·하부저수지 및 댐, 지하발전소로 이루어지는 시설의 총낙차는 427m이다. 1995년 2월에 건설을 시작하여 총공사비 5,888억원이 투입되었다. 2001년 9월 상업 운전에 들어갔고, 6년 10개월 만인 2002년 7월에 당시 국내 최대규모로 준공되었다."[363)]

363) 한맹, 블로그 《세상의 모든 이야기들》, 〈국내 행정구역 경상남도 산청군 시천면 반천리〉에서 인용.

〈고운동에서[孤雲洞]〉

孤雲洞裏有村居(고운동리유촌거)	고운동 속에 사람 사는 마을이 있는데
岳麓東開眼力疎(악록동개안력소)	산의 동쪽이 열리자 시야가 훤해지네
正憶新羅崔學士(정억신라최학사)	기억하기로 신라의 최학사가
採眞何日住仙車(채진하일주선거)	진경(眞境)을 구하려 어느 날 선거(仙車)를 머물렀다지.

일곱, 여덟 번째 시는 '**미륵암에서(彌勒菴)**'라는 시 2편이다. 편의상 미륵암에서(彌勒菴)(1), (2)로 구분했다. 미륵암은 외삼신봉 아래에 있다. 외삼신봉은 동북쪽은 천왕봉을 중심으로 한 지리산 종주 능선과 서남쪽은 거사봉과 시루봉을 지나는 삼신지맥 등이 마주보며 힘차게 흘러내린다. 따라서 이곳에 앉으면 천하의 중심에 앉은 듯한 편안한 느낌이 드는 명당이다. 미륵암지에 대해서는 별도로 자세히 소개할 예정이다.

〈미륵암에서(1)[彌勒菴]〉

天王西麓只麽靑(천왕서록지마청)	천왕봉 서쪽 기슭에 이토록 푸른데
石塑跏趺丈六形(석소가부장육형)	돌로 가부(跏趺)를 만들었는데 길이가 장육척(丈六尺)이라
義手焚香多發愿(의수분향다발원)	의수에 분향하고 소원을 많이들 비니
人言祈禱有神靈(인언기도유신령)	사람들 말에 기도하면 신령스러움이 있다 하네

〈미륵암에서(2)[彌勒菴]〉

峽深土厚拓薺田(협심토후척자전)	골 깊고 비옥한 땅에 남새밭을 만들고
草火燔耕處處煙(초화번경처처연)	풀을 태워 화전 밭 일구니 곳곳에 연기나네
秋採甘香蒸作飯(추채감향증작반)	가을에는 감향(甘香)을 뜯어 쪄서 밥을 지으니
山人不識有荒年(산인불식유황년)	산중 사람은 흉년이 있다는 걸 알지 못하네

(5) 묵계동의 물레방아

물레방아는 수력(水力)의 위치에너지를 이용하여 동력을 얻는 장치이다. 물레방아는 방앗간의 대표적인 풍물시이다. 묵계동과 관련된 자료를 찾다가 우연히 〈묵계리 물레방아〉라는 타이틀이 붙은 흑백 사진 1장을 발견했다.

분명히 삼거리(양동석 친구 집)에도 있었고, 회동(안치영 친구 집), 학동 세터(정태화 후배 집)에도 있었던 것 같은데 어딘지 분명치 않아서 이 사진을 묵계초등학교 11회 동기들의 카카오톡 대화방에 올렸더니, 반응이 뜨거웠다. 장재터에도 있었고, 높은터에도 있었고, 원묵계에도 있었다는 정보가 날아든다. 그래서 곰곰이 생각해 보니 높은터 비석거리 아래 디딜방앗간에서 어머니와 중이리 '새터'마을 외갓집 잔치에 가면서 메밀을 찧어가던 추억이 떠올랐다.

〈청암면 묵계리 물레방아〉. 하동문화원의 《추억의 하동 사진집》에서 인용(한편, 사진집 《삼포 불이향 옛 하동》에서는 〈1970년대 청암 평촌 물레방아〉라는 설명도 있다)

이 물레방아가 삼거리 것이면 어떻고, 회동 · 학동 거면 어떤가? 하동문화원에서 펴낸 《추억의 하동 사진집》에 의하면 이 사진의 소장자는 "신영식"씨 이고, 그 아래에 "청암 묵계리 물레방아. 추억을 먼저 떠올리는 게 물레방아다. 찧을 거리만 있어도 부자 같은 마음이었다. 그곳에는 우리의 애환과 고통과 사랑이 있었다"라는 설명이 곁들여져 있다. 이 사진과 관련하여 정보를 제공해 준 친구들께도 감사드린다.

우리나라에서 물레방아를 처음 설치하여 실용화한 분은 실학자 연암(燕巖) 박지원(朴趾源, 1737~1805) 선생이다. 그가 안의 현감 시절(1792~1796)에 물레방아, 풍구 등 선진 농기구를 제작하여 시험한 것 또한 농업기술의 개량을 통해 민생을 윤택하게 하려고 했던 박지원의 애민 정신[364]을 잘 보여준다. 그래서 함양을 일컬어 '물레방아 고장'이라 한다. 함양군 안의면 용추계곡에는 〈연암(燕巖) 물레방아 공원〉이 있다.

어린 시절 추억이 깃든 물레방아는 나훈아의 노래 〈물레방아 도는데〉라는 노랫말에도 잘 나타나 있다. 이 노래의 작사가 정두수(1937~2016)는 하동군 고전면 성평리 출신으로, 옛날 배다리 시장이 있던 하동군 고전면 고하리 '배다리 공원'에 가면 〈물레방아 도는데〉 시비가 있다. 하동사람의 정서가 잘 녹아있는 〈물레방아 도는데〉 가사를 음미해 보며 옛

364) 〈연암 박지원과 물레방아〉, 한국학중앙연구원, 《향토문화전자대전》에서 인용

추억을 떠올려 보기 바란다.

(6) 묵계리 역대 이장 명단(자료 제공: 양점동 학로계 사무국장)

묵계리			장고			회동			학동			청학동		
성명	연도	비고	성명	연도	비고	성명	연도	비고	성명	연도	비고	성명	연도	비고
양삼준	1960	묵계리												
장규도		〃												
양대석		〃												
하재권	1973	하계				정규상	1973	상계						
하재민		〃				김월교		〃						
강도세		〃				한홍배		〃						
이일석		〃				노진영	1986	회동						
정재철		〃				노병화		〃	유주은	?	학동			
이갑규	1986	묵계	양석범	1986	장고	김택용		〃	강준택	1986	학동	은희창	1986 ~1989	청학
장경석	1989 ~1990	〃	이건규		〃	노병화	1990 ~1991	〃	김도주		〃	윤용현	1990 ~1992	〃
이갑규	1991	〃	이홍규		〃	김원식		〃	강노위		〃	김덕준	1993 ~1994	〃
양점동	1992 ~1998	〃	이갑규		〃	노병엽		〃	양영도		〃	박상동	1995 ~1999	〃
하길봉	1998 ~1999	〃	이중근		〃	노병득		〃	김삼주	1983 ~1990	〃	김하용	2000 ~2009	〃
하인선	2000 ~2001	〃	하정근	~2012	〃	노병엽		〃	강정관	1991 ~1992	〃	양인석	2010 ~2012	〃
양점동	2002 ~2005	〃	정금석	2013 ~2019	〃	노병화		〃	박부원	1993 ~1996	〃	김옥식	2013 ~2015	〃
한석민	2006 ~2009	〃	조현권	2020 ~2023	〃	노동인	2011 ~2012	〃	강동균	1997 ~2012	〃	은희창	2016 ~2017	〃
김만석	2010 ~2013	〃	이영근	2024~	〃	김영석	2013 ~2014	〃	노화식	2013 ~2014	〃	윤용현	2018 ~2021	〃
양호영	2014 ~2017	〃				노병엽	2015	〃	강동균	2015 ~2018	〃	이희재	2022~	〃
도봉두	2018 ~2019	〃				장규채	2016	〃	강정관	2019 ~2020	〃			
양계석	2020 ~2023	〃				이명준	2017 ~2020	〃	김규식	2021 ~2022	〃			
이영규	2024~	〃				노동인	2021 ~2022	〃	강정관	2023~	〃			
						김영민	2023~	〃						

(7) 묵계리의 주요 기관 · 단체

(가) 묵계초등학교[365)]

묵계초등학교 본관 전경. 멀리 문필봉이 보인다(2024.10.10.)

경상남도 하동군 청암면 묵계리에 있는 공립 초등학교이다. 묵계초등학교는 1936년 5월 1일 청암보통학교 부설 묵계간이학교로 설립 인가를 받아 개교했으며, 1942년 4월 1일 묵계공립국민학교로 승격하였다. 1947년 4월에 면민의 부담으로 교실 2칸, 사무실 1칸을 지었으나 1949년 여순사건으로 교실이 전소되어 청암공립국민학교로 이전하였다.

1954년 현 위치에 초가 2교실을 신축하여 다시 수업을 시작하였다. 1958년 3월 22일 최초로 20명이 졸업하였다. 1985년 12월 31일 병설 유치원을 개교하였다. 1970년대에는 학생 수가 300명을 넘어 7학급으로 구성되었으나 1990년대 들어 5학급 규모로 축소되었다. 1996년 3월 1일 교명을 묵계초등학교로 변경하였다. 2014년 3월 1일 청암초등학교가 묵계초등학교 청임분교장으로 개편되었다. 2024년 2월 7일, 제67회 졸업생 7명이 졸업하여 총 1,627명의 졸업생을 배출하였다.

교육목표는 '나 · 너 · 우리 모두 행복한 학교'를 바라는 학교 상으로 하고, '자연, 친구와 함께 꿈 · 희망 · 자존감 찾기'를 교육목표로 하고 있다. 학교 상징물로는 교목은 전나무이고, 교화는 모란(목단)이며 김진호 작사 · 작곡의 교가는 아래와 같다.

---

365) 묵계초등학교, 묵계초등학교 청암분교 홈페이지 및 《한국향토문화전자대전》에서 인용하여 작성한 후 묵계초등학교 2023년 당시 교장 선생님으로부터 검토를 받았다.

묵계초등학교 〈교가〉(학교 홈페이지에서 따옴)

2024년 3월 현재, 6학급 24(1)명이 재학 중이며, 유치원에 2명이 재학하고 있다. 교직원은 교장, 교감 각 1명, 교사 7명(부장교사 2 포함), 보건, 영양, 상담, 유치원, 유치원 방과후 교사 각 1명, 일반직 5명, 스포츠 강사 1명, 교육공무직원 5명 등 총 24명이다.

(나) 묵계보건진료소[366)]

묵계보건진료소 전경

366) 하동군보건소 홈페이지에서 인용

묵계보건진료소는 2008년 2월에 개소하였다. 지상 2층 건물(연 면적 182.88m^2)로 위치는 청암면 청학로 2196(묵계초등학교 남쪽 약 100m) 묵계마을 입구 도로변에 있다.

주요 업무는 일차 보건 의료사업(진찰 및 투약, 진료 의뢰), 모자보건사업(산전 산후관리, 분만 개조, 영유아 건강관리), 결핵 관리사업(객담 수집 및 검사의뢰, 환자발견 및 관리), 방문 보건사업, 건강증진관리사업(성인병 만성 질환자 관리, 전염병 관리, 노인건강관리)을 하고 있다. 현재 주무관(간호사) 1명이 상주 근무 중이다.

(다) 묵계전담의용소방대[367)]

의용소방대는 의용소방대 설치 및 운영에 관한 법률, 경상남도 의용소방대 설치 및 운영에 관한 조례에 의거, 화재진압, 구조·구급 등의 소방 업무를 보조하기 위하여 그 지역의 주민 중 희망하는 사람으로서 구성한다.

하동소방서 청암 묵계전담의용소방대 (대장 이영규)는 2013년 8월 1일, 청암면 청학로 2221(묵계리 594-2)에서 발대 했으며, 2019년 12월 18일에는 화재진화 차량 인수식을 개최하였다. 전담의용소방대는 2부(총무부와 방호부) 4반(총무부: 서무반, 안전관리반, 방호부: 대응반, 훈련반)으로 구성되어 있다.

하동소방서 청암 묵계 전담의용소방대 전경

묵계 전담의용소방대 뚝딱뚝딱 공구소 전경

각 반의 업무분장 사무를 보면, ①서무반(총무부)은 의용소방 기획, 운영, 인사에 관한 사항, 경리 및 조달, 장비 및 물품관리에 관한 사항 등이며, ②안전관리반(총무부)은 주민의 대피 및 구호 등에 관한 사항, 현장활동 대원의 안전관리에 관한 사항을 관장한다.

367) 하동소방서 홈페이지에서 인용

③대응반(방호부)에서는 화재의 경계와 진압에 관한 사항, 소방용수의 유지관리에 관한 사항, 재난의 초기 대응 및 수습지원에 관한 사항을 담당하며, ④ 훈련반(방호부)에서는 의용소방대원의 교육 · 훈련에 관한 사항을 담당하고 있다. 2022년 12월 말 현재, 묵계 전담의용소방대의 정원은 50명이나 현원은 10명에 불과하여 40명이 부족한 실정이다.

한편, 묵계 전담의용소방대에는 2019년 7월 4일, KT의 지원으로 '뚝딱뚝딱 공구소'가 설치되어 있다[368]. 뚝딱뚝딱 공구소에는 농사와 목공에 필요한 전동 드릴, 톱, 절단기, 전기 대패, 가정용 공구 세트 등 21개 품목 60여 개의 장비가 갖춰져 있고, 상주하는 관리자 없이 무인 시스템으로 운영된다.

이것은 1960년대 초, 대부분 마을에 있었던 〈품물계(品物契)〉를 떠올리게 하는데, 이는 어려울 때일수록 "상부상조"한 묵계동 선인들의 전통과 지혜가 현대적으로 되살아난 아름다운 사례라고 할 수 있겠다.

(라) 묵계자율방범대[369]

묵계자율방범대 사무실 전경(2023. 7월)

자율방범대는 지역 주민들이 자율적으로 모여서 범죄예방 활동을 목적으로 하는 자율봉사조직을 말한다. 주요 임무는 취약지역에 대한 순찰 및 범죄예방 활동, 범죄 현장

---

368) 《디지털 투데이》, KT "필요한 공기구, 24시간 ICT 무인 센터에서 빌려요"(2019.7.4.14:10)

369) 자율방범대(나무위키, 네이버 경찰학 사전) 및 하동군의 주요 재산 변동 자료에서 인용

및 용의자 발견 시 신고, 경찰관과 합동근무, 관내 중요 행사 시 질서유지 및 기타 경찰업무 보조 등으로 규정되어 있다. 한편 한국의 자율 방범 활동은 1963년경 지역 주민들이 범죄피해를 스스로 막아보겠다는 의지와 부족한 경찰력의 공백을 메워서 내가 사는 지역을 내 힘으로 지켜보겠다는 자율적인 "주민 야경제"에서 출발하였다.

묵계자율방범대(대장 양호술)는 청학로에서 삼신봉로가 분기하는 교통 요충지에 위치한다. 역대 대장들의 면면을 보면, 1966년 초대 대장에 김만석, 제2대 대장에 양점동, 제3대, 제8대 대장에 하용선, 제4대 대장에 강정관, 제5대 대장에 도봉두, 제6대 대장에 김창만, 제7대 대장에 서철수, 제9대 대장에 정상호, 제10대 대장에 강동선이다.

조직은 2024년 3월 현재, 대장 이하 부대장과 감사가 각 1명이고, 사무국에 4명, 긴급출동팀에 9명 등 16명으로 구성되어 있다. 제9대 대장 정상호는 2024년 현재 하동군 방범 연합 대장으로 있다.

하동군의 주요 재산 변동 자료에 의하면 2019년 지방보조금으로 그랜드 스타렉스(12인승) 차량을 1대 지원받았다. 2018년 7월 2일에는 '집중 호우시 재난 안전 활동 및 교통사고 예방에 이바지한 공로'로 하동경찰서장 감사장을 수상했으며 '2018년 하반기 경남지방경찰청 BEST 자율방범대 인증패'를 받기도 했다. 대원의 임무와 의무는 다음과 같다.

[근무방법 및 시간]

1. 취약지역 범죄예방 순찰 및 범죄예방 활동
2. 범죄 현장 및 범죄 용의자 발견 시 신고 조치
3. 청소년 선도 · 보호 및 미아 · 가출인 보호
4. 경찰공무원과 합동 근무 및 신고 출동
5. 무질서 행위, 오물 무단 투기 행위 등 계도
6. 각종 시리 안내
7. 관내 행사 시 경찰과 협조하여 질서유지 및 기타 업무 협조
8. 근무에 성실히 참여
9. 자율방범대장, 파출소장, 청암면장의 봉사활동 요청에 적극 협조
10. 자율방범대의 명예를 훼손하는 행위의 금지
11. 제반 법규의 준수로 타의 모범이 되어야 함

또, 근무 방법 및 시간은 다음과 같다.

[근무 방법 및 시간]

1. 조별로 범죄 취약지역을 순찰한다.
▶ 하절기: 20:00~23:00 ▶ 동절기: 19:00~22:00
2. 필요에 따라 파출소장, 치안센터장의 지시 감독을 받아 협조
3. 자율방범대로 신고가 접수된 경우, 반드시 횡천파출소에 연락한다.
▶ 위급사항 발생 시 「즉시 초소 보고→팀장→부대장→대장」 순으로 보고하고 상황에 맞는 조치 할 것.
4. 초소 내에서는 야식을 제외한 음주, 흡연, 도박 금지
5. 초소 근무자가 청결 유지
6. 초소에 비치된 일지를 통해 근무 사항 기록 유지
7. 순찰 장비는 사용 후 제자리에 정리

우리 동네는 내가 지킨다!!! 묵계자율방범대

(마) 묵계교회[370)]

묵계교회 모습(묵계교회 노진환 목사님 제공)

묵계교회는 경상남도 하동군 청암면 섬들길 28 (묵계리)에 있는 대한예수교장로회 진주노회(통합) 소속 교회이다. 묵계교회는 복음을 통해 구원을 얻은 하나님의 자녀들이

370) 묵계교회 관련 자료는 《디지털 하동문화대전-하동향토문화백과》에서 인용, 작성한 다음 묵계교회 노진환 목사님의 검수를 받았다. 교회 사진을 제공해 주시고, 원고를 검토해 준 목사님께 감사드린다.

이 땅에서 하나님의 뜻을 이루고 하나님의 영광을 위하여 살며, 지역의 영혼들을 하나님의 품으로 인도하여 모두가 소망 가운데 복되고 보람 있는 삶을 살게 하도록 설립되었다.

1959년 6월 14일, 양회갑 집사댁에서 시작된 기도 모임이 묵계교회로 발전하였다. 삼거리 새터마을 안에 있었던 묵계교회는 1978년에 현재 위치(섬들길 28)로 옮겨 교회를 건축하여 오늘에 이르고 있으며, 2010년 10월에 교회 터 내에 교육관을 신설하여 완공하였다.

주요 사업과 활동사항은 일요일에는 오전 9시 교회 학교 예배, 오전 11시 성인 예배가 있고, 오후 2시에는 찬양 예배가 이루어진다. 수요일 오후 7시에 수요 기도회가 있으며, 목요일 오후 7시에는 1구역과 2구역으로 나누어 각 가정으로 돌아가면서 구역 예배가 행해지고 있다.

그 외에 매월 첫날 새벽은 월삭 새벽기도를 드리며 드려지는 월삭 헌금으로 선교(국내, 해외)헌금으로 보내지고 있으며, 첫 주 월요일부터 목요일까지는 작정하여 드리는 밤 기도로 신앙의 훈련을 진행하고 있다. 지역 복음화를 위한 사업으로 총동원 전도 주일과 각종 초청 행사를 진행하고, 교회 주변 5개 마을(새터, 장재터, 높은터, 원묵, 학동, 청학동)의 전도, 어려운 이웃 돕기, 해외 선교 활동을 지원하고 있다. 2022년 현재 사역자로는 담임 목사와 은퇴 장로 2명, 안수집사 3명, 시무 권사 4명이 시무하고 있으며, 전체 성도 수는 교회 학교를 포함하여 45명이다.

묵계교회 모습(노진환 목사님 제공)

(바) 지리산국립공원 〈청학동 탐방지원센터〉

국립공원공단은 '국립공원공단법' 및 '자연공원법'에 따라 국립공원 등의 자연생태계, 자연·문화 경관 및 지형·지질자원을 체계적으로 보전, 관리함으로써 국립공원 등의 지속 가능한 이용을 도모하고 국민이 쾌적한 자연환경에서 건강하고 여유 있는 생활을 할 수 있도록 함을 목적으로 설립되었다.

국립공원공단은 공원 관리 전문기관으로서 하고 있는 사업은 다음과 같다.

- 국립공원의 보전
- 국립공원의 야생생물 보호 및 멸종위기종의 복원
- 공원시설의 설치·관리
- 자연공원 자원에 대한 조사·연구
- 자연공원의 청소
- 자연공원 이용에 관한 지도·홍보
- 자연공원과 관련된 체험사업, 탐방해설 등 탐방프로그램의 개발·교육·보급 및 운영
- 기후변화로 인한 자연공원의 생태계 영향조사·연구 및 생태복원
- 자연공원 보전·관리와 관련된 국제협력
- 정부나 지방자치단체로부터 위탁받은 사업
- 그 밖에 공단의 설립 목적을 달성하기 위하여 대통령령으로 정하는 사업 등

청학동 탐방지원센터(묵계리 청학동 미륵골 도인촌 입구)

국립공원공단 지리산국립공원 경남사무소 하동분소에는 분소장 이하 11명의 직원이 있는데, 미륵골 삼신봉 등산로 입구, 청학동 탐방지원센터에는 2명의 직원이 교대 근무하고 있다.

나. 묵계동천 마을 탐방

(1) 장고 마을(행정리 명: 5통 1반)

장고마을 부근도(카카오 지도에서 인용 작성)

묵계리 중에서 가장 물 아래 동네인 장재터(長在基) 마을과 높은터(高基) 마을을 아울러 행정상으로 부르는 이름이다. 장재터와 높은터는 약 2km 떨어져 있다. 청암면 상이리(上梨里) 절터 마을 위쪽이다.

장고마을 회관(장재터에 있다)

(가) 장재터 마을

장재터의 봄(사진: 휴암 양영욱)

장재터는 묵계리에서 가장 물 아랫마을이다. '장재', '장재기', '장자촌'이라고도 부른다. 청암면 상이리의 절터 마을을 지나면 백바위 근처에서부터 장재마을에 이르기까지 강변 오른쪽 통로에는 험준한 바위가 즐비하다.

마을 입구 수십 미터 아래에는 이상향 청학동의 관문이라고 하는 전설적인 내석문(內石門) 터가 있고, 이보다 훨씬 아래로 절터 마을과의 중간 지점에는 외석문(外石門) 터가 있으며, 그 아래에 백암, 즉 백석동천이 있다. 장재터에서 옥종면 궁항리의 궁항(활미기) 마을로 넘어가는 '열두모랭이와 질매재'의 긴 재가 있다. 그래서 마을 이름을 '장재터'라고 한다. 이곳에는 남원양씨들이 제일 먼저 입거한 것으로 알려져 있다. 이 고개는 옥종과 수곡, 단성, 진주 등지로 이어지는 중요한 교통로로 경상남도 지방도 1014호가 통과한다.

(나) 높은터(高基) 마을

'높은 터'라고 하는 마을이다. 이 아름다운 말을 한자어로 바꾸면 고기(高基)이다. 일반적으로 마을은 강변을 따라 난 신작로를 따라 형성되어 있으나 고기(高基)는 말 그대로 마을이 도로변에서 30~40m 높은 지대에 위치하여 도로에서는 잘 보이지 않는다. 그래서 붙여진 마을 이름이 아닌가 생각된다.

마을 입구에는 전주이씨의 '비석거리'가 조성되어 있는데, 오래전부터 전주이씨들이 터 잡고 살았던 유서 깊은 마을임을 짐작할 수 있다.

높은터의 봄(사진: 휴암 양영욱)

(다) 장고 마을의 주요 지명

■ 묵계 청학동 진입의 최대의 난관 백바위[白石洞天]

백바위는 묵계리와 상이리의 경계 지점으로 상이리의 가장 위쪽 마을인 '절터'에서 약 0.7km 위쪽에 있고 장재터의 장고마을 회관에서 약 0.9km 아래 계곡에 있다. 백바위를 백암동천이라고 하는데, 이것은 유독 이 주변에 참암(巉巖)이 잇닿아 절경을 이루고 있고, 천변(川邊)에는 유백색의 거대한 반석이 펼쳐져 있기 때문이다. 특히 하얀 암반이 강바닥까지 평포(平鋪)하게 이어져 백백(白白)한 연못을 만들고, 암반이 시작되는 모퉁이에는 한줄기 와폭(臥瀑)이 암반을 따라 여울치면서 하얀 포말(泡沫)을 일으키며 유유히 흐르는 모습에 수많은 시인이 백석탄(白石灘)이라고 노래한 명승지이다.

이곳은 묵계초등학교의 전통적인 소풍 장소이다. 이곳에서 멀지 않은 강변에는 고려시대 기인(奇人)이자 은사(隱士)인 녹사(錄事) 한유한(韓惟漢)의 은거지로 알려진 '부춘동(富春洞)'이 있다.

'백바위'는 묵계초등학교의 전통적인 소풍 장소였다. '그리운 아버지'들도 소풍을~~~
(묵계초 총동창회 카페에서 인용)

또, 이곳 백암동천은 백암(白巖) 김대명(金大鳴) 선생께서도 노닐며 구경했다는 장소이다. 백암은 1570년 정기적인 과거 시험인 식년 문과(式年 文科)에 장원 급제하여 풍기군수를 지냈다. 조선 선조 때 서장관(書狀官)으로 명나라를 다녀온 후 당쟁이 분분하자 벼슬을 버리고 향리인 진주목 묵계동에서 몸을 휴양하였다. 그러다 임진왜란이 일어나자 초유사(招諭使) 김성일(金誠一)이 여러 사람의 의견에 따라 백암을 의병 도소모장(都召募將)으로 삼았고, 이에 고성지역 의병들과 함께 왜적을 토벌하여 공을 세웠다. 현재 진주의 대각서원(大覺書院)에서 배향(配享)한다.

그리고 진주사람으로서 이곳 백암동천을 매우 사랑한 인물이 있는데, 서계(西溪) 박태무(朴泰茂, 1677~1756)이다. 그의 가문은 대대로 진주에 살면서 뛰어난 학자 집안으로 명망이 높았다. 그의 문집 《서계선생집(西溪先生集)》은 그의 증손자인 눌암(訥庵) 박지서(朴旨瑞, 1754~1821)가 1812년 목판본으로 간행하였다. 서계(西溪) 박태무는 60세인 1736년에 〈유두류산기행(遊頭流山記行)〉이라는 지리산 기행 시(詩) 36수를 남긴다. 그는 이때는 천왕봉을 오른 후 화개, 악양 일대를 유람하고 돌아간다. 또, 69세 때인 1745년에는 그의 두 번째 지리산 기행 시인 〈중유두류(重遊頭流)〉에서 18수의 시를 남겼는데, 이때는 대원사 등 덕산 일대와 오대사(五臺寺)를 거쳐 가례암(家禮巖)과 백암(白巖)까지 여행하고 진주로 돌아간다. 당시 이곳 백바위에서 서계 박태무가 남긴

〈백암(白巖)〉이라는 시를 소개한다.

박태무의 〈백암(白巖)에서〉[371)]

징파세부세
澄波洗復洗 깨끗한 물결에 씻기고 또 씻겨,
증부점진류
曾不點塵留 일찍이 먼지 한 점 남지 않았네.
심수두류록
深邃頭流麓 깊고 깊은 두류산 기슭,
청고녹사유
淸高錄事遊 맑고 높은 한록사 거닐던 곳,
유회공곡모
有懷空谷暮 해 질 녘 빈 골짜기에 감회가 일어,
무어원산수
無語遠山愁 말 없는 먼 산을 바라보니 시름겹구나.
사여암구백
事與巖俱白 녹사와 바위 모두 깨끗한데,
암전운수유
巖前雲水悠 바위 앞엔 구름과 물만 유유히 흐르네.

눌암(訥庵) 박지서(朴旨瑞)는 그의 할아버지의 영향을 받아서인지 백암(白巖)을 더욱 사랑했다. 박지서의 문집인 《눌암선생문집(訥菴先生文集)》의 〈유두류산기행(遊頭流山紀行)〉에서 〈백암 가는 도중〉과 〈백암〉이라는 시를 남긴다. 그중에서 〈백암〉이라는 시를 소개한다. 특히 눌암은 고려 시대 은사(隱士) 한유한이 숨어든 지리산을 사랑하여 백암(白巖)의 절경에 버금가는 가례동(家禮洞)에 집을 지어 산수를 벗하고자 하였으나 그 뜻을 이루지 못하자 그 아쉬움을 〈백암수석기(白巖水石記)〉에 남겼다.

박지서의 〈백암(白巖)에서)〉[372)]

잔설리화양안평
殘雪梨花兩岸平 잔설 같은 이화로 양안이 평평한데
시하청일청뇌명
是何晴日聽雷鳴 이 어찌 맑은 날에 우뢰소리 들리는가
녹사금기산불로
錄事衿期山不老 녹사가 품은 회포 산에 사라지지 않았고
고운소식수여청
孤雲消息水餘淸 고운의 소식은 물에 맑게 남았구나
득실가련부세태
得失可憐浮世態 득실을 따지는 것이 이 세상의 행태요
시비유각속인정
是非遺却俗人情 시비를 버리는 것은 속인들의 정이라

371) 원문과 번역은 블로그 그날에 솟아오른 해-박태무 〈중유두류(重遊頭流)〉에서 인용.

372) 원문은 한국고전종합DB-《눌암집(訥菴集)》, 번역은 김삼주 학로계장.

한 서 유 결 타 년 약
寒捿留結他年約 가난히 살지만 다음 해 기약하니
원 학 지 응 식 성 명
猿鶴知應識姓名 원숭이와 학이 응당 성명을 알리라.

그는 "18세기 말 진주를 중심으로 한 강우 지역의 학풍을 부흥시키는 데 주도적인 역할을 한 선비[373]"였다. 눌암 선생이 쓴 〈백암수석기〉는 제3부에서 별도로 소개한다.

또한, 청암지역 소객(騷客)들은 신사년(1941)에 '청백음사(靑白吟社)'를 조직하고 매년 이곳에서 시회(詩會)를 열었다. 암벽에는 '백석동천(白石洞天)'과 '청백사원(靑白社員)[374]'들의 이름이 명각(銘刻) 되어 있으나 60여 년의 세월이 흘러 많이 마모되어 일부만 볼 수 있어서 아쉽다. 이에 2022년 7월 7일, 청백사 총회에서 사원(社員) 김규섭씨가 "우리 청암의 제일 경승지이고 탐방객도 많이 찾는 이곳에 안내판이 노후 되었으니 이것을 비석으로 바꾸는 것이 어떻겠느냐?"라고 하는 제안에 사원 일동이 모두 동의하여 사(社)의 기본금 300여만 원과 사원 1인당 각자비(刻字費) 10만 원을 갹출하는 등 합계 600여만 원으로 2023년 6월 27일에 백석동천 유래비의 제막을 하게 되었다.

한편, 이곳 백바위에는 와폭(臥瀑)을 포함하여 크고 작은 폭포가 이어진다. 이들 폭포 주변은 묵계동으로 들어가는 최대의 난관이었다. 옛 선인들은 반드시 이곳 폭포에서부터 약 1km 구간의 내 · 외석문을 통과해야만 묵계동으로 들어갈 수 있었다.

---

373) 강동욱,《강우 유맥 계승에 평생을 바친 눌암 박지서》에서 인용

374) 청백사(靑白社, 사장 박영양)는 1941년 9월, 일제강점기의 암울한 압제 속에서도 청암의 명사들이 이 지역 제일의 명승 처인 백바위에서 '청백음사(靑白吟社)'라는 시계(詩契)를 조직하고, 그 대표를 사장(社長)이라 하였다. 경상국립대학 한문학과 이상필 명예교수에 의하면 이렇게 시회(詩會)의 대표자를 사장(社長)이라고 부르는 것은 전국적으로도 매우 희귀한 사례로 평가받고 있다. 해방과 한국전쟁의 혼란기와 지리산 빨치산의 준동(蠢動)이 마무리되고 사회가 안정되자 1956년에는 청백사를 재창립하면서 매년 4월과 9월, 이곳에서 시를 짓고 종일 연희를 즐겼다. 또 천변(川邊)에 수직으로 솟은 높은 암벽에 '白石洞天(백석동천)' 네 글자와 백바위 암반 위에 청백사원(靑白社員) 36명의 이름을 새겼다. 1965년에는 그동안 모아 두었던 옥고들로 '청백사 시집'(靑白社 詩集)을 발간하였다. 당시의 시집을 분석해 보면 인근의 횡천, 하동, 악양, 옥종 지역과 멀리 단성, 사천, 진주지역의 문인들도 참여하는 폭넓은 문화교류의 장이었음을 잘 알 수 있다. 이어서 1994년에는 묵계의 오헌(旿軒) 양삼준(梁三俊) 선생 등에 의해 쇠잔해 가던 청백사를 복원하여 한시 창작활동을 이어갔다. 2018년 4월 계일에 선인들의 유작 옥고들의 국역본을 만들기로 결의하고, 하동문화원과 청백사가 공동으로 2019년 12월 31일에 국역본(김삼주 편역, B5판, 200페이지)을 발간하였으며, 2023년 6월 27일, 백바위 위 도로변에 〈백암동천 유래비〉를 세웠다.

〈백바위 폭포〉의 좌우는 험준한 참암(巉巖)이다. 이 폭포와 내 · 외석문을 돌파한 사람만이 비로소 〈묵계 청학동〉의 내부로 발을 들일 수 있었다.

〈백암동천 유래비〉(청백음사, 2023. 6. 27. 건립)

■ 묵계 청학동 제1 관문-외석문(外石門)

백바위를 이상향 청학동으로 들어가는 첫 번째 관문, 즉 외석문(外石門)이라고 한다. 실제로 백암동천 주차장에서 백바위 입구인 '골든파라다이스 펜션'까지 약 300m 구간의 도로는 매우 좁고 험준한 길이었다. 이 길은 일제강점기에 백바위로 이어지는 절벽의 암반을 절개하여 신작로를 개설하였기 때문에 폭이 좁고 노면도 고르지 못했다.

〈백바위와 외석문터〉 여기서부터 약 1km 상류의 내석문까지는 좁은 계곡 사이에 난 통행로는 그야말로 우산좌수(右山左水)의 좁고 험악하다. 묵계동 입구에 자리한 이런 석문은 묵계동 선인들의 통행에 얼마나 큰 장애물이었는지 생생하게 보여 주고 있다.

또한, 그 도로 아래는 묵계천과 백바위로 10~20m의 아찔한 절벽이기 때문에 외지인들이 드나들기는 매우 어려웠을 것으로 추정된다. 필자도 유소년 시절, 암반투성이의 이 신작로를 걸어 다녔던 기억이 생생하다. 외석문 위의 산 중턱, 해발 350~450m에는 험준한 열두모랭이 산길(1014번 지방도)이 통과한다.

■ 구무바우(공암, 孔巖)

〈구무바위〉-'백암 선생 휴양처'로 알려져 있다.

백바위 위쪽 약 200m 지점 도로 아래, 묵계천 변에 있는 바위이다. '구무'는 '구멍'의 경상도 방언이면서 고어다. 현대국어 '구멍'의 옛말인 '구무'는 15세기 문헌에서부터 나타난다. '구무'는 단독으로 쓰이거나 자음으로 시작하는 조사와 결합할 때는 '굶'으로 교체를 하였다. 17세기부터 '구무'에 '작음'을 뜻하는 접미사 '-엉'이 결합하여 '구멍'으로 나타나면서 '구무/굶'과 '구멍'이 공존하게 되었다. 이후 '구멍'이 정착하면서 현재에 이르렀다. 또한 이 '구무'가 경상도 방언으로 남아있다.[375)]

이 바위 속에는 넓은 굴이 있는데 수십 명의 사람이 들어갈 수 있고, 그 앞은 바로 강물이 넘실거리니 옛날 백암(白岩) 김대명(金大鳴) 선생의 피신처였다고 알려져 있다. 현재는 주로 무속(巫俗)인들이 기도처로 이용하고 있다. 이 구무바위는 남서향으로 입구가 크게 뚫려 있다. 그 크기는 정면 가로 약 8m, 세로(깊이) 약 7m, 높이 3m 정도의 천연동굴이다. 안쪽 깊은 곳에는 작은 굴이 수 개소 있으나 누군가에 의해 돌을 쌓아 막아 두었기 때문에 정확한

375) 곽재용, 〈하동의 방언이 나타난 지리산 지명〉, 《하동문화(제40호)》, 2021

깊이는 알 수 없다. 바닥은 원래 비스듬한 공간이었으나 입구를 콘크리트로 보강을 해서 평평한 대지처럼 보인다. 전체 면적은 약 25~30m²[약 9평] 정도의 공간이다.

이 바위의 강 건너편에 '구멍 바위'를 뜻하는 '공암(孔岩)'이라는 각자(刻字)가 있는 바위에는 6개의 봉우리를 가진 암괴(巖塊)가 병풍처럼 펼쳐져 있고, 그 아래 하류에는 '개구리 바위'와 '구렁이 바위'가 있다. 이곳 공암에 대해서도 많은 선비가 시를 읊었다.

먼저, 송정 하수일의 9세 손인 죽헌(竹軒) 하봉운[376](河鳳運, 1790~1843)은 《죽헌유고(竹軒遺稿)[377]》에서 '가례암(家禮巖)', '백암(白巖)', '공암(孔巖)'을 '청암동 삼절(青巖洞 三絶)'이라 칭하며 그 뛰어난 절경을 시로 지었다. 특히, "공암에 이르니 바위가 휘어진 병풍과 같고, 깊은 구멍이 있어서 그 이름을 공암이라고 했다(**至孔嵒 嵒如曲屛而有深穴 故名之曰孔嵒**)"라는 설명을 곁들인다. 죽헌의 〈공암(孔巖)〉이라는 시를 소개한다.

〈공암(孔巖)〉-'유청암동삼절 병서(遊青巖洞三絶 竝書)'[378]

孔巖隣白巖 공암 근처에 백바위 있어,
雙立碧溪潯 푸른 물가에 나란히 섰네
天作元無巧 하늘의 작품은 자연은 원래 교모함이 없으니,
人謀也不參 인간이 도모해서 참여할 수 없다네
雲屛三疊好 구름 병풍은 삼첩이 좋고,
山寺一間深 산사는 한 칸이 깊구나
禹穴分明是 우혈(禹穴)[379]이 분명 여기이니.
斧痕留至今 우 임금의 도끼 흔적 지금도 있네

---

376) 하봉운(河鳳運, 1790~1843)의 자(字)는 치서(致瑞)요, 호(號)는 죽헌(竹軒)이니 송정(松亭) 수일(受一)의 9세 주손이며 예암(豫菴) 하우현(河友賢)의 아들이다. 10세 때에 부친을 여의고 종조부 함청헌(涵淸軒) 하이태(河以泰)에게 글을 배우면서 한시도 곁을 떠나지 않고 글을 읽었다. 진주 연계재(蓮桂齋) 중창(重創), 진주향안(晉州鄕案) 교감, 종천서원에서 겸재 선생 문집 간행 등의 일에 참여했으며 낙수암(落水庵)을 중수하는 일 등을 주도적으로 진행하였다. 그뿐만 아니라 남명 선생을 모신 덕천서원 원임의 직책도 맡아 남명 정신 선양에 지대한 공을 세우기도 했다. 저서(著書)는 죽헌집(竹軒集)이 있다(진양하씨 대종회 홈페이지에서 인용, 작성).

377) 《죽헌유고(竹軒遺稿)》는 《사계유고(士溪遺稿)》와 함께 송정 하수일의 현손인 석계(石溪) 하세희(河世熙 1647~1686)의 《석계유고(石溪遺稿)의 뒤에 합록(合錄)되어 있다.

378) 원문은 경상국립대 남명학고문헌시스템의 《죽헌유고》에서 인용, 번역 김삼주 학로계장.

379) 우혈(禹穴)은 우 임금의 무덤으로 우 임금이 장서(藏書)한 동굴이다. 절강성 회계산(浙江省會稽山) 뒤에 있다. 우 임금이 순수(巡狩) 중 회계산에 이르러 붕어하시니 그 자리에 장사했다(네이버 《한시어 사전》에서 인용).

■ 공암(孔巖)과 삼로풍영대(三老風詠臺)

공암과 삼로풍영대 병풍바위(가로 15.5m, 높이 1.8~3.5m). 오른쪽에서 2번째 바위에 '공암(孔巖)과 삼로풍영대(三老風詠臺)'-이희순 · 하진락 · 정한문(李喜淳 · 河鎭洛 · 鄭翰文) 등이 한자로 새겨져 있다. 하얀 바탕에 한글로 된 '공암', '삼로풍영대' 등은 필자가 넣었다.

구무바위 건너 맞은편 강가에 모두 6개의 봉우리에 가로로 '공암(孔巖)'이라는 글자와 그 아래에 세로(縱)로 세명의 이름이 각자(刻字) 되어 있다. '정한문(鄭翰文)', '하진락(河鎭洛)', '이희순(李喜淳)'인데, 그 아래에는 작은 글씨로 이 세 분의 자(字)와 호(號)가 각자(刻字) 되어 있다. 그리고 가장 왼쪽 끝자락에 '삼로풍영대(三老風咏臺)'라고 세로로 각자(刻字)한 것으로 보아 세 노인이 이 멋진 선경(仙境) 속에서 시를 읊으며 유유자적 풍류를 즐긴 것으로 생각된다.

삼로풍영대(三老風詠臺)의
이름 각자(刻字)

'먼저, 왼쪽부터 이희순(李喜淳)의 호(號)는 지산(芝山), 자(字)는 하진락(河鎭洛)의 호(號)는 도제(圖齋), 자(字)는 처중(處中)이며, 오른쪽의 정한문(鄭翰文)의 호(號)는 두산(斗山), 자(字)는 천흥(天興)이다. 그러나 이들이 어디에 사는 누구인지, 언제 새겼는지는 알 수가 없었으나, 최근 회천(晦川) 이규진(李圭鎭) 선생의 문집《회천유고(晦川遺稿)》의 가장(家狀)에서 '하진락'이라는 분에 대한 실마리를 찾았다. 회천 선생의 유고집에서 '하진락'이라는 이름과 그분의 호가 '도재(圖齋)'라는 사실까지 확인함으로써, 도재 하진락은 당시

학동에 살면서 회천 선생과 교유(交遊)할 정도로 상당한 지식인으로 학동에서 훈장을 했다.

〈도재 하진락 선생과 회천 이규진 선생의 교유〉[380)]

〈전략〉 임술(壬戌)년 가을에 간재(艮齋) 상(喪)에 달려가서 기년복 입고 장사 때에 글 지어 제사 지내고 돌아와 탄식하며 연옹(淵翁)과 면암(勉庵)이 계속 순절하고 선제(先帝)와 선사(先師)께서 앞뒤로 몰(沒)하시니 백성 선비 의지할 곳 없으니 내 어디로 갈고. 드디어 지리산 청학동에 들어 띠 집에 살며 때로 최습재(崔習齋) 제학(濟學), 강묵계(姜黙溪) 도익(道益), **하도재(河圖齋) 진락(鎭洛)**, 정자학(鄭子鶴) 준영(俊永)과 의리(義理)를 강하고 배우러 오는 자 날로 많아 가르침을 부지런히 하여 항상 대학(大學)과 중용(中庸) 혹간(或間)을 가르치고 〈후략〉

따라서 이곳에 이름을 새긴 세 분은 구한말에서부터 일제시대를 살다간 묵계동의 인사(人士)로 추정된다. 그러나 나머지 두 분, '이희순'과 '정한문'이라는 분은 아직 누군지 확인할 수 없어서 아쉽다. 향후 후학들에 의해 밝혀지기를 바란다.

■ 묵계 청학동 제2 관문-내석문(內石門)

장고마을 회관에서 약 200m 아래에 있다. 내석문은 외석문에 이어 묵계 청학동으로 들어서는 두 번째의 관문이다. 이곳도 외석문과 같이 절벽을 깎아 만든 매우 좁고 험준한 길이었다. 필자의 유소년 시절에는 내석문 근처의 도로변에 신작로를 개설할 때 잘라내고 남은 높은 암반이 낭떠러지 끝에 수직으로 서 있었다. 당시 선친한테서 들은 이야기에 의하면, 옛날, 내석문이 얼마나 좁았던지 이곳을 통과할 때 지게 다리가 맞닿을 정도로 험로(險路)였다는 말을 들은 기억이 생생하다.

실제로 카카오 지도를 보면 내석문 근처의 등고선이 매우 특이하다. 즉 '청학양봉농원'의 약 30m 전방에서 갑자기 등고선이 도로를 횡단(이곳을 'A지점'이라 한다)하여 도로 아래로 내려간다. 한편, A지점에서 약 230m 전방의 내석문 근처에서 다시 등고선이 도로를 횡단(이곳을 'B지점'이라 한다)하여 길 아래 묵계천 쪽으로 내려간다. 따라서 내석문은 등고선 두 개를 강 아래로 깔고 있는 만큼 적어도 20m 이상의 높은 벼랑 위에 있었다는 것이 명확해 보인다. 그래서 A에서 B지점까지를 우리는 깔딱고개라고

380) 〈前略〉 壬戌秋 奔艮翁喪 定爲加麻朞年 及葬操文致祭歸 而歎曰 淵翁勉老 相繼殉節 先帝先師 先後具沒 臣民士類 今無依歸 吾將何歸 遂入智異山青鶴洞 誅茅隱居 間與崔習齋 濟學, 姜黙溪 道益, 河圖齋 鎭洛, 鄭子鶴 俊永 講明義理, 從學者日多 敎誨不倦 每訓嘗以 庸學或間 〈後略〉(이상은 《회천유고(晦川遺稿)》의 〈가장(家狀)〉에서 인용)

불렀다. 내석문은 깔딱고개 위, 강변의 높은 절벽 위에 자리하여 사람들의 출입이 상당히 어려웠을 것으로 짐작된다. 전설에 의하면 이 내석문은 청학동 비기(祕記)에 의하면 뇌파석문(雷破石門)이라는 말이 있는데, 청학동이 열리면 벼락이 떨어져 거대한 돌문이 열리고 네 필의 말이 끄는 수레, 즉 사마(駟馬)가 달릴 것이라고 하였다.

〈내석문 터〉 왼쪽 아래 개울에 3개의 큰 바위가 있는데, 옛날 뇌파석문의 흔적으로 알려져 있다. 청파 이륙 등이 '계곡이 매우 험하다'라고 한 현장의 하나이다

이곳 바위는 실제로 벼락이 친 결과 갈라졌으며, 당시에 떨어져 나간 거대한 바위 3개가 현재 강바닥에 남아있다. 그래서인지 지금도 그 바위 일대를 '벼락소'라고 부른다.[381] 그 후 도로 확장공사로 그렇게 험난한 석문도 말끔히 사라졌다.

■ 썩은 더미(혹은 산더미)

장재마을 앞 하천 건너편 산과 골짜기 일대, 즉 구무 바위 위쪽 도로변에 있는

381) '벼락소'는 장재터 출신 조병래(묵계초 11회)씨의 증언이다. 또, 구무바위 위의 '열마지기'에서부터 거의 직각으로 꺾여 올라가는 신작로 언덕길은 매우 험로였다. 그 재몬당을 '복희토'라고 불렀는데, 그 복희토 일대가 내석문터인 셈이다.

'열마지기(현재 청학 양봉농원이 있는 곳)'의 맞은편 산과 골짜기를 말한다. 본래 이곳은 '산더미'였는데 '썩은 더미'로 불리게 된 전설이 있다

장재터 마을 정면에 건너다보이는 썩은 더미(혹은 산더미)

옛날, '열두모랭이의 어느 곳에 명당(明堂) 터가 있었는데, 도사(풍수)가 지나다가 그곳에 묏자리를 잡아주어 자손이 부귀영화를 누린 집안이 있었다고 한다. 그런데, 그 후 그 도사가 다시 이곳을 지나게 되었으나 그 자손들이 대접을 소홀히 하고 괄시함에 괘씸히 여긴 도사가 마을 아이들을 꾀어 명당과 마주 보는 내 건너편 산을 '썩은 더미'라고 부르게 하였다는데, 그로부터 그 자손이 망했다.

썩은 더미에는 수십 명의 사람이 들어가 비를 피할 수 있는 '굴바구'('바구'는 '바위'의 방언)가 있다. 그래서 이곳을 '굴바구골'이라고 부른다. 장고교(長高橋) 다리가 놓이면서 '백암산장', '들꽃 이야기', '청학 하늘정원' 등 10여 채의 집이 들어섰다.

■ 양금동(梁金洞)

장재터 뒤 석이바위(石耳岩) 아래에 있다. 청학로(도로명)에서 장재마을로 들어가는 장재터길(도로명)이 시작되는 지점, 즉, 현재 '오케이 빌리지' 위의 좁은 입구를 따라 계곡을 약 1~2km를 올라간 곳에 있다. 지금도 네이버 지도나 카카오 지도의 해발 550m 근처에 옛날 집터(장재터길 14-133 등) 흔적이 남아있다. 1945년, 해방 전에는 7~8가구가 거주하였다고 한다. 옛날 양씨(梁氏)와 김씨(金氏)가 피란을 한 곳으로 알려져 있다. 그래서 속칭 '양기미(양김이)'라고도 불린다.

■ 국사봉(국시봉)

학동 아랫몰에서 본 국사봉과 오봉산(드론 사진: 이영근)

장재터 마을 뒤에 높이 솟은 산봉우리로 해발 약 800m. 오봉산을 지난 낙남정맥이 질매재 방향으로 흘러간다. '국시봉'이라고도 불렀다는 증언(장재터에 사는 친구 화채도)도 있다. 산청군 시천면 반천리와 경계를 이룬다.

■ 석이바위(石耳岩)

양금동(梁金洞) 위 해발 약 750~800 m의 산등성이 부근으로 산청군 시천면 반천리와 경계선 근처에 있다. 석이버섯을 채취할 수 있는 바위이다. 이 바위 밑에는 굴이 있고 이 굴에서 최호랑이가 살았다는 전설이 있다. 굴의 입구는 사람이 기어서 들어갈 수 있는 크기이며 굴 아래로 들어가는 돌계단이 있는 것으로 보아 사람이 이용한 흔적은 있으나 굴의 내부는 밝혀지지 않았다.

■ 새밭등

장재터의 안산(案山)이다. 안산은 풍수지리에서 집터나 묏자리의 맞은편에 있는 산을 말한다. 왕새, 즉 억새가 무성했던 곳이라 붙여진 이름이다. 왕새는 억새의 경상도 방언이다. 억새는 벼과에 속하는 여러해살이풀로 높이는 1~2m에 달하며 줄기를 베어

초가지붕을 이거나 가축의 여물로도 이용했다.

■ 오봉산(五峯山)

장재터에서 높은터에 이르는 뒷산에 다섯 개의 봉우리가 나란히 이어진 산줄기가 있다. 이곳은 산청군 시천면 반천리와 경계를 이룬다. 지리산 영신봉에서 시작되어 남부능선(南部稜線)을 거친 낙남정맥(落南正脈)이 삼신봉에서 갓거리재, 외삼신봉, 묵계재(한찰재), 고운동재를 지나 해발 약 850m의 오봉산을 거쳐 돌고지재로 이어진다. 고운동재에서부터 오봉산까지는 산줄기의 높이가 거의 같아서 평평한 산등성이가 계속된다.

■ 열두모랭이와 질매재

열두모랭이는 장재터에서 옥종면 궁항리로 넘어가는 고갯길을 말한다. 이름 그대로 열두굽이의 길고 긴 고갯길이다. 옛날에는 진주목에 속한 묵계동 주민들이 이 재를 넘어 옥종, 수곡, 진주 등지로 내왕했다. 약 2.5km의 열두모랭이 산길에서 가장 큰 난관이 초반에 등장하는데 바로 '퇴까니좃빠진고개'이다. 이곳을 넘어서면 열두모랭이 중간쯤에 짐을 이고 진 길손들이 서서 물을 마실 수 있는 전설적인 '서서 먹는 꼬랑'이 있다.

열두모랭이의 마지막 커브인 큰 꼬랑에는 봉화사가 있고, 여기를 지나 올라가면 질매재 정상이다. 봉화사 주지 '원상 스님'에 의하면 봉화사 터의 지명은 '국지골'인데, 옛날 '국지암' 절터였다고 한다.

현재의 법당 앞에 석축(폭 4m× 높이 5m)이 반파된 채 잔존 해 있었다고 한다. 또, 재미있는 사실은 '빈대'[382] 때문에 국지암이 폐사되었단다. 그 후 화전민이 살다가

382) 빈대 절터 설화: 빈대가 많아서 절이 망하고 절터만 남았다는 설화는 전국적으로 널리 전승되고 있으며, 이야기가 다양하게 변이되고 전승되는 특징이 있다. 절이 융성하다가 빈대가 많아서 절에 불을 지르고 떠났다거나, 떠난 중이 다시 와서 보아도 절터 기둥에 빈대가 여전히 많더라고 하는 것이 이야기의 줄거리이다. 빈대 절터의 설화적 요체는 빈대와 중, 기둥과 절터의 상징성에 있다. 흡혈 곤충인 빈대 때문에 절이 망했다고 하는 것은 논리적으로 해명하기 어려운 면이 있다. 따라서 이를 긴대, 진대 등으로 파악하여 사신(蛇神)으로 해석하는 견해는 어느 정도 타당성이 있다. 그렇지만 뱀신이나 용신이 절을 망하게 했다고 하는 것은 납득하기 어렵다. 여기서 일정한 변형과 구조적인 탈각이 있었던 것으로 보인다. 빈대로 와음된 사신의 승리, 절로 표상되는 외래 종교의 몰락이 문제의 핵심이다. 즉 토착신과 외래신의 대결에서 외래 신앙의 몰락이 절터와 절의 폐사와 관련이 있다는 것이다. 빈대와 중의 대결에서 빈대가 승리하고, 빈대의 승리는 바로 빈대가 기둥에 가득하다는 것으로 보여 준다. 이 설화는 절에서 중이 쫓겨나고 빈대가 승리자가 되는 이유는 명확하지 않지만, 민간이나 민중에서 떠받드는 고유 신앙 대상의 승리를 보여준다. 신불습합이 아니라 신불의 대결에서 고

6.25동란을 전후하여 지리산에 나타난 빨치산, 즉 공비의 출몰로 철수했다고 한다. 1950년 9월 28일, 하동이 괴뢰군으로부터 수복되었으나 그 후에도 지리산에는 괴뢰군 패잔병까지 합세하여 막강한 군사력을 유지하고 있었고, 그해 10월 7일, 백바위 전투에서 아군이 큰 피해를 보았다. 바로 그 처절한 백바위 전투가 일어난 곳이 현재 봉화사가 있는 큰 꼬랑 아래였다.

열두모랭이를 지나 마지막 고개가 '질매재('질'은 '길'의 경상도 방언)'인데, 여기서 줄곧 내려가면 옥종면 궁항리 빙이터 마을과 활미기(궁항, 弓項, 활미기)로 연결된다. 이곳을 쌍계사 앞에서 시작된 1014번 지방도[383]가 통과하지만 궁항마을까지 약 4.5km는 1차선의 구불구불한 산길로 되어 있어서 버스 등 대형차의 진입을 금하고 있다. 이 산길 소로(小路)는 이미 작고한 김상용(金商鎔) 전 청암면장이 새마을 사업으로 따낸 적은 예산이지만 도로를 개설함으로써 차량 통행이 겨우 가능하게 되었는데 그 이후에는 큰 변화가 없다. 이 고갯길을 포함하여 1014번 지방도가 완전히 확장 개통되면 화개, 쌍계사, 청학동 등에서 진주 시내로 오가는 거리가 크게 단축될 것으로 기대된다.

■ 열두모랭이의 오아시스 '서서 묵는 꼬랑'

열두모랭이에 '서서 마시는 샘물'이 있었다는 이야기를 후배 휴암으로부터 전해 듣고 참 흥미로운 샘물이라고 생각되어 추적해 보기로 했다. 그래서 묵계동 출신으로 1960년대에 옥종중학교를 다닌 양호성 선배와 필자의 중형(오세화)께도 물어보았으나 열두모랭이를 통과하는 동안에 물이 흐르는 계곡은 3군데 정도 있었다고 기억하고 있었을 뿐, '서서 마시는 샘물'에 대해서는 잘 기억하지 못했다.

한편, 휴암에게 부탁하여 하동문화원에서 빌린 한글학회에서 펴낸 《한국지명총람 10》((경남 · 부산편))에서 유일하게 '서서 묵는 골짝'이라는 기록[384]도 찾았다. 이 자료를 보는

유의 신격이 외래의 신앙과 대상을 물리친다는 점에서 중요한 가치를 지닌다. 빈대절터 설화는 신화에서 전설로 전환되는 사례를 보여 주는 흥미로운 예이다. 우리 설화의 역사에서 사신이나 용신 계통의 신화가 영웅의 무훈담이 소거되면서 달라지는 이야기라는 점에서 이 전설은 특별한 변형을 일으킨 설화라 할 수 있다(《한국민족문화대백과사전》에서 인용).

383) 지방도 1014호: 하동군 화개면 용강리 삼거리〈쌍계사 입구〉에서 1023 지방도와 갈라지면서 시작하여 쌍계로〈화개면〉, 청학로〈청암면〉, 궁항길〈청암면-1차로 산길, 옥종면-2차로〉), 돌고지로〈옥종면〉, 호계천로〈옥종면〉, 옥수로〈진주시 수곡면〉를 거쳐 진주시 수곡면 면사무소 앞 옥수로에서 1001번 지방도와 만나 종료된다. 쌍계사에서부터 상불재를 넘어 청학동 삼성궁 주차장까지는 아직 개설되지 않았다. 이 노선은 오래전 도보로 이동하던 시절부터 진주에서 옥종, 청암을 거쳐 화개로 이어지는 중요한 교통로였을 것으로 판단된다.

384) 한글학회, 《한국지명총람 10(경남 · 부산편)》, 〈서서묵는 골짝: 열두모랭이에 있는 골짜기. 벼랑에서 흐르는 물을

순간, 신윤복의 풍속화 '주사거배(酒肆擧盃)'가 떠오른다. 조선 시대에도 서서 마시는 선술집이 있었다는 이야기다.이곳은 술값이 싸기도 하겠지만 바쁜 사람들이 주로 이용하는 곳이다. 오늘날 '빨리빨리 문화의 유전자(DNA)'는 조선 시대에도 있었던 것 같다.

그런데 장재터에서 나서 자란 조병래 친구(묵계초 11회)는 열두모랭이를 자주 왕래했다고 하는데, 그가 '서서 묵는 골짝'과 '퇴까니좇빠진고개'의 위치를 증언해 주었다. 그래서 2024년 5월 12일, 필자와 함께 현장을 방문했다.

열두모랭이 '서서 묵는 꼬랑'

먼저, '서서 묵는 골짝'은 열두모랭이 중간쯤에 있는데, 계곡물이 적당한 높이의 암반으로 된 벼랑에서 흐르는 폭포형이었다. 그래서 지금도 지게를 지고 선 채로 충분히 물을 마실 수 있었겠다는 것을 확신할 수 있었다. 이곳은 구(舊) 장재터 마을 공동묘지 옆 계곡에 있는 꼬랑, 즉 계곡이었으니 샘물은 아니었다. 그래서 묵계동의 고유어인 방언을 살려 '서서 묵는 꼬랑'으로 명명한다.

열두모랭이는 청학동의 외석문이 있는 험준한 급사면의 산 중턱을 지나는 좁은 오솔길이어서 매우 위험한 오솔길이다. 마치 험한 벼랑길에 걸린 잔도(棧道)처럼 오솔길 아래는 수십 길 낭떠러지다. 묵계동에서 진주나 옥종을 오가는 길손 중에는 유아를 제외하고는 맨손으로 다닌 사람은 아무도 없었을 것이다. 대부분 짐을 머리에 이거나 등에 지고 다녀야 했고, 산 중턱으로 난 좁은 비탈길은 잠시라도 쉴만한 공간이 되지 못했으니 짐을 이고 진 채로 앞서거니 뒤서거니 하며 물 한 모금에 만족하고 다시 길을 재촉해야만 했던 우리 선인들의 모습, 그것이 산중 사람들의 운명이었다. 이렇게 무척 지치고 갈길 바쁜 길손들에게 '서서 묵는 꼬랑'은 오아시스(oasis)가 아니었을까? 묵계동 신인들의 애환과 추억이 서린 '서서 묵는 꼬랑'이 하루빨리 복원되기를 기대해 본다.

■ 열두모랭이의 하이라이트 '퇴까니좇빠진고개'

열두모랭이 현장을 방문해보기 전에는 '퇴까니좇빠진고개[385]'의 위치도 그 의미도 잘

서서 먹을 수 있었다 함〉, 1980, p.244

385) https://wordrow.kr/사투리/전국/모든품사/토끼의 방언에서 인용

와 닿지 않았다. 잘 알다시피 '토끼'의 우리 지역 사투리는 '퇴까니', '토까니', '태까니', '퇴까이', '토까이', '테까이', '태끼' 등 다양하다. 게다가 비속어처럼 들리기도 하고, 무엇보다 8음절로 지리산권 지명 중에서 가장 음절수가 많다[386]는 특징이 있다. 즉 지리산권 지명 중에서 그 이름이 가장 길다는 말이다.

열두모랭이 퇴까니좆빠진고개와 그 주변(카카오 지도 인용, 작성)

그런데 현장을 방문해 보니 '퇴까니좆빠진고개'가 열두모랭이의 하이라이트, 즉 큰 고비임을 알았다. 열두모랭이는 장재터 마을을 벗어나면서부터 급경사의 난코스가 이어진다. 그림에서 보는 것처럼 장재터 마을에서 퇴까니좆빠진고개까지는 거리가 약 1km에 불과하지만, 10m 간격의 등고선 15개 이상을 올라가는 급경사가 계속된다. 이 길을 오르는 짐꾼들은 무척 힘들었을 것 같다. 퇴까니좆빠진고개를 올라서면 그때부터 봉화사 앞 큰 꼬랑까지는 거의 같은 등고선을 따라 난 산중턱의 평탄한 길이니 이 고개까지는 꾹 참고 올라가야만 했다.

흔히 우리는 무슨 일을 할 때 힘이 들면, '쎄 빠진다', '쎄가 빠진다'라고 한다. 여기서 '쎄'는 '혀(舌, tongue)'의 방언이다. 물론 그 일의 정도가 더 심하면 '거시기가 빠진다'라고 했다. 등짐을 지고 열두모랭이를 올라가는 길손은 정말, '쎄'도 빠지고, '거시기'도 빠졌을 것 같다. 인간이 그러할진대 토끼인들 이 급경사의 열두모랭이 언덕길을 올라채려면 힘이 들고 쎄는 물론 좆도 빠졌을 것이다. 점잖은 체면에 '거시기가 빠졌다'라고 말하기는 좀

386) 곽재용, 〈하동의 방언이 나타난 지리산 지명〉, 《하동문화 제40호》, p.30, 하동문화원, 2021

상스럽고 께름직했는지, 토끼 또한 그러했을 것으로 치환하여 표현한 말솜씨가 압권이다. 그래서 '퇴까니졸빠진고개'는 더욱 애착이 가는 말이다.

■ 묵계 청학동 제3 관문-덴비리(된비리, 된벼랑)

장재터에서 높은터 방향으로 약 300m 윗쪽에 있는 높은 엉(낭떠러지)으로 그 높이가 수십 미터에 달했다. 이 낭떠러지 아래는 수직 절벽으로 묵계천이 발아래로 내려다보인다. 그 아래의 소(沼)를 가마소라고 한다. 본래 이 '엉(낭떠러지)'은 높이가 40m도 넘었다고 하는데 일제강점기에 돌산을 깎아 신작로를 내게 되었는데 도로 폭도 좁고, 울퉁불퉁하며, 급커브까지 이어져 청학동으로 향하는 1014번 지방도의 묵계리 구간 중에서 가장 험준한 곳 중의 하나였다. 1992년 이후 여러 차례 도로 확장공사로 엉[벼랑]이 거의 사라지고, 도로 폭도 2차선 포장도로로 바뀌면서 요즘은 그렇게 위험하게 느껴지지 않는다. '된비리'의 '된'은 명사 앞에 붙이는 접두사로 '매우 심한', '몹시 거친'이라는 뜻을 더하는 말이다. 또 '비리'는 '벼랑'의 방언이니 '된비리'는 '매우 위험한 낭떠러지'라고 할 수 있다.

된비리 전경(돌산의 중간을 절개하여 도로를 낸 흔적이 있다. 길 아래는 수십 미터 낭떠러지다.

필자의 유・소년 시절에는 묵계리까지 버스가 운행되지 않아서 하동 읍내 등 외지로 나가기 위해서는 모시 고개를 넘어 감나무골(柿木)까지 8km를 걸어가서 버스를 탔다. 된비리를 걸어 지날 때마다 매번 아슬아슬함을 느꼈고, 그 후 버스가 묵계까지 운행할 때도 이곳을 지날 때마다 허공 속의 하늘길을 지나가는 것처럼 두려움을 느꼈던 기억이 생생하다.

■ 장재터 매똥거리 함안조씨 묵계동 입향조 묘비(墓碑)

장재터 마을 개울 건너 양달쪽 매똥거리는 넓은 잔디밭이 있어서 동네 나무꾼들이 쉬어가며 놀던 뻔덕이다. 구무바위 위 '열 마지기'에서 마주 보는 위치에 있다. 여기에 오래된 산소 한 상부와 묘비가 있는데, 이 비(碑)의 주인공은 장재터 조병래(趙炳來, 묵계초 11회) 씨의 9대조로 함안조씨(咸安趙氏) 묵계동 입향조(入鄉祖)이시다. 공(公)의 휘(諱)는 원주(元珠), 자(字)는 이중(而重)이다. 공은 1712년 임진(壬辰)년에 태어났다. 공의 비문에 의하면 공이 태어날 때 모친(妣)께서 범상치 않은 태몽을 꾸었다고 한다.

> 비(妣)는 진양하씨(晉陽河氏) 서주(瑞疇)의 딸이니, 품성(稟性)이 단정하더라. 어느 날 밤 꿈에 신인(神人)이 동자를 품에 안겨 주었다(抱與童子). 꿈을 깨고 기이한 일(夢覺奇異)이라고 여겼더니, 임진년에 공이 태어났다(生于壬辰)

이렇게 태어난 공은 천성이 바르고 온유하며 너그러워 부모에 효도하고, 예의 바르며 자식을 가르침에 있어서 엄하면서도 항상 수신제가(修身齊家)의 도(道)로써 가법(家法)을 지켰다. 공은 80세 이상의 장수 노인에게 축하와 존경을 표하는 의미(大老嘉贊壽職遺德)에서 주어지는 명예직인 수직(壽職)으로 증자헌대부행동지중추부사(贈資憲大夫行同知中樞府事)를 증직(贈職) 받았다. 1795년(乙卯)에 졸(卒)하니 장지는 막등(幕嶝) 술좌(戌坐)이다. 참고로 자헌대부(資憲大夫)는 조선 시대 문신의 정2품 하계의 품계인데, 이는 육조의 수장인 판서, 한성부의 수장인 판윤에 해당하는 고위직이다.

함안조씨 묵계 입향조 비
(장재터 개울 건너 매똥거리)

그런데 공의 외 아드님인 "휘(諱) 채진(採鎭), 자(字) 기현(基賢)도 수통정(壽通政)"이라는 비문의 기록으로 보아, 공의 부자(父子)가 2대에 걸쳐 향수(享壽) 하시며 수직(壽職)의 영광을 누린 것으로 보인다. 원래 구비(舊碑)가 있었으나 비문이 풍우마멸(風雨磨滅)로 글자를 알아보기 어려워(難曉字劃) 2008년에 다시 세웠다고 한다.

■ 높은터 비석(碑石) 거리

높은터(高基) 마을 앞 도로변에 전주이씨 효령대군파(孝寧大君派) 묵계 문중(默溪門中)의 비석 2기가 나란히 서 있는데, 석봉(石峯)의 효자비(孝子碑)와 송암(松巖)의 추모비(追慕碑)가 그것이다. 주위에는 송림이 우거져 길 가던 나그네들이 쉬어 갈 수 있는 좋은 쉼터를 제공한다.

먼저, 석봉(石峯)은 효령대군 17세손으로 휘(諱)는 지방(志芳)이고 호는 석봉(石峯)이다. 선친의 묘소에서 3년간 시묘(侍墓)살이를 한 효자로 알려져 있다. 효자비 전면에

'효자석봉이공기행비(孝子石峯李公紀行碑)'라고 새겨져 있고, 비문 끝에 '단기 4308년 을묘 춘 청명절(檀紀 四千三百八年 乙卯 春 清明節)'이라고 각자해 놓았다. 따라서 1975년 4월 5일, 청명(淸明) 일에 건립된 것으로 보인다.

높은터(高基) 마을 입구 비석거리. 전주이씨 이지방의 효자비(왼쪽)와 가선대부 이기영의 행적비(오른쪽).

효자 석봉은 부모의 묘소 옆에 나뭇가지와 흙과 돌담으로 초막을 짓고 3년 동안 시묘살이를 했는데 밤마다 호랑이가 와서 함께 지내며 효자를 보호했다고 한다. 그리고 시묘살이하는 중에 묘소 가까이에 물이 없어 고생하였는데, 어느 날 꿈에 백발의 신선이 나타나 이르기를 '무덤 근처에 있는 노송(老松) 아래를 파면 물이 날 것이다'라고 하기에 날이 밝아 급히 파 보니 과연 맑고 시원한 물이 쉴 새 없이 솟는지라 뒷날 이 사실을 알게 된 고을 사람들이 이 샘을 '시묘정(侍墓井)'[387]이라 하였다.

또, 송암(松巖)은 효령대군 18세손으로 휘(諱)는 기영(起榮)이며 호는 송암(松巖)인데 추모비 전면에는 '가선대부 송암 전주이공 유지비(嘉善大夫 松巖 全州李公 遺址碑)'라는 각자(刻字)가 있고, 비문의 옆면에 '갑인 윤오월 이십삼일 불초고강식 읍혈근지(甲寅潤五月二十日不肖孤康植泣血謹識)'라고 새겼다.

송암이 가선대부(嘉善大夫) 품계를 받게 된 내력[388]은 다음과 같다.

> 조선 말기 고종임금 때, 왕족 한 분이 청학동을 찾아 묵계골에 내려 왔다가 마침 높은터 마을에 전주이씨들이 모여 산다는 말을 듣고 이 같은 심심산골에 왕족들이 묻혀 사는 것을 안타깝게 여기면서 높은터 마을에 당도하여 여러 날을 묵었는데 수일 후 학문에 밝은 송암(松巖)을 대동하고 한양에

387) 하복도 편저, 《青岩》에서 인용

388) 하복도 편저, 위 책에서 인용

돌아가서 임금께 청하여 송암에게 가선대부 교지(敎旨)를 내렸다고 한다.

조선 시대 품계 일람표에 의하면 문관(동반)과 무관(서반), 종친(왕족), 의빈(왕의 사위)에 내리는 품계는 각각 달랐다. 송암의 품계는 '가선대부'로 종2품에 내리는 품계인데, 6조(六曹)의 '참판(參判)' 등에 해당하는 상당히 높은 고위직이다. 조선 시대 관직의 정식 명칭은 '계(階: 품계), 사(司: 소속 관청), 직(職: 맡은 직분)'의 순으로 3가지를 쓰는 것이 원칙이나 비문과 족보에서도 송암(松巖)의 사(司)와 직(職)은 찾아볼 수 없었다. 그런데 조선 시대에 종친들은 지위는 높고 우대를 받았지만 특별한 경우를 제외하고는 정치에 간여(干與)하지 못하도록 그 직위를 제한했다. 송암의 사(司)와 직(職)이 없는 것은 '아마 그래서가 아닐까?'하고 추측할 뿐이다.

■ 헉구소(허기소)

높은터 마을에서 묵계 쪽으로 약 200m 거리의 묵계천에 있는 소(沼)이다. '소는 작으나 물이 매우 깊어 많은 양의 물이 고인다'라는 뜻으로 허기소(허기진 소)라고 부른 것으로 짐작된다. '허기진 배를 채우다'라는 말이 있듯이 배가 고프면 음식을 한꺼번에 많이 먹는다. 이와 유사하게 작은 소이지만 이 소를 채우려면 의외로 많은 물이 필요하다는 상황을 의인화해서 '허기진 소→허기소'라고 불렀던 선인들의 해학(諧謔)이 재미있다. 그래서 더욱 친근감이 느껴지는 지명이다. 이 허기소가 '헉구소'로 변한 것으로 추측된다. 이것을 곽재용 교수는 "전설모음인 '이'가 후설모음인 '우'로 바뀌었고 'ㄱ'이 첨가되었다"[389)]라고 했다. 헉구소에는 다음과 같은 이야기가 있다.

첫째, 메기가 탕건을 쓰고 나와서 사람을 잡아먹었다. 역시 허기진 이야기이다.

둘째, 어떤 마을 사람이 헉구소에 놓아둔 통발을 힘들게 끌어 올렸더니 거대한 장어 한 마리가 들어 있었다. 이 장어를 식구들이 고아 먹고, 취하여 해가 넘어갈 무렵에야 겨우 깨어났다. 민물고기가 크면 독이 있다는 말도 있고, 그 진국에 '대려 진' 것이라고 말하는 사람도 있다.

이 지역 방언에 '다리다'라는 말이 있다. 이것은 '속이 아리다'라는 뜻으로, 약이나 단 음식 등 자극성이 강한 음식물을 먹고 나서 속이 아리는 증상을 '약에 다린다', '초콜릿을 먹었더니 속이 다린다', '와이리 속이 다리노?'라는 식으로 표현한다. 즉, '다린다', '다려'가 '대린다', '대려'로 변한 말이다.

389) 곽재용, 앞서 소개한 책《河東文化(40호)》

■ 심은동(深隱洞)

심은동 계곡 입구(이 계곡 아래, 옛날 신작로에 '배나무징이'가 있었다)

청암삼은동(네이버 지도 인용)

높은터 마을 북쪽의 산골인데 높은터와 삼거리 중간 지점의 계곡이다. 높은터 비석거리에서 약 600m를 올라가면 한국농어촌공사의 육중하고 높은 묵계호 제방이 시야를 가린다. 조금 더 올라가면 길 왼쪽에 1986년 7월 25일에 〈청정회〉에서 세운 '청학동' 표지석이 있다. 여기서 100여m를 올라가면 도로가 머리핀처럼 휘어져 묵계호 제방과 여수토(餘水吐, 만수위가 되어 남은 물을 하류로 토해내는 곳) 쪽을 향해 올라간다. 여기를 통과하면 길 왼편에 저수지가 나타나며 곧 묵계마을이다. 바로 이 머리핀의 꺾인 지점에 있는 계곡이 '배나무징이(배나무정)'다. 이 계곡을 따라 올라가면 가장 깊은 곳에 심은동이 있다. 깊은 골짜기에 꼭꼭 숨어 있다 하여 〈숨은동〉이라 부르기도 한다. 그래서인지 필자의 유년 시절에는 이곳에 산막을 치고 숯을 굽는 〈숯굴(숯가마)〉이 있었다.

심은동은 높은터나 삼거리, 회동마을에서도 접근할 수 있으나 실제로 그 입구를 찾기가 쉽지 않아 속인이 범접하기 어려운 곳이다. 높은터에서는 마을 뒤의 '삼밭등'을 넘어서 작은 심은동을 지나면 심은동으로 이어진다. 삼거리(묵계)에서도 갈 수도 있다. 이 심은동에서 북쪽은 고은동(고운동)이요 서쪽은 전나무동(檜洞)이고, 또 북동쪽에 있는 배바구재를 넘어가면 산청군 시천면 반천리 배바위로 넘어간다. 배바위는 고운동의 남쪽 계곡이다.

정감록에 지리산 남쪽 기슭에 피난처로 삼은삼점(三隱三店)이 있다고 했다. 삼은(三隱)은 고은동(高隱洞) 혹은 고운동(孤雲洞), 심은동(深隱洞), 농은동(農隱洞) 혹은 노은동(老隱洞, 중이리 논골)인데, 모두 청암면에 있어서 '청암 삼은동(青岩 三隱洞)'이라고도 한다. 이중 고운동이 가장 넓고, 심은동이 가장 좁다. 고운동은 지리산 산청양수발전소 상부댐의 산상 호수 아래로 영원히 잠겼다. 이곳은 행정구역상 산청군 시천면 반천리이나 과거에는 묵계동의 일부였으며, 현재도 고운동은 청암면 묵계리 원묵마을의 고운동길을 통해서만 차량이 통행할 수 있다. 그림에서 보듯이 실제로 청암 삼은동은 공간적으로 서로 멀지 않은 곳에 있다. 심은동 뒷산에서 낙남정맥 줄기를 따라 약 500m 거리에 고은동이 있고, 심은동 맞은편에 있는 계곡인 큰 드무실에서 가장 높은 봉우리인 깃대봉(983m)과 그 너머 배티재를 잇는 삼신지맥의 동쪽 골짜기가 바로 노은동이다. 배티재는 청암면 중이리와 악양면 중대리를 이어주는 중요한 교통로인데 산악자전거 주행의 명소이다.

■ 사랑을 나누는 높은터 거북바위[390)]

거북이가 알을 낳으러 남해의 바다로 향해 가는 형국의 사랑을 나누는 거북바위가 높은터 마을 건너편, 묵계리 산 40번지에 있다. 이 거북바위의 크기는 머리에서 꼬리까지 3.2m, 가슴(옆구리) 폭이 2.4m, 높이가 1.0m이다.

그래서인지 높은터에는 다산 가족이 많다는 속설이 있다는데, 실제로 높은터 하○선씨 형제자매가 8남매(모친 이○달 여사)이고, 조○권씨 댁도 8남매, 정○모씨 댁도 7남매 등이라고 한다. 그 외에도 천왕봉을 향해 소원을 비는 또 다른 대왕 거북바위가 높은터 앞 계곡에 자리하여 묵계 청학동의 수문장 역할을 하고 있다.

높은터 거북바위(사진: 지리산 산양산삼 최호연 대표)

390) 높은터 〈지리산 산양산삼〉 최호연(崔浩然) 대표님의 제보와 자료 제공으로 작성했다. 사진과 자료를 제공해 주신 최 대표님께 감사드린다.

■ 높은터 장석(長石) 광산

높은터 장석 광산의 추억(사진은 일본 잇치츠광산(日窒鉱山) 의 로프웨이 모습이다(사진 제공: 쿠로사와(黒沢和義) 씨)

1960년대 초반, 높은터 마을 안산 높은 정상 부근에 장석(長石, Feldspar) 광산이 있었다. 여기서 캐낸 장석을 철망으로 만든 바구니에 담아 산 아래로 운반하고 빈 바구니를 까마득히 먼 산 중턱으로 끌어 올리는 로프웨이의 모습은 당시로서는 장관이었다. 요즘 케이블카가 산 아래위로 오르내리는 모습과 같은 광경이었다. 당시 채굴된 장석을 모우는 집하장(集荷場)과 이를 작은 망치로 깨어 가면서 선별작업을 하는 선광장(選鑛場), 즉 로프웨이의 정거장이 바로 높은터 비석거리에서 약 250m 남쪽, 현재 외딴집이 한 채 들어서 있는 바로 그 자리였다. 광산은 곧 폐광이 되었고, 그 로프웨이도 철거되었지만, 선광장이 있던 묵계리 219번지 일대(홈대거리 근처)에는 우윳빛의 장석 조각이 많이 남아있었다.

마침 높은터 장석 광산의 로프웨이를 연상시키는 사진을 일본 광산촌 관련 블로그에서 발견하고 싶었다.[391] 이 광산은 닛치츠광산(日窒鉱山) 혹은 치치부광산(秩父鉱山)이라고 하는데 사이타마현 치치부시(秩父市)에 있는 상당히 규모가 큰 광산이라서 높은터 장석 광산과는 좀 다른 모습이겠지만 유사한 느낌이 든다.

---

391) 《秩父・山里の記憶125》에서 인용. 필자가 일본과 주고받은 메일을 기록을 위해 남긴다. ○ 사진 사용 허가를 요청하는 메일(2024.5.7): おはようございます。韓国の呉世現と申します。韓国慶尚南道の智異山のふもと出身で、日本とはご縁があり、東北大学大学院で学びました。〈중략〉 最近、我が故郷の歴史を整理した本を編集していますが、1960年代、子供のごろですが、故郷には長石鉱山がありまして、それを日本に輸出したとの話を聞いたことがあります。〈중략〉 さて、ことらの鉱山は高い山の八分近くの高いところにありまして、ロープウェイ、索道を利用したので、子供のごろにはそれを見にいたこともありました。約60年前の話です。それでその索道の様子を取った写真を求めましたが、どちらにも残っておりませんでした。それで、日本にはこれとほぼ同じイメージの写真があるだろうと思い、調べたら、最近“秩父・山里の記憶１２５”から“東洋一と言われた架空索道の写真。八丁峠から納宮方面を望む。”という貴重な写真を見つかりました。これが我が故郷の長石鉱山ロープウェイとは違うと思いますが、これぐらいでも十分60年前の故郷の思い出を楽しめると思いました。それで、お願いがありますが、この写真を本に使いたいんです。もちろんこの本は販売用ではありません。我が故郷の者に配る予定です。是非、ご承諾願いいたします。宜しくお願い致します。韓国から呉世現拝 ○ 사진 사용을 허가하는 메일 답신(2024.12.23): 呉世現様. 「山里の記憶」の黒沢和義と申します。メールありがとうございました。私が「秩父鉱山」「続・秩父鉱山」を取材した時の索道の写真を遅らせていただきます。どのようにお使いいただいても結構です。どうぞ、良い本ができますように。黒沢和義)

당시 이곳에서 생산된 장석은 전량 일본으로 수출하였다고 알려졌었는데, 이곳 장석에 관한 연구는 일제강점기 시대에 이미 이루어진 것을 확인했다. 오카모토 타모츠(岡本保)라는 광물학자가 1937년 《조선광업회지(朝鮮鉱業会誌)》에 쓴 논문[392] 속에 "한반도 남부에서는 경상남도 하동군 청암면의 장석(長石) 분석치 하나를 제시하여(半島南部では慶尚南道河東郡青巖面の長石の分析値を1つ示し)"라는 짧은 자료만 발견했다.[393] 이를 보면 높은터의 장석이 일본으로 수출된 것은 사실로 보인다. 그러나 아직 그가 쓴 논문을 읽어 보지 못했기 때문에 이곳에서 채굴된 장석의 성분이 어떠했으며, 이것이 일본에 수출되어 어디에, 어떻게 쓰였는지, 파악하지 못한 점은 아쉽다. 이 점은 추후 연구 과제로 넘긴다.

장석은 화강암의 주성분 중 하나이므로 지각의 토양에서 가장 풍부하게 발견되는 광물 중 하나이다. 장석은 도자기의 고강도 및 내화성 향상, 유리의 투명도 및 강도의 향상, 세라믹스 형성 및 안정성 개선, 점토의 품질 향상, 광물의 추출과 정제 과정에 필요하다[394]라는 등이 알려져 있다. 유년 시절의 그 추억 때문인지 지금도 높은터 광산 선광장 앞을 지나칠 때면 무의식적으로 건너편 산을 올려다보는 습관이 있다.

(라) 장고마을의 기타 지명

- 촛대봉: 장재터 앞의 높은 산이다. 산 정상에 남원양씨 묘소가 있다.
- 방바닥: 장재터 앞 촛대봉 뒷 능선의 평탄한 곳을 말한다.
- 벼름박: 방바닥 뒤편에 벽과 같이 가파른 곳을 말한다.
- 구무바위등: 장재터 아래 구무 바위 앞산이다.
- 가는장등: 구무바위 등 왼쪽 등이다.
- 질등: 가는장등 왼쪽 등이 쌔밭등이고, 쌔밭등 왼쪽 등이 질등인데, 이 등을 넘으면 배너르미골이다.
- 굴바위골: 질등의 왼쪽 끝이다.
- 장구미 꼬랑: 썩은 더미 산 뒤로 이어진 긴 골짝. 여기를 올라가면 벼름박과 방바닥으로

392) 오카모토 타모츠(岡本保), 〈조선에서 광물질 요업원료에 대해서(朝鮮に於ける鉱物質窯業原料に就いて)〉 Vol. 11, No. 1, p. 37~51

393) Okano takeo(岡野武雄), 〈한국의 비 금속광물 자원(韓国の非金属鉱物資源) 2〉, 《지질 뉴스(地質 ニュース) 403号》에서 인용

394) 블로그 〈yncninetwob(https://yncninetwob.tistory.com〉에서 인용

올라간다.

- 안창: 굴바위골 아래에 있다. 일명 장구목이라 한다.
- 고동밭 거리: 보시밭골 아래 계곡에서 설통바위까지의 계곡을 말한다.
- 설통바위: 보시밭골과 높은터 중간쯤 물 건너에 있다. 바위 아래에 설통을 많이 놓았다. 설통은 도망가는 새끼 토종벌을 잡기 위해 바위 아래에 설치한 벌통이다.
- 설통바위골: 설통바위 뒤쪽 골이다.
- 열마지기: 구무바위 위, 급 커버 길 아래에 원래 열 마지기 논이 있었다. 현재 청학 양봉원이 있는 곳이다.
- 구리소: '열마지기' 앞 개울에 있는 소.
- 찬새미: 장재터 마을 아래, 신작로 길 아래에 시원한 샘물이 있었다. 지금은 도로 개설로 새미를 이용할 수 없으나 옛날 찬새미가 있던 곳에는 지금도 도수관을 통해 물이 힘차게 흘러 나오고 있다.
- 베락(벼락)소: 외석문 위 장재마을 찬새미 아래 개울에 있다. 청학동 내석문이 벼락을 맞아 깨어졌다고 알려진 큰 바위 3개가 아직도 개울 가운데에 남아있다.
- 통소: 현재 장고교 아래에 있다.
- 요강소: 통소 바로 위에 있는 소
- 진소: 요강소 바로 위, 썩은 더미 높은 절벽 아래에 있는 소. 이곳 진소의 윗자락에 장재터 물레방아가 있었다.
- 아그배소: 진소 위에 있다.
- 가마소: 된비리 아래에 있는 소이다.
- 진소: 진소(높은터) 혁구소 위에 있다
- 보시밭골: 된비리에서 도로를 따라 약 200m 위쪽에 있는 골이다.
- 뒷골: 장재터 마을 뒷 골짜기에 있다.
- 자산이재: 장재에서 시천면 벗내의 자산이로 넘어가는 재이다.
- 바람재: 질매재 안쪽골에서 시천면 반천리 불계마을로 넘어가는 재이다.
- 청용등: 장재마을 왼쪽 산등이다.
- 박쥐굴: 구무바위 위에 있다.
- 집바위: 구무바위 건너에 있다.
- 삼밭 너드리: 진소 위에 있다.
- 생겻내: 높은터 아래갓담에서 양김이 넘어가는 공동묘지 일대이다.
- 기목나무소: 홈대거리 밑에 있는 소이다.

- 홈대거리: 옛날 장석 광산의 광석 집하장 앞 일대의 논에 물을 대기 위해 홈대를 대던 곳이다.
- 아래갓담: 높은터 동편마을이다.
- 가운데담: 높은터 가운데 마을이다.
- 골새미골: 아래갓담과 가운데담 가운데 있는 골이다.
- 웃갓담: 비석거리 뒤에 있는 마을이다.
- 큰꼬랑: 비석거리 옆 개울이다.
- 뒷골: 웃갓담과 가운데담 사이의 뒤쪽 큰골이다.
- 범나무골: 뒷골 동편골이다
- 성지밭골: 뒷골의 북편에 있다. 바위 두 개가 서 있다.
- 호랑바위: 뒷골 뒤에 있다.
- 여시바위: 웃갓담 뒤 능선에 있다.
- 돌곳 장날: 높은터 동편 장등이다. 장날, 장등은 산마루를 말한다.
- 삼밭등: 높은터와 심은동의 중간 산등이다.
- 목넘이골: 큰 드무실의 오른쪽 골이다.
- 배암바위등: 드무실의 오른쪽 능선이다
- 솔정지: 드무실에서 목넘이골로 오는 먼당(산마루)이다.
- 깃대봉: 높은터 앞산으로 해발 983m. 묵계리, 중이리 논골, 악양면 중대리의 경계 지점이다. 옛날 측량 시에 깃대를 꽂았다고 한다.
- 참나무백이: 목넘이골 먼당이다.
- 음달담: 옛날, 높은터 서편에 마을이 있었다.
- 인삼밭골: 음달담 오른쪽 골이다.
- 너드렁골: 인삼밭골 오른쪽 골이다.
- 논골재: 너드렁골 오른쪽 골이다. 재를 넘으면 논골이다.
- 거시골 먼당: 인삼밭골과 너드렁골 사이 먼당이다.
- 세가랑 탱이: 설통바위골 오른쪽 산등이다.
- 굴바위: 장구목이. 세가랑탱이 위에 있다. 일명 방바닥이다.
- 수리바위: 장구목이 옆에 있다.

(2) 묵계(默溪) 마을(행정리 명: 5통 2반)

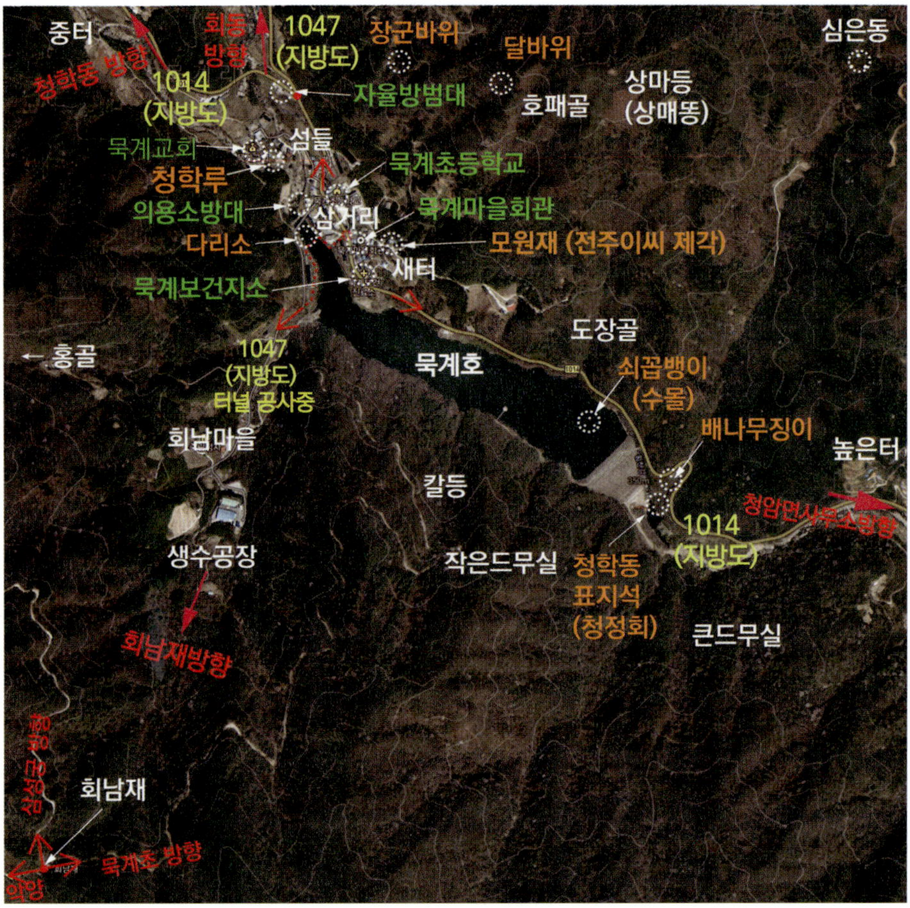

묵계마을 부근도(카카오 지도에서 인용 작성)

묵계 마을은 삼거리, 새터, 섬들, 회남 등의 마을을 합하여 행정상 부르는 이름이다. 묵계리의 생활 중심마을로 묵계초등학교가 있고, 보건지소, 의용소방대, 자율방범대 등이 있다. 삼거리는 《진양지》와 수당 정종엽의 〈유두류록〉, 회산 성채규의 시(詩) 등에 "삼가(三街)"라는 이름으로 등장한다.

회산은 "삼거리"에는 술집도 즐비하고 심지어는 "생선가게" 에서 "청어"를 팔았다고 한다.

묵계마을 회관 전경
(삼거리 새터에 있다)

또한 1489년에 탁영 김일손이 묵계사로 향해 올라가다가 그 5리쯤 전에 있는 마을에서 "유목위업(楺木爲業)하고 단철위생(鍛鐵爲生)"하는 모습을 보고, "화개위춘(花開爲春)이요 엽락위추 (葉落爲秋) 하는 곳이 바로 이곳이로구나!"라는 글을 남긴 마을로 추정된다.

(가) 삼거리(三巨里)와 새터

삼거리 마을 풍경. 사진 맨 왼쪽에 '장군바구(바위)', 사진 가운데 마을 뒷산에 '달바구'가 있고, 사진 오른쪽 산등성이 넘어 상마등[상메똥]이 있다. (사진: 휴암 양영욱)

임진왜란 이전부터 진주목 서면 오대리의 속방(屬坊) 마을이었던 '삼가(三街)'로 알려진 마을로 묵계동의 행정 중심마을이다. 삼거리와 새터는 묵계초등학교를 사이에 두고 있으니 한 마을이어서 삼거리로 통칭하였다. 예로부터 삼거리는 지형적으로 볼 때, 학동과 회동에서 내려오는 물줄기가 섬들 아래 합소(合沼)에서 모여 묵계천을 이루며 형성된 지리적인 삼거리이다. 이것은 자연이 만든 삼거리이다. 그러나 아무리 지리산 산중에 살아도 외부와 경제활동을 하지 않고는 살아갈 수 없었다. 산에서 나는 각종 약초나 목기 등을 시장에 내다 팔고 필요한 생필품이나 소금 등을 구해야 했다. 그런 점에서 삼거리는 역사적으로 볼 때 오랜 세월 남해와 지리산의 각종 물산이 유통되는 중요한 중간 기착지였다고 생각한다.

〈묵계호와 삼거리〉

묵계동의 중심마을로
○ 묵계초등학교,
○ 묵계보건지소,
○ 묵계의용소방대,
○ 묵계자율방범대,
○ 묵계교회
등이 있고,
경상남지방도 1014호 · 1047호선이 교차하는 교통의 요지이다
(드론 사진: 이영근).

그것은 회남재만 넘어서면 섬진강의 중요한 포구를 만날 수 있었기 때문이다. 악양 개치에는 신라 시대부터 이름난 범포(帆浦) 시장이 있었고, 조선 시대는 물론 일제강점기인 1928년까지 개치에는 2일과 7일에 큰 장이 섰다. 지리산 남쪽 기슭에 사는 묵계동이나 산청군 시천면 일대의 주민들은 소금을 비롯한 해산물을 구할 수 있는 가장 가까운 시장이 바로 개치 시장이었다. 따라서 지리산의 물산과 섬진강 하구 남해의 물산이 오고 가는 중요한 루트가 삼거리에서 회남재를 넘어가는 루트였다.

특히 장꾼들이 등짐을 진 채 이동할 수 있는 거리를 고려해 보면 회남재를 넘나드는 일도, 묵계재나 고운동재를 넘나드는 일도 벅찬 하루였을 것이다. 회남재에 이어 묵계재나 고운동재를 넘어야 하는 소금 루트에서 삼거리는 지리적인 중간 기착지였을 것으로 판단된다. 실제로 어릴 때 부모님들이 걸어서 덕산장이나 악양장 등에 갈 때면 새벽같이 출발하여 오후 늦게 돌아오셨던 기억이 생생하다. 삼거리에서는 개치 시장이나 악양장, 덕산장에도 하루 만에 왕래할 수 있었다.

또한 선인들의 지리산 유람기를 보면 궁항의 오대사와 묵계사를 거쳐 간 기록이 보인다. 즉, 장재터에서 열두모랭이와 질매재를 넘어 옥종, 수곡, 단성, 진주로 이어지는 루트 또한 오랜 역사를 가진 것으로 생각된다. 한편, 오늘날 자동차가 통행하는 경상남도 지방도를 기준으로 보면, 삼거리에는 경상남도 지방도 1014번과 1047번이 만나 삼거리가 형성되어 있으나 회남재 아래를 관통하는 악양~묵계간 1047번 지방도로의 터널 공사와 접속도로 확·포장 공사가 2023년부터 시작된 만큼 2027년 무렵이면 삼거리는 곧 현대적인 삼거리로 재탄생할 것이다. 향후, 기존의 경상남도 지방도 1014번의 미개설 구간이 완성되어 화개면 쌍계사 방향으로 이어지는 루트까지 완성되고, 열두모랭이 구간까지 확장·포장되고 나면 현재의 삼거리는 사통팔달의 교통 요충지로 변모, 발전할 것으로 기대된다. 이렇게 보면 삼거리는 자연 지리적으로 만들어진 삼거리이면서 인간의 경제활동에 의해서 사람들이 통행하면서 만들어진 삼거리였으니 예나 지금이나 묵계동의 중심마을임이 자명하다.

(나) 섬들[섬뜰]

섬들 마을 풍경. 섬들 당산나무 숲속에 '청학루(靑鶴樓)'가 있다(사진: 휴암 양영욱)

섬들은 회동과 학동에서 내려오는 계곡물이 만나는 삼각지에 형성된 마을이다. 즉, 묵계리 양쪽 골짝에서 내려오는 계곡물이 이 마을 앞 합소에서 합쳐진다.

따라서 삼거리에서는 회동에서 내려오는 개울을 건너야 갈 수 있었다. 현재 다리가 놓인 곳에 학동으로 가는 징검다리가 있었다. 섬들의 옛날 당산나무 거리에는 청학루와 묵계교회가 있다. 삼거리에서 섬들과 학동으로 가는 길가에는 수로가 있었고, 물레방앗간, 양조장, 주막이 있었다. 섬들 마을 입구, 학동에서 내려오는 개울에 있었던 송굿소는 섬들과 삼거리 아이들이 멱을 감던 놀이터였다. 섬들은 양 계곡이 합해지는 요지인 만큼 풍광이 좋아서 청학루가 있고, 묵계교회도 있다. 옛날에는 회동과 학동으로 올라가는 오솔길이 섬들 앞에서 갈라졌다. 회동은 삼거리 마을이 끝나는 지점에서 계단식 논두렁의 가장자리에 난 오른쪽 언덕길을 따라 올라갔고, 학동은 섬들 동네 한가운데를 관통해서 서북쪽으로 난 오솔길을 따라 올라갔다. 섬들에서 학동으로 올라가는 동네 뒤에는 수령이 수백 년이나 된 커다란 당산나무(팽나무)가 있었다.

'섬들'은 회동과 학동의 계곡물이 만든 삼각주에 형성된 마을이다(드론 사진: 이영근).

(다) 헤내미(회남, 回南)

삼거리와 새터에서 서쪽으로 건너 다 보이는 마을이다. 지금은 회남재 아래에 지리산 청학동 샘물 공장이 있고, 묵계 초등학교 아래에 회남교가 놓여 있으나, 묵계호가 완성되기 전에는 현재의 회남교 아래에 있는 "다리소" 아랫부분에 회남으로 통하는 노디(징검다리)가 있었다. 회남은 '헤내미'라고 불렀다. 마을 뒤에는 악양과 통하는 회남재와 회남정이 있다.

이 길은 악양 개치, 즉 외부 세계로 통하는 중요한 경제활동의 루트였다. 그 중간 기착지인 헤내미 마을 또한 매우 중요하다. 회남재에 남명 선생의 전설이 남아 있듯이 회남마을 또한 남명 선생의 자취를 떠올리는 것은 지극히 자연스럽다. 아무튼 회남마을과 회남재는 묵계 동민에게는 매우 중요한 통로이다.

〈회남(回南)마을〉. 마을 뒤에 회남재가 있다. 그림 오른쪽에 회남재 터널공사 현장도 보인다
(드론 사진: 이영근, 2024.10.16.)

앞에서도 언급했듯이 회산(晦山) 성채규(成采奎) 선생은 생전에 묵계동 삼거리를 지나면서 이런 산중에도 "청어"를 파는 가게가 있었다는 사실을 시(詩)로 읊었다. 지금부터 백 수십 년 전의 이야기이다. 그런데 회남재를 넘은 물산(物産)이 청어뿐만이 아니었을 것이다. 지리산에서 나는 각종 임산물을 채집하여 회남재를 넘어가야 이것을 팔 수 있고, 그 대가로 산중 생활에 필요한 소금을 비롯한 각종 식료품 재료와 생활용품들을 사서 다시 넘어오는 그런 생활을 했다. 묵계 동민들에게 회남재는 생존을 위해 넘어 다닐 수밖에 없는 생명선이자, 삶의 애환이 서린 애증의 길이었다.

(라) 묵계 마을의 주요 지명

■ 청학루(靑鶴樓)

청학루는 섬들에 있다. 이곳은 섬들의 당산나무가 있는 낮은 언덕이었다. 지금도 수령이 500년 이상 된 참나무를 비롯해서 노거수가 많이 남아있다. 1976년 묵계 학로계 계원이 주체가 되고 묵계 주민들이 협력하여 건립하였다. 그 섬들 마을 입구에 묵계 학로계 창립기념비(黙溪 鶴老契 創立紀念碑)와 봉로계원 계록비(奉老契員 繼錄碑)가 서 있다. 학로계 창립 당시, 이 비는 삼거리 마을 입구(현재 보건 진료소가 있는 자리)의 큰 바위 위에 있었다. 청학루 건립으로 새로운 비가 세워지면서 당시의 구비(舊碑)는 현재 비석 뒤쪽에 보관하고 있다. 이 또한 학로계의 역사인 만큼 적당한 곳에 다시 세워지기를 바란다. 학로계와 청학루 건립에 대해서는 〈제2부〉에서 다시 자세히 소개한다.

청학루의 가을(2024년 11월)

■ 묵계호[395)]

하동군 청암면 묵계리에 있는 농업 관개용 저수지인 묵계호는 하동군 악양면 일대의 한해 상습지에 안정적인 농업용수 공급과 횡천강 홍수 조절 목적으로 한국농어촌공사에서 축조(築造)하였다. 1978년 착공하여 1983년 1월 1일 준공하였다.

이 묵계호 공사를 가까이서 지켜본 오헌 선생은 1980년에 묵계댐 공사가 진척되어 감에 따라 그 변화에 큰 놀라움과 새로움이 다가왔던 것 같다. 그래서인지 같은 해에 〈묵계댐 공사를 보고 느낌(看默溪湖工事有感)〉이라는 시 2편을 읊었고, 〈묵계호(默溪湖)〉라는 제목의 시 2수를 쏟아 낸다.

395) 〈묵계댐〉, 《한국학중앙연구원-향토문화전자대전》 및 하복도 편저 《청암》 지(誌)에서 인용

북쪽을 향해 본 묵계호. 멀리 '석각삼봉'이 보인다. (사진: 휴암 양영욱)

남쪽을 향해 본 묵계호(사진: 휴암 양영욱)

풍수지리에 능한 오헌(旿軒)으로서는 그만큼 큰 충격이었는지도 모르겠다. 이 4편의 시는 공사 현장의 풍경을 너무나 생생하게 그려내고 있어서 당시의 모습을 직접 보고 있는 것 같은 느낌이다. 역사 이래 묵계동의 풍광을 상상할 수 없을 정도로 크게 변화시켜버린 이 공사에 대한 아픔과 상실감은 이루 말할 수 없었으리라! 당시 공사장의 하루하루 변화되는 모습을 〈묵계호(黙溪湖)〉라는 시를 통해 감상해 보자.

〈묵계호(黙溪湖)〉(경신년(庚申年), 1980)[396)]

전래청학기천추 傳來靑鶴幾千秋	전해오는 청학동이 몇천 년이던가
일파청산수역류 一破靑山水逆流	한번 청산을 깨뜨리니 물이 거꾸로 흐르네
착석개도성거축 鑿石開途成巨築	돌을 뚫어 길을 개척하여 거대한 둑을 이루니
세간영사재두두 世間營事在頭頭	세상 경영하는 일, 머리와 머리에 있네

이 묵계호 축조에 든 사업비는 93억7,800만 원이 소요되었는데 전액 국비로 조성하였다. 제방, 취수탑, 여수토(餘水吐, 만수위가 되어 남은 물을 하류로 토해내는 곳), 방수로(放水路)로 형성된 제1종 시설물로서 길이 2.86km, 높이 1.8m의 취수 터널을 통해서 산 넘어 악양면의 농지 3.685㎢에 농업용수를 공급하고 있다. 묵계호 제방 형식은 필 댐(fill dam)이고, 제방 길이는 184.5m, 제방 높이는 50.8m이다. 총저수량은 246만7,540톤(ton)이며, 유효 저수량은 245만8,000톤이다. 유역 면적은 22.50㎢, 홍수 면적은 15만 6,300㎡, 만수 면적은 15만 6,300㎡, 수혜 면적은 3.685㎢이다. 묵계호는 한발 빈도 10년과 홍수 빈도 200년을 기준으로 설계되었다고 하나 1992년 7월에는 극심한 가뭄으로 바닥을 드러냄으로써 당시 향어와 잉어를 기르던 양어장(지리산청학양식장)과 악양 들에 큰 피해를 주었다. 현재 양식장은 철거되었다.

한편, '필댐'이란 댐을 축조하는 형식의 하나로 콘크리트를 주재료로 하는 콘크리트 댐과 달리 천연의 흙과 돌 따위의 재료를 완만하게 쌓아 올려서 만든 댐 구조물을 말한다. 제방 자체의 무게로 물에 의한 하중을 지탱하는 형식이므로 댐 자체의 부피(體積)가 크기 때문에 안정성이 있고, 지반이 연약한 경우에도 축조 가능하다는 장점은 있으나 물이 범람하여 제방 위를 넘어가면 저항력이 약한 단점이 있다. 따라서 필댐을 설계할 때는 콘크리트 댐보다 홍수처리 능력에 여유를 가질 필요가 있다. 한국농어촌공사 경남지역본부 하동·남해지사에서 시설물을 관리하고 있다.

묵계댐 공사로 새로운 길이 생기고, 예전에 없던 산중 호수가 생기니 향어 양어장도 생기는 등 묵계호로 변화된 새로운 풍경에 점점 익숙해질 만큼 시간이 지나자 묵계댐 주변에는 새롭게 벚꽃도 어우러지고 묵계호에서 횟집도 생겼다. 그 무렵 오헌(旿軒) 선생은 묵계호로 변화된 묵계동의 새로운 풍물 변화를 시로 읊어 기록으로 남겼다.

396) 《오헌유고(旿軒遺稿)》에서 인용)

간 묵 계 호 앵 화 우 음
〈묵계댐에 벚꽃을 보고 우연히 읊음(看默溪湖櫻花偶吟)〉[397]

만 개 양 안 숙 능 침 滿開兩岸孰能侵	양쪽 언덕 만개하니 누가 능히 침범하리,
군 접 상 희 각 천 심 群蝶相戱各穿心	나비 무리들 서로 희롱하며 각각 꽃 속에 날아드네.
앵 예 선 풍 군 가 취 櫻蘂仙風君可就	벚꽃은 선신(仙人)의 풍모 있으니 그대가 쫓을만 하지만,,
도 요 숙 녀 아 하 림 桃夭淑女我何臨	복숭아꽃은 숙녀와 같으니 내가 어찌 임하리오
음 시 영 월 가 가 주 吟詩咏月家家酒	음풍농월하는 집집마다 술이 있고,
비 조 명 금 처 처 림 飛鳥鳴禽處處林	새들 지저귀는 곳곳마다 숲이라네
욕 상 청 향 호 우 작 欲賞淸香呼友酌	맑은 향기 감상하려 벗 불러 대작하니
사 양 호 경 배 정 심 斜陽湖景倍情深	석양에 비켜드는 호수 경치에 뜻이 배로 깊어지네.

■ 묵계호에 수몰된 추억의 지명

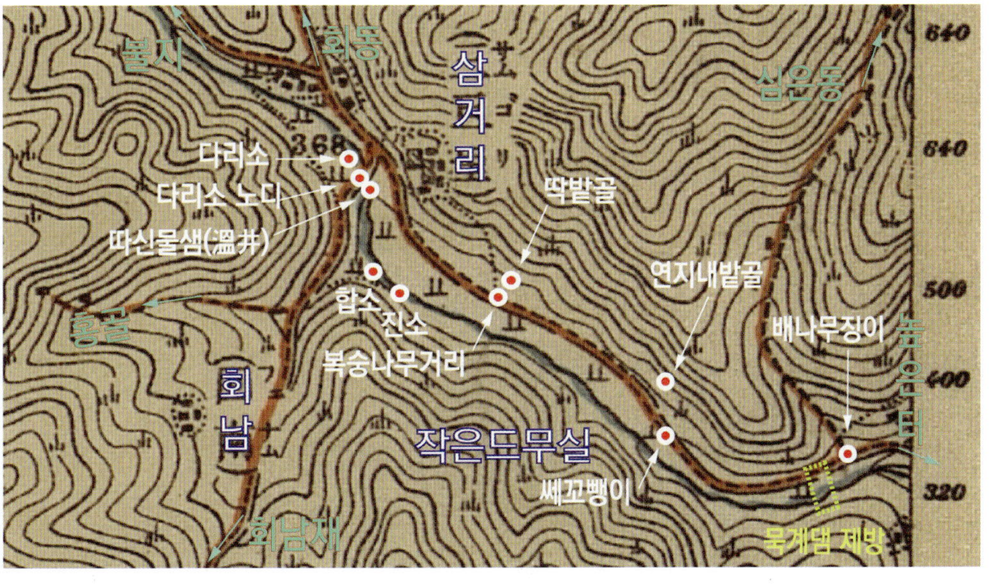

1917년에 제작된 5만:1 지도에서 〈묵계댐에 수몰된 추억의 지명〉을 대략 표시해 보았다. 이 지도에 의하면 삼거리 마을의 중심을 해발 400m 등고선이 통과한다. 등고선 간격이 20m이므로 묵계댐 제방 바닥 근처의 해발고도는 약 300m로 추정된다. 제방 높이가 50.8m임을 고려하면 수몰 지역을 대략 짐작할 수 있다. 현재 마을 앞을 지나는 도로는 대략 380m 전후로 보인다(지도는 '국립중앙박물관-조선총독부 박물관 문서'에서 내려받아 인용했다. 오른쪽 숫자는 등고선의 높이).

397) 위에서 나온 《오헌유고(旿軒遺稿)》에서 인용

▣ 삼거리 큰 냇물

삼거리 앞에 있는 큰 내를 말한다.[398] 학동 골과 회동 골의 냇물이 섬들 앞, 삼거리 입구에서 합류하여 '합소(沼)'를 이루어 큰 냇물이 된다. 이 큰 내물이 삼거리 동네 앞을 감싸고 흘러간다. 그 중심에 다리소가 있다.

▣ 다리소

보통은 '다리쏘'라고 했다. 현재 회남교 아래에 있었던 큰 소(沼)이다. 다리소의 상류 강 양안(兩岸)에 높이 4~5m의 넓고 평평한 바위가 반쯤 물에 잠긴채 마치 다릿발처럼 버티고 있었다. 마을 뒤 장군바위 전설[399]에 의하면 "장군바위에 장군(신령)이 살았는데 하룻저녁에 다리소에 다리를 놓으려고 문을 열고 나와서 양쪽 다릿발이 될 바위를 져다 놓고, 그 위에 다리 상판으로 걸칠 돌을 악양 '덕산터'에 가서 마치 윤디(인두)처럼 생긴 긴 바위(길이 약 6m)를 다래 넝쿨로 멜빵을 하여 짊어지고 헤내미 마을 앞에 이르니 마침 새벽닭이 우는 고로 바위를 그 자리에 두고 장군바위 속으로 들어간 후 아직 한 번도 나오지 않았다"라고 한다. 장군바위 주변에는 **장군**과 연관된 지명이 많은데, 삼거리 일대에는 말을 타는 **상마등**, 장군의 칼인 **칼등**, 장군이 말에 물과 여물을 먹이는 구유인 **구시소** 등이 있었다. 그래서 이곳은 강폭이 좁고 유속도 빨라 수심이 깊었으나 그 아래는 강폭이 넓어지면서 수심이 얕았다.

다리소 하류 가장자리는 강폭이 넓은데 이곳이 '삼거리 큰 냇물'이다. 이곳에는 헤내미(回南) 마을과 헤내미재로 통하는 오랜 역사를 가진 징검다리가 있었다. 이 다리소에도 남명 선생의 전설이 전해온다. 회남재에서 되돌아오던 남명 선생이 이곳 징검다리를 건너다가 발목을 삐었다. 그래서 이곳 소 이름을 '다리소'라고 불리었단다.[400] 다리소 상류에는 장군바위의 전설에 등장하는 바위가 다릿발처럼 개울 양안(兩岸)에 서 있는데, 이곳은 삼거리 동네 아이들에게 최고의 물놀이 명소였다.

또, 다리소 조금 아래에는 '따신 물'이 샘솟는 온정(溫井)이 있었다. 그래서 그 주변은 계절에 상관없이 온 동네 아낙들의 빨래터였으며, 삼거리 동민들의 세면장이었다. 특히

---

398) 《한국지명총람 10》에서 인용

399) 하복도 편저, 청암, 청암정우회(1992.12.1)에서 인용

400) 묵계초 11회, 조병래(70세) 씨의 증언에 따라 정리했다.

다리소와 그 주변의 개울가는 여름철에는 아이들이 멱을 감으면서 '감자무지'를 해 먹던 곳이며 겨울철에는 얼음을 지치다가 모닥불에 양말을 태워 먹던 추억의 놀이터였다. 그러나 지금은 모두 수몰되어 사라지고 말았다. 오헌선생이 젊은시절에 읊은 시가 있다.

〈삼거리 냇가에서 놀다(遊三巨川)〉[401]

창 랑 탁 족 조 간 인
滄浪濯足釣竿人 맑은 창랑수에 발 씻고 고기 낚는 사람
배 주 가 효 의 우 신
盃酒佳肴意又新 잔 술과 맛있는 안주로 뜻이 더 새롭네
산 울 천 심 다 괴 석
山鬱川深多怪石 산은 울창하고 내는 깊으며 괴석도 많으니
자 간 도 수 원 성 진
玆間桃水遠腥塵 이 사이 도화(桃花) 뜬 물은 어지러운 세상과 멀구나.

때는 바야흐로 지리산 빨치산의 활동이 잦아들어 소개, 즉 피란을 떠났던 주민들이 점점 돌아오는 시기로 묵계 지역에 평화가 찾아온 시기였다. 삼거리 개울에서 놀았다고 한다면 이는 필시 다리소를 중심으로 북쪽은 학동과 회동의 계곡물이 합해지는 합소에서부터 아래로 다리소와 진소를 거쳐 작은 드무실과 쎄꼬뺑이 아래까지 묵계천의 절경 속에서 낚시를 즐긴 것으로 짐작된다. 이런 절경을 다시는 볼 수가 없어서 안타깝다.

▣ 감자무지

일종의 자갈 감자구이다. 다리소는 감자무지 하기 좋은 최적의 장소였다. 감자무지를 "감자삼굿"이라고도 하는데, 이것은 마치 마을 공동으로 일 년에 한 번 삼굿에서 삼을 넣어 찔 때, 동네 어른들이 통감자를 삼과 같이 가마니째 묻어서 익혀 나누어 먹던 것과 같은 원리로 생각된다. 그래서 감자삼굿이 감자묻이→감자무지로 변한말이 아닌가 생각된다.

그런데 감자 무지는 통감자 외에 자갈을 공처럼 둥글게 쌓아 올려 만든 아궁이, 불을 피울 나뭇가지, 진흙, 물, 부드러운 칡넝쿨 잎 여러 장, 가느다란 나무 작대기 등이 필요하다. 이때 자갈로 아궁이를 만들고, 적당한 나뭇가지를 모아와서 불을 때고, 진흙 돔(dome, 그 속에 그날 준비된 감자가 충분히 들어갈 만큼의 공간)을 만들고, 투입할 물을 공급하는 일은 참가자 모두가 나누어 역할 분담을 한다. 그러나 전체적인 작업 지시, 아궁이의 크기 결정, 감자를 투입하는 시기나 진흙 돔 속에 투입하는 물의 양, 감자가 잘 익었는지 체크 하는 일

401) 《오헌유고》에서 인용. 1958년, 오헌 양삼준선생이 지었다.

등 중요한 결정은 그날의 리드가 결정한다.

먼저, 한여름에 물속에 들어가서 헤엄치며 놀기 전에 개울가 자갈밭에서 자갈을 쌓아 올려 작은 돔(dome)이나 이글루(igloo)처럼 만들고, 그 아궁이 속에 불을 지펴 자갈이 뜨겁게 가열되면 천장 돌을 내려 앉히고 그 아궁이 속에 감자를 채워 넣음과 동시에 준비된 진흙으로 돔 주변을 밀봉한다. 돔 꼭대기 부분에 작은 구멍을 내고 고무신짝으로 물을 떠다가 구멍 속으로 물을 부어주면 뜨거운 돌에서 증기가 발생한다. 물을 적당히 부어준 다음 수증기가 밖으로 새어 나가지 못하도록 진흙으로 완전히 봉해 버린다. 이렇게 작업하는 동안, 아이들은 땀을 흘리게 되는데, 이제 개울 속에 뛰어들어 한바탕 헤엄치며 놀 차례다.

그러다가 출출해지면 감자가 잘 익었는지 확인을 한다. 이때 칡넝쿨 잎이 필요하다. 진흙 돔 꼭대기에 가는 나무 작대기로 작은 구멍을 내면 돔 내부에서 증기가 차고 올라온다. 이때 칡잎으로 증기가 나오는 구멍 위를 덮으면 칡잎이 더운 증기로 익어가면서 변색이 된다. 그러면 또 한 장, 또 한 장 ……. 이렇게 증기의 열기를 보면서 리드는 감자 익는 냄새까지 체크한다. 감자가 충분히 익었다고 판단되면 감자무지 주변에 둘러앉아 익은 감자를 나누어 먹거나, 때로는 짓궂은 리더가 익은 감자를 모두 물속에 던져 넣으면 앞다투어 물속에 잠수하여 건져 먹는 재미도 있었다. 이렇게 그날그날 동네에서 가장 경험이 많은 사람이 리드가 되어 그의 지시에 따라 일사불란하게 움직여야 맛있는 감자를 먹을 수 있었다. 리더가 잘못 판단하여 실패하면 그날은 설익은 감자를 먹어야 했다.

지금 생각해 보면 다리소의 감자무지 놀이는 훌륭한 공동체 학습의 장이었다. 또한 다리소의 감자무지는 과학 탐구학습 · 체험학습의 장이었다. 그리고 또래가 모여 자연 속에서 호연지기를 기르고, 수영과 잠수 기능을 익히며 체력을 단련하고, 또래 친구들과 협업하면서 사회성과 리드십을 키우는 훌륭한 교육의 장이었다. 그래서 더욱 그립다.

▣ 합소

다리소에서 약 300m 하류에 있었다. 삼거리 건너편 회내미와 홍골에서 내려오는 물이 합류하는 지점에 있는 소이다.

▣ 진소

합소 하류, 건너편 산 아래에 있었다. 이름 그대로 삼거리 일대에서는 가장 긴 소였다.

▣ 쇠꽂뱅이(쎄꼬뺑이)

쇠꽂뱅이는 현재 묵계호 제방이 끝나는 곳에서 상류 쪽으로 약 100m 근처에 있었다. 참고로 '쇠꽂뱅이'는 《하동군 지명지》의 표현이고, 《한국지명총람》(10권)에서는 '쌔껏배기'라고 기록되어 있다. 필자의 기억으로는 '쎄꼬뺑이'라고 했던 것 같다. 앞서 소개한 지도에서 등고선을 잘 관찰해보면 알 수 있듯이 '배나무징이'의 지형은 옆으로 넓게 퍼져있었다. 그래서 배나무징이의 신작로에는 항상 심은동 계곡물이 넓게 퍼져 질펀했다. 배나무징이를 지난 신작로는 현재와는 반대로 묵계천 수변 근처에 있는 외도가리 논(畓)까지 내려갔다가 쇠꽂뱅이를 향해 서서히 올라가는 긴 고갯길이었다. 그 고개 정상에 악명 높은 쎄꼬뺑이가 있었다.

설상가상으로 고개 정상에서 신작로는 또 하나의 작은 계곡과 만나 마치 머리핀처럼 휘어졌다가 급경사 암반 길을 내려가게 되어 있었다. 이 일대에는 붉은색 계통의 변성암 지대였는데, 배나무징이를 지나 올라오는 경사는 서서히 높아지고 길었지만 '연지내 밭골' 쪽으로 내려오는 경사가 매우 짧고 급해서 화물차 등 차량 전복 사고가 잦은 험준한 언덕길이었다. 이 일대 개울가에는 회청색 암반 틈새에 하얀 석영맥이 길게 이어져 있었는데, 이것을 사람들은 용이 지나간 흔적이라고 했다.

▣ 연지(蓮池)네 밭골

도장골이 묵계천 근처로 내려오면서 그 산자락이 좌우로 완만하게 퍼진다. 그래서 비교적 넓고, 낮고 평탄한 지형을 신작로가 지나갔다. 이 신작로 길 위에는 습지가 있었다. 이 습지에 연꽃이 있었는지도 모르겠다. 이 일대를 연지네 밭골이라 불렀다. 지형 특성상 신작로 좌우로 논(묵계리 652답, 655답 등)과 밭(묵계리 651전 등)이 형성되어 있었다.

▣ 복숭나무 거리

'연지네 밭골'을 지나 올라간 언덕인데, 이곳은 작은 드무실 계곡의 맞은편이다. 신작로 길 아래에 오래된 돌복숭나무가 있어서 붙여진 이름으로 기억한다. 그래서 이곳은 큰 드무실이나 작은 드무실에서 지게로 나무를 해오던 나무꾼들이 만나던 쉼터였다. '바이작대'로 지게를 받쳐두고 그날의 나뭇짐을 서로 비교해 보며 담소하던 곳이었다. 바이작대이는 '지겟작대기'의 경남지방 방언인데 '바이작대기', '작수바리', '바지작대기'

등으로 불렸다.

▣ 딱밭골

복숭나무 거리 신작로 언덕 위의 지역을 말한다. 한지의 원료인 닥나무가 많았다. 현재 노삼영씨가 사는 집터 아래쪽 일대를 말한다. 이곳 산자락 중턱에는 동네 공동묘지가 있었다. 그리고 딱밭골의 산언저리는 돌너덜 밭이 있었는데, 이곳은 아기의 죽음을 처리하는 동네 애기장터(아기돌무덤)였다. 필자가 6살이 될 무렵, 세 살 난 여동생을 이곳으로 보낸 가슴 아픈 기억이 있다.

■ 헤내미재(회남재)와 헤내미(회남)

회동 〈다소랑 정원〉에서 바라본 헤내미재. 한 마리 새가 날고 있는 모습이 연상된다. 행여나 청학일런가?

회남재는 청암면 묵계리와 악양면 등촌리를 잇는 해발 740m의 고개이다. 이 고개 위에는 언제 만들어졌는지 모를 회남정(回南亭)이 있다. 필자가 어릴 때는 회남재 아랫마을인 "회남마을"을 "헤내미"라고 불렀으니 고개 이름도 "헤내미재"라고 불렀다.

우리 마을에서는 회남재의 유래에 대하여 "남명 선생이 이곳까지 왔다가 돌아갔다"라고 해서 붙여진 이름이라는 설화가 전해온다. 이 회내미재는 묵계에서 악양과 하동읍을 잇는 가장 빠른 길이었다. 섬진강과 남해의 해산물과 지리산의 임산물이 이 고갯길을 통해 교류함으로써 묵계리에 삶의 터전을 일군 우리 조상들의 삶의 질도 높아졌을 것으로 생각한다. 섬진강 강변의 악양 개치 시장은 조선 시대 이전은 물론 1920년대에 그 기능이 하동읍으로 옮겨가기까지 남해와 지리산의 물산이 거래되는 매우 큰 시장이었다.

따라서 회남재는 이 개치 시장과 하동읍 시장 등을 연결하는 산업, 경제활동 통로로 자리 잡았고, 산청 등 지리산 주민들이 널리 이용했던 소금 길이었다. 근대에는 빨치산의 주요 이동통로 및 활동 근거지로 군경의 토벌 작전과 빨지산의 게릴라전이 자주 벌어졌던 곳으로 우리 민족사의 한이 서린 곳이기도 하다. 운당(雲堂) 노용제(盧庸濟) 선생은 젊은 시절, 구름에 쌓인 아득한 회남재를 넘어가며 시(詩) 한 수를 읊는다.

〈회남재를 넘으며[踰回南嶺(유회남령)]〉[402]

茫茫回路接雲山(망망회로접운산) 아득한 회남재 길 구름산에 닿았네
笻屐奔忙自不閒(공극분망자불한) 갈 길은 바쁜데
休步南嶺盤石上(휴보남령반석상) 회남재 바위에 쉬면서
耽聽啼鳥樹林間(탐청제조수림간) 숲속에 지저귀는 새소리 듣네
來臥淸風枕碧山(래와청풍침벽산) 시원한 바람에 산을 베개 삼아 누웠으니
不關世事此心閒(불관세사차심한) 세상일 관심 없어 마음 편해
自語喃喃堂上燕(자어남남당상연) 처마에 지저귀는 제비들
飛來飛去白雲間(비래비거백운간) 흰 구름 사이 오고 가네

묵계동 내에서 회남재는 바라보는 위치에 따라 그 느낌이 매우 다르다. 아마 운당이 살았던 원묵계에서 바라보면 회남재의 높이는 거의 눈높이에 있지만, 공간적인 거리감은 멀게 느껴졌을 것이다. 그러나 회남재 초입인 삼거리에서 회남재를 올려다보면 수직적인 거리감이 아득히 높아 보인다. 높이 솟은 회남재를 바라보면 갈길 바쁜 길손으로서는 숨이 가빠질 수밖에 없었을 것이다. 운당은 "갈길 바쁘다."라는 표현을 "공극 분망(笻屐紛忙)"이라고 한 시어(詩語)가 참 재미있다. 여기서 "공(笻=筇)[403]"은 "지팡이"를 말하고,

---

402) 운당 노용제 선생의 《운당유고(雲堂遺稿)》에서 인용.

403) 지팡이를 만드는 대나무를 공죽(笻竹)이라고 한다.

"극(屐)"은 원래 나막신, 즉 비 올 때 신는 나무로 만든 신을 의미한다.

네이버 중국어 사전에서도 "극(屐)"은 "신발"을 의미하는 명사라고 소개하고 있다. 또 "분망(紛忙)"은 "어지럽고 바쁘다"라는 의미이다. 예나 지금이나 지팡이와 신발은 나그네의 길벗이었으니 "지팡이와 신발이 정신없이 분주하다"라고 한 시어(詩語)에서 먼 길을 종종거리며 바삐 걸어가는 나그네의 모습과 그 심정까지 눈에 그려지듯 떠오른다. 참 재미있고 멋진 표현이라고 생각한다.

필자도 중학생 시절까지 하동읍에 오갈 때, 회남재를 넘었던 기억이 생생하다. 게다가 지게며 봇짐에 뭔가를 잔뜩 이고 지고 아득한 이 고갯길을 넘나들던 우리 선인들의 끈질긴 생명력에 존경과 감사의 박수를 올린다. 운당이 걸었던 회남재 옛길을 걸어보고 싶다. 운당이 즐기며 읊었듯이 "산새 소리, 바람 소리는 여전하리라!" 그런 점에서 회남재 옛길을 복원했으면 하는 마음이 간절하다.

오래전에 회남재에서 청학동으로 이어지는 임도가 생겼다. 회남재에서 삼성궁 입구 주차장까지, 즉 시루봉 등 삼신지맥의 중턱을 횡단하는 숲길이 생겼다. 이 숲길은 그늘이 7할 정도이니 참 쾌적하다. 삼성궁 주차장에서 회남재까지 숲길 도로의 길이가 6km이다.

삼성궁 입구에서 회남재까지는 다행히 아스팔트로 포장이 되지 않은 흙길이라 더욱 정겹다. 이 숲길에 300여 종이 넘는 식물군이 있단다. 그래서 누군가가 회남재 숲길을 나무백화점이라고 부른다. 숲길의 빼어난 풍광을 즐기며 회남재 숲길 걷기, 등산, 산악자전거 트래킹 코스로 많은 사랑을 받고 있다. 또, 묵계초등학교에서 회남마을 입구를 거쳐 회남재로 올라가는 4km의 임도도 참 아름다운 숲길이다.

"이미 앞에서 심도 있게 살펴보았듯이 '회남재'와 '회남 마을'은 남명 조 선생과 인연이 깊은 곳이다. 필자는 향후 회남재[回南峙, 回南嶺]를 다음과 같이 소개하는 간판이 세워지기를 기대한다.

> "경의(敬義) 사상을 생활철학으로 삼은 조선의 선비 남명(南冥) 조식(曺植) 선생이 삼가 토동에서 강학하시던 1550년대에 은거할 곳을 찾아 지리산 용유동(청암계곡)을 따라 올라왔다가 이곳에서 '되돌아갔다' 하여 '회남재'라 불린다."

이처럼 지리산 귀퉁이의 보잘것없는 고개의 하나인 회남재가 강우 지역을 근거로 활동한 대학자 남명 선생과 인연이 깊은 유적이라는 사실은 분명 매력적인 이야깃거리다. 이는 당연히 회남재와 묵계 청학동의 브랜드가치를 높여줄 것이라고 믿는다."

■ 장군바위

장군바위는 묵계초등학교 뒷산에 있는 장엄한 바위이다. 이곳에 올라가 보면 병풍처럼 둘러쳐진 병풍바위와 갑옷 바위 등에 압도당한다. 옛날 장군이 이 바위문에서 나왔다는 전설이 있다. 이 암벽에서 장군이 나오면 온 세상이 태평세월을 누릴 것이라는 말이 전한다. 묵계리 일대에는 장군과 관련된 지명이 많다. 투구봉, 칼등, 상마등(上馬嶝), 구시소, 달바위, 호패골, 물방아골, 깃대봉, 다리소, 윤디바위, 병풍바위, 갑옷바위 등이다. 필자가 어린 시절에 장군바위 아래에 있는 암자에 자주 올라갔던 추억이 있다. 장군바위와 관련이 깊은 지명은 다음과 같다.

▣ 병풍바위: 장군바위 아래에 있는 병풍처럼 펼쳐진 거대한 바위인데, 그 틈 사이에 날카로운 화강암이 관입되어 칼날처럼 솟아 있었다. 과연 장군바위에 어울리는 바위이다. 그래서 '칼바위'라고도 했다.

▣ 갑옷 바위: 장군바위 앞에 있다.

▣ 투구봉: 원묵계 묵계사 뒤의 투구 모양의 높은 봉우리이다. 하늘 높이 솟아 있어 천주봉(天柱峯)이라고 하고 멀리서 보면 여자 가슴 같다 하여 유두봉(乳頭峯)으로 불리기도 한다.

▣ 칼등: 큰 드무실과 작은 드무실 사이에 있는 칼날처럼 생긴 산등성이로 현재 묵계호 수문 위에 있다.

▣ 상마등(上馬嶝): 묵계호와 삼거리 마을 사이에서 가장 큰 계곡인 도장골의 가장 높은 곳에 있는 마을이다. 묵계리 383-1번지 일대이다. 달바위나 장군바위 보다 높은 산등성이에 있다. 마치 장군바위의 장군이 말을 타는 격이다. 해발 약 700m에 달하지만, 넓고 완만한 경사지에 풍부한 샘물이 솟아서 논농사도 가능한 마을이었다. '상멧동'이라고 불렀다.

▣ 구시소: 학동교에서 회동 방향 계곡의 약 300m 상류에 있는 소(沼)이다. 작은 폭포가 있다. 구시란 가축들에게 먹이를 담아 주는 그릇을 말하는데 주로 큰 통나무나 큰 돌을 길쭉하게 파내어 만든다. 구시는 구유의 경상도 방언이다. 장군이 말에게 물을 먹이는 격이다.

▣ 달바위: 장군바위 동편에 서로 마주 보는 위치에 있다. 해발 약 600m로 묵계초등학교 운동장에 서서 뒷산을 치올려보면 바로 정면에 보인다. 바위의 모양이 마치 둥근달을 연상시킨다. 달바구, 혹은 그 일대를 '달바구등'이라 불렀다. 이 달바위의 달이 장군의

처소인 장군바위를 환하게 비춰준다는 이야기가 있다.

▣ 호패골: 달바위 동편의 골짜기로 삼거리 새터 마을 동편 계곡이다. 장군이 차는 패가 아닌가 추정하는 설도 있다. 마을 뒤 계곡 입구에서 오른쪽 언덕을 향해 올라가면 상마등으로 가는 길이다. 호패(號牌)는 조선 시대 16세 이상 남자가 차고 다닌 패(牌)인데 착용자의 신분이나 지위를 비롯하여 거주지 등 인적 사항을 담고 있는 신분증명서로서 오늘날의 주민등록증과 비슷한 성격을 지니고 있다. 신분에 따라 재질이 달랐고 시대에 따라 디자인도 약간의 차이가 있었다.

▣ 물방아골: 장군바위 서편 박석거리 건너 골짜기인데 장군바위의 장군이 먹을 식량을 찧던 방아골이라는 설과 옛날 묵계사 스님들의 양식을 찧기 위한 방아가 있었던 곳이라는 이야기가 전한다.

▣ 깃대봉: 큰 드무실에서 가장 높은 봉우리. 해발 953m이다.

▣ 다리소: 별항 다리소 참조.

▣ 윤디바위: 회남마을 앞산에 윤디(인두)처럼 생긴 바위가 있는데, 옛날 장군바위 속에 살던 장군이 이 바위를 가져다 다리소에 다리를 놓으려 했다는 전설이 있다. 윤디는 지리산 주변 지역과 영남지방 대부분에서 사용한 인두의 방언이다.

■ 드무실

묵계호의 취수탑 근처에서 제방 바로 아래에 있는 묵계천 건너편 골짜기 일대를 말한다. 큰 드무실과 작은 드무실로 나누어 불렀다. 큰 드무실은 배나무징이 건너편 큰 계곡인데, 심은동 계곡과 마주하는 아주 큰 골짜기이다. 그래서 이곳은 골이 깊고 험했으며, 숯 굴이 많았다. 큰 드무실은 높은터에서 가깝지만 삼거리(묵계) 사람들도 많이 드나들었다. 필자도 초등학생 시절부터 큰 드무실에서 나뭇짐을 지고 노디(징검다리)를 건너다녔다. 당시 삼거리 사람들이 신작로를 따라 내려와서 큰 드무실로 드나드는 노디는 세 곳이 있었다. 첫 번째 길은 '배나무징이' 아래, 즉, 각시소 아래에 있는 노디를 건넜다. 높은터 사람들이 주로 이용하는 길인데, 필자도 이곳을 지게를 지고 건넌 적이 있다. 그러나 삼거리까지는 멀리 돌아오는 느낌이라 자주 이용하지 않았다.

두번째 길은 삼거리 사람들이 주로 이용하는데, 배나무징이 바로 위에 논배미가 있었는데, 지게를 지고 건너다니기가 좀 편했다. 그러나 무시무시했던 쎄꼬빵이까지 지루한 신작로 언덕길을 지게를 지고 올라가는 단점이 있었다.

세 번째 길은 묵계천 건너편 산자락에 있었던 봇또랑 길을 따라 쎄꼬빵이 맞은편을 지나 올라와서 건너는 노디였다. 이 길은 비교적 평탄했지만, 응달이라 춥고 노디가 물살이 센 곳이어서 건너기가 쉽지 않았다. 이 노디를 건너고 나면 비교적 평탄했던 연지네 밭골 신작로를 따라 복숭나무거리 모팅이(모퉁이의 경상도 방언) 언덕에 지게 자리, 즉 쉬는 자리가 곳곳에 있었다. 이곳이 바로 나무꾼의 쉼터였다.

이어서 닥나무가 많았던 딱밭골 언덕을 지나 삼굿터(대마[大麻, 삼]의 껍질을 벗기기 위해 마을 공동으로 삼을 찌는 곳)를 지나면 동네 입구였다. 지금은 모두 묵계호 아래에 잠겨 추억 속에 남아있을 뿐이다.

하복도 선생이 쓴 《청암》 지(誌)에는 〈드무실의 전설과 옛이야기〉가 실려있는데, 필자가 약간의 가필을 했다. "드무실은 높은터(高基) 마을 북서쪽 산골짜기인데 '인적이 드물다'라고 하여 붙여진 이름"이란다. 드무실은 현재의 묵계호를 포함한 댐 아래 서쪽, 즉 음지쪽 골짜기 일대인데, 묵계호 취수탑 주변의 계곡을 '작은 드무실', 묵계호의 둑 아래쪽에 있는 큰 계곡을 '큰 드무실'이라고 했다. 필자의 어릴 적 경험에 의하면 작은 드무실은 주로 삼거리 사람들이 출입했으며, 큰 드무실에는 삼거리 사람들 뿐만 아니라 높은터 사람들도 땔나무를 구하기 위해서 드나들던 곳이었다.

그런데 '드무실'이란 지명에 대해서 재미있는 이야기가 《청암》 지(誌)에 소개되어 있다. 즉, '드무실'은 물이나 간장을 담는 '넓적하게 생긴 독(질그릇)'을 의미하는 '드므'에서 유래했다는 것이었다. 이에 필자는 전적으로 동의하면서 《조선 시대 차자 표기 사전》에 나오는 '두모(豆毛)[드므]'[404]도 그 어원이 아닌가 생각한다. 즉 '두모(豆毛)[드므]'는 높이가 낮으면서 넓적하게 생긴 솥의 하나인데, 주로 물이나 모래 따위를 담아 놓고 보관하다가 불이 났을 때 불을 끄는 데 쓴다. 크기에 따라 대(大), 중(中), 소(小)로 나누는데, 무쇠(水鐵), 놋쇠(鍮), 질(陶) 등으로 만들고, 쓰는 용도에 따라 저수(貯水), 금화(禁火) 등으로 나뉘었다.'라는 것으로 보아 그렇게 판단한 것이다. 이렇게 드무실이라는 지명의 유래를 옛말 '드므'에서 찾아 현재 물을 잔뜩 담고 있는 현대적인 '드무'인 '묵계호'가 연상되는 것은 참 흥미롭다. 옛 선인들이 지명(地名)을 작명한 지혜가 가히 예사롭지 않았고 오히려 신비스럽다는 생각이 드는 것은 필자도 하복도 선생님과 생각을 같이한다.

또한 하복도 선생은 '오금'에 관한 이야기를 증언하고, 드무실에서 오금을 찾는 사람이 있었다는 사실을 소개하고 있다. 오금이 무엇인지는 명확하지 않으나, 하선생님도 만일 '오금(五金)'이라면 '금, 은, 구리, 철, 주석의 다섯 가지 금속'을 의미한다고 소개하고 있고, 또 '오금(烏金)'이라면, '적동(赤銅)', 즉 '구리에 1~10%의 금을 섞은 합금으로 빛이 검붉으며 장식용으로 쓴다'라고 하니 아무튼 금속과 관계가 깊은 것은 틀림이 없다.

404) '頭毛(두모)[드무]', 《조선 시대 차자 표기 사전(오픈사전 PRO)》에서 인용

그러고 보니 앞서 〈높은터 장석 광산〉 편에서 보았듯이 필자가 어릴 때, 높은터 안산 높은 곳에서는 장석을 캐내는 광산이 있었다. 이 장석 광산의 바로 옆 골짜기가 큰 드무실인 만큼 드무실이나 묵계리 일대의 산속에는 오금과 같은 금속 광물이 매장되어 있을지도 모를 일이다. 1960년대에 장석채굴로 잠시 활기를 띠었듯이 오금 채굴로 묵계리에 활력을 찾아줄 골드러쉬가 오기를 기대해 본다.

■ 섬들 당산 팽나무

섬들 동네 뒤쪽, 즉 학동으로 올라가는 길가에 있었다. 당산나무 수종은 팽나무로 수령이 수백 년이 되었다. 팽나무는 느릅나뭇과의 낙엽 활엽 교목으로 높이는 20미터 정도이며, 잎은 어긋나고 달걀 모양, 타원형 또는 긴 타원형인데 톱니가 있다. 봄에 연한 노란색의 작은 꽃이 잎과 함께 피고, 열매는 복숭아나 앵두처럼 단단한 껍질 속에 씨가 들어 있는 핵과(核果)로 9월경에 익는다. 목재는 건축, 가구재로 쓰고 정자나무로 재배한다. 산기슭이나 골짜기, 개울가에서 자라는데 한국, 일본, 중국 등지에 분포한다. 이 팽나무의 열매를 '팽'이라고 불렀는데, 굵은 팥알만 하다. 풋것은 녹색이나 익으면 노란색과 붉은빛을 띤다. 이곳 팽이 유독 달콤하여 팽이 익을 무렵이면 동네 아이들의 놀이터였다. 아쉽게도 지금은 사라지고 없다.

■ 외감나무거리

학동교 위쪽 도로에서 섬들 농로와 갈림길에 있다. 오래전 이곳에는 아름드리 '마딩이' 감나무가 외로이 서 있어서 지나가는 길손의 쉼터가 되었다. 마딩이는 토종감의 일종으로 대봉감이나 단성감, 고종시에 비해 작고 동글 납작한 반시(盤柹)이다. 탄닌(tannin) 성분이 많이 들어 있어서 매우 떫다. 그래서 땡감이라고도 한다. 땡감은 감식초나 감물 염색용, 소금물에 담가 떫은맛을 없앤 침시(沈柹)로 만들어 먹기도 하나 주로 홍시용, 곶감용 혹은 감말랭이용이나 감장아찌용으로도 쓰인다. 씨가 많다.

(마) 묵계 마을의 기타 지명

▣ **홍골**: 삼거리 앞 회내미 옆의 넓고 큰 계곡인데, 삼거리와 새터 마을 건너편 안산의 뒤쪽에 있다. 그 서쪽 계곡이 시루봉(992.9m)에서 시작되는 시루봉골이다.

▣ **도장골**: 상마등에서 내려오는 계곡이다. 현재 묵계호 제방에서 약 200m에 있는 다리가 있는 곳.

▣ **큰등먼당**: 도장골 위 먼당이다.

▣ **굴바위**: 큰등 먼당에 있다.

▣ **아래 심은동**: 배나무징이 골 위에 있다.

▣ **웃 심은동**: 아래 심은동 위에 있다.

▣ **생이 바위**: 새터에서 상마등으로 가는 길옆에 있다. 생이는 상여(喪輿)의 방언.

▣ **호랑 바위**: 새터에서 상마등으로 가는 길옆에 있다.

▣ **여시골**: 박석거리 아래 동편 골이다. 장군바위 등 너머에 있다. 현재 청학동 휴양농원 펜션 일대이다.

▣ **호랑바위**: 중터 모랭이 위에 있다.

▣ **텃거리**: 중터 계곡 건너의 들이다.

▣ **큰골**: 텃거리 안쪽 골이다.

▣ **어름바구**: 큰골 안쪽 먼당의 중간에 있다.

▣ **작은골**: 큰골 오른쪽 골이다.

▣ **살매등**: 작은골의 오른쪽 등이다.

▣ **농바위**: 살매등 먼당에 있다.

▣ **쌧등먼당**: 삼거리와 새터 앞 산등이다.

▣ **일산 배나무거리**: 홍골 동편이다.

▣ **뒷골**: 회남마을 큰땀과 작은땀 사에의 계곡이다. 화전민들이 살았다.

▣ **문둥이 매골**: 회남재 왼쪽 골이다.

▣ **찬새미**: 회남재 아래에 있었다. 찬새미에서 회남재로 올라가는 중간에 요강꽃 자생지가 있다.

▣ **솔밭골**: 회남재 동쪽 골이다.

▣ **석이바위**: 칼등 능선 위에 있다. 옛 어른들의 말에 의하면 석이는 해풍을 먹어야 핀다고 했다. 석이는 석이과에 속하는 버섯으로 깊은 산속 높은 바위 표면에 자생하는 지의류의 일종이다. 묵계에서는 오봉산 정상 근처에도 있다.

▣ **개바구**: 묵계호 서편에 있다.

▣ **작은 드무실**: 묵계천 건너, 현재 묵계호 도수로 수문이 있는 일대의 골짜기다.

▣ **큰 드무실**: 묵계호 아래, 서편의 큰 골짜기. 위의 '드무실' 항 참조.

▣ **섬들 당산**: 현재 청학루터이다. 여기에는 수령이 500년이 된 참나무가 있고, 수백 년 된

당산나무가 많았다.

▣ **탕건바위**: 섬들 동네 앞 냇가에 있다.

▣ **송굿소**: 탕건바위 옆에 있었다. 넓은 청석의 암반이 있고 수심도 깊지 않아서 다리소와 함께 동네 아이들이 멱을 감던 곳이다.

▣ **오동소**: 섬들에서 턱거리 가는 다리 안쪽에 있다.

▣ **감퇴바위**: 오동소 위에 있다.

▣ **합소**: 회동과 학동의 계곡물이 만나는 곳에 있다. 이 위가 물레방앗간이다.

▣ **강대진이소**: 회남으로 가는 길옆에 있었다. 이 소를 지나 오른쪽으로 올라가면 회내미 마을로 들어가고, 왼쪽 길을 따라 올라가면 회남재로 이어진다. 작은 폭포와 숲으로 둘러싸여 어둡고 깊어서 용소라고도 불렀다.

▣ **배나무징이**: 강대진이소 아래, 큰 배나무가 있었다.

▣ **가매소**: 묵계호 제방 아래에 있는 소인데 '헉구소'라고도 부른다.

▣ **산제막골**: 회남마을에서 회남재로 오르는 왼쪽의 큰 골짜기이다.

(3) 회동(檜洞) 마을(행정리 명: 5통 3반)

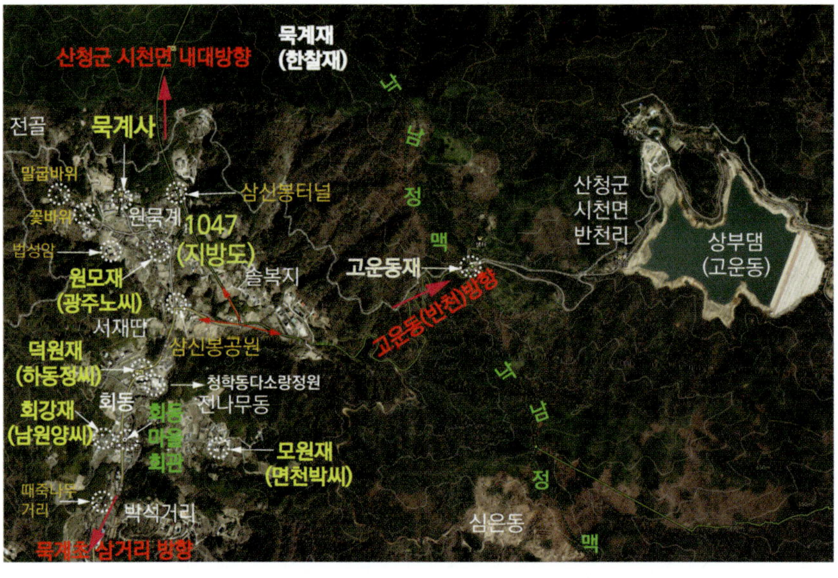

회동마을 주변도(카카오 맵에서 작성)

회동은 박석거리, 전나무동, 서재(書齋)땀, 원묵계 등의 여러 마을이 모여 회동이라는 행정마을을 이루고 있다. 최근에는 '솔복지'에도 마을이 형성 중이다. 1930년에 편찬된 《하동지속수》에 의하면 당시에도 '회동'이었으나 1988년 7월 30일 하동군 조례로 원묵'으로 바뀌었으나 이는, 수백 년 이어온 마을의 전통과 역사를 무시한 처사이다. 이에 본서에서는 향우들의 뜻을 모아 마을 이름의 원상 복귀를 희망하면서 '회동'으로 칭한다.

회동은 외삼심봉과 문필봉(천주봉), 묵계재, 고운동재까지 이어지는 낙남정맥의 품 안에 둘러싸인 골짜기에 있는 유서 깊은 마을이다. 원묵계 마을에는 진양지가 편찬될 당시인 1632년에는 묵계사(黙契寺)라는 대가람이 있었다. 앞서 회산 성채규 선생의 시, 〈묵계촌〉에서 소개했다시피 구한말까지 원묵계의 마을 이름은 '묵계'였다.

한찰재를 통해 산청군 시천면 '내대리(內大里)'로 연결이 되며, 또, 고운동재를 통해서는 산청군 시천면 '반천리(反川里)'와 이어진다. 현재는 한찰재 아래에 뚫린 경상남도 지방도 1047호가 삼신봉터널을 통해 시천면 내대리로 이어지고, 또 고운동재를 넘어 산청양수발전소의 상부댐으로 이어지는 도로가 개설되어 있다.

〈상마등에서 내려다본 회동마을 전경〉. 정면 한가운데 가장 윗쪽 마을이 '원묵계'. 묵계재 아래에 삼신봉터널 입구도 보인다. 아래쪽 정면 중앙이 '서제땀', 왼쪽 아랫마을이 '회동'이고, 오른쪽 아랫마을이 전나무동이다. 묵계재 너머로 멀리 지리산 천왕봉이 보인다(사진: 휴암 양영욱)

(가) 박석거리(박석땀)

삼거리에서 오른쪽 산청군 시천면 방향으로 난 도로(지방도 1047호, 도로명: 삼신봉로)를 따라 북쪽으로 올라가면 나오는 첫 마을이다. 1992년에 발간된 《청암》 지(誌)에서는 '박석거리'를 다음과 같이 소개하고 있다.

박석거리는 회동(檜洞) 동구(洞口)의 거리 명칭이기도 하고 회동 본부락을 지칭하여 '박석거리' 혹은 '박석(箔石) 땀)'이라고도 한다. 보통 회동이라고 하면 이 박석거리를 가리킨다. 옛날 이 마을 입구의 '때죽나무거리'에 반반한 돌, 즉 반석(盤石)을 깔아 미끄럽게 하여 말을 타고 오던 사람이 반드시 내려서 지나게 했다고 하여 박석거리라고 하였다(지금도 때죽나무거리의 반석을 볼 수 있다). 그런데 '때죽나무거리'는 옛날 때죽나무가 울창하고 큰 소나무를 비롯한 여러 종류의 나무와 큰 바위들이 있어서 동민의 휴식처이기도 했다. (묵계 삼거리에서 회동에 이르는 도로를 따라 올라가면 회동교에 당도하기 전에 왼쪽 도로변으로 때죽나무가 여러 거루 서 있는 작은 숲을 지금도 볼 수 있다. 이곳의 때죽나무는 도로를 새로 내면서 많이 베어졌다. 〈중략〉. 지금 회동(박석땀)은 정기 버스의 종점 마을이다. 남원양씨의 문중 재실 '회강재(檜崗齋)'가 있다.

또, 회동 출신 향우 이상길(묵계초11회, 부산)씨는 "회동(檜洞)이라는 행정마을은 '전통적으로 박석거리, 서재(書齋)땀, 전나무동, 원묵계로 이루어져 있는데, 박석거리를 보통 회동이라고 인식하고 있었다. 그리고 박석거리(회동)는 서재땀과는 아래 위로 이웃하고 있어서 각각 '아랫땀', '웃땀'이라고도 했다."라고 증언했다. 이는《청암》지(誌)에서 하복도 선생이 "회동 본부락을 지칭하여 '박석거리'라고 한다."라는 설명과 일맥상통한다.

(나) 전나무동(檜洞)

전나무동은 회동 본부락(박석거리)에서 다리를 건너 작은 언덕 너머에 있는 마을이다. 이곳이 전나무동, 혹은 전나무골인데, 옛날에 큰 전나무가 있어서 붙여진 이름이라고 한다. 회동 전체가 전나무골이라는 의미이므로 이곳은 '작은 전나무골'이라고도 했다. 최근에 '마을 만들기 사업'의 하나로 동구에 물레방아 공원을 설치하는 등 마을 가꾸기가 진행 중이다. 이곳에는 면천박씨 재실인 '모원재(慕源齋)'가 있고, 동네 뒤 끝자락에 청학사가 있다. 마을 뒤쪽, 즉 북쪽의 나지막한 재를 넘으면 고운동으로 이어지고, 동남쪽 재를 넘으면 상마등(상멧똥)과 심은동(시문동)으로 이어진다.

(다) 서재(書齋)땀

서재땀은 박석거리에서 원묵계로 올라가는 도로 왼쪽에 있다. 옛날 서재가 있었다고 전한다. 서재는 예전에 '한문을 사사로이 가르치던 곳'을 말하는데, '서재'의 옛말인 '셔지'는 19세기 문헌에서부터 나타난다. 그래서 보통 서지땀이라고 불렀다. 열부

신수월(申水月, 향우 이상길 씨 종조모)이 처음 이 마을에 살았다. 마을 입구에 '하동정씨회동유적지지(河東鄭氏檜洞遺蹟之地)'라는 입석(立石) 표지와 하동정씨 재실인 '덕원재(悳元齋)'가 있다. 또 덕원재 아래에는 경남교육청이 인가한 대안학교 '지리산중학교'가 개교하였으나 현재는 폐교되었다. 이 학교터에 현재 '청학동 다소랑 정원'이 들어섰다.

(라) 원묵계(元默溪)[405]

《한국지명총람》(10권)에 의하면 '원묵계는 묵계동의 본래 마을인데, 옛날 묵계사 절터가 있는 마을이다.' 삼거리에서 약 2km 거리에 있다. 원묵계는 광주노씨들의 집성촌이다. 하복도 선생의《청암》지(誌)에 "묵계 거주 노종억씨(당시 79세)에 따르면 지난날 마을이 한창일 때는 36호가량 거주하였는데, 그중 노씨(盧氏)들이 30호가량 되었다고 한다."라는 기록이 이를 입증해 주고 있다. 즉, 이곳에는 1992년《청암》이 발간될 당시에는 노씨들의 문중재실인 '치정재(致精齋)'라는 재실이 있었다. 현재 마을 입구에는 광주노씨 재실인 '원모재(遠慕齋)'가 있다. 2024년 10월, 드론 사진 촬영 당시에는 수리를 위해 철거된 모습이다.

삼신봉터널 동편 지역을 '솔복지(率福地)'라고 한다. 터널을 기준으로 동쪽으로 첫번째 계곡이 가장 큰 계곡인데 여기가 큰솔복지이고, 그 다음이 작은 솔복지이다. 필자가 어릴때만해도 큰솔복지 계곡을 따라 올라가면 논밭이 있고, 오래된 집터 주변에는 큰감나무들이 많이 남아 있었다. 약 20년 전에 노병엽(묵계초 14회)씨가 이곳에 기와집을 짓기 시작한 이후 원묵계 마을이 솔복지로 확장되는 추세이다. 2010년을 전후하여 이상길, 김영석씨를 비롯하여 10여 가구가 이주하였고, 이곳에는 영성단체인 '명상센터 영채마을'이 설립 운영되고 있다.

옛 묵계사 자리에 현재의 묵계사가 중창되었으며, 전골 개울 건너에는 법성암이 있다. 이곳 원묵계에서 고운동재를 넘으면 고운동 마을을 지나 산청군 시천면 반천리로 갈 수 있고, 한찰재(묵계재)를 넘으면 시천면 내대리로 갈 수 있다. 지금은 삼신봉터널을 통해 내대리, 덕산, 진주, 단성IC를 통해 '통영대전고속도로'와 연결되며, 산청양수발전소

405) '원묵계'는 '원래 묵계'라는 의미를 지닌 마을인데, 한자로는 "으뜸, 시초, 처음"이라는 의미를 지닌 "元(으뜸 원)"을 사용(사례: 힐링센터 앞 안내판)하기도 하고, "언덕, 근원, 근본, 원래" 등의 의미를 지닌 '原(근원 원)"을 사용(사례: 힐링센터에서 고운동 방향으로 약 100m 전방 안내판)하기도 하나, "으뜸 원(元)"에도 "근원, 근본"이라는 의미가 있으니 여기서는 "元(으뜸 원)"을 사용하여 표기한다.

고운동 상부댐까지 포장도로가 개설되어 있다.

회동(원묵)마을 회관(회동 입구에 있다)

회동-박석거리(아랫땀)

회동-서제땀(웃땀)

회동-전나무동

회동-원묵계

회동-솔복지

(마) 회동 마을 주요 지명

■ 묵계사(默契寺)

묵계사(默契寺)는 원묵계에 있었던 절이다. 조선 중기만 해도 묵계사는 묵계동의 '랜드마크'였다. 그리고 묵계동의 어원이 된 것으로 보인다. 따라서 묵계사가 묵계동에서 차지하는 의미는 매우 크다. 그런데 묵계사는 언제, 누가 세웠는지, 또, 왜 사라졌는지 알려지지 않은 수수께끼 같은 절이다.

이곳을 찾은 조선 초기 선비들은 이구동성으로 "묵계사는 지리산 최고의 명승지"라는 기록을 남겼다. 이렇게 '지리산에서 최고'라고 소문난 매력 있는 절이 어느 날 갑자기 역사 속에서 사라져 버렸다. 묵계사의 폐사(廢寺) 사실을 처음으로 언급한 자료는 1656년에 편찬된 《동국여지지(東國輿地志)》가 아닌가 생각된다. 이보다 앞서 1632년에 진주사람들이 편찬한 《진양지(晉陽誌)》에도 폐지된 사실이 기록되어 있지 않다. 따라서 묵계사는 17세기 중엽에 역사 속에서 사라진 것으로 보인다.

절경 묵계사의 여름 풍경. 묵계사는 지리산 최고 명승경으로 소문 난 곳이다(사진: 주지 원담 스님)

하지만 지금도 옛날 절의 위치와 규모를 짐작할 수 있는 흔적은 곳곳에 남았다. 먼저, 통일 신라 시대 말 또는 고려 시대 초기 양식으로 추정되는 부도(승탑)의 파편들도 있고,

건물터로 보이는 문화재급의 완벽한 축대, 통일신라 시대 것으로 추정된다는 기와 편 등이 곳곳에서 눈에 띈다. 지금도 원묵계 마을 집터 이곳저곳을 둘러보면 마을 안에도 절터의 흔적이 있다.

그 미스터리(mystery) 한 역사의 실마리를 조금이라도 더듬어 보려고 한다. 다행스럽게도 약 30년 전에 묵계사(默契寺) 옛터에 새로운 중창주가 등장하여 묵계사(默契寺)가 중창되었다. 옛날 묵계사(默契寺)의 그 화려한 명성을 이어가기를 바랄 뿐이다.

▣ '묵계사(默契寺)'의 '묵계(默契)'란 어떤 의미가 담겨있을까?

묵계사에 관한 정보가 너무 없다 보니, '묵계사 (默契寺)'라는 절 이름에 사용된 '묵계(默契)'라는 의미부터 생각해 봄으로써 묵계사가 어떤 절이었는지 유추해 보려고 한다.

'묵계(默契)'는 '잠잠할 묵(默)'에 '맺을 계(契)' 자(字)를 쓴다. 계(契)는 '애쓸 결', '부족 이름 글', '사람 이름 설'로도 쓰인다. '글안[契丹]' 혹은 '거란[契丹]'이라고 불렀던 유목민족이 바로 이 '글(契)'을 쓴다.

묵계사 겨울 풍경. 묵계사는 지리산 최고의 묵언 정진하는 기도 도량이다(사진: 묵계사 주지 원담 스님)

'묵계(默契)'의 사전적 의미는 '말 없는 가운데 뜻이 서로 맞음. 또는 그렇게 하여 성립된 약속'[406]이다. 그 유의어(類義語)로 '묵약(默約)'이 있다. 중국의 《바이두 백과》에서는 이를 '암묵적 이해', 즉, '말없이 동의한다'라는 설명이 있으며, 일본어 사전 《고지엔(広辞苑)》에서는 '말 없는 가운데 서로 의사가 일치하는 것(無言のうちに互いの意思が一致すること)'이라는 의미라고 하니 한·중·일에서 비슷한 의미로 쓰이고 있음을 알 수 있다.

그럼 '묵계(默契)'라는 어휘를 우리 선인들은 어떤 의미로 사용했는지 그 사례를 살펴보자. 먼저, 퇴계 선생의 묘갈명을 고봉(高峰) 기대승(奇大升, 1527~1572) 선생이 지었는데, 그 묘갈명에 "아, 슬프다. 선생의 훌륭한 덕과 큰 업적이 우리 동방에 으뜸임은 당세 사람들이 다 알고 있다. 후세의 학자들도 선생이 말씀하고 저술한 것을 관찰한다면, 장차 반드시 감발(感發)되고 **묵계(默契)** 되는 바가 있을 것이다.[407]"라고 했다.

《인조실록》에 의하면 1627년(인조 5) 11월 2일의 조강(朝講)에서 좌의정 오윤겸(吳允謙, 1559~1636)이 아뢰기를 "인군(人君)이 참으로 심법의 요체를 착실히 공부하려면 그 뜻을 연구하고 잠심(潛心)·**묵계(默契)**하여 체행(體行) 하는 터전으로 삼아야 합니다. 또 밤중 사물을 접하지 않는 때에 마음을 성찰(省察)하는 것이 학문하는 요체로 이보다 더 좋은 것은 없습니다."[408]라는 기사가 있다. 이런 사례에서 보듯이 '묵계(默契)'는 '암묵적 이해', 즉 '말하지 않아도 그 뜻을 서로 안다'라는 의미로 사용된 것으로 보인다.

또 다른 사례를 보자. 목은(牧隱) 이색(李穡, 1328~1396) 선생의 문집인 《목은시고(牧隱詩藁)》(제2권)에 나오는 〈고풍(古風)〉이라는 시(詩)에 다음과 같은 시구(詩句)가 나온다.

---

406) 묵계(默契), 《네이버 사전》에서 인용

407) 기대승, 《고봉집(高峯集)》〈퇴계 선생 묘갈명. 명문은 선생이 스스로 짓고 아울러 썼다(退溪先生墓碣銘先生自銘竝書)〉의 일부인데, 그 원문은 '嗚呼 先生盛德大業 卓冠吾東者 當世之人 亦旣知之矣 後之學者 觀於先生所論著 將必有感發默契焉者'이다.

408) 조강(朝講)은 '이른 아침에 강연관(講筵官)이 왕께 진강(進講) 하는 일'을 말한다. 이 내용은 《조선왕조실록-인조실록》에 있었던 기사인데, 그날 《중용(中庸)》의 수장(首章)을 왕에게 강의했다. 그 원문은 "左議政吳允謙曰: 心法工夫 只在戒愼恐懼 必須主一無適然後 心常在玆 而不役於外 人君苟欲著工於心法之要 則硏究旨義 潛心默契 以爲體行之地可也 且中夜未接物之時 須用省察喫緊處 爲學之要 莫善於此"(이상은 한국고전종합 DB 《조선왕조실록》에서 인용)

顔子居陋巷[409] 안자는 누추한 시골에 살았지만
默契天生德[410] 하늘이 낸 덕에 은연중 계합했고

한국고전번역원에서는 이처럼 '묵계(默契)'를 '은연중 **계합**했다.'라고 번역한다. 또, 《고운집》의 〈고운선생 사적(孤雲先生事蹟)-가승(家乘)〉에 구암(龜巖) 이정(李楨) 선생의 〈西岳精舍(서악정사)〉라는 '7언 율시'가 소개되어 있는데[411] 그 함련(頷聯)을 보면 다음과 같다.

一唯參乎心默契[412] 마음으로 계합하여 곧장 대답한 증삼(曾參)이요
再賢回也道重亨[413] 도가 형통하여 거듭 어질다 한 안회(顔回)였네

이 시에서는 '묵계(默契)'를 '마음으로 **계합하여**'라고 번역하고 있다. 이처럼 '묵계(默契)'는 '굳이 말하지 않아도 스스로 그 의미를 안다.'라는 의미로 쓰였고 '묵(默)'은

---

409) '顔子居陋巷'은 '안자는 누추한 시골에 살았지만'이라는 뜻이다. '안자가 누추한 시골에 살았다는 것[顔子居陋巷]'은 공자가 이르기를 "어질구나, 회여! 안회(顔回)는 찬밥에 냉수를 마시며 누추한 집에 살고 있구나[子曰 賢哉回也 一簞食一瓢飮 在陋巷]. 다른 사람이라면 그 근심을 견디지 못할 것이거늘 안회는 그 즐거움을 바꾸지 아니하구나. 어질구나, 회여![人不堪其憂回也 不改其樂 賢哉回也]"라고 한데서 나온 말이다(이상은 한국고전종합DB에서 재인용).

410) '하늘이 낸 덕(天生德)'이란 '환퇴(桓魋)가 일찍이 공자를 해치고자 했을 적에 공자가 이르기를 "하늘이 나에게 덕(德)을 주셨으니, 환퇴가 장차 나를 어찌하겠느냐[子曰 天生德於予 桓魋其如予何]"라고 한데서 나온 말이고, '은연중 계합했다'라는 것은 '공자가 안자를 허여(許與)했음을 의미하는 말이다'. '허여(許與)'는 '허락(許諾)하여 줌', 또는 '마음으로 허락하여 칭찬(稱讚)함'이라는 뜻이다(이상은 한국고전종합DB에서 재인용).

411) 경주의 '서악정사(西岳精舍)'는 1561년(명종 16)에 당시 경주 부윤(府尹)이던 구암(龜巖) 이정(李楨) 선생이 개국공(開國公) 김유신(金庾信)을 기리기 위해 그의 스승인 퇴계(退溪) 이황(李滉) 선생에게 품신(稟申)하여 세운 것으로, 퇴계 선생이 이를 '서악정사'리 명명하였다. 그 후 1646년에 홍유후(弘儒侯) 설총(薛聰)과 문창공(文昌公) 최치원 선생을 차례로 향사(享祀)하였다. 구암 이정의 〈서악정사(西岳精舍)〉라는 시(詩)는 《구암선생속집(龜巖先生續集)》에 〈二月三十日觀西岳精舍有作 二首〉라는 제목으로도 실려있다(이상은 한국고전종합DB와 경상국립대 고문헌도서관 DB에서 인용).

412) 제3구는 '최 고운이 유가(儒家)의 도를 전수 하였다.'라는 뜻의 표현이다. 공자가 제자 증삼을 불러서 "나의 도는 하나의 이치로써 모든 것을 꿰뚫고 있다[吾道一以貫之]"라고 하자, 증삼(曾參)이 "네 그렇습니다[唯]"라고 곧장 대답하고는 다른 문인에게 "부자의 도는 바로 충서이다[夫子之道 忠恕而已矣]"라고 설명해 준 내용이 《논어》 이인(里人)에 나온다(이상은 한국고전종합DB에서 재인용)

413) 제4구는 공자가 제자 안회의 안빈낙도 생활에 대해서 "어질도다, 안회여!"라고 두 번이나 찬탄하면서 어질다고 칭찬한 말인데, 위 '각주 409'와 같은 내용이다(이상은 한국고전종합DB에서 재인용).

'은연중', 혹은 '마음으로'라는 의미로 쓰였으며, '계(契)'는 **'계합하다'**라는 말로 통용되고 있다. 네이버 사전에 의하면 "계합은 부신(符信)이 꼭 들어맞듯 사물이나 현상이 서로 꼭 들어맞음이라는 의미인데, 이와 비슷한 말에 '부합(符合)', '정합(整合)', '일치(一致)'가 있다."라고 한다. 이처럼 '은연중에, 혹은 마음으로 **계합한다.**'라는 것은 '공자와 그 제자(안자 혹은 증자) 사이에 묵계(**默契**), 즉 암묵적인 동의가 일어난 것'으로 볼 수 있다. 따라서 '묵계(默契)'는 '말하지 않고도 서로 뜻이 맞다.', '말없이 허락한다'라는 의미로 쓰였다고 볼 수 있다.

이것은 어쩌면 불가(佛家)의 화두(話頭)인 '염화미소(拈花微笑)'[414], 즉 '부처님이 꽃을 집어 들자, 제자 가섭(迦葉)이만 미소를 지었다.'라는 말처럼 '말이 필요 없이, 은연중에 이심전심(以心傳心)으로 전해진다.'라는 의미와 일맥상통한다고 볼 수 있다.

이쯤에서 청파 이륙과 탁영 김일손이 묵계사에서 남긴 말이 생각났다. 먼저, 청파는 "이 절은 지리산에서 가장 경치가 뛰어난 곳이다. **뜻이 있는 스님[有志之僧] 들은 이곳 묵계사에 와서 거처한다.**"[415]라고 했으며, 뒤이어 탁영은 "**거주하는 중 20여 명은 입을 다물고 정진하기를 금대암(金臺菴) 중들처럼 할 따름이다.**"라고 했다.

이상에서 살펴보았듯이 묵계사(默契寺)의 심볼(symbol)이자 트레이드마크(trademark)는 '뜻있는 스님들이 모여(有志之僧) 묵언(默言) 정진(精進)하는 수려한 수행 공간'이었던 것이다. 천년을 이어온 그 전통의 맥이 면면히 이어지기를 기대한다.

▣ 역사 속의 묵계사(默契寺)는 어떤 절이었나?

예부터 묵계에는 묵계사(黙契寺), 상불사, 진주암, 미륵암 등이 있었다고 하나 언제, 누가 창건했으며 언제 폐사되었는지 알 수가 없다. 그리고 현재는 그 자취조차 찾아보기 어려운 실정이니 아쉽다. 역사적인 기록을 살펴보면 청파(靑坡) 이륙(李陸)이 1463년에

414) 석가모니가 꽃을 들고 가섭이 미소를 지었다는 내용에 기초한 화두(話頭). 《대범천왕문불결의경(大梵天王問佛決疑經)》에 최초로 나타나고 있다. 석가모니가 영산(靈山)에 있을 때 범왕(梵王)이 금색의 바라화(波羅花)를 바치면서 설법을 청하였다. 그 때 석가모니가 꽃을 들어 대중에게 보이자 모든 사람이 무슨 뜻인지를 몰라 망연하였는데, 대가섭(大迦葉)만이 미소를 지었다. 이에 석가모니는 "나에게 정법안장(正法眼藏)과 열반묘심(涅槃妙心)이 있으니, 이를 대가섭에게 부촉하노라."라고 하였다. 그 뒤 이 내용은 중국의 여러 선서(禪書)에 인용되면서 선종의 근거가 되는 중요한 내용으로 채택되었다. 우리나라 선종의 경우에도 "석가모니가 왜 꽃을 들었으며, 가섭은 왜 미소를 지었는가?" 하는 것이 화두의 하나가 되어 깊이 연구되었다(한국민족문화백과대사전에서 인용).

415) 이륙, 〈유지리산록(遊智異山錄)〉 속에서 묵계사(黙契寺)를 묘사하면서 "寺在智異 最名勝境 有志之僧 前後多住居焉"이라고 했다. 《청파집(靑坡集)》에서 인용.

쓴 〈유지리산록(遊智異山錄)〉에서는 '묵계사(默契寺)는 지리산 최고 경치(寺在智異最名勝境)'라고 했다. 그로부터 26년 후인 1489년 탁영(濯纓) 김일손(金馹孫)이 쓴 〈두류기행록(頭流紀行錄)〉에서도 '묵계사(默契寺)는 두류산에서 최고의 명찰(寺在頭流最名勝刹)'이라고 하였으니 묵계사는 지리산에서 뛰어난 경치로 유명한 명찰이었음이 틀림없다.

그리고 1530년에 조선 전기의 《동국여지승람》을 새롭게 편찬한 《신증동국여지승람(新增東國輿地勝覽)》에서도 묵계사(默契寺)가 등장하며, 1622년~1632년에 편찬된 《진양지(晉陽誌)》에서는 묵계사(默契寺)가 '난후 중건(亂後 重建)'[416]이라고 명시되어 있다. 진양지는 부사(浮査) 성여신(成汝信)이 편찬한 진주목(晉州牧)의 읍지(邑誌)인데, 당시에는 묵계가 진주목 소속이었다.

그런데 《진양지(晉陽誌)》보다 불과 30여 년 후에 편찬된 《동국여지지(東國輿地志)》(1656년, 유형원, 柳馨遠)와 1757~1765년에 전국 각 읍에서 편찬한 읍지를 모아 만든 《여지도서(輿地圖書)》에서는 '묵계사(默契寺)는 금폐(今廢)'[417]라고 기록된 것으로 보아 묵계사(默契寺)는 지금부터 350여 년 전에 역사 속에서 사라진 것으로 보인다.

필자는 묵계사의 폐사 시기에 관해 다음 두 글을 주목하고 있다. 먼저, '청암정우회'에서 펴낸 《청암(靑岩)》에 '옛 묵계사의 스님들이 노씨(盧氏)들의 세도에 밀려 쫓겨난 것으로 전해 들었다."라고 한다.[418] 이 내용은 필자도 유소년 시절에 어른들한테서 들은 이야기와 유사하다. 묵계사(默契寺)가 역사에서 사라진 이후, 그 터는 광주노씨의 장원(莊園)으로 바뀐 것으로 보인다. 그래서인지 이 광주노씨 세거지(世居地)인 이 마을의 이름이 원묵계이다.

또, 강동의는 운당(雲堂) 노용제(盧庸濟) 선생의 문집인 《운당유고(雲堂遺稿)》등을 근거로 광주노씨의 입거 시기를 1738~1750년 사이[419]로 보고 있다. 만일 묵계 지역에서 전해 내려오는 말처럼 노씨들의 묵계동 입거가 묵계사 폐사와 관련이 깊다고 전해 내려오는 말이 사실이라면 묵계사(默契寺)의 존재는 300여 년 전으로 거슬러 올라간다. 이것은 앞서 《동국여지지(東國輿地志)》등에서 추정한 결과와는 약 반세기의 시차가 난다. 아무튼 묵계사

416) 손성필(한국고전번역원 선임연구원, 동국대 사학과 겸임교수), 〈16세기 후반~17세기 전반 寺刹의 존립 실태(1)–경상도 지역 私撰邑誌 '佛宇' 조의 검토〉, 《남도문화연구 제36집(2019.4)》에서 인용

417) 손성필, 위 책

418) 하복도 선생의 《청암》 지(誌)에 의하면 '당시 원묵계 주민 노종억(당시 79세)씨의 증언'이라고 한다.

419) 위의 강동의의 석사학위 논문

옛 절터는 과거 300여 년 동안 광주노씨들의 세거지(世居地)였다. 현재 광주노씨 재실인 원모재(遠慕齋)가 옛 영화를 회상하듯 원묵계 마을 입구에 자리하고 있다.

필자는 얼마 전 묵계사(默契寺)를 방문했다. 초등학생 시절에 이 마을을 여러 번 방문한 기억이 있었지만, 당시에는 이곳이 절터였다는 느낌을 받지 못했으나 약 반세기만의 이번 방문에서 옛 절터의 위용을 느낄 수 있었다. 이미 건물은 사라졌으나 옛 가람 터는 축대와 함께 고스란히 남아있었다. 당시의 축대로 상상해 보건대 어쩌면 원묵계 마을 전체가 대가람이었을 것으로 생각되며, 지금도 절터에서 느껴지는 분위기가 편안하고 멀리 보이는 경치가 정말 좋았다. 묵계사가 건재하던 당시, 이곳을 여행한 선비들이 '지리산 최고 경치(智異最名勝境)'[420]라고 한 말에 "과연 그렇구나"라고 공감할 수 있었다.

또한, 1530년에 편찬된 지리서(地理書)인 《신증동국여지승람(新增東國輿地勝覽)》과 1634년 성여신(成汝信) 등의 《진양지(晉陽誌)》에서도 한결같이 묵계사(默契寺)를 "지리산 최고 경치(智異最名勝境)"라고 소개하고 있다. 조선 시대 선비들의 지리산 유람기와 각종 지리지 등에 등장하는 '묵계동' 혹은 '묵계사'에 대해서는 따로 소개하려 한다.

앞서 소개한 하복도 선생의 《청암》 지(誌)에 의하면 "이 절 자리에는 석탑의 받침돌과 머릿돌, 그리고 담장과 축대, 깨어진 기왓장 등을 확인할 수 있다."라고 한 설명이 30년이 지난 지금도 고스란히 남아있다. 한편, 1973년 원묵계 마을의 밭에서 금마(金馬)가 발견되어 진주로 옮겨갔다고 전한다.

▣ 천년 사찰 묵계사 중창 불사

1996년 무렵, 광주노씨 집성촌이었던 원묵계 마을의 묵계사 폐사지에 중창주 박주옥(법명 '여의주 보살')이 중창 불사를 시작하여 오늘에 이르고 있다.

먼저, 중창주 여의주 보살은 청암면 묵계리 1101 외 19필지 24,384m²(7,376평)의 묵계사 폐사지를 순차 매수하여 묵언 수행을 계속하면서, 이 마을 출신인 주지 원담(爰潭) 스님(속명 노도윤)과 천년 사찰 묵계사를 중창하는 불사를 계속하고 있다. 현재 약사전을 중심으로 문수전, 삼성각, 기도실 등이 복원되어 있다.

420) 이륙(李陸)이 쓴 〈유지리산록(遊智異山錄)〉

현재 중창된 묵계사 약사전, 문수전, 삼성각, 기도실 등이 있다(사진: 휴암 양영욱)

① 약사전(藥師殿)

2005년 6월 2일, 청암면 묵계리 1106-6 지상에 약사전을 신축했다. 건물 규모는 일반 목구조 기와지붕으로 54m2에 달한다. 약사전에는 '약사여래불(藥師如來佛)'을 중심으로 좌측에는 '관세음보살(觀世音菩薩)', 우측에는 '지장보살(地藏菩薩)'을 협시(脇侍)로 봉안하고 있고, 우측 벽에는 은행나무로 조성한 104위의 '신중탱화(神衆幀畵)'[421]를 모시고 있다.

421) 신중탱화(神衆幀畵)는 불법을 수호하는 호법신을 묘사한 불화인데, 법당의 중심부에서 좌우측 벽에 봉안된다. 신중탱화에 나오는 많은 호법신은 우리나라 재래의 신들이 많다. 이는 재래 토속 신앙의 불교적 전개를 의미한다. 우리나라 최초의 신중탱화는 화엄신중신앙(華嚴神衆信仰)에 바탕을 둔 것으로 39위(位) 신중탱화가 그 원형을 이룬다. 그러나 조선 시대에 차츰 불교가 민간 신앙과 강하게 결합 되면서 보다 많은 신들을 수용하여 104위 신중탱화를 이루게 된다(《한국민족문화대백과사전》에서 인용).

현재 중창된 묵계사 약사전(藥師殿)(사진: 휴암 양영욱)

② 문수전(文殊殿)

묵계사 문수전(사진: 휴암 양영욱)

2001년 6월 9일에는 문수전을 신축했다. 묵계리 1170 지상에 목구조 기와지붕 25.92m²의 문수전에는'문수보살(文殊菩薩)'을 모시고 있다. 지혜를 상징하는 문수보살은 '관세음보살', '보현보살', '지장보살'과 함께 불교의 4대 보살로 불린다.

지혜를 상징하는 문수보살은 보통 사자를 타고, 칼을 쥐고 있는 모습이다. 문수보살은 왼손에 청련화를 쥐고 있는데, 이는 일체 여래의 지혜와 무상(無相)의 지덕(智德)을 맡아서 제법(諸法)에 물들지 아니하여 마음이 머무르는 곳이 없다는 뜻이라고 한다.

③ 삼성각(三聖閣)

2001년 6월 9일에 삼성각을 신축했다. 하동군 청암면 묵계리 1169-2 목구조 한식 기와지붕 10m²의 삼성각에는 말세에 중생들에게 복을 내려주는 '나반존자(那畔尊者)'를 중심으로 좌측에는 '용왕대신(龍王大神)', 우측에는 '산왕대신(山王大神)'을 모시고 있다. 나반존자는 석가모니 부처의 제자인 16나한(羅漢) 중 '제1존자'인데, '홀로 깨친 이'라는 뜻에서 '독성존자(獨聖尊者)'라고 부르기도 한다.

묵계사 삼성각(사진: 휴암 양영욱)

④ 묵계사 산신제

지리산 삼신봉을 주산으로 하는 묵계사에서는 매년 봄에 지리산에서 숨져간 순국선열과 호국영령 및 영가들을 위로하는 '산신대제'를 봉행하고, 가을에는 지리산에 기대어 살아가는 뭇 생명들과 사람들이 생명을 이어가고, 풍성한 수확을 거들 수 있도록 베풀어 주심에 감사하는 산신대제를 봉행하고 있다. 매주 일요일에는 순국선열 및 전몰장병들의 넋을 위로하는 재를 모시고 있다.

⑤ 천년을 뛰어넘는 묵계사(默契寺) 중창과 평행이론

필자는 2024년 8월, 고산 선배와 휴암 후배와 함께 묵계사 중창주 여의주 보살님과 주지 스님을 처음 만나 현재의 묵계사를 자세히 둘러볼 기회가 있었다. 비교적 공개가 덜 된 묵계사는 그야말로 산사의 고요함이 느껴진다. 외삼신봉 아래 해발 약 750m의 산 중턱에 자리한 묵계사는 뷰(view)가 기가 막히게 좋은 곳이다. 조선 시대 이후, 여러 기록에서 "묵계사는 지리산에서 가장 경관이 뛰어나다"라는 찬사를 받아온 이유를 알겠다. 약사전 앞에 서서 눈 앞에 펼쳐지는 지리산 지맥의 파노라마를 보면 '과연 그렇구나!'라는 감탄이 저절로 나온다.

더 나아가, "묵계사는 '(안양사 앞 냇물을 따라 북쪽으로 40여 리) 궁수원(窮水源)에 있다"라는 기록도 기억에 남는다. 이를 보면 조선 시대 선비들은 묵계사를 묵계천의 발원지로 인식했던 것으로 보인다. 실제로 묵계사에는 큰 바위틈 사이에서 콸콸 쏟아지듯 샘 솟는 암천수(巖泉水)가 있었다.

중창된 묵계사의 약사전이며 문수전, 삼성각 등을 둘러보면서 묵계사는 절이 밝고 아름답다는 느낌이 들었다. 특히, 약사전의 단청이 밝고, 선명하였다. 또, 이곳에 모신 '약사여래불'은 물론 양쪽에 함께 모신 '관세음보살'과 '지장보살'이 금빛 찬란하여 매우 화려하다는 느낌을 받았다.

그런데 535년 전, 이곳 묵계사를 지나간 탁영 김일손 선생의 유람기를 떠올리면서 뭔가 모르게 면면히 이어지는 무언가를 직감했다. '서로 다른 시대를 사는 두 사람의 운명이 대부분이 같은 패턴으로 전개될 수 있다.'라는 이론이 있다. 소위 '평행이론(Parallel Life, 平行理論)'이다. 500년 전과 현재의 묵계사, 이 둘 사이에 우연의 일치라고 하기에는 너무나 뚜렷한 동질성이 존재하고 있기 때문이다. '평행이론'을 과학적 근거가 없다는 이유로 도시전설(都市傳說, urban legend)에 가깝다고 깎아내리는 사람도 있으나 수학, 물리학

분야에서는 중요한 개념으로 활용된다. 이 개념을 이해하면 우리 주변의 세계를 더 잘 이해할 수 있고, 다양한 문제를 해결하는 데 도움이 된다고 한다. 《세계사 평행이론》이라는 책까지 출판된 것으로 보아 역사적 흐름과 문화가 비슷하다는 것을 이유로 평행이론을 만드는 사례도 많은 것 같다.

자, 그럼 500여 년 전, 탁영이 묵계사를 지나면서 남긴 기록을 통해서 500년 전의 묵계사(黙契寺)와 오늘날 새롭게 중창된 묵계사(黙契寺) 사이의 평행이론을 따라가 보자.

> 5리를 벗어나 묵계사에 당도하였다. 이 절은 두류산에서 가장 경관이 빼어난 사찰로 이름이 나 있다. 그러나 직접 와보니 소문으로 들었던 것처럼 절경은 아니었다. 다만, ⓐ**절간이 밝고 아름다우며**, ⓑ**사이사이 금실을 넣은 기이한 비단으로 울긋불긋하게 만든 부처의 가사**와 ⓒ**금대암의 승려들처럼 20여 명의 승려가 묵묵히 정진하는 모습**이 볼만할 뿐이었다.[422]

여기서 탁영이 본 묵계사에 대해 주목되는 표현은 다음과 같은 세 가지이다.

> **첫째, ⓐ 묵계사 절간은 밝고 아름답다.**
> **둘째, ⓑ 묵계사 부처님의 가사가 금빛 찬란하다,**
> **셋째, ⓒ 묵계사는 '묵언 정진'하는 절이다.**

그런데 필자가 그날 체험한 묵계사 약사전은 실내외 단청이 밝고, 매우 아름다웠다. 이것은 500여 년 전 탁영이 묵계사를 보고 ⓐ'**절간이 밝고 아름다우며**'라고 한 말과 다름이 없다는 느낌이다. 따라서 500년 전이나 지금이나 묵계사 절간은 '밝고 아름답다'라는 점이 같다고 봐도 좋을 것 같다.

또, 처음에는 예사로 보았지만, 약사전에 모신 삼존불은 개금이 되어 있었는데, 실제로 비단옷을 입고 있다는 느낌이 들 정도로 입체감이 느껴지는 블링블링(bling-bling)한 불상이었다. 이 또한 500년 전에 탁영이 보았듯이 묵계사 부처님이 ⓑ**사이사이 금실을 넣은 기이한 비단으로 울긋불긋하게 만든 부처의 가사**를 입은 화려한 부처와 다름이 없을 것 같다는 느낌이 들었다. 이처럼 500년 전이나 지금이나 묵계사는 사림파의 젊은 선비 탁영이 주목할 정도로 '절간이 뛰어나게 아름답고, 부처님의 가사는 화려하고 금빛 찬란하다'라는 점에서 '평행이론'처럼 닮았다는 사실을 주목하였다. 자, 그럼 그 특별한

422) 出五里抵黙契寺 寺在頭流最名勝剎 而及寓目殊不愜前聞 但寺宇明媚 以間金奇錦 青紅雜製以爲佛袈裟 居僧卄餘 黙言精進如金臺而已(원문은 한국고전종합DB, 번역문은 최석기 외 《선인들의 지리산 유람록》에서 인용)

닮음의 세계로 함께 따라가 보자.

㉠ 묵계사 약사전의 화려한 단청(丹靑)

단청은 건축물이나 기물(器物) 등을 장기적으로 보존하고 재질의 조악성(粗惡性)을 은폐하는 한편, 그 대상물이 지닌 특수성과 위계성(位階性)을 강조하고 통일성과 다양성을 주는 구실을 한다. 단청은 건물의 격과 쓰임에 따라 다르게 채색한다. 특히 단청의 각 문양은 벽사(辟邪)와 화재를 막는 의미를 담고 있다.

단청은 오행사상에 따라 기본적으로 청, 백, 적, 흑, 황 등 오방색을 기본으로 배합해 사용한다. 단청은 그 품격의 높고 낮음에 따라 '가칠단청', '긋기단청', '모로단청', '얼금단청', '금단청'으로 나눈다.[423] 여기서 금은 '금색(金色)'의 금(金)이 아니라 비단을 의미하는 금(錦)이다. 가칠 단청은 뇌록이나 석간주, 백분, 황토 등을 이용하여 바탕이 되는 칠을 하는 것을 말한다. 긋기단청은 가칠 단청을 한 위에 일정한 두께로 선을 그은 것을 말하는데, 선은 흰색으로 긋는 경우가 많으나 검은색으로 긋기도 하며, 두 가지 이상의 색으로 긋기도 한다. 모로단청은 기둥머리를 비롯하여 창방이나 평방, 보, 서까래, 부연 등의 부재 끝을 화려한 무늬와 색채로 칠한 것을 말한다. 이렇게 부재의 끝을 화려한 무늬로 장식한 단청을 '머리초'라 부른다. 특히 기둥머리에 한 것은 '주의초', 서까래 끝에 한 것은 '연등초', 부연 끝에 한 것은 '부연초' 등으로 구분하여 부른다.

금단청은 부재의 끝에 머리초를 한 모로단청에서 머리초 사이의 면에 비단결과 같은 무늬를 베푼 것을 말하는데, 가장 화려한 형태의 단청이다.[424]

묵계사의 단청은 국가 무형문화재 제48호 단청장 이욱 장인이 제자 등 8명과 함께 2014년 5월부터 7월까지 약 3개월 동안 심혈을 기울여 단청 작업을 했다. 묵계사 주지 스님이 전해준 단청 장인의 증언에 의하면 묵계사 단청은 최고등급인 '금단청'이라고 했다.

묵계사 단청은 오방색을 중심으로 하면서 밝은색을 추가함으로써 실내가 한층 더 밝은 느낌이 들도록 했단다. 이 단청 장인의 업적이 KBS 뉴스에서 방송되었는데, 여기에 출연한 묵계사 주지 원담 스님은 "단청이 세월이 꽤 됐는데도 지금 하나도 변하지 않고 ……영원히 갈 것 같아요."[425]라고 인터뷰했다. 10년이 지났지만, 묵계사 단청은 여전히 아름다운

423) 블로그 〈빅리스의 산책〉 단청에서 인용

424) 《위키실록사전》. 〈단청(丹靑)〉에서 인용

425) KBS 뉴스7(창원), [경남인] 〈오방색과 전통문화의 조화…단청장 전승 교육사 이욱〉(2022. 5. 17)에 출연한 묵계사 주지 원담 스님 인터뷰에서 인용.

모습을 그대로 간직하고 있다. 묵계사 단청은 약사전은 물론 문수전, 삼성각, 요사채까지 깔끔하게 단장되어 있다. 다음 사진은 약사전 단청 과정을 기록한 사진이다.

묵계사 약사전 단청 작업 과정
(블로그 〈단청의 아름다움〉 '묵계사 약사전 작업 과정 2~9' 등에서 인용했고, 일부는 촬영했다)

이처럼 오늘날 묵계사는 옛날의 묵계사 터에서 아담하지만 화려한 단청으로 그 아름다운 자태를 뽐내고 있다. 탁영이 535년 전에 이곳을 지나면서 그랬듯이 오늘날 묵계사를 다시 본다면 그는 여전히 "**절간이 밝고 아름답다**"라고 했을 것으로 확신한다. 이처럼 '500년 전의 묵계사(黙契寺)와 오늘날 묵계사(黙契寺)는 절간이 아름답다.'라는 평가를 받고 있다. 마치 평행이론이 존재하듯이.

㉡ 묵계사 약사전 삼존불의 예사롭지 않은 개금

약사전 불상(사진 왼쪽부터 '지장보살', '약사여래불', '관세음보살')(사진: 묵계사 주지 원담 스님).

우리가 흔히 접하는 불상은 석불이 아닌 이상 주로 황금빛이다. 이렇게 불상에 금색을 입히는 것을 '개금불사'라고 한다. 본래 개금(改金)은 목재의 부식이나 병충해로부터 막는 역할을 한다. 시간이 흐르면 금박 층이 벗겨지면 불상에 다시 금칠한다. 그렇다면 왜 불상은 황금빛일까?

이에 대해 "부처님께서 살아 계실 때 몸에서 '자마염부단금색(紫磨閻浮檀金色)이 빛났다'라고 합니다. 이 색깔은 '불타는 불빛의 색깔'을 말합니다. 그러므로 부처님 몸은 황금색이 아니라 '불타는 불의 색깔'이라고 해야 합니다. 불은 녹슬지 않고 그늘이 없습니다. 또한 모든 것을 정화하기도 합니다. 그래서 불상을 불타는 색깔을 뜻하는 황금빛으로 칠하는 것입니다. 황금은 부자의 상징이 아닌 영혼의 색깔입니다."[426]라고

426) 《법보신문(http://www.beopbo.com)》, 〈불상은 왜 황금 빛인가요〉, 2004. 8. 10

한다.

그런데 개금불사의 핵심은 옻칠이다. 그 과정을 살펴보면 다음과 같다. "옻칠은 목불을 병충과 습기로부터 보호하고, 견고하게 하는 역할을 한다. 옻칠을 잘해야 금박도 잘 붙고, 오래간다. 개금하기 위해 가장 먼저 하는 일은 기존의 금박과 칠을 벗겨내는 작업이다. 목재가 드러날 때까지 칠을 완전히 벗겨낸 다음, 1~2회에 걸쳐 생칠을 먹인다.

칠은 목재로 스며들어 바탕을 단단하게 한다. 다음에는 삼베를 씌우고, 찹쌀과 생칠을 섞은 호칠을 바른다. 이는 목재가 터지는 것을 막기 위한 것으로, 삼베는 목재를 견고하게 붙잡아주는 역할을 한다. 삼베를 씌우고 나면 토분과 생칠을 섞어 만든 재료로 삼베 실 사이의 간격을 메워주고, 사포질을 해서 오톨도톨한 부분을 다듬는다. 이를 '눈메우기'라고 한다.

그 다음에는 토분과 생칠, 물을 섞어 칠(토회칠)하고 사포로 다듬기를 3회가량 반복한다. 이 과정을 거치면서 목재의 면은 더욱 고르게 다듬어지고, 견고해진다. 토회칠을 마치고 나면, 다시 생칠을 먹인다. 토회칠 과정에서 물을 섞어 표면에 생긴 모공에 생칠이 스며들도록 하는 것이다. 모공이 생칠로 메워진 목재는 더욱 단단해진다. 토회칠 다음에는 초칠·중칠·상칠이 기다리고 있다. 상칠은 아주 고운 칠로, 먼지 하나 들지 못할 정도로 밀폐된 '크린룸(clean room)[427]'에서 작업하게 된다. 상칠 작업을 고운 칠로 하는 까닭은 이 바탕 위에 금박을 입혀야 하기 때문이다.

화려한 묵계사 약사여래불

최초의 생칠 작업부터 상칠 작업까지 두 달 가량 소요된다. 금박은 상칠이 완전히 마르기 직전에 붙인다. 적절한 시기를 포착하는 것이 관건이다. 금박 붙이기 또한 밀폐된 곳에서 작업해야 한다. 먼지가 붙으면 표면이 깔끔하게 되지 않고,

427) 첨단산업분야의 연구개발과 생산과정에서 중대한 방해를 초래하는 공기 중 입자(먼지) 및 세균을 제거하기 위해서는 클린룸(Clean room, C/R)이라는 청정 환경이 필요하다. C/R이란 공기에 포함된 먼지의 개수가 규정된 한도 내에서 관리되는 일정 영역이나 공간, 또는 먼지를 비롯한 제반 환경조건인 온도, 습도, 풍속, 차압, 각종 오염 등이 일정 규격에 맞게 유지, 관리되는 깨끗한 영역(ISO, 1999)으로 정의된다. C/R은 사용 목적에 따라 크게 산업용 C/R(Industrial clean room)과 생물학적 C/R(Biological clean room)으로 분류할 수 있다. 산업용 C/R은 생산 제품에 영향을 미치는 먼지 등 분진 제거를 목적으로 하는 C/R으로 정밀산업과 전자산업을 기초로 발달하기 시작하였으며, 현재는 반도체 산업뿐만 아니라 정밀기기, 광학기기 제조.조립 등에 널리 사용되고 있다. 특히 반도체 제조 C/R에서는 0.1 μm 크기의 먼지 입자와 미생물까지도 제거된다. 생물학적 C/R은 공기 중에 부유한 미생물 분진 제거를 목적으로 하는 C/R으로 병원, 제약회사, 식품제조 등에 이용되고 있다(이상은 삼성전자건강연구소 최광민 외, 〈반도체 웨이퍼 제조공정 클린룸 구조, 공기조화 및 오염제어시스템〉, 한국산업보건학회지, 제25권 제2호(2015)에서 인용).

바람이 불면 날아가기 쉽기 때문이다. 금박은 주로 불상의 의복 부분에 사용되는 반면, 피부 부분에는 금가루를 붙인다. 금가루는 무광 효과를, 금박은 광택 효과를 내는 데 이용된다. 금박 붙이기가 끝나고 하루 정도 지나면 불상에 눈썹, 입술, 눈동자 등을 표현하는 '점안'이 가능하다."[428)]

이렇게 하는 것이 일반적인 개금불사이다. 그런데 묵계사 약사전의 불상의 모습은 좀 색다르다. 앞에서도 언급했다시피 은행나무로 조성한 묵계사 약사전의 삼존불, 즉 지장보살(地藏菩薩), 약사여래불(藥師如來佛), 관세음보살(觀世音菩薩)은 실제로 화려한 비단옷을 입고 있다는 느낌이 들 정도로 입체감이 느껴지는 불상으로 그야말로 블링블링(bling-bling)이다.

그제야 묵계사 중창주 여의주 보살님의 말이 실감 났다. "우리 약사전 삼존불은 '칠보개금'을 했기 때문에 색채가 화려하고 입체감이 더 납니다."라고 한 말의 의미를 알 수 있었다. 이렇게 비단에서부터 입체감이 나다 보니 실제로 개금 작업을 할 때는 금(gold)이 많이 필요했고, 그래서 더욱 화려하다.

사진상으로는 칠보의 다양한 색상이 잘 느껴지지 않지만, 실제로 가까이서 대하고 보니 불상에 걸친 가사며, 연화 좌대의 화려한 색감에 다시 한번 놀랐다.

묵계사 주지 원담 스님에 의하면 불교용품 관련자들이 묵계사에 들리면 이구동성으로 약사전 불상이 화려하다는 얘기를 듣는단다. 이처럼 오늘날 묵계사의 불상은 주변의 여느 절에서 볼 수 없는 화려한 불상이 그 아름다운 자태를 뽐내고 있다. 535년 전에 이곳을 지나면서 그랬듯이 탁영이 오늘날 묵계사 약사전의 불상을 다시 본다면 그는 **"여전히 묵계사 부처님의 가사는 화려하고 금빛 찬란하다"**라고 했을 것으로 확신한다.

이처럼 500여 년의 시공간을 달리하지만 묵계사(默契寺)는 같은 터 위에 존재하고, 절간이 밝고 아름다울 뿐만 아니라 그 안에 모신 불상의 화려하고 찬란한 모습까지도 너무나 닮았다. 생각이 이쯤에 이르자 묵계사의 평행이론의 실체가 뚜렷해졌다. 500여 년 전, 탁영 김일손 선생이 본 것처럼 그렇게 밝고 아름다운 절간과 금빛 찬란한 부처님을 조성한 사람은 과연 누구이며, 어떤 분이었을까? 옛 묵계사지에서 수습한 부도탑의 파편이 약사전 뒤켠에 다소곳이 놓여 있다. 아마 그 승탑의 주인공이 당시 화려한 묵계사(默契寺) 조성에 가장 큰 역할을 한 창건주가 아닐까?

지리산에서 최고의 명승지라고 소문난 이런 멋진 공간을 발견하고, 또 그에 어울리는 격조 높은 구조물을 조성할 수 있었던 혜안의 소유자, 그들은 누구일까? '지리산 최고의 경치', 그 터를 품은 자들, 그들이 누구인지, 어떤 삶을 살았는지 궁금하다. 이를

428) 《현대불교(http://www.hyunbulnews.com)》, 〈개금불사 무엇이 문제인가〉, 2005. 7. 9

평행이론으로 풀어 보는 재미도 쏠쏠할 것 같다. 이 또한 앞으로 풀어가야 할 묵계동의 숙제이다. 왜냐하면 묵계사는 묵계동의 어원이요, 뿌리요, 정체성(identity)이기 때문이다. 이 일 또한 묵계동의 훌륭한 후학들에게 맡긴다.

▣ 천년 사찰 묵계사의 수수께끼를 풀어 줄 흔적들

① 천년의 역사를 견딘 문화재급 축대(築臺) 유적(遺蹟)

천년의 역사를 견딘 〈묵계사 축대 유적〉 '가로 30m×높이 3m' 규모이며 '막돌 허튼층쌓기' 기법이다.
(사진: 묵계사 주지 원담 스님).

묵계사 유지(遺址)에는 건물터였다는 사실을 쉽게 추측 가능한 훌륭한 축대가 즐비하다. 동국대 경주캠퍼스 박물관에서 '미륵암지 지표조사' 중에 약 2km 산 아래에 있는 유적인 '묵계사지'를 조사한 보고서가 있다.

그 결과 보고서에 의하면, "약사전 마당을 중심으로 그 아래에 여러 단의 축대가 있는데, 이 축대의 쌓기 기법은 크기가 다양한 자연석으로 '막돌 허튼 층'으로 쌓아 올렸다."[429]라고 했다. 여기서 '막돌'이란 '자연석, 잡석 등 맞대어지는 면을 다듬지 아니하고 돌의 생긴 그대로 또는 약간의 다듬 가공을 한 돌을 말한다. 이런 막돌로 쌓은 것을 '막돌 허튼 쌓기(Uncoursed rubble random)'라고 하는데, 이 쌓기는 돌 모양과 무관하게 불규칙한

429) 동국대 경주캠퍼스 박물관, 《하동 미륵사지 문화재 지표조사 보고서》, 2021.8

돌을 사용하여 가로, 세로 줄눈이 일정하지 않게 흩트려 쌓는 방법인데, '막쌓기'라고 한다.

이 보고서에서 필자가 가장 주목하는 유물은 바로 축대이다. 왜냐하면 이런 축대는 현재 묵계사를 포함하여 그 아래 원묵계 마을에도 있는데, 이것으로 그 옛날 묵계사의 규모를 짐작할 수 있기 때문이다. 실제로 약사전 아래와 그 주변에 천년 세월을 견딘 축대가 10여 군데나 남아있다.

위 사진상의 축대는 약사전 바로 아래에 있는데, 최대 높이 3m, 가로 약 30m에 달하는 대형 축대이다. 특히, 동국대 경주캠퍼스 박물관의 《하동 미륵암지문화재 지표조사》 보고서의 '묵계사지 위치도(축척 1/5,000)'에 의하면 묵계사지는 물론 원묵계 마을에 조성된 축대 대부분이 등고선과 일치한다는 사실이 놀랍다.

묵계사 축대는 사진에서 보듯이 화강암 계통의 청석과 붉은 색깔이 도는 화강암류의 잡석이 섞여 있는데, 이런 돌은 이 묵계 지역에서 흔히 볼 수 있는 돌이다. 여기서 보이는 잡석은 이어서 소개할 '묵계사지 석탑의 지대석 부재'와 같은 재질로 보인다. 천년의 풍화를 견딘 묵계사의 축대는 아직도 건재하다. 따라서 과히 문화재급이라고 할 수 있다.

이 마을 출신인 묵계사 주지 원담 스님에 의하면, "옛날 노병화씨 본가(묵계리 38-10번지)가 묵계사의 공양간(供養間)이었다"라는 이야기는 이 마을에서는 널리 알려진 비밀이란다. 이 축대 또한 천년을 견딘 축대인 셈인데, 사진에서 보듯이 가로, 세로, 높이가 1.2m에 달하는 화강암류로 그 쌓은 기법이 유사한 것으로 볼 때, 현재 원묵계 마을 대부분이 묵계사(黙契寺) 사지(寺址)였을 것으로 추정된다.

묵계사 공양간으로 알려진 구(舊) 노병화 씨 댁 축대

그런데 왜 공양간이 이렇게 멀리 떨어져 있었을까? 현재 묵계사에서 옛 공양간까지는 해발고도 차이가 약 70m, 거리는 약 150m 떨어져 있다. 공양간이 이렇게 멀리 떨어진 이유는 급수 문제와 음식 재료의 산지 때문이 아닌가 생각된다. 아무래도 공양간의 입지는 물이 중요하다. 원담 스님에 의하면 공양간 근처에 우물이 곳곳에 있었단다. 특히 원묵계 마을 양쪽에는 풍부한 수량을 가진 계곡이 있으니, 이를 이용하기 좋은 곳이 아니었을까? 또한 공양간 주변은 모두 논밭이었을 것으로 추정되는 만큼 모든 음식 재료가 이곳에서 생산되니 굳이 현재와 같이 높은 곳에 위치할 필요가 없었을 것으로 추정된다.

② 묵계사지(黙契寺址) 부도(浮屠)와 석탑(石塔) 부재(部材)

2024년 8월 현재, 묵계사지에 남은 부도와 석탑 부재

부도(浮屠)는 일반 스님들의 사리와 유골을 봉안하는 구조물이고 부처님의 사리를 봉안하는 것이 탑이다. 현재, 묵계사에는 이곳이 옛 절터였다는 사실을 입증해 주는 대표적인 유물로 부도 부재(部材)가 일부 남아있다. 아래 사진에서 보듯이 모두 세 부분의 부도 부재가 남아있는데, 첫째, 맨 아래 **'지대석'**이다. 지대석은 부도의 최하단부로, 하단부를 올려놓는 받침인 셈이다. 그 크기는 8각의 한 변의 길이가 50cm, 좌 · 우 폭이 122cm에 달한다. 다만 전면(前面)으로 보이는 곳은 '8각 면 다듬기'가 뚜렷하나 뒷면은

다듬기를 한 흔적이 뚜렷하지 않아서 둥글게 보인다. 이것은 비교적 온전한 상태이다. 지대석의 크기는 옥개석의 크기와 유사하다.

둘째, '**8각 중대석 괴임**' 일부가 남아있다. 이 중대석 괴임의 크기는 높이가 9cm, 8각의 한 변의 길이가 35cm, 좌・우 폭이 85cm에 달한다. 이 중대석 괴임 위에 중대석, 상대석과 탑신석이 올려져 있었을 것이다.

셋째, '**옥개석**'이 남아있다. '8각 옥개석은 낙수면의 물매가 급하고, 우동(隅棟)이 뚜렷하고, 내림마루가 있으며, 귀꽃이 피었다. 옥개석 하부는 절수구, 양각 추녀, 깊게 팔각의 1단 층급 받침을 마련하여 잃어버린 탑신석이 '팔각원당형(八角圓堂型)'이었음을 암시하고 있다.

넷째, 옥개석 상단은 상륜부가 올려진 공간인데, 그 크기가 지름 32cm에 달했다. 이 상륜부(相輪部)에는 대개 '상륜 받침', '복발(覆鉢)', '보륜(寶輪)', '보개(寶蓋)'와 맨 위에 '보주(寶珠)'가 올려진다. 이 보주가 바로 무한한 생명의 싹인 '여의보주(如意寶珠)', 혹은 '여의주(如意珠)'이다. 현재 묵계사의 부도는 중대석 및 상대석, 탑신석과 별석의 상륜부가 모두 없어지고 옥개석 귀꽃 등이 훼손되었지만, 원형추정이 어렵지 않다. 이 부도는 지리산 자락에 분포한 통일신라 하대, 고려 초에 조성된 '팔각원당형' 부도로 추정된다.'[430] 부도의 석질 또한 이 지역에서 흔한 청석으로 화강암이다.

다섯째, 이곳 묵계사지 부도 잔해 아래에 받침으로 쓰고 있는 돌이 있는데, 이 또한 예사롭지 않아 보인다. 현재 2단으로 면 다듬기가 잘 되어 있는 것으로 보아 '**소형 불탑의 지대석**'이 아닌가 추정된다. 이것이 필자의 추측대로 불탑의 지대석이라면 묵계사에는 최소 1기 이상의 석탑이 있었다는 증거이다. 이 지대석은 약간 붉은 색깔을 띤 화강암의 일종으로 보이는데, 이런 석질도 이곳 묵계동에서는 흔하다.

③ 불탄 흔적의 나무 보(樑)는 비극의 수수께끼를 풀 수 있을까?

묵계사 중창 공사 중에 땅속에서 불탄 나무토막 하나가 발견되었다. 지금부터 약 15년 전의 이야기이다. 묵계사 주지 원담 스님에 의하면, 가장 두꺼운 곳의 지름 28cm, 길이 약 180cm였다. 필자는 혹시 이 나무토막 하나가 묵계사가 불탄 날의 비극을 증언해 줄지도 모르겠다는 생각이 들었다.

430) 블로그 《옛 님의 숨결. 그 정취를 찾아》, 〈묵계사 팔각원당형 부도(승탑)〉에서 인용

묵계사에서 발굴된 불탄 나무 보의 잔해. 위 사진은 묵계사 주지 원담 스님이 찍어 보낸 사진인데, 스님에 의하면 이 "목편은 대들보 위에 있는 '오량보'일 가능성이 높다"라는 한옥 건축 전문가의 의견이란다.

학계에서 나무 박사로 유명한 박상진 경북대 명예교수님께 전화로 상의했다. 박교수님은 '목재 조직학' 전문가로서 팔만대장경판이 강화도가 아닌 해인사 근처에서 제작되었다는 사실과 백제 무령왕의 관재(棺材)가 일본의 '금송'임을 밝힌 저명한 학자이다. 그는 '한국임업진흥원'과 같은 국가기관에 의뢰하면 그 나무의 연대를 대략 알 수 있을 것이라는 의견을 주었다.

'한국임업진흥원'과 '국립산림과학원'을 통해 충북대학 '목재종이과학과'의 서정욱 교수님을 추천받았다. 그러나 아무리 '방사선탄소'[431]를 활용하여 연대 측정을 한다고 해도

431) 방사성 탄소로 연대를 측정하는 개요는 다음과 같다. 자연계에는 무게가 다른 3종의 탄소 동위원소(12C, 13C, 14C)가 존재한다. 이 중 14C는 방사성 동위원소라고 불리며 지구상에 끊임없이 쏟아지는 우주선이 대기 중에서 원자핵 반응을 하여 만들어진다. 한편 14C는 5,730년이 경과 하면 그 당시 양의 절반씩 감소한다. 이것을 '반감기'라고 한다. 이렇게 생성량과 감소량이 균형을 이루어 환경 중의 14C 농도는 일정하게 된다. 이때 탄소의 비율은 '12C : 13C : 14C = 0.99 : 0.01 : 1.2×10-12'로 알려져 있는데 14C는 통상의 (12C) 탄소의 약 1조분의 1의 비율로 현재의 자연계에 존재하고 있다. 탄소 원소는 산화되어 CO2가 되어 대기권, 생물권, 수권으로 확산하여 12C, 13C와 함께 14C도 식물체나 그것을 먹는 동물체에 흡수된다. 동식물이 생명 활동, 즉 살아있는 동안에는 동식물이 체내에 흡수하고 있는 탄소의 비율은 환경(자연계)의 비율과 평형 상태에 있다. 그런데 그 동식물이 죽어 버리면 체내에 들어 있던 12C와 13C는 안정된 반면에 14C는 새로 보충되지 않기 때문에 반감기에 따라 일정한 비율로 감소한다. 이 14C가 규칙적으로 감

이 목재의 불탄 연대는 알 수 없단다.

언젠가 목재 연대 측정 과학・기술의 발달로 그 불탄 나무토막의 연대를 알 수 있게 되기를 기대한다. 그것은 과거 묵계사가 폐사된 시기를 특정해 줄 수 있기 때문이다. 이 일 또한 묵계동의 훌륭한 후학들에게 맡긴다.

④ 묵계사지 출토 유물–통일신라 시대 기와 조각 등

묵계사지 출토 유물. ①격자문 토기편(고려 시대), ②~③인화 분청사기편(조선 시대), ④백자편(조선 시대), ⑤~⑧평기와편(통일신라 시대), ⑨~⑩평기와편(고려 시대), ⑪~⑫평기와편(조선 시대)(동국대 경주캠퍼스 박물관의 《하동 미륵사지 문화재 지표조사 보고서》에서 인용, 작성)

동국대학 경주캠퍼스 박물관에서 실시한 묵계사지 지표조사 결과 많은 기와 편 등이 발견되었는데, 통일신라 시대부터 조선 시대에 이르는 기와 편과 토기 편, 조선 자기 편들을 확인할 수 있었다.[432] 동국대학 경주캠퍼스 박물관의 조사 보고서에 의하면 묵계사지 출토 유물은 사진과 같았다

소한다는 성질이 정확히 시간을 새기는 시계 역할을 하고, 이를 이용해서 연대 측정을 할 수 있다. 동물 중 초기 14C량과 감소 후 14C량을 비교함으로써 생물이 죽고 나서 오늘날까지 경과된 시간을 추정하는 방법이 '방사성 탄소 연대 측정법'이다(이상은 일본 '가속기분석 연구소(加速器分析研究所)' 홈페이지에서 인용).

432) 동국대 경주캠퍼스 박물관, 위 보고서

미륵암지와 그 주변의 묵계사지 지표조사 결과, “미륵암은 통일신라~조선 시대까지 유지된 묵계사와 연관된 암자일 가능성이 크다. 묵계사는 암자 12곳을 거느린 큰 사찰이었다고 전하고 있다. 지리적으로도 미륵암은 지리산 외삼신봉에서 남동쪽 전골의 산 길를 따라 내려가면 근거리에 묵계사지와 연결된다. 이러한 지리적 접근성과 문헌 기록, 고고학적 유구와 유물의 출토양상을 볼 때, 미륵암은 묵계사 소속 사찰일 가능성이 크다”라는 결론이었다.

한편, 1899년 8월 23일에 회봉(晦峯) 하겸진(河謙鎭 1870~1946) 선생 일행이 지리산 유람 중에 화개동의 불일암에서 고개를 넘어 묵계동으로 들어온다. 이때 산 정상에서 두 갈래 길을 만났을 때, 동행하던 하근재(河近齋)가 “이것은 미륵암 뒤 봉우리입니다.”[433]라고 말한 기록이 있다. 이로 보아 미륵암은 1899년 당시까지 건재했던 것으로 보인다.

⑤ 묵계사는 ‘궁수원(窮水源)’에 있었다!

궁수원에 있는 묵계사-큰 바위 사이에서 샘물이 콸콸 솟아 나와 연못이 되었다.

《신증동국여지승람》이나 청파 이륙의 〈유지리산록〉 등 여러 기록에서 ‘묵계사’의 위치를 소개할 때마다 반드시 등장하는 단어가 ‘궁수원(窮水源)’이다. 즉 ‘안양사 앞 냇물인 묵계천을 따라 북쪽으로 40리를 올라가 “궁수원, 즉 **물의 근원에 이르면**” 그곳에 묵계사가 있다’라는 친절한 설명이다. 다시 말하면 묵계사를 묵계천의 ‘발원지(發源地)’라고 본 것이다. 여기서 등장하는 안양사는 청암면 평촌리 뒤 촛대봉 아래에 있는 절이다.

433) 하겸진, 〈유두류록〉, “根齋曰 此彌勒後峯也”(이상은 《선인들의 지리산 유람록 5》에서 인용).

그렇다면 과연 묵계사에는 풍부한 수량의 '석간수'가 있었을까? 2024년 8월 3일, 묵계사를 찾았을 때, 박 보살님과 주지 원담 스님으로부터 "약사전과 기도실 사이에 있는 큰 바위틈에서 물이 콸콸 솟아 나와 요사채 근처가 습해서 그 아래에 연못을 만들었다.", "옛날에는 이 암반수를 마을 사람들이 식수로 사용했다."라는 등의 증언을 들었다.

그 순간, 앞서 소개한 회산(悔山) 성채규(成采奎) 선생의 "바위에서 솟는 샘물은 콸콸 소리 내며 남으로 흐르고(巖泉潫潫盡南流)"라고 노래한 〈원묵계에서(默溪村)〉라는 시가 떠올랐다. 이 시(詩)에서처럼, 회산 선생이 원묵계를 방문했을 때, 마을 뒤 묵계사 절터는 폐허 상태였지만 큰 바위 사이에서 변함없이 샘물만 콸콸(潫潫) 흘러나오는 모습이 매우 인상적이었기 때문에 이런 시구가 창작된 것이 아닌가 추측된다.

▣ 지리산 법성암(法聖庵)

법성암은 지리산 외삼신봉 아래, 전골 뻔덕 입구에 있다. '智異山 法聖庵(지리산 법성암)'이라는 현판이 붙은 일주문 겸 문루가 날아갈 듯 서 있다. 마치 이 세상에 '청학(靑鶴)이 있다면 이렇게 날렵한 모습이 아닐까?

2023년 5월 20일(토) 오후, 선배 고산 선생, 친구 박규동과 함께 법성암에 들러 청강 스님을 처음 뵈었다. 주지 스님의 속명은 노환주인데 이곳 원묵계 출신이다.

차담회를 나누는 동안에 스님이 주석한 자리 뒷벽에 특이한 사진이 있어 물어보니 2013년 음력 10월 초하루, 밤 1시 30분경에 스님께서 직접 경험한 "방광(放光)"하는 모습이란다. 부처님이나 보살 상 뒤에 둥글게 배광을 그린 모습은 자주 보았지만 분명 범상치 않은 현상이다.

그날 주지 스님의 《법요집》 한 권을 선물 받았는데 모두 한글이라 의외였다. "응공 법전 법성암 아라한[434] 존자 도량"이라는 글귀가 눈에 띈다. 보통 절에서는 부처님을 모신 공간을

434) 마침 "아라한"이나 "응공"이라는 용어를 이해하기 좋도록 소개한 글이 있어서 소개한다. 출처는 다음과 같다. https://hanjaexam.tistory.com/499. 이 블로그에 의하면, '나한(羅漢)'은 '아라한(阿羅漢)'의 간단한 호칭이며 범명(梵名)으로 Arhat이다. 살적, 응공, 무생의 뜻이 있으며[有殺賊 應供 無生的意思], 이는 불타의 득도 제자가 닦아서 증득한 최고의 과위이다[是佛陀得道弟子修證最高的果位]'. 여기서 '과위(果位)'는 '수행에 의해 증득된 결과로서의 불위(佛位) 즉 부처의 지위 · 경지 또는 계위를 말한다.' 나한은 모두 심신의 육근이 청정하고[羅漢者皆身心六根淸淨] 무명과 번뇌를 이미 끊은 것이다[無明煩惱已斷]〈살적(殺賊)〉. 생사의 벗어남을 이미 마쳤으며[已了脫生死], 열반에 들어갔음을 증득하였다[證入涅盤]〈무생(無生)〉, 많은 사람과 천의 존경과 공양을 받을 만 하다[堪受諸人天尊敬供養]〈응공(應供)〉. 수명이 다하기 전에(於壽命未盡前), 여전히 세간에 머물면서 범행으로 욕망을 줄이고[仍住世間梵行少欲], 계덕을 청정히 하고[戒德淸淨] 인연을 따라서 교화하고 중생을 제도한다[隨緣敎化度衆]. 오백나한(五百羅漢)은 석가모니 부처님 생존 시와 열반 후 500명의 제자나 비구를 말하는데, 법성

"대웅전"이라 부르지만 여기서는 "응공법전"이라고 부른다. 법성암 응공법전은 불기 2545년 3월 12일(음력)에 "526 아라한 존자 조성 봉안 불사"를 열고 창건했다. 때는 서기 2001년이니 올해로 25년째이다.

지리산 법성암(원묵계 전골 뻔덕 입구에 있다)

묵계사에서 바라본 법성암 전경

암에는 이를 넘어서 526명의 아라한을 모신 곳이다(이상은 위키백과 등을 참고하여 작성했다).

■ 때죽나무 거리(박석거리)

박석거리는 회동(檜洞)의 동구(洞口)에 있는 때죽나무 거리 일대를 지칭하는 이름이었다. 이 길은 묵계 삼거리에서 회동과 원묵계, 전나무동 마을은 물론 한찰재와 고운동재를 통해 산청군 시천면으로 이어지는 중요한 길목이다. 이곳에는 때죽나무를 비롯한 소나무와 다른 잡목이 울창한 숲을 이루고 있어서 좋았다. 숲속의 길 주변에도 큰 바위들이 많았으며, 특히 이곳을 통과하는 농수로가 있어서 나그네들의 땀을 식혀주는 시원한 휴식처였다.

옛날 도로가 없던 시절에 회동과 원묵계, 한찰재나 고운동 등으로 가려면 때죽나무 거리에 깔린 박석거리를 걸어서 지나야 했다. 지금은 회동과 원묵계로 통하는 도로가 생기고 2차선으로 포장까지 되면서 박석거리의 오래된 숲길은 흙에 묻히고 물길마저 끊어져 아무도 찾지 않는 잊혀진 길이 되고 말았다.

"여기에 박석을 깐 것은 '말을 타고 묵계사에 들어오는 사람들이 말에서 내려 걸어 들어오게 하려고 돌을 깔았다'라는 설이 있다. 만일 이것이 사실이라면 조선 시대가 아니라 불교문화가 꽃을 피우던 고려 시대가 아닌가 짐작된다. 그런데 조선 초기에 묵계사를 다녀간 선비는 청파(靑坡) 이륙(李陸)과 탁영(濯纓) 김일손(金馹孫)이 있다. 지금부터 500년 전의 이야기이다. 그들 중 탁영 일행은 때죽나무거리의 박석거리를 말을 타고 지나갔을 것으로 짐작된다. 그러나 그의 유람기에 박석거리에 관한 기록은 없다. 말을 타고 걷기가 불편했을 박석거리도 조선사회의 개혁을 꿈꾸었던 사림파의 젊은 사관(史官) 탁영에게는 크게 주목을 받지 못했던 것 같다.

최근에 박석거리를 다시 찾아가 봤으나 옛 모습을 찾아보기 어려웠다. 필자가 기억하는 박석거리는 비록 좁은 공간이기는 하지만 자연적인 숲과 바위와 물과 바람이 어우러진 나그네들의 이상적인 쉼터였다. 또한 묵계사와 묵계동의 역사를 되새기는 추억의 명소였다. 아직도 당시의 쉼터를 추억하는 사람들이 많다. 하루빨리 '묵계동의 자연과 역사 공원-박석거리'가 복원되어 옛 선인들의 숨결을 느껴 보고 싶다. 그리고 후인들에게도 길이 전해주고 싶다. 분명 묵계동의 자랑거리가 될 것이다."

■ 고운동재 쉬는 바구(休巖)

고운동은 예부터 지리산 삼은동, 혹은 청암 삼은동의 하나로 알려진 곳이다. 지금은 산청군 시천면 반천리에 속한다. 원묵 마을 동구에 조성된 삼신봉 공원에서 삼신봉로(지방도 1047번)를 따라 동쪽으로 약 300m를 나가면 고운동길이 분기되는 삼거리이다. 여기서 고운동길을 따라 동북 방향으로 약 2km를 올라가면 고운동재인데 낙남정맥이 통과한다. 고운동재 정상에서 약 200m 아래에 넓은 바위가 있어서 조망이 좋은데, 이 바위를 "쉬는 바구(쉬는 바위)"라고 불렀다. 상·하 2단으로 되어 있다.

고운동 〈쉬는 바위〉 전면 모습 (사진: 휴암 양영욱 梁泳郁)

전면 가로(대략 동서 방향) 길이가 약 10.5m, 남북의 길이가 5.4m, 도로면에서 높이가 5.4m에 달하는 거대한 바위다. 걸어서 고운동재를 넘나들던 시절에는 이 바위가 길손들의 중요한 이정표이자 쉼터였다. 바위 바로 아래로 도로가 통과하면서 옛 기능은 상실했고, 산죽과 잡목에 가려 잘 보이지 않으나 여전히 아련한 추억이 서려있는 추억의 장소이다.

이곳을 지나 올라가면 고운동재이다. 이곳은 하동군과 산청군의 경계이자 섬진강과 남강의 분수령이기도 하다. 재를 넘어 약 1km에 고운암이 있다. 이 일대가 고운동인데 현재는 산청군 시천면 반천리이다. 이곳은 경사가 완만한 고원지대였다. 오래전 운당 선생은 이곳을 지나며 다음과 같은 시를 남겼다.

〈고운동을 지나며[過孤雲洞]〉[435]

지지권극하산두
遲遲倦屐下山頭　천천히 걸어 산머리 내리니

435) 운당(雲堂) 노용제(盧庸濟) 선생의 《운당유고(雲堂遺稿)》에서 인용.

간 사 임 간 석 벽 류
澗瀉林間石壁流 계곡물 숲 사이 석벽 타고 흐르네
일 상 주 암 호 기 발
一上舟岩豪氣發 배 바위에 올라 보니 호탕한 기분
심 진 행 객 기 청 유
尋眞行客幾淸遊 진리찾는 손님 몇 분이나 놀다갔나

고운암에서 약 3km 아래에 '배바구'(배 바위)가 있다. 배바구에서 서쪽 골짜기로 오르면 배 바위 동네가 나온다. 이곳에도 상당한 전답이 있었고, 2~3가구가 살았다. 이 마을 뒤 산마루를 넘으면 청암 삼은동의 하나인 묵계리 심은동이고, 배바구에서 오른쪽 계곡을 따라 올라가면 고운동이다. 필자가 어릴 때만 해도 고운동에는 3군데 마을이 있었다. 지금은 한국수력원자력 산청양수발전소 상부댐인 고운호에 수몰되고 말았다.

고운동은 고운(孤雲) 최치원(崔致遠) 선생의 행적과 관련이 많은 곳이다. 먼저, 원묵계 뒷산, 즉, 하동군과 산청군의 경계에 '돌다리 거리'가 있는데, 옛날 고운 선생이 큰 돌을 걸쳐놓고 지나다닌 길목이라고 한다. 또 고운동에는 고운사(孤雲寺) 절터[436]가 있는데 고운 선생이 수도하던 곳으로 알려져 있다. 현재는 운적사(雲寂寺)가 있다.

■ 고운동재(孤雲洞峙)와 고운돌

고운동 고운돌. 고운돌 위에서 수련 중인 휴암(사진: 휴암 양영욱 梁泳郁)

고운동 재 몬당 직전에 있는 '쉬는 바구'를 지나 올라가면 왼쪽 산 중턱에 고인돌처럼 보이는 바위가 있는데 묵계리 산 320-2이다. 고운동 입구에 있어서 고운 바위인가, 아니면

436) 하복도 선생은 《청암》 지(誌)에서 고운사 터는 산청군 시천면 반천리 산 126번지로 소개하고 있다.

고인돌처럼 바위 세 개가 아래에서 받쳐주고 있어서 그런 이름인지 묘하다. 마치 '도인들의 수행처' 같은 분위기가 물씬 풍기는 멋진 돌이다.

뒤쪽에서 보면 마치 큰 두꺼비가 엎드린 모습인데, 크기는 남북 길이 4.8m, 동서 4.5m, 전면 높이 3.5m, 후면 높이 1.5m에 달하며 바위의 둘레는 약 14m에 달한다. 받침돌이 세 개인데 한가운데에 있는 고임돌은 크기가 1.3m×1.3m×0.9m 정도로 가장 크고, 우측 것은 대략 0.6m×0.9m×0.4m, 좌측 것은 0.5m×0.43m ×0.4m 정도로 가장 작다.

사실 고인돌(dolmen)은 지석묘를 말한다. 큰 바위 아래에 고인의 시신을 묻고, 그 아래에 몇 개의 돌을 괴어 놓은 고대의 거석(Megalith) 구조물을 말한다. 동아시아에서 이런 거석이 세워진 연대가 기원전 2500년~기원전 수백 년 전으로 추정되는 만큼 적어도 2000년 전의 인공구조물이 고인돌이다. 그런데 이런 지리산 중에 과연 거석 기념물을 세울 만큼 강력한 권력자나 원시 국가가 있었는지는 의문이다. 그래서 "세월의 흐름에서 빚어진 자연적인 현상"일수도 있겠다는 추측이다.[437] 이 돌 위는 평평한 편이어서 사람이 올라가서 명상을 즐기기에 좋다. 그래서인지 아랫마을에서는 "고운 최치원 선생이 이 돌에서 가부좌를 틀고 명상 삼매에 들었던 곳"이라는 전설이 전한다.

■ 한찰재(묵계재, 메기재)

회동마을 회관 앞에서 바라본 묵계재

437) 묵계리 전나무동에서 작품활동에 열중하고 있는 휴암 양영욱씨의 증언.

원묵 마을 뒤의 고개이다. 해발 814m. 이 재를 넘으면 산청군 시천면 내대리로 통한다. 내대 쪽 사람들은 묵계재(혹은 '메기재')라 부르고, 묵계쪽 사람들은 한찰재라고도 한다. 한찰재의 '한'은 '크다'는 의미이고 '찰(刹)'은 절(寺)이라는 뜻이니 이 고개 인근에 큰절, 즉 묵계사가 있으므로 '큰 절이 있는 재'라는 뜻으로 한찰재 또는 대찰령(大刹嶺)이라고 했다. 이 고개에서 남동쪽의 고운동재와 북서쪽의 외삼신봉 방향 양쪽 등산로에는 산죽이 무성한 산죽(山竹) 터널 지대가 전개된다. 묵계재는 외삼신봉과 고운동 사이에 있는 낙남정맥의 제1구간에 속하는데, 이 고개 아래에 삼신봉터널이 개설되어 있다.

■ 삼신봉(三神峯)터널[438]

삼신봉터널은 경상남도 하동군 청암면 묵계리와 산청군 시천면 내대리를 잇는 터널로 경상남도 지방도 제1047호선을 구성한다. 왕복 2차로, 길이 2,102m, 폭 10.1m, 유효폭 7.8m, 높이 4.9m이다. 1997년 12월 31일에 착공하여 2004년 6월 16일에 완공하였고, 2008년 3월 24일 개통되었다.

삼신봉터널은 횡류식 터널 방식[439]으로 건설되었다. 이 때문에 2012년 같은 방식으로 건설된 일본 야마나시현(山梨県) 사사고(笹子) 터널 붕괴 사고가 일어나자 즉시 긴급 점검이 이루어졌으나 사사고(笹子) 터널과 달리 천장을 철근으로 엮은 뒤 콘크리트를 매립하는 공법으로 설계되어 무너질 염려는 없는 것으로 확인됐다. 이 터널이 개통됨으로써 하동군, 구례군, 남원시, 함양군, 산청군 일대로 순환하는 일명 '지리산 외곽순환도로'가 완성되었다. 또한 이 터널이 개통되자 지리산을 순환 탐방하는 관광객이 늘어나 교통량이 증가하여 국도 제20호선의 지리산 방면 구간의 선형 개량사업 추진에 영향을 주었다. 2004년 갑신년에 삼신봉터널 소식을 듣고 오헌 선생이 지은 시가 있다.

---

438) 위키피디아-삼신봉터널 및 〈고속도로 터널 환기 제어 시스템(Expressway Tunnel Ventilation Control System)〉, KOYAMA Toshihiro 외 2명, TOSHIBA REVIEW(Vol. 57, No. 12, 2002

439) 터널의 기계식 환기 방식은 크게 횡류식(横流式)과 종류식(縦流式)으로 나뉜다. 횡류식은 차도 공간 주위의 송풍 덕트에서 신선한 공기를 보냄으로써 배기 덕트로부터 오염된 공기를 배출하는 방식이다. 이에 비해 종류식은 차도 공간 주위에는 환기 덕트를 설치하지 않고, 차도 공간을 이용하여 환기풍을 흘려보내는 방식이다. 횡류식은 덕트가 필요한 만큼 터널 단면적은 커지지만, 교통량이 많아도 환기를 실현할 수 있다. 종류식은 차도 공간 주위의 덕트가 불필요하므로 건설비와 직결되는 터널 단면적을 줄일 수 있는 이점을 갖추고 있다.

〈삼신봉 터널〉 원묵계 마을 쪽 입구. 터널 위에 '산청 속으로'라고 쓰여 있다. 반대편 내대 쪽 입구에는 '하동 속으로'라고 되어 있어서 서로 이웃을 배려하는 모습이 아름답다.

〈몇 사람과 함께가서 삼신봉터널을 봄[與數人訪看三神蜂터널]〉[440]

부 간 하 산 간 로 통 赴看河山間路通	가서 하동 산청 간 길 통함을 보니,
천 암 개 굴 백 난 중 穿岩開窟百難中	바위 뚫어 어려움 속에 터널 개통이라
장 정 십 리 기 공 력 長程十里機工力	길고 긴 십리 길은 기공(機工)의 힘이고,
편 조 천 등 기 술 공 遍照千燈技術功	두루 비춘 천 개의 등(燈)은 기술자 공이네
인 중 승 천 비 망 언 人衆勝天非妄言	사람 많으면 하늘을 이긴다는 말 허언이 아닌데,
맥 상 실 혈 시 진 풍 脈傷失穴是眞風	산맥이 상하면 실혈(失穴)한다는 것은 참 소리인지
왕 래 차 마 편 편 주 往來車馬翩翩走	오가는 차들이 날듯이 달리지만,
별 유 삼 신 감 불 궁 別有三神鑑不窮	특별히 삼신(三神)이 다함 없이 보살피리라.

■ 삼신봉 공원(三神峯 公園)

삼신봉 공원은 서재땀에서 원묵 마을 입구, 즉 경상남도 지방도 1047호의 삼거리에 위치한다. 필자가 어릴 때만 해도 여기서부터 원묵계 마을 입구까지 노송이 많았다. 삼신봉 공원 뒤쪽에는 멀리 외삼신봉과 낙남정맥이 보인다.

지리산 영신봉에서 시작된 낙남정맥은 삼신봉을 거쳐 외삼신봉과 묵계재, 고운동재, 오봉산 등지로 이어지면서 묵계리를 감싸고 경남 내륙을 지나 김해까지 이어진다.

삼신봉 공원에서 북쪽으로 약 250m 위치에 광산노씨 재실인 원모재(遠慕齋)가 있고, 그

440) 《오헌유고(旿軒遺稿)》에서 인용.

뒤쪽이 오래전 사라진 고찰 묵계사(默契寺) 터에 자리한 원묵계 마을이다.

삼신봉 공원 정면으로는 멀리 회남재가 보인다. 공원 앞에 '원묵마을 주민'의 이름으로 공원 안내판이 서 있다. 이 안내판에는 공원의 내력이 소개되어 있는데, 설립 연도를 '檀紀 4350年 삼월 삼짇날'로 명시한 점이 이채롭다. 단기 4350년은 서기 2018년이다. 안내판의 내용은 다음과 같다.

공원 뒤로 외삼신봉과 낙남정맥이 흐른다. 2023년에 〈별빛 힐링센터〉가 지어졌다.

三神峯 공원[441)]

"祖上의 숨결이 서려 있는 이곳 三神峰 공원은 공사 기간 2년에 걸쳐 진행된 '원묵 마을 창조적 마을 만들기' 사업의 일환으로 造成된 것이며 本 사업은 원묵마을 주민들이 合心全力하여 2015년 1월부터 2016년 12월까지 1,000여 평의 면적을 대상으로 총사업비 7억여 원이 투입되었다.

우리 원묵마을은 농촌 어메니티(Amenity) 자원이 풍부한 지역으로서 농식품부가 주관한 '창조적 마을 만들기' 사업의 최적지이다. 마을 뒤편으로는 이 땅의 靈山인 지리산 삼신봉의 묏부리가 우뚝 솟아 있고 이 신령스러운 봉우리를 어머니 삼아 원묵 주민은 지리산의 넉넉한 지혜를 품고 300여 년간 이 땅에서 삶의 터를 일구어 왔다.

사시사철 수정(水晶)처럼 맑은 계곡, 쏟아지는 밤하늘의 별 빛, 自然과 사람이 서로 어울려 조화調和를 이루는 고즈넉한 景觀과 포근한 田園의 風情은 우리 마을을 찾는 모든 이들에게 삶으로부터 새로운 活力의 기회를 줄 수 있을 것이다. 또한 東邦의 仙人이신 崔致遠 선생의 傳說이 서려 있는 孤雲洞,

441) 이 문장 속의 영문과 한자는 주민들이 세운 안내판을 그대로 옮겼다.

이 땅의 선비 南冥 曹植 선생의 그리움이 배여 있는 回南嶺, 太古의 체취를 엿볼 수 있는 三聖宮, 백의민족의 魂이 살아있는 靑鶴洞의 역사문화 유산은 우리 원묵마을 만이 누릴 수 있는 소중한 資産이다.

이토록 소중한 天惠의 조건을 활용하기 위한 사업의 첫 삽을 뜬 곳이 이곳 삼신봉 공원이며, 인근에 위치한 삼신봉터널이 山淸과 河東을 연결하는 섬진강 관광 벨트의 橋頭堡 역할을 하고 있다는 점에서 그 상징성은 크다고 할 것이다.

이제 우리 원묵 주민은 우뚝 솟은 三神峰의 품 안에서 도타운 情을 나누며 서로를 보듬어 안고, 살맛나는 來日의 원묵을 향해 그 첫걸음을 내디뎠다.

此에 우리 원묵마을 주민은 大同之心의 뜻을 모아 이 懸板에 그 숭고한 의미를 새기노니, 원묵마을이여 永遠하라!

檀紀 4350年 삼월 삼짇날 원묵마을 주민 一同

■ 천주봉(天柱峰)과 문필봉(文筆峯)

묵계초등학교 운동장에서 바라본 문필봉(文筆峰)

묵계사 뒤의 높은 봉우리이다. 높이 솟아 '하늘을 받치고 있는 기둥'이라고 해서 천주봉이라 하는데, 투구봉 혹은 유두봉이라고도 한다. 지리산 영신봉에서부터 시작된 낙남정맥의 힘찬 지맥이 삼신봉에서 동쪽으로 방향을 돌려 외삼신봉을 이루고 마지막으로 용솟음치듯 하늘 높이 솟아있다. 해발 약 1,088m. 그 기세로 남강 남쪽의 경남 내륙 지방 200여 km를 달려간다. 삼거리 뒤쪽 장군바위의 전설과 함께 투구봉의 이미지가 강하다. 그런데 산봉우리가 붓끝처럼 뾰족하게 생긴 산을 필봉(筆峰)이라고 부르는 사례가 전국 곳곳에 많다. 필봉이 보이는 지역에는 명필(名筆)이 많이 난다고 한다. 그래서 '붓

바위'라고도 한다. 같은 산의 모습을 보고 무엇을 상상하느냐 하는 것은 그 지역 사람들의 사물을 바라보는 세계관과 창의적인 상상력과 무관치 않으리라고 생각한다.

〈천주봉을 읊음[天柱峯吟(천주봉음)]〉[442]

天柱高峯貫太淸(천주고봉관태청) 천주봉 높은 봉우리 하늘에 닿았으니
登臨可摘斗牛星(등림가적두우성) 여기로 올라가면 북두성을 딸 수 있겠네
非徒此岳興雲雨(비도차악흥운우) 이 산은 다만 비구름을 일으킬 뿐만 아니라
能使吾家萬歲寧(능사오가만세영) 능히 우리 집을 만년이나 편안하게 해 주리라

특히, 산의 이름을 어떻게 부르느냐 하는 것은 지역민들의 공통적인 염원이 담겨있다고 생각한다. 필자는 어린 시절부터 이 뾰족한 산봉우리를 보면서 자랐다. 삼거리, 특히 묵계초등학교 운동장이나 학교 근처에서 바라보면 붓끝 모양의 뾰족한 산이 매우 인상적이었다. 그런 의미에서 **필자는 우리 묵계초등학교 출신 중에서 명필, 대문장가, 대학자가 많이 나오기를 기대하면서 '문필봉(文筆鋒)'이라고 부를 것을 제안한다.** 운당 선생이 중년 무렵 천주봉을 보고 읊은 시가 남아있다. 원묵계에서 서당을 열었던 운당 선생은 하늘 높이 솟아올라 하늘을 받치듯 우뚝 솟은 이 산을 매일 보셨으리라.

■ 전(錪)골

원묵계 서북쪽 큰 골짜기인데 옛날 쇠를 녹이던 곳이다. 《청암》 지(誌)에서는 '점골(店)'이라고 하였다. 이 계곡의 마지막 능선의 고개를 넘으면 외삼신봉 아래 '미리감(彌勒庵)' 절터로 갈 수 있다. 전골 언덕과 계곡에는 말발굽 바위와 꽃바위가 있다.

■ 말굽 바구(말바위)

꽃바위 위에 있다. 《청암》 지(誌)에서는 '말바구'라고 하였다. 꽃바위 위에 있다. 말굽 바구도 고인돌처럼 윗돌이 양쪽 아래에 큰 바위 두 개를 깔고 있어서 자연 동굴이 형성되어 있다. 윗돌에 의해 형성된 굴의 깊이는 3m, 폭은 3.8m에 달한다.

---

442) 노용제, 《운당유고(雲堂遺稿)》에서 인용.

윗돌의 크기는 가로 4m, 세로 4.4m, 높이 3.6m이고 바위의 둘레는 약 14m에 달한다. 굴 천장의 거의 전체 면에 마치 말발굽이 음각된 것 같은 흔적이 남아있다. 발자국은 크게 3갈래인데, 굴 앞에서 봤을 때, 왼쪽이 가장 크고 뚜렷하고 오른쪽이 가장 짧아 보인다. 그래서 말바위, 혹은 말발굽 바위라고 한 것 같다.

말굽바위(사진: 휴암 양영욱 梁泳郁)

위치는 원묵계 전골 뻔덕 입구, 외삼심봉 아래에 있는 미리감(彌勒庵) 절로 가는 길옆에 있다. 이 바위의 위치는 묵계리 1174번지이다. 필자가 초등학교 시절 미리감 절에 소풍 가면서 선생님들과 함께 들여다봤던 추억이 있다. 그때 선생님들께서는 이곳 전골 뻔덕은 신라 화랑들의 수련장, 훈련장이었다고 하는 말을 들은 기억이 있다.

■ 꽃바구(꽃바위)

꽃 바위는 원묵계 전골 입구, 말굽바위 바로 아래 계곡에 있는 거대한 바위로 둘레만해도 약 40m, 높이 약 10m에 달한다. 이 바위 위에는 진달래, 개나리 등 많은 꽃이 핀다. 그야말로 전골 계곡의 꽃이라고 할 수 있다. 묵계리 1090번지, 하천 중간에 있다. 사진에서 보듯이 크고 작은 소나무 10여 그루가 자라고 있다. 한때 회동계곡 하천정비사업 때 폭파를 검토했다는 설도 있다. 필자가 보기에는 어거정 아래 용소에 있는 '너른 바위'와 함께 묵계동 계곡의 제1의 바위가 아닌가 생각된다. 이 꽃바위는 원묵계 전골 계곡의 상징이라고 생각한다. 그런 만큼 소중하게 보존할 필요가 있다고 생각한다. 고산 김삼주 선생에 의하면,

꽃바구에는 "독아지(장독, 혹은 항아리)'만한 구멍이 있는데 그 옆에 있는 용소에 살던 용이 들락거렸다."라는 전설이 있다고 한다.

꽃바위 (사진: 휴암 양영욱 梁泳郁)

■ 청학동 다소랑 정원과 지리산중학교[443)]

지리산중학교(智異山中學校, Jirisan Middle School)는 경상남도 하동군 청암면 삼신봉로 110-8(묵계리 960) 일대에 있었던 중학교 과정의 사립 각종학교이다. 인가 학급수는 3학급, 90명 정원으로 초·중등교육법 대안학교 설립 및 운영에 따라 인가받은 대한민국 최초의 사립대안학교로 출발했다. 교육과정은 중등학교 기본 교육과정 외에 전통 서당 교육을 도입한 시스템이었다.

2014년 3월 1일에 어울림학교로 개교하여 2015년 3월 1일에 지리산중학교로 교명이 변경되었으나 2022년 8월 31일에 폐교되었다.

폐교 후, 2023년 8월 1일 경상남도청이 선정한 경상남도 민간정원 제34호로 지정되어 정원으로 탈바꿈하고 있다. 정원 이름은 "청학동 다소랑정원"이다.

개방 시간은 오전 9시부터 오후 5시까지이고, 입장료는 무료. 다소랑정원에는 "수생 정원", "징검다리 정원", "물멍 정원", "댑싸리 정원", "대나무 숲길", "아름다운 계곡과 폭포"를 함께하고, 지리산 회남재와 낙남정맥을 바라보며 힐링할 수 있는 카페와 민박 시설 등을 갖추고 있다.

443) 지리산중학교(https://ko.wikipedia.org/wiki/지리산중학교)에서 인용

청학동 다소랑정원은 〈작은 삼성궁〉과 〈무릉도원〉을 연상시키는 독특한 정원과 멀리 회남재를 포함한 삼신지맥과 낙남정맥의 스카이라인을 조망할 수 있는 시그니처(signature) 풍경은 압권이다!(사진은 〈청학동 다소랑정원〉 블로그에서 따왔다)

■ 배바구(배바위)

배바위(길이 약 15m, 폭 약 5m, 높이 약 5m, 사진: 휴암 양영욱)

배바구는 전나무동 마을 앞 능선 아래에 있다. 지금은 전나무동으로 통하는 도로가 나 있지만, 옛날에는 동네 앞 논길을 따라 내려가면 개울을 건너지 않고도 삼거리에 있는 묵계초등학교에 등교할 수 있었다. 그 길가의 큰 바위 언덕이 있는데 배바위는 이 바위에서 떨어져 나온 것으로 추정된다. 이 배가 "빈 배라서 동네가 가난해진다"라는 속설이 있어서 마을 사람들이 옛날부터 매년 청명 · 한식 때 '제액초복(除厄招福)' 기원제와 함께 배 위에 흙을 채우고 나무를 심는 등 관리를 해왔다고 한다.

(바) 회동 마을 기타 지명

▣ 배나무골: 회동 전나무동의 동편 끝에 있다. 국유림과 경계 지점에 큰 배나무가 있다. 이곳을 넘어가면 심은동이다.
▣ 양지번덕: 배나무골 위쪽 양지바른 곳을 말한다.
▣ 성태골: 고운동재에 오르는 오솔길에서 오른편 골이다.
▣ 작은 묵계: 원묵 마을 동편에 있는 마을이다. 한찰재 계곡 건너에 있다.
▣ 큰 솔복지: 작은 묵계의 동편에 있는 계곡이다.
▣ 산제밭골: 전나무동 동편 위쪽 계곡이다.
▣ 뚜껑바위: 큰 솔복지 동편 7부 능선에 있는 바위. 밟으면 '덜컹덜컹' 소리가 난다.
▣ 작은 솔복지: 큰 솔복지의 동편에 있다. 고운동재를 오르는 길에서 보면 서쪽 골짜기이다.
▣ 바른 골: 작은 묵계 동편 골이다.
▣ 꽁의덤: 바른골 위 동편에 있는 바위이다.
▣ 팔백고지: 고운동재 왼쪽의 높은 산이다.
▣ 널벤지: 고운동 재 안쪽, 팔백고지 아래 넓은 분지이다.
▣ 돼지골: 밤나무동 위에 있는 골이다.
▣ 밤나무동: 원묵계 동북방향에 있는 골이다.
▣ 서나무징이: 원묵계에서 한찰재 가는 길옆에 있다. 옛날에 큰 서어나무가 있어서 한찰재를 넘는 길손들의 쉼터였다.
▣ 매막동: 서나무징이 위에 있는데 땅이 척박하고 메말라서 그렇게 부른다.
▣ 가매바위: 매막동에 있다.
▣ 산태골: 매막동 서쪽에 있는 골이다.
▣ 암자골: 천주봉 오른쪽 골짜기로 옛날 암자터가 있었다.
▣ 다리 바위: 암자골 상봉에 있는 바위. 고운선생이 고운동에서 쌍계사로 내왕할 때 이용한 다리로 알려져 있다.
▣ 갓거리골: 암자골의 서편 골이다.
▣ 갓걸이 바위: 갓거리골에 있다.
▣ 호랑이 사랑 바위: 천주봉에서 내려오는 능선 상에 있다.
▣ 호랑이 사랑 바위 등: 호랑이 사랑 바위가 있는 산등성이다.
▣ 전(鐉)터: 호랑이 사랑바위등과 진엽이등 사이에 있다. 옛날 쇠를 파낸 터가 있다.

▣ 산막골: 전터 아래에 있었다.
▣ 진엽이 장등: 천주봉 서쪽 능선이다.
▣ 새미골: 진엽이 장등 서쪽 골이다.
▣ 미리감(미륵암) 재(밀감재): 전골에서 미륵암으로 넘어가는 재이다.
▣ 마당바위: 미리감 재로 올라가는 길옆에 있다.
▣ 회동 달바위: 천주봉 맞은편 전골 달바위 골에 있는데, 원묵계마을에서 보면 암반의 무늬가 꼭 보름달과 같이 생겼다.
▣ 달바위 골: 천주봉의 맞은편 골짜기로 전골의 서편이다.
▣ 마당바위와 마당바위골: 전골, 달 바위골 동편에 있는 골이다.
▣ 부치골: 말바위 서편 골이다.
▣ 대밭골: 부치골 아래 골이다.
▣ 용소: 꽃바구 옆에 있는 소(沼)이다.
▣ 뒷골: 서재땀 뒤어 있다
▣ 물방아골: 회동 박석거리 계곡 건너의 골이다.
▣ 고운동목: 전나무동에서 고운동으로 가는 500여 m 지점에 있는 작은 고개이다.
▣ 심은동목: 전나무동에서 심은동으로 가는 500여 m 지점의 작은 고개이다.
▣ 다리목 골: 원묵계 앞 다리가 있는 골이다.
▣ 갓모봉(갈미봉): 전나무동에서 고운동 목 왼쪽에 있는 산봉우리다.
▣ 시리바위: 때죽나무 거리 아래 하천가에 있다. 시리는 시루의 경상도 방언.
▣ 시리소: 때죽나무 거리 아래 시리바위 옆에 있다.
▣ 가매바위: 때죽나무 거리에 있다.
▣ 당산거리: 때죽나무 거리 위의 길옆 하천가에 있었다.
▣ 구시소: 시리소 아래 폭포가 있는 소이다.
▣ 진소: 원묵계 다리 아래, 현재 다오실 펜션 옆에 있다.
▣ 고운동 목장: 고운동으로 올라가는 길 양쪽에 있었던 한우 목장. 20여 정보에 달했다. 오래전 최병렬 선생님이 운영하다가 묵계초등학교 선생님으로 부임했다.
▣ 메끼재: 묵계재. '묵계'를 '메끼', 혹은 '메기(띠기)'라 불렀다.
▣ 화주(花主) 대거리: 서제땀 앞에 있다.
▣ 회동 서나무징이: 회동마을 회관 부근에 옛날 큰 서어나무가 있었다. 길손들의 쉼터였다.
▣ 쪽바위: 심은동 가는 임도 위에 있고, 멧돼지 헐레 바위, 통일 바위, 흔들바위라고도 한다.

(4) 학동(鶴洞) 마을(행정리 명: 5통 4반)

학동 마을은 아랫몰, 대밭땀, 새터, 시리봉골 (시루봉골) 등을 합한 행정마을 이름이다. 옛날부터 청학 마을을 포함해서 '학동'이라 하였으나 1980년대에 행정마을 분할을 할 때 학동과 청학동으로 나누어졌다. 그런데 약 100년 전에는 지금의 청학동을 포함한 학동마을 전역을 불지(佛地)라고 하였다.

학동마을 부근도(카카오지도에서 작성)

(가) 아랫몰

학동에서 가장 아래쪽에 있는 마을이라서 불린 이름이다. 근년에 새로 형성된 마을인 중터 위쪽에 있다. 마을 어귀의 암반 위에 자연석으로 쌓아 올린 청학탑이 있다. 서쪽에 시리봉이 마주 보인다. 도로(지방도 1014호)에 '지리산청학동(智異山青鶴洞)'이라는 일주문이 서 있고, 그 왼쪽에 아랫몰로 들어가는 아랫몰길 입구에 '청학탑'과 〈지리산청학동첨성세거기념비(智異山青鶴洞僉姓世居記念碑)〉, 〈효자면천박공행적비(孝子沔川朴公行蹟碑)〉 등이 있다. 학동마을 회관도 아랫몰에 있다. 지금은 아랫몰 아래, 중터에 중터산장부터 시작하여 위쪽에 청학동 명륜학당, 대각불교 조계종 용봉선원 마고당, 삼선 된장집, 지리산 쉼터 등이 들어섰다.

(나) 대밭땀[444)]

학동 마을 회관에서 북쪽에 있는 마을이다. 옛날부터 마을 주변에 대밭이 많아서 지어진 이름이다. 지금 원주민은 거의 없고, 대밭땀길을 따라 궁도장-청학정, 청학동서당 청소년수련원, 석림정, 백월예술학당, 대밭땀 펜션, 평평나나요가원, 청학둥지 등이 있다.

학동마을 회관(아랫몰에 있다)

학동-중터(드론사진: 이영근, 이하 같음)

학동-아랫몰

학동-대밭몰

444) 《표준국어사전》, 《우리말샘》 등에 따르면 '땀'은 '뜸'의 경남지방 방언이다. '뜸'이란 '한동네 안에서 몇 집씩 따로 모여있는 구역'을 말한다. '뜸'과 비슷한 말에 '각단'이 있는데, 경상도 방언은 '깍단'이다. 길이나 도로, 개울 등으로 마을이 위, 아래로 나누어져 있을 때, 마을 이름과는 별도로 '웃땀', '아랫땀' 등으로 쓰인다.

학동-새터(학동)

학동-시리봉과 거사봉 (악양 청학사 앞 계곡에서 촬영)

(다) 새터[鶴洞]

여기서 '새'는 조류(鳥類)인 '새', 즉 '학(鶴)'을 의미하는데, '새터'는 '새의 터', 즉 '학동(鶴洞)' 마을을 말한다. 위쪽의 청학마을이 분리되기 전에는 모두 '학동'으로 불리었는데, 그 중심마을이 학동의 중심지로 마을회관이 있었고, 개울가에는 방앗간도 있었다. 새터에서 대밭 가운데로 난 오솔길을 따라 등 하나를 넘으면 대밭 땀이다. 한편 '새 동네'라는 의미의 새터, 즉, 신기(新基)의 뜻을 지닌 마을 이름이라고 하는 사람도 있다. 옛날에는 이곳 개울가에 아담한 정취의 물레방아(방앗간)가 있었다. 죽헌 강웅위 선생의 뒤를 이어 강동의 훈장이 운영하는 서당 '풍교헌(風教軒)'도 이곳에 있다. 새터 건너편 높은 산이 거사봉(1133m)이고, 그 아래 계곡이 거사골이다.

(라) 시리봉골과 시리봉[445]

학동 아랫몰 건너의 큰 골짜기를 큰 시리봉골이라 한다. 이 큰 시리봉골의 악양면과 경계를 이루는 해발 950m 능선 위에 큰 바위가 하나 있다. 이 바위를 시리 바위라 한다. 시리는 떡을 찌는 '시루'의 경상도 방언이다. 그런데 악양이나 학동마을에서 보면 꼭 수리가 웅크리고 앉아 있는 모양이다. 그래서 이 수리가 시리로 전음화 된 것이 아닌가 한다. 이 시리 바위 위에 있는 해발 1000m의 봉우리를 시리봉이라 하고 그 아래 큰 골짜기가 바로 큰 시리봉골이다. 옛날에는 이곳에 다섯집이 살았으나 지금은 폐허가 되었다. 그 남쪽

445) 삼신봉에서 동쪽으로 향하는 낙남정맥과는 반대 방향, 즉, 서쪽으로 향하는 삼신지맥은 내삼신봉(1355m), 박단재, 쇠통바위, 독바위, 상불재, 가는봉(1153m), 거사봉(1133m), 시루봉(993m), 회남재, 칠성봉(891m), 구재봉(768m)으로 이어진다.

낮은 등 너머에 있는 작은 골짜기를 작은 시리봉골이라 하고, 악양에서도 시리 바위 아래 골짜기를 시리봉골이라 한다.

(마) 학동 마을의 주요 지명

■ 중터

묵계 마을과 회동의 갈림길에서 1047호 지방도를 따라 약 1km에 있다. 학동 아랫몰에서 회동으로 넘어가는 재를 중재라 하고, 중재의 아래와 아랫몰 아래쪽을 중터라고 한다. 도로 아래의 들에 중터 산장을 비롯하여 새로운 마을이 형성되었다.

■ 망향석(望鄕石)과 이향비(離鄕碑)

'망향석(望鄕石)'과 이향비(離鄕碑). 양호영(묵계초 17회, 제19대 묵계초 총동창회장)의 '중터 산장' 입구

중터 산장 입구에 망향석과 이 돌을 세운 사람들의 고향에 대한 애정을 담은 글을 새긴 석비가 나란히 서 있다. 큼지막한 자연석 좌대(380cm×130cm×80cm) 위에 둥근 청석의 자연석(160cm×90cm×140cm)에 '망향(望鄕)'이라는 두 글자가 우상좌하(右上左下) 방향으로 비스듬히 새겨져 있다. 그 옆에는 화강암 석비의 전면(105cm×70cm×70cm)에 이 망향석을 세운 사연과 후면에는 이 이향비(離鄕碑)를 세운 사람들의 이름을 기록해 두었는데, 그 내용은 다음과 같다.

▣ 망향석을 세운 사람들(찬기(撰記))

장차석 경기 동두천시(삼거리 새터 출신)
양호성 하동군 산림과장(회동출신, 진주시 거주)
서병구 부산 해운대구(섬들 출신)
김수현 서울 영등포구(삼거리 새터 출신)
양호영 본동 중터산장(본동 출신)

▣ 이향비

이향(離鄕)

덧없이 가버린 세월(歲月)
반백(半白)의 머리에는 황혼(黃昏) 빛 물들고
우리 유년(幼年) 시절(時節) 돌아가던 물레방아
세월의 무게에 흔적(痕迹)없이 사라졌네.
오늘 너와 내가 만나서 고향(故鄕) 산천(山川)
동산(東山)에 망향석(望鄕石)을 세우고
우정(友情)과 혼(魂)을 묻노니
고향(故鄕) 오는 후손(後孫)들
청학동(靑鶴洞) 찾는 나그네들
심산(深山) 유곡(幽谷) 죽림수(竹林水)로
세속(世俗)에서 지친 심신(心身)
정화(淨化)하고 가시게

서기(西紀) 2001년(二千壹年)

■ 거사골(居士谷)

새터 마을에서 개울 건너에 있는 큰 골짜기인데 거사(居士)가 살았다고 한다.

■ 청학탑(靑鶴塔)

학동 아랫몰 어귀에 있는데, 1973년 지역 주민들이 지역발전과 안녕을 위하여 자연석을 주워다가 암반 위에 쌓아 올린 3층 석탑이다. 주위에 '학서정' 정자가 있고, 효자 박수정(朴壽正)의 '효자비'와 '지리산청학동첨성세거기념비' 및 도로 위에 '지리산 청학동 일주문' 등이 있다.

■ 학서정(鶴栖亭)

청학탑과 학서정(아랫몰 입구에 있다)

학서정은 아랫몰 입구, 청학탑 옆에 있다. '학서정(鶴栖亭)'은 말 그대로 '학(鶴)이 깃드는(栖) 정자'이다. 학사정은 단기 4342년, 서기 2009년 음력 6월 21일에 상량했다. 학서정은 2층의 정각(亭閣)인데 모임지붕으로 하나의 꼭짓점에 지붕골이 모이는 형태의 지붕으로 용마루와 내림마루가 없고 추녀마루만 있다. 모임지붕은 평면의 형태에 따라 사모, 육모, 팔모지붕으로 나뉘는데, 학서정은 육모지붕이다.

학서정에 올라서면 멋진 풍경이 펼쳐진다. 먼저, 멀리 남쪽을 바라보면 거의 평탄한 산줄기를 볼 수 있다. 그런데 이것을 잘 보면 산이 굽이쳐 흐르는 모습으로도 보인다. 이곳이 바로 시목(감나무골) 뒷산인데, 여기까지가 묵계동천이다. 청학동의 고산 김삼주 선생에 의하면 '풍수지리에서 토체(土體)는 산 정상이 일자(一字) 모양으로 평평한 대(臺)와 같은 형태로 성품이 덕성스럽고 중후한 부(富)를 이룰 대기업인이 나온다'라고 하며, '수체(水體)는 산형(山形)이 굽이쳐 움직이는 파도의 모습과 같은 미미한 봉우리가 연속으로 이어진 형태로 청렴한 선비나 문장가 · 예술인이 나온다'라는 설이 있다고 한다. 학동마을 입구에 서 있는 학서정에서 바라보는 풍경은 정말 아름답다. 마치 한줄기 토체처럼 보이기도 하지만 자세히 보면 요철이 있는 수체로 보이기도 한다. 학서정은 그 위치가 말하듯 청학동민들의 염원이 담겨있다. 언젠가는 청학이 찾아와 깃듦으로써 이상향이 실현되기를 바라는 꿈을 꾸어 본다.

학서정에서 바라본 묵계동. 멀리 사진 중앙에 산이 가로막고 있다. 이 산줄기는 청암면 상이리 시목마을 뒷산인데, 보는 이에 따라 평평한 '토체', 혹은 파도가 치는듯한 '수체'로 보기도 한다.

■ 청학동 일주문

지리산 청학동 일주문. 학동 아랫몰 입구에 있다(사진: 휴암 양영욱)

■ 청학동 궁도장-청학정(靑鶴亭)[446]

청학동 궁도장인 청학정은 2001년 6월 30일에 정승환, 양점동, 서경석, 서흥석, 김종용, 최기동, 김옥식 등이 발기하여 컨테이너 1동에 함석지붕 가설대를 설치하여 사용하였다. 2009년 7월 2일에 현재의 '청학정'을 건립하고 2014년 11월 7일 정자를 건립하였다. 그동안 청학정에서는 경상남도 궁도인 선수 대표 수련을 했다.

청학동 궁도장 청학정(사진: 휴암 양영욱)

총 사우 수는 60여 명이고 명궁 5명과 유단자 22명을 배출하였다. 그동안 입상 실적은 화려하다. 전국대회 단체전 1등 1회, 개인전 1, 2, 3등은 다수 입상하였으며, 경상남도 대표선수로 전국체전에 출전한 선수도 3명이나 배출하였다.

청학동 궁도장 청학정 전경(드론 사진: 이영근)

446) 청학동 고산 김삼주 선생이 제공한 자료를 바탕으로 작성했다.

하동군궁도협회 청학정기

전국 남여궁도대회 우승기

현재의 '청학정'의 사우는 20여 명이며, 역대 사두는 아래와 같다.

청학정 역대 사두

순	성명	기간	순	성명	기간
제1대	정승환	2001.06.30.~2002.12.31	제8대	홍은표	2016.01.01.~2016.12.31
제2대	양점동	2003.01.01.~2004.12.31	제9대	서경석	2017.01.01.~2018.12.31
제3대	양점동	2005.01.01.~2006.12.31	제10대	정승환	2019.01.01.~2020.12.31
제4대	김옥식	2007.01.01.~2008.12.31	제11대	강원명	2021.01.01.~2022.12.31
제5대	김하용	2008.01.01.~2010.12.31	제12대	이성규	2023.01.01.~2023.12.31
제6대	양점동	2011.01.01.~2012.12.31	제13대	김규식	2024.01.01.~
제7대	이영규	2013.01.01.~2015.12.31			

(바) 학동 마을의 기타 지명

▣ **최씨내 골(崔氏谷)**: 새터마을 건너, 거사골의 남쪽에 있다. 옛날 최씨성을 가진 사람이 살았다고 한다.

▣ **굴바위(窟岩)**: 최씨내 골에 있다. 난리에 피난을 했다고 하는데, 지금도 그 흔적이 남아 있다.

▣ **오족대(鰲足臺)-선암정**: 중터 아래 계곡에 있는데 주위 경관이 아름답다.

▣ **난조재-장고목**: 학동마을 뒷산이며 마을의 진산(鎭山)이다. 난조란 길조이고, 장고목은 난조재 아래에 산 형체가 장고와 같이 생겨서 붙여진 이름이다.

▣ **중터 모랭이**: 중터에서 회동 박석땀으로 넘어가는 고갯길이다.

▣ **중재**: 학동에서 회동으로 넘어가는 재이다.

▣ **수리바위**: 중재 아래에 있다.

▣ **깃대봉**: 학동과 회동 사이의 높은 산 봉우리. 측량 시 깃대를 꽂았다 한다.

▣ **산태재**: 대밭땀에서 회동 서재땀 넘어가는 재이다. 재에 오르는 주위 일대를 산태재라 한다. 옛날에 산사태가 났다고 한다.

▣ **큰 뒷골**: 대밭땀 왼쪽 큰 골짜기이다.

▣ **큰 뒷골 큰배나무**: 큰 뒷골에 있는데, 수백 년 된 아름드리 배나무이다. 이곳은 삼복더위에도 한기를 느낄 정도로 시원하다. 옛날 당산제를 모시던 곳이다.

▣ **큰 소나무**: 뒷골 마을 뒤에 있는데, 곧고 크기가 이 일대에서 제일이다. 청학동 상불지 마을 뒤에 있다.

▣ **작은 뒷골**: 큰 뒷골 왼쪽 작은 골을 말한다.

▣ **홍골**: 작은 시리봉골에서 회남으로 넘어가는 골이다.

▣ **쪼각바위**: 큰시리봉골과 작은 시리봉 사이에 있다.

▣ **산봉재**: 시리봉골에서 악양 시리봉골 넘어가는 재이다.

▣ **던논골(덫 놓은 골)**: 시루바위 밑에 있다.

▣ **안장설**: 아랫몰 서편, 시리봉 다리 건너 산 등인데, 꼭 말안장과 같이 생겼다.

▣ **호랑바위**: 거사골 뒤 능선에 있다. 전설 속의 최호랑이 쉬던 바위로 알려져 있다.

▣ **핫바지 굼떡**: 중터모랭이 밑 중터 산장 입구. 굼턱은 '구덩이'의 경남지방 방언.

▣ **게조 감나무**: 중터 산장 뒤이다.

▣ **쉬는 바위**: 중터마을 앞 민박마을 주차장 입구. 바위 옆에 복숭나무가 있어 복숭나무 거리라고도 한다.

▣ **쌍매똥거리**: 학동 야영장 뒷등이다. 매똥은 잔디 언덕, 혹은 묘를 가리키는 말이다.

▣ **당산거리**: 아랫몰 앞 당산이 있는 곳이다.

▣ **당산몰 새미**: 당산 몰에 있는 샘. 새미는 우물의 방언. 새미물이 마르면 큰 뒷골에 가서 매구를 치며 물을 끌어 왔다. 상주가 새미에 가면 황토수가 났다고 한다. 이 샘 뒤 큰 바위 속에 큰 '구링이'가 살았는데 하루는 그 구링이가 나가는데 그 기어간 터가 굴 바위에 이르도록 훤히 났다고 한다. 구링이는 구렁이의 경상도 방언이다. 또 그 구렁이가 난조재까지 굴을 파 놓고 다녔다고 전하는데, 이 샘에서 불을 때면 난조재 정상에서

연기가 났다고 한다.

▣ **가장골**: 새터 마을 앞 하천가 일대이다.

▣ **각시소**: 학동 야영장 옆 서남정소 위이다.

▣ **중소**: 각시소 위 서당너머 소이다.

▣ **미트리소**: 중소 위의 소이다.

▣ **자라소**: 통소 아래에 있는 소이다.

▣ **통소**: 삼신봉에서 내려오는 물과 시리봉골에서 내려오는 물이 합친 곳에 있는 소이다. 소 주변 바위가 물통같이 홈이 패여 있어 통소라 한다.

▣ **세나드리**: 시리봉 다리 위에 있다. 소가 건너다니던 곳이다. 경남지방에서는 소를 '쇠에'라고 했다. 이것이 '쇠에→세'로 바뀐 것으로 보인다.

▣ **띄엄 노디**: 세나드리 소 위에 있다. '노디'는 징검다리의 방언이다. 징검다리 사이가 넓다는 뜻이다.

▣ **반석소**: 띄엄 노디 위에 있다.

▣ **거사소**: 거사골 물이 본류와 합해진 곳이다.

▣ **수박소**: 상불지 물이 본류와 합해진 곳이다.

▣ **귀신바위**: 아랫몰 옆에 있다.

▣ **돼지머리**: 귀신바위 뒤에 있다.

▣ **여시바위**: 대밭땀 앞에 있다.

▣ **절터**: 대밭땀 뒤에 있다. 옛날 절에 빈대가 들어 망했다고 한다. 부도 두개석이 있고, 원장 계축과 기와 조각이 흩어져 있다. '큰 부자 터'라고도 한다.

▣ **소(沼), 바위, 재**: 오동소, 중소, 반석소, 도깨비소, 거사소, 수박소, 여시바위, 호랑이바위, 쉬는바위, 오족대바위, 메밀바위, 거북바위, 개구리바위, 명명이바위, 부엉이바위, 굴바위, 씰가지바위, 쪽바위, 기후지바위, 홍골재, 산봉재, 실봉재, 산태재, 중재, 회동모랭이.

(5) 청학(靑鶴) 마을(행정리 명: 5통 5반)

상불지, 가는골, 미륵골, 진주암, 터골 등의 마을을 아우르는 행정마을 명칭이다. 20세기 후반 경상남도 하동군 청암면 묵계리 도인촌이 주민들의 독특한 생활양식과 마을의 문화 경관으로 대중매체를 통해 알려지게 되었다.

청학 마을 부근도(카카오지도에서 작성)

(가) 상불지(上佛地)

학동 새터에서 청학동으로 올라가는 첫 마을이다. 도로 아래쪽에 큰 미륵불, 즉 미륵정사가 있다. 그런데 상불지는 옛날 학동(지금의 청학동 포함) 일대를 불지(佛地)라고 부르자 이곳이 원래 '불지'였다고 하여 상불지라 하였다. 죽헌선생의 풍교헌 서당을 지나 급커브 오른쪽에 회천선생 유허비가 있고, 그 반대편 계곡 쪽에 어거정, 열쇠바위, 농바위와 용소의 비경이 펼쳐진다.

(나) 가는골(細洞)

학동 위의 서쪽 골짜기인데 아랫몰에서 도보로 25분쯤 걸린다. 상불지를 지나 진주암으로 향해 올라가다가 도로의 갈림길에서 서남간 방향으로 산등성이 너머 마을이다. 30년 전 하복도 선생이 편집한 《청암》 지(誌)에 따르면 당시 가는골에는 3가구가 살고 있었다고 한다. 현재 삼성궁 주차장 아래에 있는 골짜기로 그 입구가 매우 좁아서 붙여진 이름이다.

필자가 초등학교 6학년 때인 1967년 가을에 1박 2일로 걸어서 쌍계사까지 가을소풍을 갔었는데, 당시의 코스는 다음과 같다. ①삼거리(묵계)→②아랫몰(학동)→③새터(학동)→④상불지→⑤가는골→⑥터골→⑦도덕골→⑧내원재→⑨쌍계사.

한편 1992년 하복도 선생이 편집한 《청암》 지(誌)에 따르면 이 코스 외에도 진주암을 거쳐 불일폭포로 가는 상불재 길도 이용되었다고 한다.

청학동 마을회관

청학동 상불지(드론 사진 이영근, 이하 같음)

청학동-가는골

청학동-미륵골

청학동-진주암(도인촌)

청학동-터골

(다) 미륵골

진주암 아래 버스 정류장(종점)이 있다. 현재 지리산국립공원 청학동 탐방지원센터가 있는 마을이다. 이 마을에서 삼신봉으로 올라가는 등산로는 미륵골 계곡을 따라서 올라간다. 미륵골 오른쪽 높은 산이 외삼신봉이고 그 아래에 미리감(미륵암) 절이 있었다. 탐방지원센터에서 100m쯤 올라가면 삼신봉 등산로 입구이다. 여기서 서쪽방향에 있는 청학교(靑鶴橋)를 건너 산등성이를 넘어 올라가면 진주암(眞主庵)인데, 이 마을이 도인촌이다.

(라) 진주암(도인촌)

독바위와 쇠통바위, 송정바위, 즉 석각삼봉 아래에 있는 마을이다. 미륵골 서북쪽에 있는 마을로 6.25 한국전쟁 전에는 쌍계사 소속의 암자가 있었으나 소실되고 지금은 '유·불·선합일갱정유도(儒佛仙合一更定儒道)인 들이 정착해 살고 있다. 이들은 머리는 상투를 하고, 흰옷에 흰 고무신을 신고 매년 24 절후마다 대제당(大祭堂)에 모여 치성제(致誠祭)를 올린다. 이 일대를 이상향(理想鄕) 청학동이라 하여 전국에서 관광객이 연중 끊이지 않는다.

(마) 도덕골(道德谷)

세동(細洞), 즉 가는골 위쪽에 있는 골짜기이다. 독바위 아래 세 골짜기 가운데 그 하나가 도덕골이다. 도덕골을 흔히 도둑골이라고도 부르는데 도둑이 숨어 살았다고 해서 생긴 이름이 아니고 너무 외진 곳이라고 해서 붙여진 지명이라고 한다. 진주암의 석각 삼봉 가운데 녹바위를 덕(德) 바위라고도 하는 것을 보면 도둑골이 아니라 도덕골이 옳다는 생각이다. 또, 옛날에 이 일대에 절이 많아 도덕을 숭상했기 때문에 도덕골이라는 지명이 타당한 것 같다.

(바) 텃골

상불지(上佛地)를 지나 도로의 갈림길에서 가는골을 향하다가 별도의 오솔길을 따라 올라가면 텃골이다. 물론 가는골을 경유하는 큰길로도 갈 수가 있다. 즉, 독바위 아래 세 골짜기 가운데 하나가 텃골이다. 이곳에는 현재 한풀선사(강민주)가 삼성궁을 조성하여 우리 국조 삼신(三神)인 한인, 한웅, 단군을 모시고 매년 10월에 개천대제(開天大祭)를 지낸다.

(사) 청학 마을 주요 지명

■ 묵계 청학동의 서당

항일의사 습재(習齋) 최제학(崔濟學) 선생은 의병운동의 꿈이 좌절되자 1915년부터 묵계동에 은거를 시작했다. 이 시기에 묵계 청학동에는 뜻있는 선각자들이 일제의 눈을 피해 이곳으로 숨어든다. 그리고 고귀한 육영사업을 시작한다. 1920년부터 습재는 학동에서 인재를 양성하기 위해 서당을 개설하고 훈장이 된다. 습재 선생에 관해서는 〈제3부〉에서 자세히 다루는데, 《채미연원록(茝薇淵源錄)》에 수록된 습재 선생의 문인 명단에 청학동 출신으로 강웅위, 김상용, 양삼준 등이 있다.

1928년에는 도재(圖齋) 하진락(河鎭洛), 매사(梅史) 정형원(鄭亨遠) 선생이 습재의 뒤를 이어 훈장이 되었다. 도재 선생은 구무바위 앞에 있는 '삼로풍영대(三老風詠臺)에 그 이름이 각자(刻字)된 인물이다. 1933년에는 박영진(朴瑩鎭), 1934년 강대규(姜大奎) 훈장이 뒤를 이었다. 또 1942년에는 중추원 의관 벼슬을 한 회천(晦川) 이규진(李圭鎭) 선생과 김정석(金正錫) 선생이 훈장을 이었고, 1944년에는 장두칠(張斗七) 선생이, 1948년에는 자학(子鶴) 정준영(鄭俊永) 선생이 뒤를 이었다.

한편 한국전쟁 수복 이후인 1957년 학동마을에는 김려문(金麗文), 죽헌(竹軒) 강웅위(姜熊渭) 선생께서도 훈도를 맡았다. 이 무렵 운당(雲堂) 노용제(盧庸濟) 선생은 원묵계에서 서당을 여는 등 묵계동의 각 마을에는 서당이 운영되었다.[447)]

① 청학동 풍교헌

풍교헌은 죽헌 강웅위 선생의 대를 이어가는 유서 깊은 서당이다. 죽헌 강웅위 선생은 1925년 지리산 청학동에서 태어나, 일제강점기와 6.25 전쟁 등의 고통과 어려움을 온몸으로 겪으면서 우리 민족의 가장 험난했던 수난기를 사신 분이다. 어려서부터 면암

447) 이상은 현재 청학동 도인촌의 청학서당 '정병호' 훈장이 작성한 자료를 학로계 계장 김삼주와 총무 양점동으로부터 받아 작성했다.

최익현의 제자이자 애국지사인 습재 최제학 선생, 몽헌 김석규 선생, 석암 강위 선생 등 여러 선생의 가르침을 받았다.

풍교헌 전경. 사진 왼쪽에 처마 일부만 보이는 건물이 "풍교헌(風敎軒)"이다. 사진 아래 작은 사진은 왼쪽부터 '풍교헌 곶감', '풍교헌 현판' '풍교헌 로고' 순입니다.(사진은 풍교헌 홈페이지에서 인용하여 합성했다)

죽헌 선생의 생업은 농사였지만, 밤이나 비오는 날에는 동네 아이들과 젊은이들에게 글을 가르치는 훈장이었고, 고된 노동과 생계의 와중에도 잠시만 시간이 나도 책을 보고 글을 썼으며, 풍수지리학과 역학 등에도 조예가 깊었고 서예 실력도 탁월하였다. 20대 초반부터 지역의 인근 명사마을 시목마을 등에서 앞다투어 훈장으로 초빙하였고, 부모님의 3년 상을 기점으로 청학동 자택에 서당을 열어 그때부터 평생을 청학동에서 농사와 후학 양성에 종사하였다. 2004년부터 3남인 현재의 강동의 훈장과 함께 전국 최초의 산촌유학서당인 풍교헌 서당의 문을 열었다.

풍교헌 서당의 개설 이후 풍교헌 출신의 학생들은 학교와 지역 사회에서 항상 타의 모범이 되어왔으며, 대외석 경진대회나 전국대회 규모의 행사에서 풍교헌 학생들이 많은 성과를 내었다.

서당 형태의 대안학교들이 난립하게 되었고, 급기야 2021년 3월에는 다른 서당시설에서 발생 된 문제들이 사회적 이슈를 불러왔고, 이로 인해 엉뚱하게도 풍교헌을 포함한 청학동 서당은 이미지에 큰 상처를 입었다.

하지만 풍교헌이 쌓아온 명성과 신뢰, 그리고 대중들의 응원에 풍교헌은 우리 민족의 전통문화 계승과 보존이라는 역사적 사명을 외면할 수 없었다. 이에 현대인들이 소홀하게 여기는 가정의 질서와 예절, 전통문화와 정신의 소중함을 일깨워주는 체험의 장으로 전통문화체험관 청학동 풍교헌을 열고, 청학동에서 농촌 유학학교의 새로운 모델을 개척해 가고 있다.

② 도인촌 청학동 전통 서당

청학동은 많은 변화과정을 겪었다. 청학동은 상상의 이상향에서 관광지로 바뀌었다. 상상의 공간은 그 공간을 바라보는 시선에 의해 굴절되기도 하고 때로는 혼돈의 상황을 지나오면서 현실적으로 태어났다. 청학동의 변화는 청학동 마을에 많은 것들을 바꾸어 놓았다. 선주민들이 이전부터 살아오던 곳이지만 이 이야기의 주인공은 당연히 갱정유도인들이다. 왜냐하면 그들이 청학동으로 이주하면서부터 자의였든 아니었든 청학동의 변화를 역동적으로 이끈 장본인들이었기 때문이다. 그들은 처음에 종교 수행자로 왔다가 지금은 평범한 청학동 사람으로 살아간다.[448)]

갱정유도인들은 종교적 수행을 위해 청학동에 들어왔다. 그들은 청학동에 들어와 갱정유도의 실천적인 교리를 수행하면서 가난한 농민으로 살아왔다. 애초부터 그들은 상상의 이상향인 청학동의 주인공이 아니었다. 하지만 외부인들이 주인공으로 만들어 버렸다. 이어서 '청학동'이라는 마을 이름이 생겨나고 관광개발의 대상이 된다. 〈중략〉. 종교집단으로서의 정체성이 약화하면서 그들의 일상이라 할 수 있는 내부의 서당 교육도 사라졌다. 하지만 그들은 서당 훈장이 되어 외부 학생들에게 예절교육을 담당하는 서당 사업가로 살아가게 된다.[449)]

아직도 청학동 하면 옛날 전통 서당과 훈장이 있는 마을을 떠올린다. 청학동의 서당은 도인촌 사람들이 갱정유도의 종교 생활을 해나가는 일상 수행과정이었다. 그런데 청학동 예절교육은 수행과정인 서당 교육이 새로운 생활 수단으로 활용된 사례이다. 서당 교육은 나중에 변화한 환경에 맞추어 살아가기 위해 선택한 새로운 생계 수단이 되었다고 할 수 있다. 갱정유도인들이 유교식 교육을 중시하게 된 이유는 그들의 교리 자체에서 물질을 비속한 것으로 여기는 데서 비롯된 것이다. 그들은 물질이란 자연의 이치에서 생겨난 그대로가 좋은 것이며 인위적으로 개발되는 과학 문명은 생활에 편의를 제공해 줄지 모르지만 인간의 본성을 타락시킨다고 생각했다. 그들은 유교가 부흥되게 되면 공자와 맹자의 학문이 번성하게 되고 그 이후에 평화로운 선천세계가 온다고 믿었다. 이때를

---

448) 고원규, 《청학동의 상품화와 전통의 창출 상상의 이상향에서 관광명소로》에서 인용, p.314에서 인용

449) 고원규, 위 책, p.315에서 인용

준비하기 위해서 실천해야 하는 교육이 유교식 서당 교육이었다.[450)]

현재 청학서당 입구

현재 청학 서당 전경(옛 진주암터)

옛 청학서당 모습
(강태진, 《삼포 불이향 옛 하동》에서 인용)

옛 '청학서당' 시절부터 사용 중인 간판,
현재도 사용 중이다.

갱정유도인들은 청학동으로 들어 오기 이전부터 그 전통을 이어가기 위해서 마을 내부에서 비교적 학식이 높은 사람을 훈장으로 모셨다. 그렇지 않을 때는 나른 지역에서 자격을 갖춘 훈장을 모셔다가 마을 어린이들을 교육하였다. 그만큼 청학동 도인촌에서 서당 교육은 그들이 지향하는 종교 생활의 목적을 위해 중요한 제도였다고 할 수 있다.[451)]

청학동 도인촌의 서당 교육은 6~7세 때부터 한자의 뜻을 이해하기 위한 《천자문》이나 《동몽선습(童蒙先習)》을 시작하였다. 이해정도에 따라 《사자소학(四字小學)》, 《명심보감(明心寶鑑)》의 훈역(訓譯)을 익히고 그다음에 경서(經書)를 읽는다. 그러나

450) 고원규, 위 책, p.315~316에서 인용

451) 고원규, 위 책, p.316에서 인용

학습력에서 차이가 심하므로 어떤 학동들은 사서까지 마쳤으나 《사자소학》이나 《추구(抽句)》 정도에서 그치는 어린이도 많았다.[452]

이곳 서당의 훈장의 면면을 살펴보면, 1966년 지당(芝堂) 김용선(金龍宣) 선생을 시작으로 1969년에는 원산(遠山) 김정달(金正達) 선생, 1973년부터는 인당(仁堂) 곽정모(郭正模 선생), 1978년부터는 동천(東川) 김동호(金東浩) 선생, 1983년에는 인산(仁山) 정병호(鄭丙浩) 선생, 1986년에는 학촌(鶴村) 이정석(李正錫) 선생, 1998년에는 금천(錦泉) 이학규(李學圭) 선생, 2006년에는 원광(園光) 서형탁(徐亨卓) 선생에 뒤를 이어 2015년부터는 인산(仁山) 정병호(鄭丙浩) 선생이 다시 훈장을 맡아 현재에 이르고 있다.[453]

이러한 갱정유도인들의 서당 교육도 1978년 의무교육이 시작되면서부터 변화하기 시작했다. 제도권의 초등교육을 받지 않으면 법적인 제재를 받게 되면서부터였다. 그래서 학령기의 아이들을 묵계리 삼거리 마을에 있는 묵계초등학교에 보내고 저녁에는 서당에서 한문을 익히는 두 가지 교육을 병행하였다.

학부모들은 지금까지 해오던 서당 교육의 방식을 바꾸기가 어려웠다. 하지만 변화해가는 현대화의 흐름 속에서 제도권의 공교육을 따라가는 길이 자식 교육에 더 유용하다고 생각했다. 그것은 현대사회에 필요로 하는 사람들을 길러내는 데는 신식교육이 필요하다고 받아들였기 때문이다. 그래서 초등교육을 마친 아이들도 90년대에 들어가면서 거의 대다수가 하동, 진주 등지의 중・고등학교로 진학하였다. 이런 변화는 전통에 기반하고 있던 서당식 한문교육을 약화시켰다. 한문교육이 등한시되면서 도인촌의 종교수련을 위한 일상생활도 함께 약화하는 길을 걷게 된다.

현재 청학동 전통 서당은 2005년에 현재의 위치로 이전하였으며, 정병호(鄭丙浩) 선생의 훈도 아래 15명의 학생이 공부하고 있다.

③ 청학동 서당의 그 명암(明暗)과 미래[454]

도인촌 사람들은 마을 내에서 실시하던 자녀를 위한 서당 교육을 외부인을 상대로 한 예절교육으로 전환하게 된다. 도인촌 사람들이 예절교육을 선택하게 된 것은 당시

452) 고원규, 위 책, p.316~317에서 인용

453) 현재 청학동 도인촌의 청학서당 '정병호' 훈장이 작성한 자료를 학로계 계장 김삼주와 총무 양점동으로부터 받아 작성했다.

454) 이글의 내용은 주로 고원규 박사의 책 《청학동의 상품화와 전통의 창출-상상의 이상향에서 관광 명소로》, 민속원, 2016에서 인용하여 작성했다.

교육부의 인성교육을 강조하는 교육정책 때문이었다. 청학동 서당의 훈장은 인성교육을 강조하는 정부의 방침에 따라 외부에 강연을 나가게 되었고, 이 밖에 한문교육을 받으려는 사람들의 밀려오는 특강 요청으로 바빠지게 되었다.

그래서 마을 사람들은 서당 교육을 활용하여 '서당 교육사업'을 해 보자는 의견을 모으게 된다. 처음 시작한 서당 사업은 마을의 지식인들이라 할 수 있는 서당 훈장과 몇몇 인사들에 의해 논의되었다. 그들의 의견은 도인촌의 서당 예절을 상품화시켜 보자는 것이었다.

청학동에서 서당 교육사업이 본격적으로 시작된 것은 1996년 경이었다. 이들 서당의 주 고객이 외지 학생들이었으므로 강의실은 물론 숙소와 식당까지 갖춘 상당한 규모의 '서당 연수 시설'이 필요했다. 이리하여 마을 사람들이 운영하는 서당이 가장 많을 때는 13개소에 달했고, 외지인들이 경영하는 곳까지 합치면 한때 23개나 된 적도 있었다. 갱정유도인들이 경영하는 서당의 유형은 개인이 운영하거나 공동으로 운영하는 사례도 있었지만, 외지에서 훈장을 초빙하는 경우 등 다양했다. 이렇게 되자 갱정유도인들의 2/3가 서당 일에 매달려 살고 있었다. 이렇게 청학동의 서당 교육사업이 번창하게 되자 도시로 나갔던 젊은 갱정유도인들이 되돌아오는 경우도 생겼다.

고원규 박사의 연구에 의하면 청학동 서당 사업이 활황기였던 2013년 말 현재, 청학동에 20개의 서당사업자가 있었다고 한다. 그 내용은 다음 표[455]와 같다.

[표] 청학동 서당 활황기의 사업 주체의 출신별 유형(일부 수정)

구분	갱정유도인	묵계 선주민	단군교	서당 사업 목적 이주민	총계
서당 명	몽양당, 청학동 청소년수련원, 청학수련원, 청학동 명륜학당, 청학동 고목당, 명심서당, 청학서당, 옛날 서당, 선비서당, 도인촌 서당, 효 예절서당	수신정, 풍교헌, 청림서당	운봉서당, (청학원: 대안학교)	(난야서당), (고운원), (슬기서당), 효예절서당	
서당 수	11	3	2	4	20

서당 교육사업의 양적인 팽창과 함께 청학동 서당에서 실시하는 전통 예절 인성교육에 대한 비판과 자성의 목소리가 나오기 시작한다.

그 첫째가 서당 경영이 상업적일 수밖에는 없지만 제대로 된 가르침을 주고 떳떳한 대가를 받는 서당 경영을 하자는 것이었고, 둘째로, 오랜 기간 제기되어 온 교육시설 기반의

455) 이 자료는 고원규 박사가 2013년 말을 기준으로 직접 작성한 표(고 박사의 위 책 p. 319)이다. 괄호 내의 서당은 회동지역에서 운영되는 서당이며, '최근 들어 조금 줄어든 것으로 나타났다'라는 설명도 부가해 놓았다. 또, 고 박사는 '청림서당'을 '서당 사업 목적 이주민'이 세운 서당으로 분류했으나 그 설립자가 이 지역 선주민 출신으로 알려진 인물이다. 또한 '난야서당'도 회동지역에 있는 서당이므로 ( ) 표시를 했다.

부실에 대한 외부의 비판이었다. 열악한 시설임에도 불구하고 이익을 위해서 시설 규모에 비해 많은 학생을 수용해 온 것이 현실이었다. 특히, 교육청과 지방자치단체, 언론으로부터 '청학동 서당이 제도권 밖의 불법 시설물'이라고 규정하는 따가운 시선들을 의식하지 않을 수 없었다.

외부기관들이 지적한 내용은 예절교육과 관련된 것이라기보다는 주로 비위생적인 시설, 강압적인 교육 태도 등에 관한 것들이었다. 이에 '청학동 서당연합회'를 구성하여 시설기준에 대한 협약, 교재의 표준화 등의 사업을 정하고 규약을 따르지 않으면 징계하기로 하는 등 자구 노력을 해 왔다.

그러던 중, 지난 2021년, 청학동의 한 서당 기숙사에서 일어난 "폭력" 문제가 언론에 대대적으로 보도된 여파로 청학동 서당 사업은 현재 개점 휴업상태이다. 이렇게 급변하는 시류 변화 속에서 선의의 피해를 본 서당들도 상당수 있을 것으로 본다.

전국적으로 학령인구가 급격하게 감소하는 것은 사실이지만, 그러나 틈새 교육시장은 얼마든지 열려 있다. 전국적으로 매년 중도 탈락 청소년은 수없이 많다. 그 이유는 학생 자신의 문제인 경우도 있겠지만 가정적인 요인도 무시할 수 없다고 본다. 따라서 본의 아니게 심리적인 상처를 입은 학생들을 가족처럼 보살피며 생활할 수 있는 쉼터와 안전한 생활공간이 필요하다. 얼마 전까지 우리 사회는 청학동의 많은 서당이 그 역할을 담당해주기를, 아니, 해줄 것으로 믿었다. 우리 사회는 물론 학부모들은 그런 서당을 열망했다.

그러나 청학동 서당은 그 열망을 제대로 수용해 주지 못했다. 오히려 일부 서당은 학부모들의 기대를 저버렸다. 이미지가 나빠진 청학동 서당을 되살리려면 어떻게 해야 할까? 서당 운영자는 물론 교육 당국에서도 각고의 노력이 필요하다.

청학동으로 유학을 오는 아이들을 안전하게 먹이고, 재우며 보호하는 일은 가장 기본이다. 이것은 학생들의 안전과 인권을 보장하는 일이다. 일시적이기는 하지만 부모를 대신해서 마음 편히 의지할 수 있는 평화롭고 안정적인 거처가 필요하다. 그러나 그것으로 만족할 수는 없다. 그들에게 필요한 것은 인성교육만이 아니다. 그들에게도 희망찬 미래가 있다. 그런 미래를 보장해 줄 수 있는 미래교육 프로그램이 필요하다.

그러자면 서당뿐만 아니라 인근 초 · 중학교, 교육 당국과 함께 변해야 한다.

청학동을 **'청학동 미래 대안교육특구(가칭)'**로 지정받아 우리 지역의 청소년은 물론 청학동으로 유학 오는 모든 청소년에게 **최상의 미래 교육 서비스를 제공**해 주어야 한다. 그러자면 중학교도 수요자가 많은 쪽으로 이전하는 것이 바람직할 것으로 생각한다. 아니면 이에 걸맞은 새로운 형태의 초·중등 통합학교를 만들든지……

"청학동의, 청학동에 의한, 청학동을 위한 미래 대안교육 모델의 창출"

이것이 현재 청학동 서당의 주체들이 발 벗고 나서야 할 일이라고 감히 권유하는 바이다. 청학동의 모든 서당이 최근의 오명을 씻고 환골탈태(換骨奪胎)하여 하루빨리 활력을 되찾기를 향우의 한 사람으로서 간절히 바라며 응원한다.

■ 청학동 도인촌과 천제궁[456]

진주암 도인촌 '천제궁' 전경

'갱정유도'는 1945년 강대성(姜大成, 1890~1954)이 창시한 종교. 일명 '일심교(一心教)'라고도 한다. 이 신흥종교의 정식 이름은 '시운기화유불선동서학합일대도대명다경대길유도갱정교화일심(時運氣和儒佛仙東西學合一大道大明多慶大吉儒道更定教化一心)'이다. 집단생활을 하는 이들의 가옥은 한국 전래의 초가집 형태를 띠고 있으며 의생활도 전통적인 한복차림을 고수하고 있다.

천제궁(天祭宮)은 춘추(春秋)로 천지전(天地前)에 대제(大祭)를 올리는 전당(殿堂)이다. 매년 음력 4월 8일과 10월 3일을 기하여 천제(天祭)를 드린다. 이 외에도 도조(道祖) 강대성(姜大成) 탄강일(誕降日) 및 선화일(仙化日)을 기해 대제치성(大祭致誠)을 봉행(奉行)한다. 또한 1년 24절기에도 동도일심형제(同道一心兄弟)들이 모여

456) 《청암》(하복도 편저), 청학동(Cheonghak-dong, 青鶴洞)(두산백과 두피디아, 두산백과), 도인촌 천제궁(天祭堂) 앞에 게시된 간판의 내용을 인용하여 작성했다.

천지신명전(天地神明前)에 보국안민(輔國安民)과 세계평화(世界平和)를 기원하는 치성(致誠)을 거행(擧行)한다. 그러므로 이름하여 천제궁(天祭宮)이다.

천제궁은 지리산 삼신봉(三神峰: 1,284m)의 남쪽 기슭 해발고도 800m에 자리 잡고 있다. 이곳 청학동(靑鶴洞)은 신선이 학을 타고 노닐던 지상선경(地上仙境)이라 하여 중국의 무릉도원과 같은 명승지이며 이상향(理想鄕)으로, 1950년대부터 유불선합일갱정유도(儒佛仙合一更定儒道, 이하 갱정유도)를 실천하려는 사람들이 터 잡은 곳이다. 이들 갱정유도인을 '도인' 혹은 '도꾼'이라 불렀고, 그래서 진주암을 '도인촌(道人村)'이라고 불렀다. 1990년 당시에는 인구가 100여 명에 달했다고 한다.

■ 마고성과 삼성궁[457)]

마고성 풍경(2024년 11월 14일 촬영)

삼성궁은 지리산 남록, 청학동 서편, 해발 850m에 있다. 마고성은 인류의 시조이신 마고할미가 살던 성(城)을 재현한 것이며, 삼성궁의 정확한 명칭은 '지리산 청학선원 배달성전 삼성궁'이다. 삼성궁과 한풀선사에 관해서 좀 더 자세한 내용은 〈제3부〉에서 소개한다.

이 고장 출신 궁을선인(弓乙仙人) 한풀선사(강민주)가 1983년 고조선 시대의 소도(蘇塗)를 복원하여 민족의 성조인 한인, 한웅, 단군을 건국전에 모셨다. 서울 유학

457) 한풀선사에 대해서는 〈제3부〉에서 자세히 소개한다. 삼성궁 관련 동영상은 〈배달성전 삼성궁 제대로 보기〉 및 〈가을 하동 삼성궁〉이 좋다. 이 정보는 강대근(묵계초 12회) 전 국민건강보험공단 지사장이 알려주었다.

시절 민족사상과 문화의 퇴폐를 목도(目睹)한 한풀선사는 민족정신이 깃들어 있는 이곳 청학동의 10만여 평 부지에 민족사상과 문화를 복원하기 위하여 서기 1984 드디어 마고성을 복원했다.

1984년 음력 3월 16일 삼성사(三聖祠)를 삼성궁으로 개명하고, 선도(仙道)의 중흥을 꾀하기 위해 화전민이 버리고 떠난 폐허 속의 원시림을 가꾸는 작업을 시작하였다. 울타리를 만들어 행인의 출입을 막고, 무려 50년 동안 굴러다니는 돌을 쌓고 연못을 파는 행위(行爲)를 하여 오늘의 엄청난 대작 삼성궁을 이루었으며, 해마다 새롭고 아름다운 모습으로 바뀌며 우주의 섭리를 재연(再演)하는 창조 작업을 끊임없이 진행 중이다.

청학선원 삼성궁(青鶴仙苑 三聖宮)

삼성궁의 가을(사진: 정헌식 박사(한국차문화역사관 백로원 원장 겸 경상국립대 한국차문화연구원장)

예부터 두류산(頭流山)은 영악(靈岳)으로 동(東)은 천황봉(天皇峯)[458]이요, 서(西)는 반야봉(般若鋒)으로 중앙(中央)에는 영신대(靈神臺)가 있어 병풍같은 장막을 치고 있다. 영신대에서 남록으로 한 갈래 맥(脈)이 이어져 삼신봉(三神峯)을 만들고, 다시 동서로 맥을 이어 신선대(神仙臺), 삼성봉(三聖峯), 삼선봉(三仙峯), 시루봉, 미륵봉을 잇는 주위 40리의 청학동(青鶴洞)을 작국(作局)하였다. 이 청학동은 신라의 석학 최치원선생(崔致遠先生)과 도선국사(道詵國師)를 비롯한 역대의 선사들께서 동방 제일(東方第一)의 명지로 가르킨 곳이다. 이 천하의 명지에 선도(仙道)의

458) 지리산 천왕봉(天王峯)을 지칭하는 것으로 생각된다.

조종(祖宗)이며, 배달민족의 국조(國祖)이신 삼성(三聖)[459](한인, 한웅, 단군)을 봉안하고, 청학선원 삼성궁(靑鶴仙苑三聖宮)이라는 배달민족성전을 일으킨 분은 한풀선사(大氣先師)[460]이다.

선사께서는 일찍이 낙천선사(樂天先師) 문하에 출가하여 선도(仙道)의 가르침을 받고 천부경(天符經), 삼일신고(三一神誥), 참전계경(參佺戒經)을 비롯한 삼륜(三倫), 오계(五戒), 팔조(八條), 구서(九誓)를 공부하였으며, 또한 삼법수행(三法修行)을 정진하며 우리의 춤과 노래, 그리고 선가무예(仙家武藝)인 선무(仙武)와 본국검(本國劍)을 사사 받았다. 선사(先師)께서는 이 땅에 배달민족 혼을 일으키고 민족적 구심점을 형성하기 위한 배달민족성전을 건립하고자 초근목피로 연명하면서 칡넝쿨과 다래 넝쿨을 걷으며, 몇몇 제자들의 도움으로 손수 모든 솟대(돌탑)를 쌓았다. 이는 고조선 소도(蘇塗)를 복원하여 고대 조선 문화에의 회귀를 꾀함과 동시에 오늘날의 잃어버린 배달 선도문화(仙道文化)를 재조명하고 민족문화 활동을 도모하기 위함이다.

■ 통일 기원 미륵정사(彌勒精舍)

미륵정사 입구(사진: 휴암 양영욱)

예로부터 불지(佛地)라는 유래가 남아있는 지리산 청학동 상불지에 1995년 10월에 자은(資恩) 스님이 법화도량 미륵정사를 조성, 창건하였다. 스님은 이곳에서 민족의 평화통일을 기원하면서 중생(衆生) 번뇌(煩惱)의 업장소멸(業障掃滅)과 해탈(解脫)을 위해

459) 삼성궁(三聖宮)의 '삼성'은 한배임(환인), 한배웅(환웅), 한배검(단군)이다(네이버 지식백과 인용).

460) '한풀선사 강민주'는 거대한 마고성과 삼성궁을 조성한 장본인. 검정고시를 거쳐 중앙대학에서 역사학을 전공하고 석사학위까지 받은 재원이다(혜움 인문학 연구소, '[인문학 여행] 지리산 청학선원 삼성궁'에서 인용)

부처님의 법(法)을 따라 60여 년의 세월을 수행 정진했다.

또한 스님은 임제불교조계종 부종정직과 사단법인 전사련비구니진흥회 도총섭직을 사임하고 방하착(放下着)[461]의 은퇴 회향을 하게 되어 45년간 법문한 말씀 중, 108개를 선시(禪詩)로 추려 엮은 선시집이 있다.

그래서인지 이곳에는 초대형 미륵불이 있고, 한반도의 모양을 본뜬 석비(石碑)와 선시를 새긴 시비(詩碑)가 곳곳에 보인다. 자은 스님의 선시 중에서 하나를 소개한다.

마음 내려놓기

주먹을 꼭 쥐고는 손에 담을 수가 없다
마음도 그렇다.
비우고, 버리고, 내려놓아야만
마음에 온 우주를 담을 수 있다.
마음 내려놓기는
오히려 충만한 마음을 만든다.

■ 청학 작은 도서관[462]

청학동 '청학 작은 도서관' 건물(1층에 도서관과 '청학 서실'이 있다)

461) 불교에서 화두로 주로 쓰이는데, 마음속의 집착을 내려놓는다는 뜻(releasing the attachments)(네이버사전)

462) '청학 작은 도서관'과 '처악서실'은 청학동 고산 김삼주 선생이 제공한 자료를 바탕으로 작성했다.

청학 작은 도서관은 청학동 공용 주차장 아래에 있다. 2013년 4월 1일 개관하였다. 장서는 약 5,000권이며, 주민이면 누구나 빌려 볼 수 있다. 개관 이래 지역 주민인 김하용이 관장을 맡고 있으며 그 내부에 청학 서실을 운영 중이다.

■ 청학 서실

청학 서실은 2013년 6월경 청학동 작은 도서관 내에 개설하여 한국미술협회 이사 겸 운영 위원인 화봉 최기동(崔基東) 선생의 지도로 전국초대작가 서흥석, 김하용, 정승환 등 3명의 작가를 배출하였고, '제9회 청학서예전'을 하동문화예술회관에서 개최하였으며, 현재 회원 20여 명이 서도에 정진하고 있다.

2023년도에만 해도 많은 입상자를 배출했다. 제42회 대한민국미술대전에 입선한 홍은표씨를 비롯하여, 제46회 경상남도미술대전에서 서경석, 김하용, 김진이씨가 특선, 정병호씨 외 7명이 입선하였으며, 제21회 서당문화한마당에서 박상동씨 입선, 제13회 고성행촌서예대전에서 김지원씨 입선, 제7회 팔만대장경전국예술대전에 박상동·김지원씨가 입선했다. 제3회 함양휘호대회에서 김지원씨가 입선했고, 제1회 이병주문학관 휘호 대회에서는 박상동씨가 금상, 홍은표씨가 은상, 정병호씨가 동상을 수상했다.

■ 삼신봉(三神峯)[463]과 내·외삼신봉

463) 한국의 산하-삼신봉에서 인용.

지리산 남부능선이 내려오다 우뚝 솟은 묵계동의 진산(鎭山)으로서 삼신봉(혹은 원삼신봉), 내삼신봉(內三神峯, 안삼신봉), 외삼신봉(外三神峯, 바깥 삼신봉)의 세 봉우리가 있다. 삼신봉(1284m)을 중심으로 동쪽에 외삼신봉(1288m), 서쪽에 내삼신봉(1355m)이 있다. 삼신봉(三神峰)은 지리산 종주 능선 최고의 조망처이며, 외삼신봉에서는 천왕봉을 가장 잘볼 수 있다. 내삼신봉 정상석은 '삼신산정(三神山頂)'이라고 되어 있는데, 이것은 3개의 내 · 외삼신봉 중에서 가장 높기 때문이 아닌가 생각된다. 이곳에서는 남부능선을 한눈에 조망할 수 있고, 측량기준점이 설치되어 있다.

- 삼신봉: 하동군 청암면, 화개면과 산청군 시천면의 경계에 있는 산이다. 해발 1,284m 정상에 '삼신봉(三神峰)' 표석과 말바위, 장군바위, 정거랭이[정걸방] 석축 등이 있다. 지리산 영신봉에서 시작된 남부 능선의 끝자락이 삼신봉이다. 따라서 노고단에서부터 천왕봉까지 지리산 종주 코스를 한눈에 조망할 수 있는 포인터이다. 힘차게 흘러내린 '남부능선'이 삼신봉에서 외삼신봉 방향의 낙남정맥과 내삼신봉 방향의 삼신지맥으로 분기한다. 삼신지맥은 삼신봉에서 서쪽으로 흐르는 지맥인데 내삼신봉, 송정봉, 쇠통바위, 독바위, 상불지 고개, 가는봉[464], 시루봉, 구재봉 등으로 흘러 묵계리의 서쪽 산줄기를 이룬다. 한편, 낙남정맥은 삼신봉에서 동쪽으로 흐르는데 외삼신봉, 묵계재, 고운동재, 오봉산 등 묵계리의 동쪽 산줄기를 이룬다. 낙남정맥은 경남 내륙을 거쳐 김해까지 이어진다. 따라서 청학동에서 세석고원을 가려면 이곳 삼신봉을 거쳐야 갈 수 있다. 청학동 삼신계(三神契) 계원들이 매년 곡우절(穀雨節)에 국태민안과 마을의 안녕을 기원하는 산신제를 지낸다. 최근에는 삼신봉 정상 아래 등산로에 등산객들을 위한 쉼터가 마련되어 있다.
- 외삼신봉: 삼신봉의 동쪽 능선에 있으며 하동군 청암면과 산청군 시천면의 경계에 있다. 해발고도는 1,288m. 정상에는 '외삼신봉(外三神峰)' 표석이 있다. 징상은 평탄하고 넓다. 정상에서 서남쪽 능선 아래 약 200m 지점에 미륵암지와 일월대(日月臺)[465]가 있다.
- 내삼신봉: 삼신봉은 동으로는 한찰재(묵계재), 서쪽으로 내원재와 상불재, 남으로는 청학동, 북쪽으로는 수곡재와 세석을 이어주는 사통팔달 요충지로서 역할을 한다. 이 삼신봉을 기점으로 다양한 등산로가 열려 있다. 산행코스는 남부능선 코스가 대표적이며

464) 일부 등산행 지도 등에서는 '관음봉'이라고 표기하고 있으나, 고산 김삼주 선생에 의하면 원래 이 고장에서 부르는 이름은 '가는봉'이었다고 한다. 그래서 이 책에서는 '가는봉'으로 표기했다.

465) 일대(日臺)는 외삼신봉에 있고, 월대(月臺)는 진주암의 석각삼봉 가운데 하나인 독바위이다.

청학동에서 삼신봉, 상불재를 거쳐 다시 청학동으로 돌아오는 청학동 순환 코스, 삼신봉-상불재-불일 폭포, 삼신봉-거림골 등의 코스가 있다.

이 삼신봉에 오르면 서부 경남 일대와 동부 전남 일대의 산들을 거의 다 볼 수 있다. 즉, 남해 바다와 진양호, 가야산, 백운산, 금산 등이 바라보이고, 북으로는 지리 산맥 전체가 한눈에 들어온다. 남부능선은 동쪽의 산청군 시천면과 서쪽의 하동군 화개면을 가른다. 삼신봉에 올라서면 장엄한 지리산의 주능선이 한눈에 들어온다.

삼신봉에 올라서면 장엄한 지리산의 주능선이 한눈에 들어온다. 외삼신봉(外三神峯) 아래에는 일월대(日月臺)와 미륵암 터가 있고, 내삼신봉 아래에는 미륵바위, 코끼리바위, 외뿔 바위 등이 절경을 이루며 몇천 년 묵은 주목(朱木)이 있다.

내삼신봉 정상에서 바라본 '남부능선'의 장관. 멀리 오른쪽에 천왕봉의 웅장한 자태와 깃대봉, 영신봉, 세석평전이 보인다. 남부능선은 영신봉에서 삼신봉까지 약 8km(사진: 〈블로그 주유천산〉에서 인용)

한편, 청학동 탐방지원센터를 지나 청학동 도인촌과 갈림길에 '삼신산(三神山) 표지석'이 있다. 여기가 삼신봉 등산로 입구이다. 이 표지석에 새겨진 문구는 다음과 같다.

三神山(삼신산)

만고강산 유람할제 삼신산이 어디메뇨
우리 겨레의 가슴 깊이 새겨 있는 삼신산
불행과 역경이 있을 때마다 찾아가 촛불켜고
향피우며 기복하던 산 이곳에서 계곡 가로
나 있는 산길을 따라 약 2.5km 정도 오르면
해발 1,284m의 삼신산 정상에 이른다.
정상에는 신령님께 기복하던 제단이 있고
북으로는 천왕봉에서 노고단에 이르는
지리 산맥이 병풍처럼 둘러있고 남으로는
무수한 산봉우리와 남해바다가
그림처럼 펼쳐져 있다.

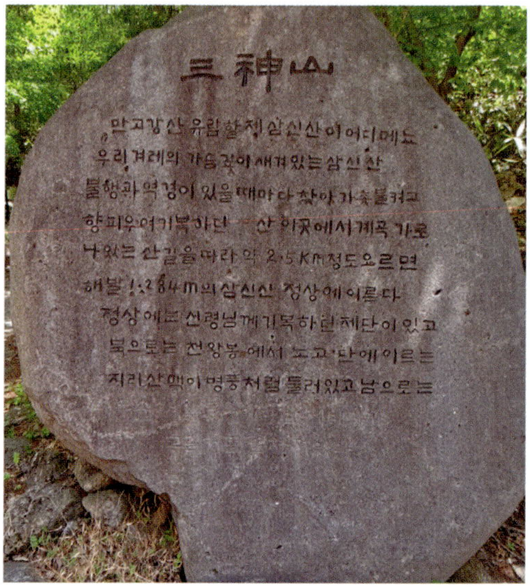

■ 삼신봉 산신제

〈삼신봉 산신제〉 후 참석자 기념사진 촬영 모습(92년 7월 14일)

〈삼신계(三神契)〉에서는 청학동의 안녕과 번영을 기원하기 위하여 1977년부터 26년간 청학동 삼신봉에서 매년 곡우절을 전후하여 삼신제(三神祭)를 지내왔으나, 산불 예방을 위한 국립공원 측의 요청으로 진주암 마을 뒤쪽에 삼신 제단을 마련하고 2003년부터 매년 이곳에서 산신제를 모시고 있다. 2013년 4월 20일에 삼신계 창립 기념비를 세웠다. 이와 관련해서는 〈제3부〉에서 자세히 소개할 예정이다.

■ 삼신봉에서 바라본 지리산 종주 능선과 남부능선

삼신봉은 좌우에 외삼신봉과 내심신봉을 거느리고 그 품 안에 청학동을 품고 있을 뿐만 아니라, 그 정상에 서면 천왕봉, 장터목, 세석고원, 벽소령, 삼도봉, 반야봉, 노고단이 한 폭의 병풍처럼 펼쳐진 지리산의 주 능선 전체를 한눈에 조망할 수 있다. 이것은 삼신봉만이 갖는 최고의 매력이다. 그 웅혼한 지리산의 감동을 보고 느끼고 추억하기 위해 수많은 내방객이 사계절 찾는 최고의 포인트이다. 삼신봉을 지나 외삼신봉을 지나는 능선은 232km의 낙남정맥으로 흐른다. 이곳 정상에 세워진 안내판의 내용은 다음과 같다.

[삼신봉에서 바라본 지리산 종주능선]

"지리산국립공원에서 동서로 길게 펼쳐져 있는 종주 능선(縱走稜線)(25.5km)은 천왕봉(1,915m), 반야봉(1,732m), 노고단(1,507m)의 삼대 주봉(主峯)을 연결하는 지리산(智異山)의 대표적인 탐방로입니다. 지리산의 종주 능선에서는 천왕일출(天王日出), 반야낙조(般若落照), 노고운해(老姑雲海) 등 아름다운 경관 자원을 비롯, 삼대가 덕을 쌓아야 볼 수 있다는 반달가슴곰 등 희귀한 야생 동 · 식물을 만날 수 있습니다. 지리산국립공원 사무소는 다양한 야생동물과 수려한 자연경관, 유구한 문화유적 등을 온전히 보존함으로써 자연과 문화가 어우러진 탐방환경을 조성하겠습니다."

삼신봉 정상에 설치된 지리산 종주능선 안내판(삼신봉 안내판 촬영)

■ 삼신봉 노거수(老巨樹) 천년 주목(朱木)[466)]

지리산 삼신봉 북쪽 아래에 있다. 청학동 삼신봉 주목의 수령은 적어도 1,000년 이상으로 추정되는 전국 최대급으로 천연기념물 급의 노거수이다. 중심부위는 썩어 없어져서 외피 부분과 나뭇가지만 살아 있다. 그러므로 겉보기 수령보다는 훨씬 더 오래되었을 것으로 추정된다. 따라서 보호가 시급한 실정이다.

삼신봉 일대에는 미륵암 절의 '음양수', 최치원의 '갓걸이재', 정걸방의 '석축', 송정 하수일의 피난처 '송정굴', '쇠통바위'와 청학동의 비결과 전설, '독바위' 등과 도인촌, 삼성궁, 김다현길, 회남재 숲길 걷기 등 사계절 스토리가 풍성하다. 여기에 이 노거수가 천연기념물로 지정이 된다면 또 하나의 볼거리가 창출되는 셈이다. 청학동 미륵골에서 출발하여 도인촌과 김다현길→미륵암 절터의 음양약수→외삼신봉(천왕봉 조망)→갓걸이재와 최치원의 전설→삼신봉(지리산 종주능선과 남부 능선 조망)→이인(異人) 정걸방의 지리산 석축→수천 년을 지켜온 주목나무→내삼신봉→송정 하수일의 피난처 송정굴→쇠통바위와 청학동 비결의 전설→독바위→상불재→삼성궁을 순환하는 등산코스는 지리산 일대에서 가장 풍부한 인문학적인 스토리를 가진 창조적인 등산 코스가 될 것이다.

천년 주목(사진: 청학동 고산 김삼주 선생)

한편, 이 주목나무 노거수에 대해서 지난 2011년 8월 3일 하동군청 학예연구사, 국립공원 지리산 사무소 청암분소, 청학동민 김삼주 등 주민이 합동으로 1차 현장 조사를 한 적이 있다. 당시의 현장 조사 출장보고서[467)]에 의하면 "이 주목은 삼신봉에서 내삼신봉 근처의 "왼골"에 있다. 행정적으로는 화개면 대성리 단천미을 위쪽 세곡 해발고도 1,158m, 위치 정보는 동경 127°41′53.44″, 북위 35°15′49.67″이다. 이 주목나무 노거수의 높이는 15m, 지표 부근 둘레는 4.1m(살아 있는 부분 3.6m), 지표 부근 직경 1.7m, 지하고 2.6m 등으로 상부는 썩어서 없어지고 수관과 외피 부분만 살아 있지만,

466) 청학동 김삼주 제공 자료 및 《위키백과-주목》에서 인용, 작성했다.

467) 〈삼신봉 주목나무 출장 결과 보고서(2011.8, 하동군)〉는 청학동 고산(高山) 김삼주 선생 자료 제공.

수형이 잘 갖추어진 아주 오래된 나무로 우리나라 최고 수령으로 추정됨. 주목나무는 등산로에서 급경사인 계곡 쪽으로 위치함으로써 일반 등산객이 접근하기 쉽지 않으며 주변에 구상나무, 고로쇠나무 등이 있고, 고로쇠 수액 채취를 위한 호스가 설치되어 있어 지역민에게 안내하여 보호 조치가 필요함. 금후 주목나무에 대한 문화재 지정 및 보호 관리 방안을 국립공원 측과 협의하여 진행할 계획임"이라는 출장보고서만 있을 뿐, 지난 10여 년 동안 아무런 조치가 없어서 아쉽다.

■ 진주암의 석각삼봉(石角三峯)-독바위 · 쇠통바위 · 송정바위

청암면 묵계리의 청학동설을 뒷받침하는 것이 또 있다. 소위 석각삼봉(石角三峯)이다. 석각삼봉은 청학동의 진주암을 둘러싸고 있는 세 봉우리에 바위가 돌출되어 정상을 이루는 것을 말한다. 이른바 송정바위, 쇠통바위, 독바위가 그것이다. 이 세 바위는 청암면 묵계리 청학동을 감싸고 있다. 이 석각삼봉을 묵계리 삼거리에서 한눈에 볼 수 있다. 세 바위가 모두 진주암 뒤의 산 능선 위에 있는데 **쇠통바위**를 중심으로 **독바위**와 **송정바위**가 좌우로 각각 대칭을 이룬다. **석각삼봉**이 청학동과 관련된 사실은 앞서 소개한 〈청학동 변증설〉에 근거한다.

먼저, 송정바위는 송정굴(松亭窟), 송정암(松亭岩), 송정봉(松亭峯)이라고도 한다. 송정굴은 송정바위 아래에 있는 바위굴인데 송정(松亭) 하수일(河受一)의 피란처라고 알려져 있으나 송정 하수일에 관한 이야기는 우리 지역에서 잘 알려진 것이 없다.[468] 그래서 송정굴의 주인공인 송정 하수일이 누군지 궁금해졌다. 이에 대해서는 뒤에서 별도로 다루겠다. 청학동의 고산 김삼주 선생에 의하면 송정바위는 그 생김새가 남쪽으로 날아가는 형상, 즉 청학남비형(靑鶴南飛形)을 하고 있다고 한다.

도선비기, 청학동결, 파한집, 겸암일기 등을 비롯해 현재까지 20여 장 넘게 전하는 청학동 도 등을 토대로 청학동의 모양을 말하면 다음과 같다. '진주 서쪽 147리로, 지리산 남쪽 기슭 하동 땅이다. 광양 백운산 삼봉이 정면으로, 남해가 마주 보이는 곳으로 임좌 병향[469]이며 전체가 풀밭으로 주위 40리가 평탄한 곳이다. 작답 천여 석에 이르는 곳으로, 천여 호가 지낼 만하다. 중앙이 큰 북, 큰 방과

468) 도정(島亭) 여재규(余宰奎) 선생이 쓴 《하동군사》에서는 '송정굴: 청암면 학동 뒤. 송정 하수일의 피난처'라고 소개하고 있고, 하복도 선생의 《청암》 지(誌)에서도 이를 인용하여 소개하고 있다.

469) 좌향 중에서 임좌(壬坐丙向)이란 임(壬)의 자리를 기준으로 할 때 병(丙)을 바라보는 위치라는 의미이다. 임(壬)은 북향과 북서향 사이를 말하며, 병(丙)은 남향과 남동향 사이를 지칭한다.

같은 제비집 형태다. 십리 밖에 내 · 외 석문이 있고 동쪽에 기암, 후룡[470]에는 석각삼봉이, 백호 방향에 인암이 있으며, 좌우에 해바위와 달바위가 있다. 돌우물이 있고 바위벽에는 '이청년(李靑年)'이란 각자가 새겨져 있으며 큰 연못인 용지가 있다. 물은 서쪽에서 솟아 동쪽으로 흐른다.

삼거리 묵계초등학교 입구에서 바라본 석각삼봉(왼쪽부터 독바위-쇠통바위-송정바위)

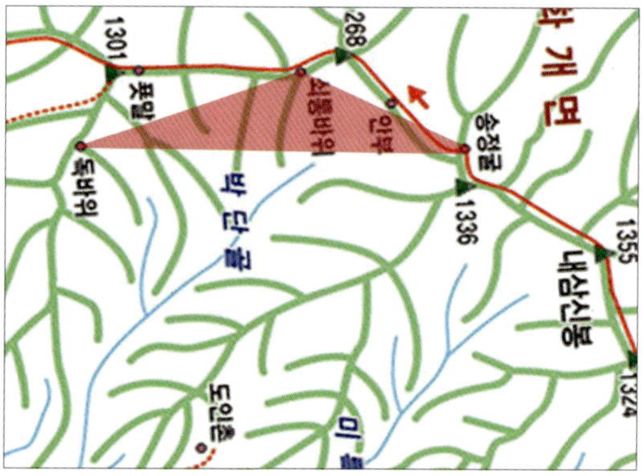

이등변삼각형의 꼭지점에 석각삼봉이 위치한다

송정바위

쇠통바위. 이 자물통의 구멍에 열쇠가 작동하는 날~~~
(사진: 〈블로그 주유천산〉 에서 인용)

'열쇠 바위'. '어거정' 앞, 길섶에 있다.

470) 후룡(後龍): 묏자리나 집을 지을 터, 도읍할 터의 뒤쪽으로 바로 벋어 내려온 산줄기(표준국어대사전 인용)

다음으로 쇠통바위는 밝단재 옆 서편 능선 위에 있는데, 바위 모양이 자물쇠통 모양이다. 여기서 쇠통은 자물쇠의 이곳 방언이다. 거대한 암석 위에 자물쇠처럼 생긴 바위가 얹혀 있고, 그 가운데 열쇠 구멍처럼 구멍이 나 있다.

이규경(李圭景, 1788~미상)은 〈청학동변증설(青鶴洞辨證說)〉에서 다음과 같이 서술했다. 또 전하는 말에 "청학동 안에는 석벽(石壁)이 있는데, 쇠로 만든 큰 자물쇠로 잠가 놓았다."라고 한다. 사람들이 말하기를, 그 안에 고운의 비결서가 있는데 누군가 그 자물쇠를 건드리면 온 산이 울며 움직이고 천둥이 치고 비가 내리는 기이(奇異)한 일이 일어난다. 그러므로 아무도 감히 그 석벽을 건드리지 않는다. 그 석벽 아래는 만 길이나 되는 절벽이다.

그리고 청학동 입구 용소 위쪽, 즉 어거정 바위 옆에 마치 열쇠처럼 생긴 '열쇠바위'가 있다. 높이가 10여 m 이상 되어 보이는데, 필자도 이 바위를 보는 순간 열쇠가 연상될 정도로 꼭 열쇠를 닮은 초대형 괴석이었다. 혹시 이 열쇠가 쇠통바위의 전설을 밝힐 키가 아닐지 깊은 상상에 빠져 본다.

끝으로 독바위 또한 범상치 않다. 독바위는 한자로 '독암(獨岩)'인데, 말 그대로 '홀로 있는 바위'이다. 독바위는 터골 뒷산 제일 높은 봉에 있는 문인상(文人像)의 바위로서 본래 덕바위(德岩)가 독바위로 모음조화가 일어난 것으로 추측된다.

■ 송정굴의 주인공, 송정(松亭) 하수일(河受一)은 누구인가?

묵계 청학동이 명성을 얻으면서 삼신봉을 찾는 등산객도 늘었다. 이곳 지리산 삼심봉 등산코스에는 화젯거리가 풍성하다. 먼저, 삼신봉은 지리산 종주 능선 25.5km를 한눈에 조망할 수 있는 최고의 조망처(view point)이다. 또, 이곳에는 이인(異人) 정거랭이가 쌓은 석축도 있고, 천연기념물 급인 천년 주목에 송정굴이며, 쇠통바위며, 독바위도 있다.

그중에 항상 스치듯 지나치며 들은 송정굴 이야기도 흥미롭다. 다음은 어느 블로거의 송정굴에 관한 이야기이다.[471] 이 내용은 필자가 평소 알고 있는 것과 대동소이하다.

"지리산 삼신봉 산행을 하면서 삼신봉 정상에서 내삼신봉을 거쳐 삼성궁으로 향하는 정상 능선길 등산코스에서 살짝 옆으로 벗어난 지점에 정말 커다란 바위굴인 송정굴이 산객의 발을 머물게 합니다. 송정굴(松亭窟)은 경상남도 하동군 청암면 묵계리 지리산 삼신봉 정상부에 있는 바위굴을 말합니다. 임진왜란 때 진주 출신 송정 하수일 선생이 가족을 데리고 이곳 바위에서 기거했다는 이야기에서

471) 〈블로그 강한샌디's 휘파람〉에서 인용. 사진 사용도 허락을 받았다. 강한샌디님께 감사드린다.

송정굴이라 하였습니다."

'역발산기개세(力拔山氣蓋世)', 힘찬 기운이 느껴지는 송정굴과 송정바위

반대쪽에서 본 송정굴의 위용. 폭 약 5m, 길이 약 12m의 대형 굴이다.

송정굴 내부에 선 필자

제2의 송정굴. 송정굴 위쪽의 소형 굴

'송정 하수일이란 도대체 누구인가?' '그는 과연 임진왜란 때 이곳에서 피란했을까?'

이런 궁금증은 비단 필자만이 가지지 않았을 것이다. 이번 기회에 그 궁금증을 확인해 보고 싶었다. 그리고 지리산 삼신봉 등산로에 송정 선생의 일화(逸話)를 더하고 싶었다.

2023년 봄부터 시작된 송정 선생에 대한 탐색을 마무리하는 의미에서 2024년 11월 21일, 송정굴을 다시 찾았다. 그동안 여러 번 등산 중에 스치듯 보고 지녀왔던 인상과는 상당히 다른 느낌이었다. 송정 선생을 알고, 그 굴 앞에 다시 서니 무척 흥미로웠다.

먼저, 그 외관이 너무 재미있다. 전면에 서서 바라보는 순간, 얼핏 박진감 넘치는 소싸움이 떠올라 미소 짓게 했다. 전투력이 강인한 싸움소가 머리를 처박고 상대를 힘차게 밀어붙이는 형세다. '역발산기개세(力拔山氣蓋世)의 형세이다!'[472]. 이렇게 땅에 처박은 머리통과 버티고 선 몸통 사이에 형성된 삼각형 모양의 공간이 바로 송정굴이다. 전면에서

472) '역발산기개세'의 원문은 '역발산혜기개세(力拔山兮氣蓋世)'이다. 중국 서초패왕(西楚霸王) 항우의 노래 〈해하가(垓下歌)〉에서 나온 말이다. 《사기(史記)》 〈항우본기(項羽本紀)〉에 실려 있다. B.C. 202년 해하(垓下)에서 40만 한나라 군사와 제후군들이 항우의 군대를 겹겹이 포위하였고, 항우는 더 이상 이길 수 없는 형세가 되었다. 밤이 되어 한

바라보면 대략 지면을 빗변으로 하는 직각 삼각형에 가깝다는 느낌도 들었지만, 내부에 들어가서 살펴보면 직각보다는 더 큰 둔각으로 내부는 마치 A형 텐트의 한쪽 사면을 완만하고 길게 펼친 모양새다.

다음으로 바위틈새에 형성된 바위굴 치고는 생각보다는 대형이었다. 진주암 도인촌의 뒷산, 해발 1300m가 넘는 삼신지맥의 정상부에 형성된 굴은 전면이 진주암 마을과 같이 남동 방향이며, 뒤쪽인 북서쪽으로 약간 경사진 형태인데, 전후 길이가 11.5m, 좌우 폭이 4.5~5m, 최고 높이 약 3m로 성인이 그 내부에서 서서 활동하는 데 아무런 지장이 없다. 굴 내부 바닥 면의 넓이는 대략 15평 전후로 보이며 대형 컨테이너 하우스 몇 채가 통째로 들어갈 만한 공간이다. 뒤에서 자세히 소개하겠지만, 진주성이 함락된 직후인 1593년 계사년 7월, 송정 선생과 그 형제자매의 가족들이 진주암 뒷산의 숲속과 바위틈에서 7일 동안 왜병을 피해 추위와 배고픔을 참아가며 피란한 기록을 찾았다.

앞서 석각삼봉에서 보았듯이 송정굴과 한 덩어리라고 해도 과언이 아닌 송정 바위는 마치 새 부리처럼 날렵하게 튀어나온 형상이다. 마치 새가 하늘로 솟구치는 형상인데, 이를 두고 향토사학자인 고산 김삼주 선생은 '청학남비형(靑鶴南飛形)'이라고 했다.

그리고 함께 송정굴을 찾았던 날렵한 후배 휴암은 송정굴 뒤쪽 높은 바위틈에서 송정굴과 모양이 비슷하지만 작고 아담한 제2의 바위굴을 찾아내고서는 이를 '송정굴의 다락방'이라고 이름하였다. 또한 필자는 송정 바위 뒤쪽에서 삼신봉 정상의 정거랭이 석축과 유사한 소규모 석축을 발견하였다. 전해오는 말에 의하면 이인(異人) 정거랭이는 지리산 일대 200여 곳에 석축을 쌓았다고 하니, 이 석축도 필시 정거랭이의 유적일 것으로 추측된다. 산길을 날아다니듯 경쾌한 휴암의 활약 덕분에 송정굴을 다시 찾은 보람이 배가되었다. 땡큐 휴암!

나라 병사들이 초나라의 노래를 부르자 사기가 이미 떨어진 초나라 병사들은 고향땅과 나라가 한나라에게 넘어간 것인가 하며 크게 낙심하였다. 이에 항우는 술을 마시고 눈물을 흘리며 노래를 불렀다. "힘은 산을 뽑을 만하고 기개는 세상을 덮건만[力拔山兮氣蓋世(역발산혜기개세)] 때가 이롭지 않고 오추마 또한 나아가지 못하는구나[時不利兮騅不逝(시불리혜추불서)]. 오추마 나아가지 못함은 어쩔 수 없으나[騅不逝兮可奈何(추불서혜가내하)] 우미인이여, 우미인이여! 그대를 어쩔거나?[虞兮虞兮奈若何(우혜우혜내약하)]." 사랑하는 여인인 우와 늘 타고 다녔던 준마를 노래로 부르짖으며 이겨낼 가망이 없는 상황을 괴로워하였다. 항우는 몇 번 노래를 부르더니 말에 올라타 휘하 병사 800여 명을 이끌고 남쪽으로 달아났지만, 곧 한나라 장수 관영(灌嬰)에게 포위당하였고 결국 오강(吳江) 근처에서 자결하였다. 항우의 죽음과 함께 초나라는 멸망하였다([네이버 지식백과] 〈역발산기개세[力拔山氣蓋世]〉, 《두산백과 두피디아》에서 인용)

▣ 남명학(南冥學)을 계승한 송정 하수일 선생

대각서원은 각재(覺齋) 하항(河沆), 무송(撫松) 손천우(孫天佑), 백암(白巖) 김대명(金大鳴), 영무성(寧無成) 하응도(河應圖), 모촌(茅村) 이정(李瀞), 조계(潮溪) 유종지(柳宗智), 송정(松亭) 하수일(河受一) 등 일곱 분을 모신 곳이다. 진주시 수곡면 사곡리에 있다.

송정(松亭) 하수일(河受一, 1553~1612)[473]은 조선 시대의 문신이다. 본관은 진주(晉州), 호는 송정(松亭). 고려 문신 하공진(河拱辰)의 후손이다. 송정의 조부 운금정(雲錦亭) 하희서(河希瑞, ?~1570)와 종조부 풍월헌(風月軒) 하인서(河麟瑞, ?~?)는 남명 선생과 친분이 두터웠고, 그의 아들과 손자는 남명의 문인이 되거나 재전제자가 되어 남명학파의 학맥을 계승하는 데에 중요한 역할을 담당하였다. 송정은 남명의 문도 중에서 고족(高足)으로 일컬어졌던 각재(覺齋) 하항(河沆, 1538~1590)으로부터 남명학(南冥學)의 지침서인 지결(旨訣)을 전수 하여 겸재(謙齋) 하홍도(河弘度, 1593~1666)에게 이어준 인물이다. 겸재는 '남명 이후 거론할 만한 오직 한 사람(世稱南冥後一人)'이라는 대단한 칭송을 받을 만큼 남명학파의 학맥에 중요한 위치에 있는 인물이다. 이처럼 각재는 물론 겸재가 남명학파에서 차지하는 위상을 생각해 본다면, 송정은 남명학파에서 중요한 비중을 차지하는 인물이라고 평가할 수 있다.

남명 선생은 운금정 하희서의 죽음을 애도하며 지은 〈만하희서(挽河希瑞)〉에서 "골짜기를 차지한 호랑이는 하나라도 적은 게 아니고, 뜰에 빼어난 난초 무성하여 셋이나 되는구나[當谷於菟非一少, 秀庭蘭茁是三多]"라고 하였다. 호랑이는 운금정의 아들 하면(河沔,

473) 《송정선생문집(券之一)》, 《송정세과(松亭歲課)》, 진양하씨 대종회 홈페이지 등에서 인용.

1537~1580)을 가리키고, 난초는 손자들인 송정과 그의 두 아우를 말한다. 남명은 운금정의 아들과 손자들이 훌륭한 인재임을 칭송하여 그의 집안이 대를 이어 가학을 전수할 수 있으리라 기대한 것이다.[474)]

송정은 1582년(30세)에 〈단성향교 성전중수기(丹城鄕校聖殿重修記)〉를 지었으며, 1583년(31세)에 〈덕천서원 세심정기(德川書院 洗心亭記)〉, 〈수우당명(守愚堂銘)〉, 〈촉석루 중수기(矗石樓 重修記)〉 등을 맡아 지었다. 이때 진주 일원에 남명의 학맥을 이은 학자들이 많았음에도 젊은 나이인 그가 이런 글들을 지은 것으로 보아 문명(文名)이 대단했음을 알 수 있다.

1589년(37세)에 생원이 되고, 임진왜란이 일어나기 6개월 전인 1591년(39세)에 문과에 급제했다. 그러나 다음 해인 1592년 5월 23일(음력 4월 13일) 임진왜란이 일어남으로써 그의 생애도 몹시 어려웠다. 1592년 6월, 왜란을 맞아 진주에서 소모유사(召募有司)가 되어 향병(鄕兵) 400여 명을 얻었으나 군량 부족으로 다 흩어지고 말았다. 8월에는 군량을 준비하고 다시 의병을 모았으나 결과는 여의치 않았다. 1600년(48세)에 성균관 전적으로 벼슬길에 올라 영산현감을 지냈다. 1607년에 형조좌랑, 정랑을 역임하고 1608년에 이조정랑이 되었다가 1609년 6월까지 경상 도사(都事)[475)]를 역임하고, 관직을 버리고 진주로 귀향하여 수곡 정사에서 후학 양성에 정진하면서 겸재 하홍도(河弘度) 등 많은 문하생을 배출하였다.

송정은 1612년에 60세로 생을 마감하였고 사후에 대각서원(大覺書院)에 배향되었으며 공의 학덕을 기리기 위해 세운 '송정선생사적비(松亭河先生事蹟碑)'가 낙수암(落水庵, 진주시 수곡면 사곡리에 있는 진양하씨 재실)에 있다. 저서(著書)로는 《송정선생문집(松亭先生文集)》이 있다.

▣ 송정 선생은 젊어서부터 청암(靑巖)을 자주 찾았다.

남명이 칭송할 정도로 송정 선생 삼 형제는 우의가 깊고 걸출했다. "삼 형제는 같이 먹고, 자고, 공부하며 함께 정원을 거닐기도 하였다. 그리고 형에 대한 예를 어김없이 갖췄으며, 어려서부터 종숙부 각재 하항 선생에게 나아가 함께 수학하며 가정의 훈도를 받았다."[476)]

---

474) 전병철, 〈송정 하수일의 학문과 문학〉, 《동방한문학》(46), 2011에서 인용.

475) 도사(都事)는 조선 시대에 중앙과 지방에 두었던 종5품의 관직이다. 고려 시대부터 있었던 관직으로 조선 시대에는 중앙의 중추부(中樞府) 등 부(府) 아문(衙門)에, 지방에는 각 도(道)에 설치되어 행정 실무를 담당했다.

476) 이영숙, 〈수긍재 하천일의 생애와 시 세계〉, 《남명학연구》(63집), 2019에서 인용. 이영숙에 의하면, 이들 삼 형제가 한집에 살면서 한 거동을 보면 다음과 같다. ❶ 공의 형제 세 사람은 모여 함께 밥을 먹고, 밥을 먹은 후에는 반드시

송정 선생은 젊어서부터 '청암'의 서쪽 끝에 있는 '청암사'를 자주 찾았다. 이 절 주변은 산세가 수려하고 경치가 아름답다. 절 근처에는 '청암폭포'가 있고, 절 뒤에는 이 일대에서 가장 높은 칠성봉(900m)으로 이어진다. 송정은 이 산을 청암의 '서악(西岳)'이라고 인식한 것으로 보인다. 이 폭포를 요즘은 '사동(寺洞, 절골)폭포'라고 하는데, 청암팔경의 제1경에 꼽힐 정도로 유명하며, 칠성봉의 일출 또한 청암 팔경의 하나를 자랑한다. 송정은 '청암사'와 관련된 여러 편의 시(詩)는 물론 앞서 소개한 〈유청암폭포기〉 외에도 〈유청암서악기〉 등을 남겼다.

낙수암과 송정선생사적비. '松亭先生杖履之所' 각자는 전병철의 《송정 하수일》에서 인용하여 사진 합성했다)

1577년(선조 10) 겨울, 송정 선생이 25세에 청암(靑巖) 서일암(西日菴)을 유람하며 시를 읊었다.'[477]라는 기록이 있고, 그 이듬해인 1578년 4월에는 송정이 두 아우

뜰을 거닐며 소요하였다. 저녁에는 잠자리를 정하고 등불을 밝혀 책을 읽다가 시간이 늦으면 침소에 들었다. 조부모와 부모의 병환이 있는 날이 아니면 언제나 그렇게 하였다. ❷ 공과 두 형제는 함께 공부하며 반드시 닭이 울면 일어나 세수하고 양치질한 다음 의관을 정제하고 혼정신성의 예를 부지런히 하였다. ❸ 형제는 내외간에 항상 한 집에 거처하면서도 모두 처자식을 사사로이 하지 않았다. 형이 조금이라도 깨우쳐 나무라는 것이 있으면 두 형제는 엎드려 들으며 강변하지 않았다. ❹ 선생의 삼 형제는 한집에서 함께 자라며 어려서부터 각재 선생에게 함께 수업을 받았다. 사문의 학문과 가정의 훈도를 따르며 받들지 않은 것이 없었으며, 그 나머지 과정문(科程文)의 문예(文藝)도 또한 부모를 위하여 부지런히 하였다.

477) 송정 선생 연보에 '冬遊靑巖"西日菴"詩見文集'이라는 기록이 있다. 그런데 이 시는 〈유청암서악기(遊

수긍재(守肯齋) 천일(天一, 자 太初), 매헌(梅軒) 경휘(鏡輝)와 함께 '청암사(靑巖寺)'에서 책을 읽고, 서악(西岳)에서 노닐기도 하였다. 이런 사실이 소문나자 주변에 여러 젊은 선비들이 모여들어 함께 공부하면서 서악(西岳)을 유람한 유람기[478]를 남겼다. 그것이 〈유청암서악기(遊靑巖西岳記)〉이다.

〈유청암서악기(遊靑巖西岳記)〉[479]

청암(靑巖)의 서쪽에 있는 토가사(土佳寺)는 절의 좌우가 모두 산이다.[480] 한 언덕 넘어 우뚝하게 높이 솟아 앞을 가로막고 동천(洞天)의 문이 된 것이 동악(東岳)이고, 층층의 봉우리가 여러 번 솟구쳤다 낮아졌다 하며 뻗어 내리다 우뚝하게 맺혀 주산(主山)이 된 것이 북악(北岳)이다. 작은 봉우리가 나지막이 솟아 남쪽에 일어선 것이 남악(南岳)이고, 남쪽에서부터 점점 높아지다가 천 길 절벽처럼 우뚝하니 솟은 것이 서악(西岳)이다.

올해 여름 4월에 나는 두 아우와 함께 이곳에서 글을 읽었다. 얼마 뒤 나에게 배우려고 찾아온 자들이 많이 모였다. 제군들이 말하길, "사악(四岳) 가운데 서악의 산세가 가장 기이하고 험준합니다. 그곳에 한 번 올라 유람하시지요."라고 하였다. 이에 작은 왕대나무를 지팡이로 삼고, 승려 한 사람은 앞에서 인도하고, 한 사람은 뒤에서 호위하게 하며, 한 사람은 물을 가지고 뒤따르게 하였다.

서쪽 문을 나와 작은 시내를 건넜다. 시냇가부터는 돌길이 점점 험하고 가팔랐다. 수십 보를 가니 작은 암자가 있었다. 돌담과 돌층계, 붉은 용마루 기와지붕이 푸른 숲 사이로 반쯤 드러나 보였다. 이름을 서일암(西日菴)이라 했다. 이 암자는 바로 목수이면서 승려였던 지관(智觀)이 지은 것이다. 지난해 겨울 나는 이 암자에 와서 다음의 한시 한 수를 지었다.[481] 〈중략〉

靑岩西岳記)〉 속에 다음과 같이 소개되어 있다. "작년 겨울 내가 이 암자에 이르러 일율(一律)을 지어 읊기를[居年冬余至其菴題一律曰], '숲속의 새 암자 속진(俗塵) 멀어 청정(淸靜)하니[翠微新闢逈塵淸], 낙엽 진 공산(空山)에 석로(石路)가 분명하다[木落山空石路明], 암월(巖月)은 밤이 되자 창밖에 찬연하고[巖月夜從牕外湧], 동운(洞雲)은 새벽 무렵 베갯머리 생겨난다[洞雲晨傍枕前生]〉'

478) 《송정선생문집》(2권), 〈연보(年譜)〉 1578년 무인(戊寅). "四月 與第守肯齋天一 · 梅軒鏡輝, 讀書靑巖寺, 仍游西岳記見文集."

479) 원문은 생략한다. 원문은 하수일, 《송정세과(松亭歲課)》, 경상국립대 고문헌도서관 참조하기 바란다.

480) 후술한 〈'토가사(土佳寺)'는 과연 실재했는가?〉 항 참조.

481) 서일암에서 송정이 지은 한시는 앞서 소개한 각주 475 참조.

송정 선생이 칠성봉에서 보았을 지리산 천왕봉과 종주 능선. 가까이 보이는 곳은 청암 삼은동의 하나인 '노은동'이다(사진: 휴암 양영욱, 2025.2.3. 촬영)

암자 왼쪽으로 수십 보를 가니, 아름다운 꽃과 기이한 나무가 짙푸른 그늘을 드리웠다. 구부리고 녹음이 무성한 숲속으로 들어가자 상쾌하고 시원한 기운이 감돌았다. 제군들이 바위에서 쉬며 이야기를 나누고 있었는데, 뒤에서 호위하던 승려가 갑자기 합장하며 내게 다가와 이율곡(李栗谷)이 절에서 공부하던 일을 꽤 상세히 말하였다. 내가 괴이하게 여겨 그 까닭을 물었더니, 그 승려가 말하길 "저는 금강산에서 온 중입니다. 그러므로 그 사실을 잘 압니다."라고 하였다. 담소를 마치고 다시 일어나 정상으로 오르기 위해 다시 길을 떠났다.

(정상을 향해 올라가니) 그 서북쪽은 숱한 봉우리가 사방을 에워싸고 있어 아무것도 보이지 않았다. 단지 **지리산(智異山) 천왕봉(天王峯)만 허공에 높이 솟아 있을 뿐이었다. 이에 '우뚝하게 높이 솟은 것은 우러러볼수록 더욱더 높게 보인다.'**[482]라는 뜻을 깨달았다. 그 **동남쪽은 목도(鶩島)**[483]**와 섬진강(蟾津江)이 한눈에 들어왔고 금산(錦山)과 와룡산(臥龍山)도 내 발밑에 있었다.** 그 밖에 수많은 언덕과 작은 물길들이 언덕 같기도 하고 띠 같기도 해서 한눈에 다 들어오질 않았나.[484]

482) '우뚝하게……'라는 뜻은 원래 《논어》 제9편, 〈자한(子罕)〉에 나오는 '顔淵이 喟然歎曰仰之彌高하며 鑽之彌堅하며 瞻之在前이러니 忽焉在後로다. (안연이 길이 탄식하여 말하기를, "선생님의 도는 우러러볼수록 더욱 높으며, 뚫어볼수록 더욱 굳으며, 바라볼 때에 앞에 계시더니 홀연히 위에 계시다").라는 구절을 인용하여 비유한 말이다. 이상은 최석기 외의 《지리산 유람록 용이 머리를 숙인 듯 꼬리를 치켜든 듯》의 각주에서 재인용했다.

483) 목도(鶩島)는 《신증동국여지승람》에는 '목도(牧島)'라고 되어 있는데 하동 읍치(邑治)에서 서쪽으로 10리 지점에 있다고 한다. 최석기 외 번역의 《지리산 유람록 용이 머리를 숙인 듯 꼬리를 치켜든 듯》에서 재인용.

484) 한국고전종합 DB에서는 이 부분의 원문이 '其餘衆丘小流 若垤若帶 不盈一視'라고 되어 있다. 그런데 《송정 선생문집》에서는 '그 밖의 무수한 산과 작은 냇물들이 언덕과 띠같이 한눈에 들어왔다.'라고 했고, '전(傳) 박해당'에서

> 내가 제군들에게 말하기를, "작은 산에만 올라 봐도 보는 것이 이와 같거늘, 태산(泰山)에 올라 천하를 구경함에 있어서랴. 이런 상황에서 시 한 수가 없어서야 되겠는가?"라고 하였다. 마침내 '봉(峯)' 자(字)를 운자로 해서 제군들이 각각 시 한 수 씩 지었다. 시를 읊고 돌아가려는데 승려가 왔던 길로 인도하려고 하였다. 제군들이 말하길, "그러지 마십시오. 무릇 사람이 옛 습성에 젖어 새로운 길로 나가지 못하는 것은 고인(古人)들도 경계한 일입니다. 새로운 길로 안내하시지요."라고 하였다.
>
> 드디어 산 정상에서 점점 내려와 남쪽으로 향하니, 몸이 내려가면 갈수록 시야(視野)는 더욱 낮아졌다. 내가 말하기를 "선비는 처신을 가려서 해야 하니, 낮은 곳에 처하면 보는 것이 낮고, 높은 곳에 처하면 보는 것이 높게 된다. 가려서 높은 곳에 처하지 않으면 어찌 지혜롭다 하겠는가? 옛날 정자(程子)께서 등산을 학문에 비유하였으니, 어찌 취하여 본받지 않겠는가!"라고 하였다. 어느덧 산속의 날이 점점 저물었다. 외지에서 찾아온 두 손님이 있다고 하여 하산을 재촉했다. 절에 당도해 보니 이여실(李汝實) 형제가 기다리고 있었다.
>
> 이날 산행에 동행한 자는 열 사람이었으니, 우리 형제 세 명과 정안성(鄭安性), 하문현(河文顯), 손문병(孫文炳), 양성해(梁成海), 손성(孫誠) 및 동자로서 따라 갔던 자는 양산해(梁山海), 종해(宗海)였다.

이를 보면 송정 선생 형제의 학문이 주변에 소문이 날 정도로 뛰어났으며, 특히 송정 선생의 리더십과 교육자적인 자질이 돋보인다. 청암의 서악을 유람하면서 송정 선생은 높은 산에서 하산할수록 시야가 변한다는 사실을 체험한 젊은 선비들에게 학문을 통해 진리를 탐구하는 과정을 산을 오르는 것에 비유한 정자(程子), 즉 정호(程顥)의 일화를 소개하면서 '학문하는 자의 자세'를 일깨워주었다. 송정은 '학문이란 단순히 지식을 쌓는 것이 아니라, 끊임없는 노력과 인내를 통해 높은 경지에 도달하는 과정'임을 강조한다.[485)]

그런데, '청암산'은 《진양지》와 《대동여지도》에서만 보이는데 그 위치를 달리 묘사하고 있다. 전자에서는 용유동을 소개하면서 '전두리의 서쪽 청암산'이라고 한 데 반해 후자에서는 '청암면과 시천면의 경계에 있는 '주산(主山)', 즉 '오대산' 일대'를 가리킨 것으로 판단된다. 이러한 모순을 오이환 교수는 〈유청암서악기(遊靑巖西岳記)〉를 통해, "청암산이란 어떤 특정한 산이나 산줄기 하나를 가리키는 것이 아니며, 청암면 일대에 들어찬 산 전체에 대한 통칭임을 짐작할 수 있다."라고 하면서, "오늘날 주산(主山)이란 명칭은 그 여러 산줄기 가운데서 북쪽 일대의 연봉(連峯)이 풍수지리(風水地理)에서 그 터의 운수 기운이 매였다고 하는 이른바 주산(主山), 즉 주룡(主龍)에 해당하므로 그렇게

는 '나머지 뭇 봉우리와 작은 물줄기들은 개밋둑이나 띠처럼 보였는데, 한 번의 눈길조차 채우지 못하였다.'라고 했다. 참고하기 바란다.

485) 정자는 "학문(學問)의 길이란 다른 것이 없다[學問之道無他(학문지도무타)]. 그 잃어버린 마음을 찾는 것일 뿐이다[求其放心而已矣(구기방심이이의)니라]"라고 하며, 학문을 통해 잃어버린 본성을 회복하는 것이 중요하다고 했다. 이 말은 원래 맹자(孟子)(〈고자(告子) 상(上) 11장〉)에 나오는 말인데, 이를 정자(程子)가 다시 발명(發明)하여 그 뜻을 강조한 것이다.

부른 것이며, 《대동여지도》에서도 그런 까닭에 이를 청암산으로 표시했을 터이다. 그러나 사실에 있어서는 서악(西岳), 즉 사방의 전체적 산세 가운데서 우백호(右白虎)에 해당하며 남부능선의 주맥(主脈)에서 뻗어 내리는 칠성봉 능선이 가장 높고 험준하니 그런 까닭에 《진양지》에서는 이를 청암산이라고 호칭하고 있다."[486]라는 견해이다.

칠성봉에서 보이는 섬진강 일대의 전경(사진: 휴암 양영욱, 2025.2.3. 촬영)

따라서 송정 선생 일행이 올라간 서악(西岳), 즉 청암산은 바로 칠성봉(900m)이 아닌가 추정된다. 그 이유는 청암사에서 칠성봉까지는 약 5km에 불과하다는 점, 그리고 칠성봉은 청암면, 적량면, 악양면의 경계에 있고, 이 근처에서는 가장 높은 산이라는 점이다. 따라서 시야가 막힌 곳이 거의 없으므로 조망이 뛰어나, 멀리 북동쪽으로는 지리산 천왕봉을 볼 수 있고, 섬진강과 목도[당시는 섬이었음]는 물론 멀리 남해와 그 언저리의 금오산, 금산, 와룡산과 악양의 구재봉과 형제봉, 광양의 백운산까지도 조망할 수 있기 때문이다.[487]

잘 알다시피 지리산 영신봉에서 남하하는 낙남정맥은 삼신봉에서 양쪽으로 갈라진다. 삼신봉에서 묵계동의 서쪽을 둥글게 감싸며 흘러나와 내삼신봉과 관음봉, 내원치를 지나는

486) 오이환, 위 책에서 인용.

487) 칠성봉의 조망에 대해서는 청암면 평촌리의 김규섭(1945~, 청백사 사원) 씨와 중이리 칼남재에 사는 박용원(1950~, 학로계 감사, 본서 편집 자문위원) 씨, 휴암 양영욱 후배의 증언을 참고하였고, 필자는 2025년 1월 25일, 후배 휴암, 친구 강동승과 함께 배티재에서 칠성봉을 거쳐 청암면 명호리 명사마을의 구청암사터로 하산하여 550여 년 전 송정 선생이 청암 서악(칠성봉) 정상에서 바라본 것과 같이 지리산, 섬진강, 목도 등지를 목도했다.

산맥이 삼신지맥이다. 이 삼신지맥은 거사봉에서 갈라진다. 한 줄기는 악양의 형제봉과 신선봉을 지나 섬진강으로 이어지며, 다른 줄기는 계속 남하하여 시루봉, 회남재, 깃대봉, 배티재, 칠성봉, 구재봉, 분지봉을 지나 하동읍 신기리 목도리 앞 횡천강까지 이어진다. 따라서 칠성봉에서 서북쪽으로는 삼신지맥의 높은 산들에 막혀 조망이 나쁜 것까지 송정 선생의 유람기와 일치한다.

송정 선생 형제들은 이렇게 열심히 공부한 결과, 기묘년(1579년)에 둘째인 수긍재가 22살의 나이로 가장 먼저 입격(入格)하였고, 송정과 매헌은 1589년에 매부 오월당(梧月堂) 이유함(李惟諴, 1557~1609)과 함께 셋이서 나란히 입격하였다.[488]

한편, 《송정선생문집》의 원본이라고 할 수 있는 《송정세과》에는 '청암(靑巖)이라는 지명이 들어간 시(詩)가 다수 등장한다. 예컨대 〈유**청암**폭포(遊靑岩瀑布)〉[489]와 〈**청암사** 목단화(靑岩寺 牧丹花)〉[490], 〈**청암사**에서 예전 유람을 생각함[**靑岩寺**感舊遊]〉[491]이라는 시(詩)에서 확인된다.

이상에서 보듯이 송정 선생 일가는 청암사를 포함한 칠성봉 주변 지역과 인연이 깊었던 것으로 보인다. 앞서 〈유청암폭포기〉에서 자세히 소개했듯이 송정은 부친인 정랑공을 모시고 청암폭포를 유람한 적도 있었다. 이처럼 송정 선생은 '청암(靑巖)'이라는 지명이 행정 조직상의 명칭으로 공식적으로 등장하기 이전부터 '청암'이라는 지명을 널리 사용했다.

《진양지》에 따르면 조선 전기에는 오늘날 하동군 청암면과 옥종면 일부[궁항리, 위태리,

---

488) 이영숙, 위 논문에서 인용

489) 〈유청암폭포(遊靑岩瀑布)〉. "여산의 폭포를 부러워하지 마시게[莫羡廬山瀑] 하늘의 큰 띠가 이곳에 드리웠으니[天紳此地懸] 놀라게 하는 천둥처럼 대낮에 울리고[驚雷鳴白日] 날리는 눈발처럼 무더위를 씻어 주네[飛雪洒炎天] 사람들은 물가에 자리 잡고 앉아 있고[人占平洲坐] 술잔은 굽은 물줄기 따라 전해진다네[杯從曲水傳] 시 읊고 술 마시면 그윽한 흥취 족하지[詠觴幽興足] 요란하게 악기를 연주할 필요가 있으랴[何必奏繁絃]." (하수일, 《송정세과(松亭歲課)》, 경상국립대 고문헌시스템에서 인용)

490) 〈청암사 목단화(靑岩寺 牧丹花)〉. "모든 꽃 중에서 부귀를 다 겸하고서[兼全富貴百花中] 옥 계단 붉게 다투듯 주문(朱門)을 향했네[爭向朱門玉砌紅] 무슨 일로 번화함을 스님이 배우길래[何事繁華僧又學] 불탑 앞에 잘 심어 봄바람 맞고 있나[好栽禪塔倚東風]"(하수일, 《송정세과》, 경상국립대 고문헌시스템에서 인용)

491) 〈청암사에서 옛날 유람을 생각함(靑岩寺感舊遊)〉. "청암사에 다시 와서 예전의 일 생각하니[再到靑岩尋故事], 자연경관은 옛 분위기 그대로 띠고 있네[烟霞渾帶舊氤氳] 서쪽 시내의 달이 동쪽 시내에도 비치고[西溪月照東溪月], 남쪽 산의 구름이 북쪽 산까지 이어졌네[南岳雲連北岳雲] 맑은 새벽 범종 소리는 오경(五更)을 알리고[淸曉鍾聲傳五漏], 석양(夕陽) 무렵 갈까마귀들 떼지어 뒤엎네[夕陽鴉隊擁千羣]. 이 광경 대하는 유람객(遊覽客) 서글픔을 감내하는데[遊人對此堪惆悵], 천 년 전의 아름다운 학소리 다시 들리지 않는구나[華鶴千年更不聞]."(하수일, 《송정문집(松亭文集)》에서 인용)

회신리]는 진주목 서면 오대리였고, 청암사는 당시 진주목 서면 전두리에 속했다. 임진왜란 이후, 진주목 서면 오대리와 전두리가 오늘날 옥종지역인 운곡리에 통합되었다가, '청암리'로 분리된 것은 18세기 중엽이다.

더 나아가 남명 선생께서 〈유두류록〉에서 숨 가쁘게 넘었던 '삼가식령'에 송정 선생의 중제(仲弟)인 수긍재(守肯齋)의 별장이 있었다. 이 별장의 존재는 송정 선생의 시(詩)를 통해 알 수 있다. 〈제삼가식별서(題三呵息別墅)〉[492]와 1586년에 지은 것으로 보이는 〈차중제별서운(次仲弟別墅韻)〉[493]이라는 시가 송정 선생의 《송정세과》에 수록되어 있다. 삼가식령은 청암사에서 멀지 않는 곳에 있다.

이처럼 송정 선생 본인은 물론 부친과 두 동생까지 청암사를 자주 찾았다는 사실이 분명하다. 공부와 유람, 휴양의 목적으로 보이기는 하나, 왜 이렇게 전 가족이 청암을 자주 왕래했는지, 그 연유는 아직 자세히 조사해 보지 못했다. 이 또한 앞으로 연구 과제의 하나라고 생각한다.

▣ 〈유청암서악기(遊青巖西岳記)〉와 '토가사(土佳寺)' 미스터리

〈유청암서악기〉의 다양한 풀이, '토가사는 있다, 없다?'

송정 하수일 선생의 〈유청암서악기(遊青巖西岳記)〉는 '青岩西土佳寺 寺左右皆山(청암서토가사 사좌우개산)'으로 시작된다. 이 머리글의 번역은 앞서 소개한 《지리산 유람록 용이 머리를 숙인 듯 꼬리를 치켜든 듯》에서는 <u>**ⓐ청암의 서쪽에 있는 토가사(土佳寺)는 절의 좌우가 모두 산이다**</u>(青岩西土佳寺 寺左右皆山)[494]라고 했고, 《송정선생문집》에서는 이와 유사하게 <u>**ⓐ' 청암의 서쪽에 토가사(土佳寺)가 있으니 절의 좌우는 모두 산이 에워싸고**</u>

492) 〈삼가식 별장에 제함(題三呵息別墅)〉. "무성한 측백나무 아래에[森森雙檜下], 졸졸대는 작은 개울 변두리[潩潩小溪邊]. 그 가운데 몇 칸의 집이 있으니[中有數間屋], 해 질 녘 밥 짓는 연기 피어난다[斜陽生翠煙]."

493) 《송정선생문집》(제1권)에는 〈차태초별서운(次太初別墅韻)〉으로 되어 있다. "삼가산 아래 고즈넉한 마을 있으니[三呵山下有孤村], 적막한 울타리에 사립문 반쯤 닫혀있네[籬落蕭條半掩門]. 숲 무성해 저물지 않아도 새들은 자러 오고[林茂未昏歸宿鳥], 골 깊숙해 오시(午時)가 되어서야 햇살이 비춰드네[谷深當午見飛暾]. 대문 앞에 찰벼 심어 술 빚는 데 사용하고[門前種秫堪爲酒], 창문 밖에 새우 말려 밥상 차리기 족하네[窓外收鰕足供飧] 진정한 즐거움은 의식(衣食)을 넉넉하게 하는 것만이 아니니[眞樂不徒飽喫著], 물고기 잡느라고 태평성대 저버리지 말게나[莫敎漁釣負羲軒]."(원문은 《송정세과(松亭歲課)》, 경상국립대고문헌시스템에서 인용)

494) 최석기 외 번역의 《지리산 유람록 용이 머리를 숙인 듯 꼬리를 치켜든 듯》, 보고사, 2008.

있다(靑岩西土佳寺寺左右皆山)'라고 번역하여 토가사의 존재를 말하고 있다.[495)]

이와 같은 경향은 최석기 외 번역의《지리산 유람록 용이 머리를 숙인듯 꼬리를 치켜든 듯》에서도 보이고, 강정화 교수가 저자로 참여한 '지리산권문화연구단' 편의《지리산권 유산기 선집》, 〈한국고전번역원〉의 '한국고전종합DB'의 〈유청암서악기(遊靑巖西岳記)〉 번역에서도 같은 흐름이다.

이외에도 ⓐ와 같이 '토가사(土佳寺)'의 존재를 인정하고 선생 일행의 산행 경로를 '토가사→서일암→서악 정상→남쪽 방면으로 하산→토가사'라고 소개하는 글도 있고,[496)] 또 다른 논문에서는 이 산행 경로를 '사찰 유람로'라 이름하여 '토가사→서일암→토가사'라 하고, 지리산의 '폐 사찰 목록'에 '토가사(하동)'를 기정사실로 명시하고 있다.[497)] 그래서인지 인터넷에 떠도는 '지리산 폐사지 목록'에도 '토가사'가 등장하는데 그 근거를 '하수일 선생의 〈유청암서악기〉'라고 명시함으로써 '토가사'의 존재를 고착시키고 있다.[498)]

그런데 이번에 이 기사를 작성하면서 이와 전혀 다른 해석이 있다는 사실을 알았다. 앞서 소개했듯이 남명 조 선생이 세 번이나 들린 용유동(龍游洞)이 바로 이곳 청암계곡이라 는 사실을 알게 된 것은 오이환의 논문 〈남명유적삼동변증(南冥遺跡三洞辨證)〉이다. 이 논문에 선생의 〈유청암서악기〉의 일부를 소개한 글이 있다. 그는 **ⓑ'청암의 서쪽은 땅이 아름답고 절이 절다우며, 좌우가 모두 산이다**(靑岩西 土佳寺寺 左右皆山…….)'라고 해석했다.[499)]

이처럼 ⓐ와 ⓑ는 해석이 전혀 달랐다. '아니, 그렇다면 토가사는 어디로 사라졌지?'

ⓐ에서는 '청암의 서쪽에 토가사(土佳寺)가 있으니……'라고 해석했는데…… 이제껏 궁금해했던 토가사가 허상(虛像)일 수도 있단 말인가?

이런 와중에 또 다른 번역이 눈에 띄었다. **ⓒ'청암사는 서쪽 땅에 있는 아름다운 절이다. 절의 왼쪽과 오른쪽은 모두 산이다**(靑岩 西土佳寺 寺左右皆山)'라는 해석이었다. 그리고 이 글에서는 선생 일행의 산행 경로를 '청암사→서일암→서악 정상→남쪽 능선으로 하산→청암사'라고 하여 ⓐ와는 확연히 달랐다. 이글을 옮긴이는 박해당(朴海鐺)' 박사인데, 그는 당시 서울대 규장각한국학연구원의 객원 연구원이었다. 어렵게 구한 메일 주소로

495) 하수일,《송정선생문집》

496) 강정화, 〈하수일 | 유청암서악기〉, 지리산권문화연구단 편,《지리산권 유산기 선집》(지리산인문학대전04), 도서출판선인, 2016.

497) 이종수, 〈16~18세기 유학자의 지리산 유람과 승려 교류〉,《지리산 유람록의 이해》, 보고사, 2016.

498) 인터넷《블로그 여여막(如如幕》〈지리산 폐사지 도록(지리99에서 옮겨온 자료임)〉,《블로그 beryu1(류병은)님의 블로그》〈지리산 폐사지(산청군, 하동군, 남원, 구례군)〉

499) 오이환, 〈남명유적삼동변증〉,《남명학의 새 연구》(상), p.167.

박해당 박사에게 연락했더니 다행히 답신이 왔다. 이 글은 한 산행단체의 요청으로 자신이 번역해 준 여러 '유산기' 중의 하나였다는 사실을 확인해 주었다. 참고로 박해당 박사는 불교학자 또는 철학자로 알려진 분으로 서울대학교 대학원 철학과 석·박사이며, 임창순 선생의 태동고전연구소 지곡 서당, 월운 스님의 봉선사 불경 서당 등에서 공부하였다. 서울대, 성균관대를 비롯한 여러 대학에서 강의하였고, 서울대학교 규장각한국학연구원과 동국대학교 불교학술원 불교 한문 아카데미에서 '불교 한문' 강좌를 담당하는 한편, 현재 구화 불교 한문연구소 소장으로 '구화서당(求化書堂)'에서 불교 한문을 가르치고 있다.

위의 ⓐ, ⓑ, ⓒ를 잘 살펴보았더니 먼저 눈에 띄는 부분이 구두점(句讀點)이었다. 이를 비교해 보면 다음과 같다.

ⓐ 靑岩西土佳寺 寺左右皆山(《지리산 유람록 용이 머리를 숙인 듯…》 등)
→ 청암의 서쪽에 있는 **토가사(土佳寺)**는 절의 좌우가 모두 산이다.
ⓑ 靑岩西 土佳寺寺 左右皆山'(〈남명선생삼동변증〉 논문)
→ 청암의 서쪽은 땅이 아름답고 절이 절다우며, 좌우가 모두 산이다.
ⓒ 靑岩 西土佳寺 寺左右皆山'(산행 전문 블로그 〈지리산 아흔아홉골〉)
→ 청암사는 서쪽 땅에 있는 아름다운 절이다. 절의 왼쪽과 오른쪽은 모두 산이다.

그래서 위의 ⓐ, ⓑ, ⓒ의 저자들께 문자 혹은 메일로 의견을 구해 보기로 했다. 먼저 ⓑ와 관련하여 "그 논문은 쓴 지가 오래되어 '토가사'가 무엇인지 기억이 나지 않습니다. 문헌을 모두 기증해 버렸기 때문에 관련 자료도 수중에 있지 않습니다"라는 답변이었다.

다음으로 ⓒ의 번역자는 "평소 번역할 때 참고할 수 있는 것들은 최대한 참고하고 한문 문법과 문맥을 최대한 살리면서 혹여 조그만 잘못이라도 생기지 않도록 고심하면서 번역하기 때문에 **지금 다시 원문을 본다고 해도 아마 똑같이 번역하지 않을까 합니다**."라고 했다. 그래서 원문을 보내주었더니, "보내주신 **원문을 보니 제가 번역한 것이 옳다는 생각이 더 확고해졌습니다**. 토가사는 저도 검색을 해 보았습니다만, 이 글에만 나오는 말로 **특정한 절을 가리키는 표현은 아니라는 것이 분명**합니다. 하수일 선생과 형제가 같이 머물면서 공부할 정도의 절이면 어느 정도 규모가 있는 절일 텐데 아무리 없어진 절이 많다고 해도 그 정도 규모의 절이 전혀 알려지지 않았을 리는 없을 것입니다."라는 답변이었다.

마지막으로 ⓐ의 대표 저자께는 ⓐ, ⓑ, ⓒ 전체에 대한 의견을 구했더니 다음과 같은 답변을 주었다. "ⓐ는 직역하면 청암의 서쪽이 토가사이다. 토가사 좌우는 모두 산이다.”이며 , “ⓑ의 ‘땅이 아름답고 절이 절답다.’라는 번역은 예전 분들의 글쓰기에 있어서 전혀 있을 수 없는 일입니다. 한문에 그런 글쓰기는 없습니다.”라는 의견이었다. 또, “ⓒ는 송정집에 ‘청암사에서 독서했다.’라는 기록 때문에 그렇게 본 듯한데, 그 역시 한문 문리로 볼 때 ‘청암’ 다음에 ‘사(寺)’자를 생략하고 뒤에 ‘가사(佳寺)’라고 썼을 리는 만무합니다. 역자가 의역한 것으로 보입니다.”라고 하며, “**전통적인 한문 문리로 해석하면 ‘ⓐ가 맞다**’라는 것이 저의 소견입니다.”라는 답신을 주었다.

소중한 답변을 주신 세 분께 감사드린다. 그런 한편, 주변의 몇몇 전문가들에게도 직·간접으로 의견을 구했다. 먼저 청학동의 향토사 연구가인 고산 김삼주 선생의 의견도 들었고, 후배 휴암 양영욱을 통해 임채영 선생의 의견을 들었으며, 마지막으로 동방한학연구원의 실재 허권수 선생의 의견도 직접 들었다. 한결같이 “ⓐ가 맞다.”라는 의견이었다.

다만, “〈지리산 폐사지 목록〉에 ‘토가사-하동군 청암면 소재’라는 기록이 있는 만큼 ⓐ가 맞다.”라는 의견도 있었으나 이 주장에는 동의할 수 없었다. 왜냐하면 〈지리산 폐사지 목록〉에 ‘토가사’가 들어간 근거가 바로 선생이 쓴 〈유청암서악기〉이기 때문이다. 지금 〈유청암서악기〉에 등장하는 “토가사가 과연 실재했었는가?”를 논하고 있는 마당에 이를 근거로 작성한 ‘지리산 폐사지 목록’이 토가사의 존재를 보증하는 근거가 될 수 없기 때문이었다.

이리하여 번역자들의 의견과 필자 주변의 여러 전문가의 의견을 종합해 본 결과, ‘青岩西有土佳寺寺左右皆山’와 같이 ‘有’자(字) 한 글자가 추가되면 그 의미가 확실하겠지만, 그것이 없더라도 번역은 “ⓐ가 맞다”라는 의견이 압도적으로 우세했다.

그렇다면 ‘**1578년 4월, 송정 선생 삼 형제와 여러 선비 등 10명과 청암의 서악을 유람하고 남긴 〈유청암서악기〉에서 나타난 토가사(土佳寺)라는 절의 존재는 기정사실이다. 따라서 토가사는 역사상 실존했던 절임이 틀림없다. 다만 지금은 사라진 절이다.**’라는 결론을 내릴 수밖에 없는 상황에 이르렀다.

그렇다면 이 글은 삭제해야 하나?, 이 글을 내리고 나면 후회하지 않을까? 평생을 물리학적인 사고(思考)에 익숙한 필자는 ‘토가사의 존재가 어쩌면 번역에서 비롯된 가공의 결과물일지도 모르겠다’라는 의문이 꼬리를 물고 이어지며 여러 밤을 지새웠다. “ⓐ가 가장 적절한 번역이다.”라는 의견이 우세하였으나, ⓒ의 번역자 또한 여전히 자신의 번역에 대해 **“확신하고 있다”라고 답신**하고 있으니 ‘**ⓐ가 맞고, ⓒ는 잘못이다.’라고 단언하기에는 뭔가 뒷맛이 개운치 않았다.** 그리고 ⓐ의 대표 저자께서도 언급했다시피 〈유청암서악기〉의 첫 부분인 ‘青岩西土佳寺寺左右皆山’의 번역에 대해 ⓐ는 원전에 충실한 직역에 가깝고, ⓒ는

《송정선생문집》의 기록을 고려한 의역에 가깝다고 본다면, **직역하면 '토가사'가 나타나고, 의역하면 '토가사'가 사라지는 묘한 상황은 여전히 강한 의문이 남는다. 그야말로 미스터리가 아닐 수 없었다!**

그런데 앞서 소개한 대로 선생과 그의 형제들은 20대 초반의 젊은 시절에 '청암사'를 자주 찾았다. 이것은 선생이 '청암사'와 관련하여 남긴 여러 편의 시(詩)와 기(記)가 이를 입증한다. 특히, 선군인 정랑공(正郎公)을 모시고 '청암사' 입구에 있는 '청암폭포[사동폭포]'를 방문한 적도 있었던 것으로 보인다. 이런 여러 정황을 보면서 필자는 선생이 왜 그렇게 자주 청암사를 찾았는지 궁금했다. 심지어 그의 아우인 수긍재는 청암사에서 고개 너머에 있는 '삼가식령' 어딘가에 별장까지 있었다니 선생과 그의 형제들은 '청암사' 주변의 서악(西岳) 일대와 특별한 인연이 있거나 이곳의 자연을 특별히 좋아했던 것이 아닌가 짐작된다.

이런 와중(渦中)에 2024년 크리스마스 무렵, '한문 해석의 비밀'을 밝히고자 노력한 분의 저서가 있다는 사실을 알고, 급히 수배하여 손에 넣었다.[500] 여기서 저자는 "**고전을 접할 때 교조화(敎條化)를 넘어서려는 노력이 필요하다. 교조화란 어떠한 상황에서도 절대로 변하지 않는 진리인 듯 믿고 따르는 것이다. 번역은 문리에 따라 하더라도 그 해석은 다양하다. 자신의 번역만이 절대적이라며 다양한 근거를 제시하지만, 이는 하나의 해석일 뿐이다.**"라고 말한다.[501] 이 말에서 필자는 새로운 길이 보이는 것을 느꼈다. 〈유청암서악기(遊靑巖西岳記)〉의 번역 중 절대적인 우위를 보이는 'ⓐ와 다른 해석의 가능성은 전혀 없는 것인가?', 여러 전문가의 해석인 'ⓐ에 대해서 의심해 보는 것도 지극히 자연스러운 일일 수도 있겠다'라고 생각하기에 이르렀다.

그래서 이 책의 저자에게 지금까지 공개된 〈유청암서악기(遊靑巖西岳記)〉의 번역(ⓐ, ⓑ, ⓒ)과 필자의 생각(후술할 ⓓ)에 대한 의견을 구했다. 이에 그는 "제가 의견을 드리는 것이 맞는지 잘 모르겠습니다"라고 매우 조심스러워하면서 "물음 주셔서 해석으로 의견 드리겠습니다."라며 답신을 주었다. 그러나 그가 ⓐ, ⓑ, ⓒ에 대해 개별적으로 언급한 내용은 여기서 구체적으로 밝히지 않겠다. 다만, 그는 "**번역과 해석은 다른 문제라 생각합니다. 번역은 문리를 충실히 따르는 길이고 해석은 번역자마다 그를 통해 나름대로 의미를 부여한다고 생각합니다. 일단, 결론부터 말씀드리면 교장 선생님(필자를 지칭하는 말, 이하 같음)의 의견에 100% 공감합니다.**"라고 하면서 "**만약 제가 이 글을 번역한다면,**

500) 우승하, 《학예연구사가 알려 주는 한문 해석의 비밀》(중용편), 좋은 땅, 2023(2쇄). 《하루 만에 문리나기 한문 해석의 비밀》(대학편), 디자인21, 2023. 《공자와 그의 사람들 한문 해석의 비밀》(논어편), 디자인21, 2024.

501) 우승하, 《공자와 그의 사람들 한문 해석의 비밀》(논어편), 디자인21, 2024.

처음은 ⓐ와 같이 번역했을 것 같고, 검토하면서 ⓒ로 수정했을 것으로 생각합니다. 다만, '사(寺)'가 누락 된 점에서 교장 선생님의 해석에 손을 들고 싶습니다."라고 했다.

그런데 그는 ⓐ에 대해서 **'만일 이 글에서 토가사가 주체라면 '청암'보다 앞에 기술되는 것이 합리적입니다'**라고 지적했다. 이런 관점은 새로웠다. 이것은 지금까지 토가사 문제를 논하는 과정에서 누구도 말하지 않았다. 그래서 송정 선생이 만일 '토가사'를 고유명사로서 중요한 주체라고 보았다면 '靑岩西土佳寺寺左右皆山'이 아니라 '土佳寺在靑岩西寺左右皆山'이라고 썼을 것으로 추측하기에 이르렀다. 여기서 필자가 제시한 해석 ⓓ를 소개하면 다음과 같다. 이 ⓓ에서 명사인 '절[寺]'을 수식하는 형용사 '괜찮은'은 '멋진', '훌륭한', '좋은', '아름다운' 등으로 바꾸어도 무방하다.

> ⓓ '靑岩西土佳寺 寺左右皆山'
> →'청암의 서쪽 땅에 괜찮은 절이 있다. 절의 왼쪽과 오른쪽은 모두 산이다.'

이리하여 필자는 '다수의 전문가가 이구동성으로 말하는 ⓐ도 중요하지만, 소수 의견인 ⓒ의 번역 또한 무시할 수 없겠다'라는 결론에 이르렀다. 그리고 만일 '토가사'라는 절이 존재했다면, 이는 필시 '청암사의 다른 이름이 아니겠는가?'라는 추정을 하기에 이르렀다.

미스터리 1: 송정 선생과 호형호제(呼兄呼弟)하던 《진양지》 편찬자들은 왜 〈유청암서악기〉에서 '토가사'를 읽어내지 못했을까?

1622년부터 편찬이 시작된 것으로 알려진 《진양지》는 송정 선생과 동시대에 살았던 선비들에 의해 편찬된 진주목의 읍지(邑誌)이다. 당시 《진양지》의 편찬자 6명의 내로라하는 면면을 살펴보면, 성여신(成汝信, 호(號) 부사(浮査), 1546~1632), 하증(河憕, 호(號) 창주(滄洲), 1563~1624), 박민(朴敏, 호(號) 능허(凌虛), 1566~1630), 조겸(趙璘, 호(號) 봉강(鳳岡), 1569~1652), 정승훈(鄭承勳, 호(號) 매죽(梅竹), 1552~?), 하협(河悏, 호(號) 단지(丹池), 1583~1625)'였다. 이들은 송정 선생(1553~1612)과 동시대에 활동한 남명학파 선비들이었다.[502]

특히 이들 《진양지》 편찬자들은 송정 선생과 절친이었다는 사실도 밝혀졌다. 1922년에 《진양지》 원지(原誌)가 처음 출판된 이후 중인본(重印本)이 나오는 과정에서 상당한

502) '하증(河憕)의 증(憕)은 'ᄒᆞᆫ글' '유니코드 6195'에서 입력했다(이상은 오이환, 《남명학의 새 연구》(하), 〈진양지의 출판〉, 2012, 한국학술정보(주), p.201에서 인용)

논란이 있었던 것 같다.[503] 그러나 아이러니(irony)하게도 그 논란의 와중에 나온 〈진양지변무통문(晉陽誌辨誣通文)〉의 첫머리에서 《진양지》 편찬자들과 송정 선생의 관계를 다음과 같이 소개하고 있다.

> 성부사(成浮査)·하송정(河松亭)·하창주(河滄洲)·박능허(朴凌虛)·조봉강(趙鳳岡)·정매죽(鄭梅竹)·하단지(河丹池) **일곱 선생(七先生)은 같은 시대에 도(道)로써 사귀던 형제들이다(卽竝世之道交兄弟也)**. 천계(天啓) 연간[504]에 《진양지》를 편찬할 무렵(當天啓年間撰晉陽誌) 불행히도 **송정 선생은 작고하셨으므로(不幸松亭先生已歿) 여섯 선생이 그 일을 주관**하셨는데(六先生尸其事)……다시금 하겸진(송정 후손)에게서 산보(刪補)[505]를 받아(而更爲刪補于河謙鎭(松亭後孫)) 1922년(壬戌)에 인쇄하여 배부했다(壬戌印頒).[506]

이상에서 보듯이 《진양지》는 송정 선생과 평소 호형호제(呼兄呼弟)하며 친밀했던 지인들에 의해 공동으로 집필된 읍지라는 사실을 알 수 있다. 만일 송정 선생이 일찍 작고하지 않았더라면 당연히 편찬자로 참여했을 것으로 보인다. 그런데 선생의 절친들이 집필한 《진양지》에 기록된 〈유청암서악기〉에서 좀 석연찮은 부분이 눈에 띈다. 그것은 〈유청암서악기〉가 〈유청암폭포기〉와 함께 《진양지》의 〈불우(佛宇)〉 조(條) '청암사' 항에 소개되어 있었기 때문이다.[507] 《진양지》의 편찬자들은 송정 선생의 〈유청암서악기〉를 모를 리 없고, 또, 그 첫머리 글인 '靑岩西土佳寺寺左右皆山'이라는 그 문제의 문장을 알고 있었을 것으로 짐작된다. 그렇지만 이들은 〈유청암서악기〉를 《진양지》의 불우 조(條) '청암사'에 분류하고 실었다. 이것은 무엇을 말하는가? 적어도 〈유청암서악기〉가 '청암사'와 관련이 깊었거나, 송정이 '청암사'에서 공부하며 쓴 글로 인식했기 때문으로 보인다. 《진양지》에 '토가사'는 없었다. 당시 진주 선비사회에서 최고의 지성인(知性人)이었던 이들도

---

503) 오이환, 〈《진양지》의 출판〉, 《동방학지(東方學志)》, 제155집(2011년 9월) 및 《남명학의 새연구》(하), 〈원지(原誌)와 속지(續誌)의 간행〉, p.207~208. 〈진양지변무통문(晉陽誌辨誣通文)〉의 원문은 경상국립대 남명학고문헌시스템과 국립민속박물관 e뮤지엄에서도 볼 수 있다.

504) 천계(天啓)는 명나라 희종(熹宗) 천계제(天啓帝)의 연호이다. 1621년~1627년까지 7년가량 사용하였다(위키백과에서 인용).

505) 산보(刪補)는 '깎아 내는 일과 보충(補充)하는 일'을 말하는데 '불필요한 글을 지우고 필요한 자구를 보충함'의 의미이다(네이버 한자사전 및 일본어 사전에서 인용)

506) 오이환, 위 논문과 책

507) 한국학중앙연구원 디지털 장서각, 《진양지(晉陽誌)》, 사찰(寺刹) 조(條) 및 규장각, 《진양지(晉陽誌)》, 사찰(寺刹) 조(條)에서 인용.

'토가사'를 읽어내지 못했다. 그렇다고 이들의 한문 문해 능력을 의심한다는 것 또한 감히 상상하기도 어렵다. 이것이 '토가사'에 관한 첫 번째 미스터리이다!

선생의 절친으로서 〈유청암서악기〉를 《진양지》 실으면서 '토가사'를 언급한 편찬자가 아무도 없었다는 점은 아무리 생각해도 부자연스럽다. 만일, 당시 《진양지》의 편찬 중 어느 한 명이라도 ⓐ처럼 '토가사'를 읽어냈다면, 혹은 진주목 서면 전두리(오늘날 하동군 청암면 명호리)에 '토가사(土佳寺)'라는 절이 실존했다면, 송정 선생 형제가 '토가사'라는 절에서 독서하는 중에 서악을 유람하고 〈유청암서악기〉를 썼다면, 선생의 절친인 편찬자들은 당연히 《진양지》의 불우(佛宇) 조(條)에 '토가사(土佳寺)'라는 항을 따로 마련하고, 여기에 하수일 선생의 〈유청암서악기〉를 소개하는 것이 상식이었을 것으로 추정된다. 그런데도 《진양지》의 불우(佛宇) 조(條)를 비롯하여 어디에도 '청암사'는 등장하지만 '토가사'는 보이지 않는다. 이것은 무엇을 말하는가? 어쩌면 '토가사'는 실존하지 않았던 절이 아닌가, 하는 의문은 더욱 깊어졌다.

미스터리 2: 송정 선생 문집의 〈연보(年譜)〉 작성자인 그의 11세손 회봉(晦峯) 하겸진(河謙鎭)은 왜 '토가사'를 읽어내지 못했을까?

송정 선생이 직접 쓴 〈유청암서악기(遊靑巖西岳記)〉와 그의 11세손인 회봉(晦峯) 하겸진(河謙鎭) 선생이 편찬한 《송정선생문집(松亭先生文集)》의 〈연보(年譜)〉 '1578년(선조 11) 무인(戊寅), 선생 26세' 조(條)[508]는 각각 작성한 시기는 다르지만 같은 사건을 기술하고 있다고 생각된다. '똑같은 시기에 똑같은 사람들과 똑같은 장소에서 경험한 사건'을 기술하고 있으니 내용이 일치할 것으로 예상했다. 그런데 그 내용은 아래와 같이 미묘한 차이가 있었다.

> 〈유청암 서악기〉: …금년 여름 **4월에 나는 두 아우와 함께 이곳에서 독서하였는데, 얼마 못 되어 나에게 배우는 이들이 많이 모였다. 제군들이 말하기를 "사악(四岳) 가운데 서악(西岳)이 가장 기이하고 높으니 한번 올라 유람하기를 청합니다"**라고 하였다.… 이에 작은 대나무 지팡이를 짚고… 따르게 하였다… (1578년 송정 하수일, 《송정선생문집》(2권), 〈유청암서악기〉).

여기서 '유람한 장소'가 '청암의 서악'이라는 사실은 이론의 여지가 없다. 따라서 관전

508) 하겸진, 《송정선생문집》, 〈연보〉, '1578년(선조 11) 무인(戊寅), 선생 26세 4월에 아우 수긍재 천일과 매헌 경휘와 더불어 청암사에서 독서하고 인하여 서악을 유람했다. 기문이 문집에 있다(宣祖十一年(1578년) 戊寅 先生 二十六歲 四月與弟守肯齋 千一 梅軒 鏡輝 讀書靑巖寺 仍遊西岳 記見文集)'

포인트는 당연히 '송정 선생이 공부한 장소'였다. 〈유청암서악기〉에서는 이 장소를 '이곳'이라고 했지만 〈연보〉에서는 '청암사'라고 명시했다. 그렇다면 '이곳'을 어디로 봐야 할 것인가? 이 〈연보〉의 말미를 보면 회봉 선생이 이것을 작성한 경과를 상세히 서술하고 있다. 여기서 회봉은 "오직 선조의 자취가 실전(失傳)될까 두려워하였다"라고 말하며 "행장(行狀), 묘갈(墓碣), 세과(世課), 제서(諸書)와 선생(先生)의 일기(日記)를 참조하여 그 빠진 부분을 보충하고…"라고 한 것으로 보아 〈연보〉 작성을 지극히 신중하고 정성을 다해 진행한 것으로 보인다. 따라서 '1578년(선조 11) 무인(戊寅), 선생 26세' 조(條)의 〈연보〉를 작성할 때도 예외는 아니었을 것으로 보이는 만큼 회봉은 필시 선생의 〈유청암서악기〉를 보았을 것이고, '青岩西土佳寺寺左右皆山'라는 문장의 존재 또한 알았을 것으로 생각한다.[509] 이와 관련하여 송정 선생 집안에 가전(家傳) 되는 또 다른 기록이 있는지 조사해 보지 못했으나 '왜 회봉은 선생의 〈연보〉를 작성하면서 '이곳=청암사'라고 명시했을까? 회봉은 왜 '青岩西土佳寺寺左右皆山'라는 문장에서 토가사를 읽어내지 못했을까? 이것이 '토가사'에 관한 두 번째 미스터리이다!

이처럼 똑같은 문장을 두고 선생의 후손인 회봉과 ⓐ의 번역자들의 생각은 전혀 달랐다. 그렇다면 이들 중 누가 선생의 글을 오독(誤讀)했을까? 독자 여러분들은 이를 어떻게 볼지 궁금하다.

이상에서 보듯이 송정 선생과 동시대를 살았고, 게다가 선생과 호형호제하던 《진양지》 편찬자들은 물론 그의 〈연보〉를 작성한 후손마저 〈유청암서악기〉에서 '토가사'를 읽어내지 못했다. 그렇다면 왜 이분들은 '토가사'를 말하지 않았을까? 만일 이분들이 실수한 것이 아니라면 '青岩西土佳寺寺左右皆山'의 번역은 ⓐ가 아니라 ⓒ쪽이 아닐까?'라는 생각이 깊어진다. 이런 고심 끝에 필자는 '이곳=청암사'라고 판단하기에 이르렀다. 그래서 나온 결과가 위의 ⓓ였던 것이다. 더 나아가 만일 '토가사'가 번역상 창조된 결과물이 아니라 실재했던 절이라면 이는 '청암사'의 다른 이름이 아닐까 추측한다.

만일 '토가사(土佳寺)'라는 절이 있었다면 이는 '청암사(青巖寺)'가 아닐까?

필자는 ⓐ든 ⓒ든 저명한 학자들의 논쟁에 감히 뛰어들고 싶지는 않다. 그럴 능력도 없다. 다만 토가사(土佳寺)와 같은 이런 사소한 지역의 문제는 그 지역 사람이 아니면 아무도 관심조차 없을 것이고, 의문을 가지는 사람도 없을 것이다. 그렇지만 그 지역 사람들은 향토의 역사에 민감하다. 그런 만큼 우리 청암지역 사람들에게 있어서 '토가사'의 존재

509) 《송정선생문집》(2권) 〈연보〉, '1578년 무인년' 조(條) 참조.

여부는 큰 관심사가 아닐 수 없다. 누구의 번역이 옳고 그르고를 떠나 역사적인 사실, 진실을 알고 싶을 뿐이다. 그리고 이어서 필자가 ⓓ와 같은 결론에 이르고, 또 토가사가 청암사의 이칭(異稱)이 아닌가 하고 고민해온 이유를 몇 가지 밝히고자 한다. 이것은 이 글을 읽는 후학들에게 참고가 되었으면 하는 기대 때문이다.

첫째, 송정 선생이 자주 찾은 청암사와 그 주변은 절경이다. 이 절은 선생이 찾던 당시에는 진주목 서면 전두리의 서쪽 끝에 있었다. 임진왜란 이후 전두리는 행정구역 개편으로 인근의 오대리와 함께 오늘날 옥종면 지역인 운곡리에 통합되었다가 그 후 18세기 들어 구 오대리와 전두리가 통합되어 '청암리'와 '청암면'으로 바뀌었지만, 그 경계에는 변화가 없었다. 오늘날까지 수백 년 동안 진주목 서면 혹은 진주목 청암면, 하동군 청암면의 서쪽 끝에 자리하고 있다. 절 입구의 '청암 폭포[사동 폭포]', 그 아래 청암천의 '용추어약(龍湫魚躍)', 절 뒷산의 주봉인 칠성봉의 '성봉일출(星峰日出)'은 '청암 8경' 중에서도 제1~3경을 자랑했다. 특히 '청암 폭포'는 청암사 입구에 있는데 송정 선생 이후 약 500년이 된 지금도 풍부한 수량으로 멋진 자태를 뽐내고 있는 명소이다. 또 당시 '서악'이라고 불렀던 '칠성봉(900m)'은 청암면, 악양면, 적량면의 경계를 이루며 가장 높이 우뚝 솟아있다.

이처럼 탁 트인 칠성봉 정상에 서면 500여 년 전 송정 선생이 경험한 것과 같이 지리산 천왕봉은 물론 금오산, 남해 금산, 삼천포 와룡산까지 볼 수 있다. 특히 섬진강과 횡천강이 합류하는 지점인 '목도'는 최근 섬진강을 가로지르는 국도 2호선 다리까지 신설되어 더욱 알아보기 쉽다.

송정 선생은 탁 트인 이곳에서 우뚝한 천왕봉을 바라보며 '우러러볼수록 더욱 높게 보인다'라고 존경받는 공자(孔子)를 흠모하고, 하산 길에는 '등산을 학문에 비유한 정자(程子)의 가르침'을 되새겼다. 이처럼 청암사와 그 주변 서악(칠성봉)은 선생이 20대의 젊은 유학자 시절, 청춘을 불사르며 '호연지기(浩然之氣)'를 키운 '학습의 공간[場]'이었다. 청암사를 자주 드나든 선생은 필시 이런 청암의 서쪽 지역을 상당히 매력적인 땅으로 생각했을 개연성이 높다. 그래서 〈유청암서악기(遊青巖西岳記)〉의 시작을 '청암(靑岩)의 서쪽 땅(西土)에 아름다운 절(佳寺)이 있다'라고 한 것은 아니었는지 추정하는 것이다.

둘째, 송정 선생은 일찍이 20대에 '청암사'에 자주 드나들었다. 선생이 남긴 《송정세과》에는 〈유청암폭포(遊靑岩瀑布)〉, 〈청암사 목단화(靑岩寺 牧丹花)〉, 〈청암사에서 예전 유람을 생각함[靑岩寺感舊遊]〉 등의 시와 앞서 소개한 〈유청암폭포기〉와 〈유청암서악기〉 등 이곳과 관련된 여러 편의 글이 있다.

그는 25세의 젊은 나이에 부인 윤씨(尹氏) 상을 당한 직후, 그해 겨울 처음으로 청암사 근처의 서일암을 찾았다. 26세가 된 이듬해에는 청암사에서 공부하는 도중에 서악을 유람했으며, 27세가 된 그다음 해에는 삼 형제 중에서 둘째인 수공재가 처음으로 사마시(司馬試)에 합격한다. 이런 일련의 과정을 살펴보면 선생과 그 형제가 청암사를 찾은 이유는 휴양과 공부가 목적이었을 것으로 추정된다. 그런데 선생은 20대 말에서부터 30대 중반까지 선군과 조모상을 연이어 당하면서 6년 동안 상복을 입었다. 그래서 이들 삼 형제의 사마시 합격 러시(rush)는 잠시 소강상태를 맞지만 1589년(선생 37세)에 선생은 막내아우인 매헌, 매부 오월당(梧月堂) 이유함과 함께 사마시에 합격하는 경사를 맞았다. 그리고 그 2년 후인 1591년(39세) 선생이 문과 전시(殿試)에서 급제하였고, 오월당도 별시(別試)에서 급제함으로써 하이라이트를 맞게 된다.[510]

따라서 청암사를 포함한 청암의 서쪽 땅(靑岩西土)은 송정 선생 형제의 추억의 명소이자 성공 신화가 실현되기 시작한 기념비적인 장소라고 해도 과언이 아니다. 이처럼 청암사와 그 인근의 청암 서악은 고금(古今)을 막론하고 호연지기를 기를 수 있는 좋은 장소라고 할 수 있다. 따라서 청암사에서 칠성봉을 왕복한 〈송정 선생 서악 유람로〉를 복원하여 〈송정 하수일 선생〉을 '롤모델(role model)'로 경세제민(經世濟民)의 큰 꿈을 키우는 청소년 교육의 장으로 활용할 것을 제안한다.

셋째, '토가사'를 키워드로 검색해 보면 한국고전번역원의 한국고전종합DB, 경상국립대학의 남명학고문헌 시스템, 한국학중앙연구원의 디지털 장서각 어디에서나 송정 선생의 〈유청암서악기(遊靑巖西岳記)〉에서만 등장한다. 이것이 '토가사(土佳寺)'가 지닌 가장 큰 특징이자 약점이며 한계이다. 또, 서울대 규장각 원문검색 서비스에는 '토가사'라는 검색어조차 없다. 이쯤 되면 과연 '토가사'라는 절이 실재했는지 의심하지 않을 수 없다. 또한 한국고전번역원의 '한국문집총간 편목 색인'을 보면 '청암사' 내에 '유청암서악기'만 나타날 뿐 '토가사'라는 '편목 색인'은 존재하지 않는다. 그렇다면 송정만 아는 '토가사'가 존재한다는 말인가? 그것이 과연 가능한 일이었겠는가?

한편, 앞서 보았듯이 〈유청암서악기〉에는 '서일암(西日菴)'이라는 암자가 비교적 자세히 소개되어 있다. 이 '서일암'도 오늘날 사라진 절인데, 서악을 유람하기 전 해의 겨울에 이곳에 들린 인연이 있었다. 이곳에서 선생은 부인을 잃은 슬픔을 달랬을지도 모르겠다. 그래서인지 시(詩) 한 편을 포함해서 비교적 자세히 소개하고 있었던 것이 아닌가 생각한다.

그런데 〈유청암서악기〉에 의하면 선생은 두 동생과 주변의 젊은 선비 등 10명과 청암사에서 공부하던 도중에 서악을 유람했다. 이것은 일상적인 것이 아니라 특별한 이벤트였다. 그리고 선생이 바로 그 무리의 리더였다. 더 나아가 이 서악을 등산하는 과정은

510) 전병철, 〈송정 하수일 연보〉, 《세찬 바람 속 푸른 소나무 송정 하수일》, 경인문화사, 2010, p.155.

현장학습의 연속이었다. 만일 ⓐ의 번역대로 '토가사'가 존재했다면, 이곳은 매우 특별한 이벤트의 시작과 끝을 장식한 매우 의미 있는 장소인 셈이다. 그런 만큼 '서일암'에 버금갈 비중 있는 장소가 아니었나 생각된다. 그런데도 이런 '토가사'에 대해서 단 한 편의 시(詩)는 물론 어떤 다른 기록도 남기지 않았다는 사실은 오히려 이상하지 않은가?

그리고 하동과 진주지역의 읍지(邑誌), 지리지 등 어디에도 '토가사'라는 절은 등장하지 않는다. 하동군 청암면은 1906년 이전에는 진주목 소속이었다. 그래서 하동과 진주지역 자료를 모두 살펴볼 필요가 있다. 먼저, 1930년에 '관해(觀海) 여종엽(余琮燁)이 편찬한 《하동지속수(河東誌續修)》, 1972년 '하동군지 편찬위원회'가 펴낸 《증보하동군지(增補河東郡誌)》, 1978년 도정(島亭) 여재규(余宰奎)가 쓴 《하동군사(河東郡史)》, 1992년 하복도 선생이 쓴 《청암(青岩)》지(誌) 어디에도 '토가사'라는 절은 등장하지 않는다. 또, 1632년 부사 성여신(成汝信) 등의 《진양지(晉陽誌)》 〈불우(佛宇)〉 조(條)에도 '토가사'라는 절은 없다. 그런 한편, 《하동군사(河東郡史)》, 《청암(青岩)》, 《진양지(晉陽誌)》, 《동국여지지(東國輿地志)》, 《대동지지(大東地志)》 등에 청암사(青巖寺)만 등장할 뿐이다.

그런 한편, '토가사'라는 절이 지금까지 기록에 나타나지 않았다고 해서 전혀 문제 될 것이 없다는 주장도 있다. 이런 주장은 "청암 땅에는 이름조차 흔적 없이 사라진 절들이 매우 많다."라는 것이 그 이유이다. 예컨대 《청암(青岩)》 지(誌)의 청암면 명호리 편에 "절골(寺洞)에는 12 암자(庵子)가 있었다는 이야기가 전해온다. 〈중략〉. 그런데 절터 마을의 사지는 옛 청암사 자리로 생각되기 때문에, 당시 절골에는 1사 12 암자가 존재했던 것으로 여겨진다."라는 기사(記事)도 있고, 같은 책의 청암면 묵계리 편의 '묵계사 사지'에 관한 기사에서는 "당시 묵계사가 12 암자를 거느린 큰 절이었다는 이야기가 전하며……"라고 하니 청암면 내에는 절의 이름도, 위치도 알려지지 않은 절이 무수히 많았다는 주장은 있을 수 있다. 따라서 위의 ⓐ처럼 "토가사라는 절이 나타났다고 해서 이상할 게 없다."라는 주장인데, 이 주장에도 일리는 있다고 본다.

그러나 그렇게 이해하고 넘어가기에는 뭔가 아쉬움이 남는다. 앞서 소개했다시피 송정 선생과 같은 비중 있는 인물이 10여 명의 젊은 선비들을 이끌고 서악을 유람한 것은 큰 사건임이 틀림없다. 요즘 같으면 신문·방송에 날 일이다. 이런 대사건의 시발점이자 종점인 토가사라는 절을 송정 선생만 아는 절이라고 보기에는 석연찮은 면이 많다. 그래서 의문을 품는 것이다.

넷째, 위의 ⓐ와 ⓒ에서 보았듯이 '토가사' 문제는 〈유청암서악기〉의 번역과정에서 노출된 견해 차이가 아닌가 생각된다. 앞에서 보았듯이 '토가사'는 '실체가 있는 절'로 보는 견해(위의 ⓐ, ⓐ′)도 있고, 소수이지만 '허상이 아닐까?'라는 견해(위의 ⓑ, ⓒ, ⓓ)도 있기 때문이다. 만일 '토가사'가 번역의 견해 차이로 생겨난 절이라면, 하루빨리 정리되는 것이 바람직할 것으로 생각한다. 지역마다 그 지역과 관련된 기록은 천차만별일 것이다. 묵계동처럼 역사적인 기록이 빈약한 지역일수록 신중히 번역해야 한다고 본다. 또한 아무리 이름 없는 시골 마을의 기록일지라도 그 번역의 결과를 챙겨보고, 눈여겨 지켜보는 사람들이 분명히 있다. 특히 번역과정에서 마을의 지명을 특정할 때, 그 지역의 독자들이 보면 실소를 금하지 못하는 경우를 본 적이 있다.[511] 이것은 그 지역 사람들은 다 아는 이야기를 타지방 출신인 번역자들은 잘 모르기 때문에 생기는 '옥에 티'가 아닌가 생각한다.

'토가사'에 관한 의문은 사소한 문제니까 그냥 넘어가야 하나? 토가사가 있다고 해서 뭐가 큰 대수냐? 또 없다면 어떻고? 그러나 청암 향우의 한 사람으로서 이 문제는 누군가가 꼭 한 번쯤 짚고 넘어가야 할 사안이라고 판단했다. 언젠가는 제대로 규명해야 할 문제이다. 이것이 우리 청암 사람들의 책무이다. 왜냐하면 이런 지엽적인 문제는 우리 청암 사람들이 아니면 무엇이 문제인지 그 문제점도 느끼지 못할 수도 있고, 또, 느꼈다고 해도 그것을 해결해야 할 필요성도 느끼지 못할 것이기 때문이다. 이번에 《묵계동천과 학로계》라고 이름한 이 책을 통해 우리 청암, 특히 묵계동의 역사와 문화를 극히 일부이지만 정리하면서 '토가사' 문제를 공론의 장에 제기하는 것만으로도 그 의미가 크다고 생각한다. 언젠가 우리 청암과 묵계동의 훌륭한 후학들이 이 문제에 좀 더 관심을 가지고 조사 · 연구하여 이를 명료하게 정리해 줄 것을 기대한다.

▣ 임진년 겨울, 진주암에서 피란하다

삼신봉 송정굴에서 전해져 오는 말처럼 '송정 선생이 임진왜란 때 이곳에서 피란했다.'라고 하면 뭔가 기록이 남아있을 것으로 생각하고 먼저 《송정선생문집》을

511) 수당 정종엽의 〈유두류록〉에는 수당이 묵계동의 학동에 들어와서 마을 사람을 만나 전해 들은 동네 이름들이 나오는데, 이런 번역문이나 각주를 우리 묵계동의 현지인 관점에서 보면 너무나 엉뚱하여 실소를 금치 못하는 사례가 있다. 예를 들면 **'회남령(回南嶺)'**을 고유명사인지도 모르고 **'남령(南嶺)으로 올라 돌아왔다'**라고 하거나, '죽전(竹田)'을 '현재 하동군 횡천면 전대리 죽전마을을 말한다'라거나, **'석문(石文)'**을 큰 산 넘어에 있는 **쌍계사 입구의 '쌍계 석문'**에다 갖다 붙이기도 하고, 혹은 '현 **하동군 청암면 명호리 명사 마을에 있는 돌문거리**를 말한다"라는 식이다. 〈유두류록〉의 원문을 보면 **"단천(檀川) · 세동(細洞) · 증봉(甑峯) · 죽전(竹田) 등의 총명(總名)이 학동이고 여기에서 석문(石門)까지는 마을마다 골짜기마다 각기 별칭(別稱)이 있어서 일일이 다 말해 줄 수 없다고 하였다…"라는 문장의 흐름으로 보면 학동마을 안의 '죽전'이요, 묵계동 안의 '석문'을 말함이지 수십 리 떨어진 남의 마을 이야기를 하는 것이 아님은 자명하다. 학동마을에 '대밭 땀'**이 있으니 이곳을 **'죽전'**이라 함이요, '석문' 또한 묵계동의 물 아랫마을인 **장재터 입구와 백바위 근처**에 있는 **'내 · 외석문'**을 지칭함은 이곳 묵계동 사람이라면 누구나 다 아는 사실이다.

수소문했다. 마침 백암 김대명 선생의 후손으로 묵계 청학동에서 향토사학자로 활약 중인 고산 김삼주 선배가 이 문집을 소장하고 있었다. 《송정선생문집》에서 쉽게 그 실마리가 풀렸다. 송정이 1592년에 임진왜란이 일어나자 가족들과 함께 지리산 오대사(五臺寺)와 묵계동의 진주암(真住菴) 등지에서 피난 생활을 한 사실을 확인할 수 있었기 때문이었다.

먼저, 송정 선생은 임진왜란이 일어나기 6개월 전에 문과에 급제했다. 상주의 종숙부 환성재(喚醒齋) 하락(河洛)의 집에서 임진왜란 소식을 들은 송정은 급히 진주로 내려와서 지리산 산록의 오대사에서 피란하고 있는 가족을 만난다. 오대사가 있었던 궁항리는 원래 청암면이었으나 지난 2003년 옥종면으로 이속(移屬)된 곳이다. 이곳은 진주시 수곡면과는 멀지 않다. 그때 지은 오언율시인 〈피도오대산유감(避盜五臺寺有感)〉과 묵계동의 진주암(眞住菴)[512]에 머물면서 지은 시(詩)인 〈진주암에서 제야를 맞음(眞住菴遇除夜)〉이 눈에 띄었다.

먼저 선생의 문집에서 〈도적(盜賊)을 피해 오대사로 가면서 감회에 젖음〉이라는 시를 보니 그 내용이 자못 심각하다. 나중에 알게 된 사실이지만 선생이 쓴 《송정세과(松亭歲課)》에 이 시와 같은 제목의 시가 또 있는데 여기에는 4월 23일에 쓴 것으로 되어 있다. 이것으로 보아 임진왜란 당시에 송정 선생 가족들은 오대사에서 피란한 사실이 분명했다.[513] 먼저 그 시를 소개하면 다음과 같다.

〈도적을 피해 오대사로 가면서 감회에 젖음[避盜五臺寺有感(피도오대사유감)]〉[514]

聞說王城陷(문설왕성함) 소문에 듣자 하니 왕성은 함락되었고
鑾輿且北征(난여차북정) 어가(御駕)는 북(北)으로 떠났다 하네.
有恩霑一命(유은점일명) 은혜 입어 일명(一命)을 받았으나
無路請長纓(무로청장영) 장영(長纓)을 청할 길 없네
蓬恨隨風轉(봉한수풍전) 쑥대는 한스럽게 바람 따라 구르고
葵憐望日傾(규련망일경) 해바라기는 안타깝게도 해를 보고 기운다.
誰能謀上策(수능모상책) 누가 능히 좋은 꾀를 내어

512) 《하동군 지명지(河東郡 地名誌》나 《청암(靑(岩)》 등에는 진주암(眞主庵)으로 표기되어 있다.

513) 송정은 두 차례나 이어지는 왜란 중에 피란 생활의 어려움을 많은 시로 남겼다. 이런 기록을 통해 송정이 오대사, 진주암 등 지리산 묵계동에서 피난했다는 사실을 확인할 수 있었다. 오대사에서 진주암과 묵계사를 이어주는 오솔길은 오래전부터 묵계리에서 진주로 왕래하는 중요한 소통로였다. 공교롭게도 이 오솔길을 따라 오늘날 경상남도 지방도 1014번이 통과한다는 사실에서 선인들의 지혜가 예사롭지 않았음을 느낄 수 있었다. 《송정선생문집》은 청학동 김삼주 선배로부터 빌렸고, 《송정세과》는 실재(實齋) 허권수 선생님으로부터 빌렸다.

514) 이상필, 《송정선생문집》, 〈해제〉에서 인용.

歌鼓復神京 북치고 노래하며 서울을 되찾으랴![515]

송정은 급제하여 임금의 은혜를 받기는 했으나 왜적에 밀려 왕성이 함락되고 임금은 이미 파천하였으므로 나라의 명령을 받아 보국할 수 있는 길이 없다고 탄식한다. 쑥대는 난리에 의지할 데 없이 떠돌아다니는 백성을 말하며 해바라기는 자신의 처지를 나타낸 것이다. 나라는 초토화되었고 임금까지 서울을 떠났으니 자신이 어찌할 도리는 없으므로 다만 초조히 적병을 물리치기만 기다리는 안타까운 심정을 담고 있다.[516]

한편, 5월에 학봉(鶴峯) 김성일(金誠一, 1538~1593)이 초유사(招諭使)로 부임하여 의병을 모았다. 송정도 여기에 호응하여 '소모유사(召募有司)'로서 참여했다. 그 과정은 〈문자신[517]이 누상에 제한 시에 차운함[次文子愼題樓上韻]〉의 서문(序文)에 잘 나타나 있다. 뒤이어 문자신의 시에 차운한 송정의 시 2수(首)를 소개하면 다음과 같다.

이해 여름 6월에 나와 문할(文劼) 자신(子愼), 손경례(孫景禮) 사화(士和)와 함께 소모유사(召募有司)가 되어 흩어져 도망간 군졸들을 불러 모았다. 며칠 만에 거의 400여 명을 모았으나 군(軍)에서 식량을 공급하지 않아 모집한 군졸들이 하루아침에 흩어졌다. 일이 거의 이루어질 단계에 성사되지 못했으니 하늘의 뜻이다. 문자신이 일절(一絶)을 구점(口占)하여 누각 기둥에 적고는 자리를 파했다. 그해 8월 16일에 신곡(新穀)이 익자 이에 서로 양식을 준비하여 다시 군졸을 불러들이면서 내가 그 운에 뒤이어 화답했다.[518]

〈문자신이 누상에 제한 시에 차운함[次文子愼題樓上韻]〉[519]

何時歌鼓復神州 어느 때나 북치고 노래하며 서울을 되찾아
天日分明照下頭 하늘의 해가 분명히 아래를 비추게 할까?

---

515) 《송정선생문집》에서는 이체자인 '皷(북 고)' 자로 되어 있다.

516) 이상필, 《송정선생문집》, 〈해제〉에서 인용.

517) 문할(文劼, 1563~1598)은 조선 중기 임진왜란 및 정유재란 때의 의병이다. 본관은 남평(南平). 자는 자신(子愼), 호는 성광(醒狂)이다. 1579년(선조 12) 진사에 급제하였다. 1592년 임진왜란이 일어나자 의병을 불러일으켜 많은 전공을 세웠다. 1597년 정유재란 때 하동의 섬진강 쪽으로 출진했다가 이듬해인 1598년 진중에서 순직했다. 1605년 선무원종공신이 되었다. 《진양속지(晉陽續誌)》(권3) 〈충의조(忠義條)〉에 이름이 올랐다(이상은 《향토문화전자대전》을 주로 인용했고, 생몰연대는 경상대고문헌시스템의 《성광집(醒狂集)》 〈해제〉에서 인용했다.)

518) "是歲夏六月 余與文劼子愼 · 孫景禮士和, 爲召募有司, 招集散亡綷. 數日幾得四百餘, 而軍不給資, 所募軍卒一朝潰盡事. 將垂成而不得成. 文子愼先占一絶, 題其柱而罷越. 八月旣望 新穀皆登自相備糧更事召募 余追和其律."(원문은 경상국립대 고문헌도서관에서 인용)

519) 이상필, 《송정선생문집》, 〈해제〉에서 인용

如今更募收餘卒　오늘 다시 남은 병졸을 모으게 된다면
不得澄淸不上樓　깨끗이 쓸지 않곤 누(樓)에 오르지 않으리

何幸吾州獨保州　다행히도 우리 고을 이에 홀로 온전하니
嶺南恢復此機頭　영남의 회복은 이때가 기회로다
憑君努力桑楡業　그대 함께 노력하여 만년(晩年) 공업(功業) 이루리니
玉佩重瞻慶會樓　옥패 차고 경회루(慶會樓)에서 다시 보리라.

이처럼 송정 선생의 각오가 대단하였다. 난리 초기에 그의 종숙부와 막내아우가 상주에서 순국하였으니 적개심은 남달랐을 것이다. 시의 내용은 하루빨리 전쟁에서 승리하기를 염원하는 한편, 문할이 공로를 인정받아 조정에서 높은 벼슬하기를 축원하는 것이다. 그러나 모병은 실패로 돌아갔다. 사실 송정은 병서를 탐독하지 않았고 활이나 칼도 쓸 줄 몰랐다. 실패는 당연한 귀결일지도 모른다. 뜻만 앞섰기 때문이다.[520] 그런데 이 시의 무대가 된 누각을 《송정선생문집》의 〈연보〉에는 '촉석루'로 되어 있으나, 송정의 세거지인 수곡의 '다회루(多會樓)'라는 사실이 알려졌다.[521]

이어서 〈진주암에서 제야를 맞음[眞住菴遇除夜]〉이라는 시(詩)를 보자. 진주암은 청학동 도인촌의 천제당 아래, 현재 청학서당 자리에 있었던 암자(庵)인데, 지난 8월 고산 김삼주 선배와 함께 청학서당을 방문했다. 이 자리에는 도인촌의 토박이 박상동씨와 청학서당 정병호 훈장님과 함께 진주암 옛터를 둘러보았다. 진주암은 쌍계사의 말사로 알려져 있는데, 빨치산의 준동으로 불타 없어졌다. 전쟁이 끝난 후 폐허가 된 진주암 절터 주변에 갱정유도인(更定儒道人)들이 터를 잡았고, 진주암은 여전히 그 마을의 이름으로 불리고 있다. 진주암은 송정봉과 송정굴이 있는 산 바로 아래에 있다.

〈진주암에서 제야를 맞음[眞住菴遇除夜] 1〉[522]

四十今宵盡　사십 대는 오늘 밤이 마지막,

520) 이상필, 〈송정선생문집 해제〉에서 인용

521) 윤호진, 〈성광(醒狂) 문할(文劼)과 매촌(梅村) 문홍운(文弘運)의 생애(生涯)와 문학(文學)〉, 《남명학연구(南冥學硏究)》(제26집), 의 각주 11), 12)에서 재인용 했다. "《가호세고》 권1에도 이 시가 부록에 〈추화(追和)〉라는 시가 소개되어 있고, 이 시에 대해 살펴보건대 성광공(醒狂公)이 의병을 일으키고 다회루(多會樓)에 올라 시를 읊었는데 송정이 뒤이어 화답한 것[按公倡起義旅 登多會樓有詩, 而松亭追和]"이다.

522) 《송정선생문집》(제1권), p.29~30에서 인용.

明朝五十初 내일 아침이면 오십 줄의 시작이다.[523)]
君親飄泊裏 군부(君父)는 떠도는 처지이고,
兄弟亂亡餘 형제는 난리 중에 헤어졌다.
一頌椒花斷 초화송[524)] 한 소절 끊어지고,
三盃柏葉虛 백엽주[525)] 세 순배 헛되구나.
干戈猶滿目 전란은 여전히 살벌하니,
此夜願俱除 바라건대 오늘 밤 모두 물러갔으면!

깊은 산중인 진주암에서 피란 중에 맞이한 섣달그믐 밤을 보내며 비통해한다. 앞서도 소개했듯이 송정은 형제간에 우애가 깊었다. 당시 상주에 살던 종숙부 환성재(喚醒齋) 하락(河洛)에 양자로 간 막냇동생 경휘(鏡輝)가 왜적을 막다가 함께 순절했으니 그 마음이야 오직 했을까? 바라건대 오늘 밤 왜적이 모두 물러가기를 바라는 마음 간절함을 느낄 수가 있다.

그 후 허권수 경상국립대 명예교수로부터 《송정세과(松亭世課)》를 빌려서 확인해 보니 〈진주암에서 제야를 맞음[眞住菴遇除夜]〉이라는 시제에 2편의 시가 있었는데 《송정선생문집》에는 2번째 시(詩)가 생략되어 있다는 사실을 확인했다. 그 생략된 시는 다음과 같다.

〈진주암에서 제야를 맞음[眞住菴遇除夜] 2〉[526)]

避寇壬辰歲 임진년에 왜구를 피해,
終年托梵宮 한해를 절에서 기거했네.
五臺方夏盛 오대사에서는 한여름이었는데,
眞住正冬隆 진주암은 한겨울이네.

523) 《송정선생문집(松亭先生文集)》(1권)에는 '내일 아침 50세(五十歲) 시작이다'라고 되어 있으나 이는 잘 못 된 해석으로 보인다.

524) 초화송(椒花頌)은 초[山椒] 나무의 꽃을 칭송한 노래로 새해 축시(祝詩)를 일컫는다. 진(晉) 나라 유진(劉蓁)의 아내가 설날에 남편에게 지어 바쳤다고 한다. 그 내용은, "하늘이 돌고 돌아 설날이 되었구려. 봄날의 광휘(光輝) 흩뿌려지면 맑은 경물(景物) 새로워라. 빼어나게 아름다운 신령스러운 꽃 따다가 조정에 바치옵니다. 성상의 성용(聖容)이 꽃에 조응(照應)하여 천만년 살고 지고[旋穹周廻 三朝肇建 靑陽散輝 澄景載煥 標美靈葩 爰採爰獻 聖容映之 永壽於萬]"이다.

525) 백엽주(柏葉酒)는 설날에 가족 친지들과 함께 장수(長壽)를 빌고 사기(邪氣)를 물리치기 위해 마시는 술이다.(《송정선생문집(제1권)》 29페이지, 각주 96에서 재인용)

526) 《송정세과(松亭歲課)》에서 인용.

대설비첨외
大雪飛簷外　대설은 처마밖에 날리고,
장풍후학중
長風吼壑中　장풍은 골짜기에 부는구나.
명조노응지
明朝老應至　내일 아침 늙음에 이르지만,
불석차년궁
不惜此年窮　지금의 궁함 아깝지 않네.

이 두 번째 시(詩)의 수련(首聯)에서 “임진년에 왜구를 피해(避寇壬辰歲)”라고 읊음으로써 같은 제목으로 읊은 시(詩) 〈真住菴遇除夜(진주암에서 제야를 맞음) 1〉은 임진년에 쓴 것임을 알 수 있다. 따라서 이 시는 송정이 40살인 1592년 임진년에 피난하면서 41세, 즉 50줄에 앉은 제야에 쓴 것이 확실하다. 따라서 위에서 본 첫 번째 시에서 “마흔 살은 오늘 밤이 마지막, 내일 아침은 오십 줄의 시작이다.”라고 보는 해석이 타당하다고 본다. 이리하여 수련(首聯)의 해석을 수정했다.

이상의 고찰 결과, 임진왜란 때, 송정 선생이 진주암에서 피란한 사실은 확실했다. 그런데 《송정선생문집》에서 피란처로 ‘진주암’은 등장하지만 ‘묵계동’이라는 지명은 등장하지 않는다. 필자는 송정 선생이 진주암에서 오랜 시간을 피란했으니 임진왜란 당시, 묵계동에 관한 정보를 기록한 자료가 있을 것으로 기대했다. 그러던 중 《송정선생일기》가 있다는 사실을 알고, 이것을 백방으로 찾았으나 아쉽게도 구하지 못했다.[527]

▣ 계사년 여름, 진주암 뒷산에서 피란하다

2024년 여름, 필자는 우정(愚亭) 강재헌(姜在憲) 선생의 ‘청암 8경’ 중 제1경인 〈사동폭포(寺洞 瀑布)〉와 관련된 자료를 정리하면서 송정 선생 일가가 청암면 명호리 절골에 있는 ‘청암사’와 ‘청암 폭포’를 자주 다닌 사실을 알게 되었다. 그 내용은 앞서 소개한 ‘청암 8경’ 등 관련 내용을 참고하시기 바란다.

그러던 중에 송정 선생의 동생 수긍재(守肯齋) 하천일(河天一) 선생의 문집인 《수긍재유집(守肯齋遺集)》에서 〈7월 6일 묵계 산중으로 피란하다 [七月六日避亂默契山中(칠월육일피란묵계산중)]〉라는 시를 발견했다. 드디어 송정 선생 일가의 글 중에서 ‘묵계(默契)’라는 지명이 등장한 것이다.

그렇다면 이와 유사한 기록을 송정 선생도 남겼을 것으로 생각하고 《송정세과

527) 진주향교에서 함께 공부하는 운성(運聲) 하종도(河鍾禱) 동학(同學)으로부터 《송정서행록(松亭西行錄)》이라는 이름의 책을 PDF 파일로 받았다. 여기에는 〈▩▩서행록(西行錄)〉, 〈임진서행록(壬辰西行錄)〉, 〈정미서행록(丁未西行錄)〉, 〈무신년(戊申年)〉 등의 제목이 붙은 글이 마치 일기처럼 날자 별로 수록되어 있다. 그런데 이것이 위에서 말한 《송정선생일기》인지, 아니면 별도의 책인지는 확인하지 못했다. 참고로 이 자료는 2024년 11월 28일 현재, 경상국립대 고문헌도서관 남명학고문헌시스템에서도 검색이 가능했다. 귀중한 자료를 제공해 준 운성(運聲) 하종도(河鍾禱) 동학께 감사드린다.

(松亭歲課)》를 다시 자세히 살펴보기 시작했다. 그 결과, 임진왜란 당시 왜적이 묵계동의 진주암까지 쳐들어온 위급한 시기에 송정 선생이 수긍재 및 그의 매제인 오월당 이여실과 함께 진주암 뒤 산중의 바위틈과 밀림 속에서 피란하며 남긴 4편의 시를 찾았다. 먼저 송정 선생이 이 시를 지을 당시의 급박한 상황을 이 시의 서문에서 다음과 같이 남겨 놓았다.

> 1593년 6월 그믐에 왜적이 진주성을 함락시키고 7월 5일에 도적무리가 악양에서 묵계로 침입하였을 때, 나는 태초[仲弟인 天一], 이여실[李汝實, 妹夫, 호 梧月堂] 등 집안 형제들과 함께 가족들을 데리고 진주암 뒤 서쪽 산봉우리에 피신하였다. (7월) 6일에 적이 진주암까지 쳐들어와 집안에 쓰는 온갖 물건들을 훔쳐 갔다. 몸을 피한 산중까지는 적들이 이르지 않아서 이로 말미암아 모두 몸을 안전히 보전하였다. 그래서 여실과 함께 시를 주고받으며 화운(和韻)하면서 단율(短律)[528] 4수를 지었다.[529]

먼저 송정 선생이 당시의 분위기를 읊은 2편의 시는 다음과 같다.

海塵澒洞鏖山中　해적의 난이 혼동하여 산중에서 모조리 죽이는데
巖谷隱淪飄若蓬　바위 골짜기에 숨어 사는 떠돌이 객이 되었네
林下投冠潛縮首　수풀 아래에서 갓 벗고 머리를 움추리고서
棘間負袋暗藏踪　가시덤불 사이에 포대 지고 자취를 숨겼네
緣崖上下足皆爾　바위 타고 오르내리기 모두 다 잘하고
藉草食眠頭盡風　풀을 깔고 먹고 자니 머리에 바람이네
所幸四家餘百口　다행한 것은 네 집의 백여 명 식구들
不論老少各全躬　노소를 막론하고 각각 몸을 보전했네

方丈之陽眞住西　방장산의 양지바른 진주암 서쪽에
石峯崒嵂草萋萋　돌 봉우리 험하고 수풀은 무성한데
携兒扶老入林密　아이들 이끌고 노인 부축해 밀림 속에 숨어
屛氣鞠躬出語底　돌 틈 사이 몸 굽히며 목소리 낮추어 나직이 말하네
累世靑氈烟燼滅　여러 대의 집안 보물 불에 타 없어지고

---

528) 이익(李瀷, 1681~1763)이 〈율시노정[律詩路程]〉에서 "율시는, 오언(五言)은 육조(六朝)에서 생기고, 칠언(七言)은 심전기(沈佺期) · 송지문(宋之問)에게서 생겼다……《시경》 이후에 제일 먼저 고시(古詩)가 있었고 다음에 절구(絶句)가 있었고 그 다음 쌍대(함련과 경련에 대우를 맞춤)의 단율(短律)이 있었다. 지금 율시(律詩)를 짓는 자는 먼저 절구를 익히고 나서 단율을 익혀야 한다. 이것이 그 노정(路程)이다."라고 하였으니(《성호사설(星湖僿說)》(29권) 시문문(詩文門)), 단율이 곧 8구 4연으로 이루어진 율시임을 알 수 있다(한국고전종합DB에서 '고전번역서 〈무명자집〉 〈무명자집시고〉 제2책/시/〈이단전이 찾아오자 기뻐서 입에서 나오는 대로 절구 2수〉의 '[주-D3] 율시'에서 인용).

529) "六月晦日, 敵陷晉州. 七月五日, 自岳陽入寇默契, 余與太初汝實等, 出避于眞住菴西峯. 六日敵入眞住菴, 凡家藏什物盡掠. 玄避寓處賊不至, 由是皆得全保. 仍與汝實相酬和 短律四首."(원문은 경상국립대 고문헌도서관, 《송정세과》)

만가검수기한제
萬家黔首飢寒啼 많은 백성이 추위와 배고픔에 울고 있네
수지생차성명제
誰知生此聖明際 누가 이 성군의 시기에 태어나고서
오진의관행로미
汙盡衣冠行路迷 의관 더러워지고 행로가 희미할 줄 알았겠는가?

다음은 송정 선생의 동생인 수긍재 하천일의 시 〈7월 6일 묵계 산중으로 피란하다
칠월육일피란묵계산중
[七月六日避亂默契山中]〉이다.[530)]

해구궁오만학중
海寇窮鏖萬壑中 왜구가 온 고을 사람 다 죽이니
생민류전임표봉
生民流轉任飄蓬 생민은 떠다니는 나그네 신세
황황부로림간수
遑遑扶老林間首 다급하게 노인 부축하여 숲 사이에 거쳐하며
췌췌휴아석극종
惴惴携兒石隙蹤 벌벌 떨며 아이 이끌고 돌 틈으로 숨었네
칠일재산충야우
七日在山衝夜雨 칠일을 산에 있으며 밤비를 맞고
삼조폐식촉한풍
三朝廢食觸寒風 사흘을 굶으며 찬바람 맞았네
진인태반간도지
晉人太半肝塗地 진주성 사람 대부분 죽임을 당했으니
다행전가각보궁
多幸全家各保躬 온 식구 몸 보전한 것만도 다행이네

이들 시의 수련(首聯)에는 '진주성은 물론 묵계동의 진주암까지 왜구에게 도륙당한 실상'을 읊고 있고, 함련(頷聯)에는 진주암 뒷산에 이어진 바위틈 사이로 황급히 피신하는 피란민의 고생길이 적나라하게 그려져 있다. 진주암 뒤 삼신봉 주변에는 독바위, 쇠통바위, 송정바위 등 소위 석각삼봉이 있으니 송정 선생 가족은 이런 산속 바위틈에서 찬바람 맞으며 노숙한 것으로 보인다. 경련(頸聯)에는 산중 숲속에서 숨소리까지 죽여가며 7일을 피란하면서 사흘을 굶는 등 피란지의 참상을 그렸다. 끝으로 미련(尾聯)에서는 그나마 목숨을 보전한 것에 안도하는 모습이 그려져 있다.

송정 선생 가족이 남긴 이 시를 통해 임진왜란 당시 왜군이 묵계 산중의 진주암까지 왔었다는 사실을 확인할 수 있었다. 또한 당시 진주암 뒷산의 해발 1300m 가까운 높은 산중의 숲속 바위틈에서 1주일 여 동안 피란한 사실이 확실해졌다. 진주암 뒷산인 송정봉과 쇠통바위 주변에는 바위굴이 많다. 따라서 '송정굴을 포함한 그 일대의 바위 틈새에서 송정 선생 일가가 임진왜란 때 피란했다.'라는 것은 역사적인 사실이다.

▣ 절부황씨의 참상을 시(詩)로 전하다.

마지막으로 송정이 묵계에 머물면서 왜란의 참상을 듣고 그 내용을 기록으로 남겼다.

530) 하천일, 《수긍재유집》 상권.

이때 남긴 시가 〈황씨 부인을 애도함-애황절부(哀黃節婦)〉인데 시의 서문에 의하면 '절부(節婦)는 송정의 문인 이순훈(李純勳)의 아내이고 황숙(黃俶)의 딸이다.

계사년 추(秋) 7월에 진주를 함락한 왜적이 악양(岳陽)에서 묵계(默契)로 진입하는 도중에 숲속에 숨어 있던 황씨 부인이 왜적에 사로잡혔다. 왜적이 칼을 뽑아 위협하자 절부가 '빨리 죽여라. 차라리 죽을지언정 네 말은 듣지 않겠다'라고 하자 왜적이 마침내 찔러 죽였다. 이 처참하고도 가상한 소식을 근처에서 피난하던 송정이 전해 듣고 시로써 애도한 것이다.[531] 경련(頸聯)[532]의 금(金)과 옥(玉)은 황절부를 비유한 것이다.

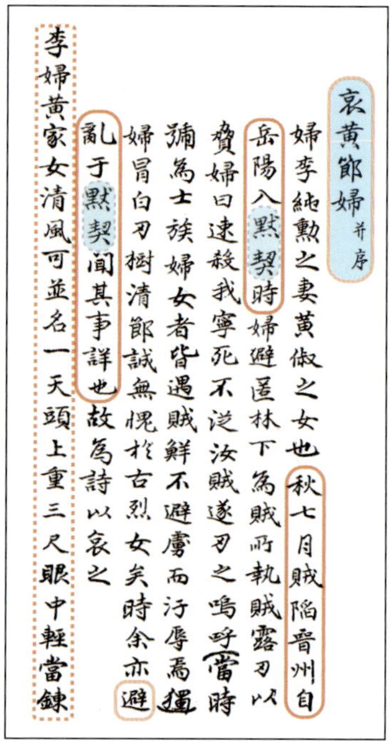
哀黃節婦 并序
婦李純勳之妻黃俶之女也秋七月賊陷晉州自岳陽入默契時婦避匿林下為賊所執賊露刃以脅婦曰速殺我寧死不從汝賊遂刃之嗚呼當時號為士族婦女者皆遇賊鮮不避虜而汚辱焉獨婦冒白刃樹清節誠無愧於古烈女矣時余亦避亂于默契聞其事詳也故為詩以哀之
李婦黃家女清風可並名一天頭上重三尺眼中輕當錬

《송정세과》〈애황절부〉(자료제공: 이상필 경상국립대 명예교수)

《진양속지(晉陽續誌)》(권2)에 의하면 "이번(李蕃)의 초명은 순훈(純勛)이요, 자는 사영(士英)이며 호는 남계(南溪)이다. 벼슬은 금부도사(禁府都事)였다. 나면서부터 평범한 아이(凡兒)와 달랐고, 강개(慷慨)하여 대절(大節)이 있더니 임진(壬辰)의 난에 이르러서는 아우 분(賁)과 종제(從弟) 홍훈(弘勛)과 함께 망우당 곽공(忘憂堂郭公)을 따라 화왕산성(火旺山城)에 들어갔고, 또 충무이공(忠武李公)을 따라 바다에서 싸워서 노적(勞績)을 많이 드러내었다.[533]"라고 소개되어 있다.

---

531) 《송정선생문집(松亭先生文集)》 본문에는 〈애황절부(哀黃節婦)〉라는 시(詩)의 제목이 〈애황부(哀黃婦)〉로 되어 있고, 시의 서문(序文)도 생략되어 있다. 또 이상필(李相弼) 교수가 쓴 송정선생문집(松亭先生文集)의 〈머리말〉에서도 이 시를 언급하고 있는데, 여기서도 서문의 원문은 없지만, 그 내용의 대부분을 번역한 다음 마지막에 약간의 해설을 추가해 놓았다. 그러나 이 시를 쓸 당시 송정(松亭)의 피난처를 '(사건이 일어난) 근처에서 피난하다가~~~'로만 서술함으로써 송정의 피난처를 '묵계동'으로 특정할 수 없었다.

532) 한시(漢詩)의 율시(律詩)에서 첫 번째와 두 번째 구(句)를 기련(起聯), 수련(首聯) 혹은 두련(頭聯)이라 하고, 세 번째와 네 번째 구(句)를 승련(承聯) 또는 함련(頷聯), 다섯째 구(句)와 여섯째 구(句)를 전련(轉聯) 또는 경련(頸聯)이라고 한다. 끝으로 일곱 번째와 여덟 번째 구(句)를 결련(結聯), 미련(尾聯) 혹은 낙구(落句)라고 한다(이상은 율시-한국민족문화백과사전, 〈블로그-덕전의 문화일기-한시의 이해〉 등에서 인용, 작성했다).

533) "李蕃, 初名純勛, 字士英, 號南溪, 官禁府都事. 生而異凡兒, 慷慨有大節, 及壬辰之亂, 與弟賁從弟弘勛, 從望憂堂郭公于火旺山城. 又從忠武李公軍, 于海多著勞績." 번역문은 진주문화원 《국역 진양지》 제3권 충의(忠義) 편에서, 원문은 경상국립대 남명학고문헌 시스템의 《진양속지(晋陽續誌)》(제2권) 충의(忠義) 편에서 인용.

〈황씨부인을 애도함[哀黃節婦]〉[534]

李婦黃家女 이씨 아내 황씨 가문의 딸,
淸風可幷名 맑은 기풍 아울러 이름 내었네.
一天頭上重 머리 위의 한 하늘은 막중하고,
三尺眼中輕 석 자 칼은 가벼웠네.
當鍊知金潤 시련 당해서야 금이 윤택한 줄 알고,
臨緇見玉貞 검은데 임해서야 옥이 바름을 안다.
他時靑傳上 뒷날 푸르름은 역사에 전해지리니
落莫爲詩成 쓸쓸한 마음을 시를 지어 읊노라.

응와(凝窩) 이원조(李源祚, 1792~1871)가 쓴 〈의금부도사(義禁府都事) 남계 이공 묘갈명(南溪 李公 墓碣銘)〉[535]에도 '남계(南溪) 이공(李公)의 부인 황씨[配淑人長水黃氏]]가 정려(旌閭)를 받은 사실'[536]을 기록하고 있다. '남계 이공'이 바로 '황씨녀'의 남편 이번(李蕃)이다.

필자는 2024년 2월 16일, '공암(孔巖)과 삼로풍영대(三老風詠臺)' 등을 재조사하기 위해 청학동을 방문했다. 이 자리에서 고산 김삼주 선배로부터 '황절부정려비(黃節婦旌閭碑)'가 옥종에 있다는 말을 듣고 귀갓길에 청암면 평촌에서 말티고개를 넘어 구 안양사(安養寺) 앞 계곡과 돌고지재 정상을 거쳐 옥종에 들렸다. 이 길은 청암면에서 옥종이나 진주로 가는 지름길이다. 옥종농협 마당[537]에 '충렬려(忠烈閭)'라는 현판이 걸린 화려하게 채색된 비각이 있었다.

이 정방형 비각의 외벽은 홍살로 처리되어 내부를 들여다볼 수 있었다. 다행히 열쇠는 없고, 출입문은 소용돌이형 철사 고리만 있어서 문을 열고 참배할 수 있었다. 이 비각의 건립연대[538]는 1984년이며, 그 안에는 3행으로 '동몽교관(童蒙教官)

534) 하수일, 《송정선생문집》(1권)에서 인용.

535) 《응와선생문집(凝窩先生文集)》(19권), 〈의금부도사(義禁府都事) 남계이공묘갈명(南溪李公墓碣銘)〉

536) "계사년에 황씨가 왜적을 피해 피난 중에 수풀 속에 숨어 있다가, 불행하게도 도적을 만나 욕을 당하지 않으려고 스스로 칼날을 받아 의롭게 죽었다는 말을 듣고 정려를 내리도록 했다[癸巳黃氏 避兵于所居里林藪中 遇賊義不辱 自刅而死 事聞旌閭](《웅와선생문집(凝窩先生文集)》(19권)에서 인용).

537) 옥종면사무소 공무원의 협조로 정태교 하동군 문화관광해설사와 진주 동방한학연구원의 실재서당에서 동학하고 있는 유강(裕江) 성한수(成漢守) 선생과 전화 통화를 통해 황절부정려비가 옥종농협 앞에 있다는 정보를 듣고 즉시 현장을 방문하였다. 옥종면사무소의 친절한 여직원과 정태교 문화해설사님, 유강 선생님께 감사드린다.

538) 비각 천장에는 '檀紀四千參百拾七年甲子拾壹月庚寅朔上五日甲午申時上梁'라는 상량문이 있다.

금부도사(禁府都事) 행오수찰방(行獒樹察訪) 재령이번처(載寧李蕃妻) 절부숙인장수황씨지려(節夫淑人長水黃氏之閭)'라는 비명(碑銘)(이하, '절부황씨정려비(節婦黃氏旌閭碑)'이 새겨져 있다. 비각 내부 정면에는 '절부찰방이번처숙인장수황씨지려(節夫察訪李蕃妻淑人長水黃氏之閭)'라는 현판이 걸려 있고, 비각 바깥 오른쪽 뒤에는 '충열려(忠烈閭) 중건기념비'와 비각 정면 왼쪽 앞에는 '절부황씨정려비'를 소개하는 석비가 있다.

이 황절부의 거룩한 미담은 1617년(광해군 9)에 《동국신속삼강행실도》(제4집) 〈열녀도-황씨견살(黃氏見殺)〉에 수록되어 있고, 2015년에 세종대왕기념사업회에서 국역(역자 이상규 교수)했다. 그 내용은 다음과 같다.

〈황절부정려비각 내부 현판〉

〈황질부정려비각(黃節婦旌閭碑閣)〉(옥종농협 앞)

황씨견살(黃氏見殺)(《동국신속삼강행실도》에서 인용)

〈황씨견살(黃氏見殺)-황씨가 적에게 해를 입어 죽다〉[539)]

황씨는 진주사람이니 유학(幼學) 이번(李蕃)의 아내다. 임진왜란에 도적을 만나, 도적이 핍박하거늘, 황씨 얼굴을 싸고(가리고) 크게 꾸짖어 말하되 "어찌 나를 빨리 죽이지 아니하는가!" 이에 도적이 죽였다. 지금 조정에서 정문을 세웠다.

539) 세종대왕기념사업회에서 번역한 《역주 동국신속삼강행실도》(4집)에서 인용했다

황씨진주인 유학이번지처야 임진왜란우적 적핍지 황씨몽면대매왈
黃氏晉州人 幼學李蕃之妻也 壬辰倭亂遇賊 賊逼之 黃氏蒙面大罵曰
하불속살아적살지 금상조정문
何不速殺我賊殺之 今上朝旌門

필자는 '내삼신봉 인근에 있는 송정굴의 주인공으로 알려진 송정이 과연 누구인가?'라는 의문과 함께, '과연 송정은 임진왜란 때 묵계에서 피란했을까?'에 큰 관심을 가졌었다. 송정(松亭) 하수일(河受一)은 남명(南冥)의 제자인 각재(覺齋) 하항(河沆)으로부터 남명학의 핵심을 이어받고, 이를 겸재(謙齋) 하홍도(河弘度)에게 전수해준 인물인데, 송정의 제자 겸재는 남명학파 내에서 남명과 함께 '일(日)·월(月)'로 일컬어지는 인물이다.[540] 각재는 물론 겸재가 남명 학파에서 차지하는 위상을 생각해 본다면 송정은 남명 학파에서 중요한 비중을 차지하는 인물[541]임이 분명하다. 겸재 이후로 진주 인근에 남명학을 전승할 수 있게 한 중요한 임무를 수행한 송정 하수일 선생은 1612년 정월, 향년 60세로 고종(考終)하였다. 그해 3월에 장례를 치르자 회장자(會葬者)가 수백 인이었고 문인 하겸재, 이순훈 등은 모두 스승의 복(服)을 입었다.

이처럼 강우(江右) 지역의 큰 학자인 송정 하수일 선생은 20대의 젊은 시절부터 그의 형제들과 함께 청암 땅 청암사에서 독서하고, 인근의 청암폭포와 청암의 서악(西岳) 등을 방문한 기록을 다수 남겼다. 임진왜란 이전부터 백암 김대명 선생은 묵계동에서 질병 치료와 휴양을 했고, 임진왜란이 일어나자 송정 하수일 선생 가족은 물론 황절부와 같은 양반가에서 묵계동을 피란처로 찾은 사례로 보아 임진왜란 이전부터 진주지역 사회에서 묵계동은 안전한 피난처 또는 휴양지로 널리 알려져 있었던 것으로 판단된다.

특히, 수긍재(守肯齋)의 〈7월 6일 묵계 산중에서 피란하다〉라는 시 등을 통해서 노인과 어린이를 포함한 송정굴의 전설적인 주인공인 송정 하수일 선생의 대가족이 임진왜란 당시 묵계의 진주암에서만 피란한 것이 아니라 그 뒷산에 있는 '석각삼봉'의 바위틈과 밀림 속을 전전하며 7일 동안 산중의 밤 추위와 굶주림과 싸워가며 피란하였다는 사실을 확인하였다. 따라서 송정이 진주암 뒷산에 있는 송정굴에서 피란한 것 또한 역사적인 사실이라고 말할 수 있다. 430여 년 전 송정 선생은 삼신봉 아래의 묵계동, 즉 오늘날의 묵계 청학동을 피란처로 선택했었다.

540) 이상필, 《송정선생문집》, 〈해제〉에서 인용.

541) 전병철, 〈송정(松亭) 하수일(河受一)의 학문(學問)과 문학(文學)〉(동방한문학, 동방한문학회 Vol.46)

■ 미륵암지(彌勒庵址)[542)]

미륵암은 외삼신봉의 서남쪽 약 200m 아래, 해발 1,190m에 있다. 미륵암 아래에 삼신봉 등산로의 입구인 미륵골 마을이 있다. 미륵암지(彌勒庵址)는 행정구역상으로는 하동군 청암면 묵계리 산 320번지 일대인데, 이 지번은 18,469,578m^2(약 560만 평) 이르는 단일 임야이다. 1942년(壬午)에 중수했다는 기록이 바위에 남아 있는 것으로 보아 6.25 전까지는 암자가 있었으나 빨치산에 의해 불탄 것으로 추정된다.

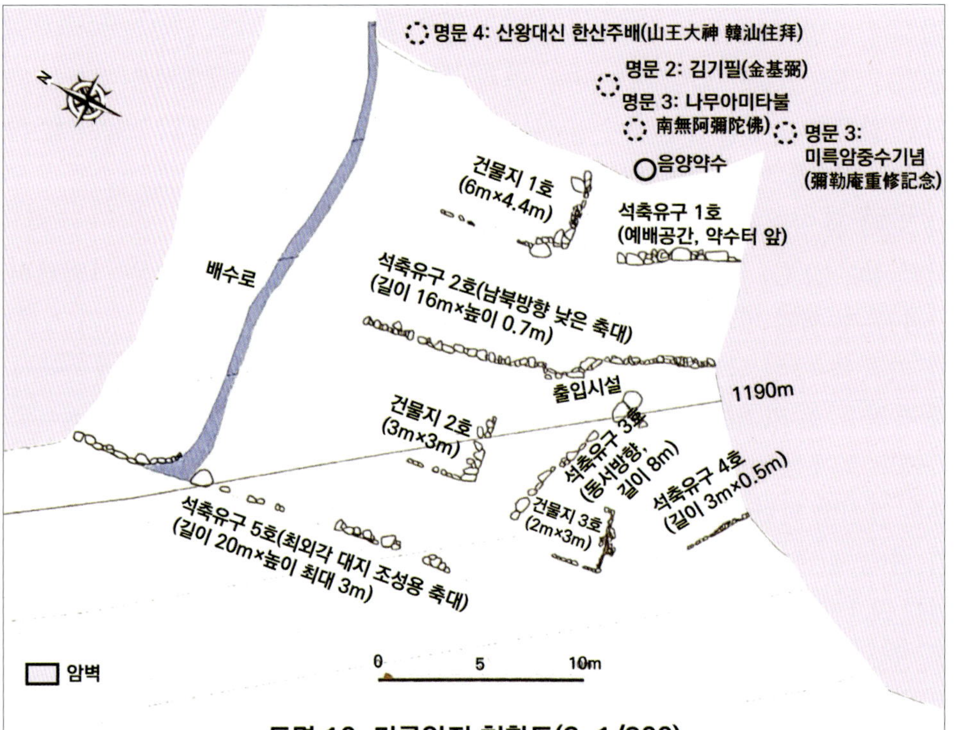

도면 10. 미륵암지 현황도(S=1/300)

미륵암지 현황도. (동국대학교 경주캠퍼스 박물관, 《하동 미륵사지 문화재 지표조사 보고서》에서 인용, 작성)

미륵암지는 필자가 초등학교 2학년 때인 1963년에 가을소풍을 갔던 곳이다. 당시는 '미리감 절'이라고 불렀다. 너무 어릴 때라 많은 기억은 나지 않지만, '전골 뻔덕'에서 '말바위'도 보고, 힘겹게 산을 올라가 고개를 넘어 약간 내려가니 큰 바위 사이에 제법

542) 《청암》(하복도 편), 《하동군 지명지》(하동문화원), 《하동 미륵암지 문화재 지표조사 보고서》(동국대 경주캠퍼스 박물관, 2021년 8월) 등을 참조하여 작성하였다.

넓은 공터가 있었다. 이곳이 '미리감 절터'라고 했다. 특히 큰 바위 아래에서 흘러나오는 샘물을 마셨던 기억은 뚜렷하다. 점심을 먹은 후, 선생님들과 선배들이 어디론가 산을 다시 올라갔다가 왔다. 뒤에 알고 보니 외삼신봉을 다녀왔던 것인데, 그때 외삼신봉 정상에 올라가 보지 못한 것이 못내 아쉬웠다. 이런 추억이 서린 미륵암지의 해발고도는 1190m 내외이고, 곡부에 높은 축대를 이용해 대지를 조성하였다.

현재 노출된 석축 및 기단 석렬 등을 고려하면 3동 정도의 건축물이 확인된다. 전체 추정 사역은 남북 약 45.5m, 동서로 약 24m로 건물지 및 축대는 서향으로 자리를 잡고 있다. 전체 면적은 1,095m²(332평)이다. 미륵암지의 대지는 크게 2단으로 되어 있다. 석축유구 5호를 이용해 1차로 넓은 대지를 조성하였다. 이 석축 유구 5호는 길이 약 20m, 잔존상태가 양호한 최대 높이는 약 3m이다, 쌓기는 자연석을 이용하여 막돌 허튼 층으로 쌓았고, 가로 쌓기[橫平積] 한 것을 확인할 수 있다.

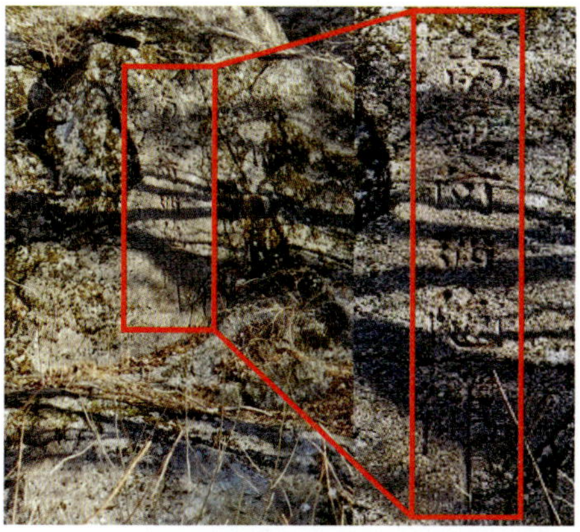
미륵암지 '나무아미타불' 명문 바위. 이 바위 아래에 음양약수가 잇다

미륵암지 음양약수.(《하동 미륵암지 문화재 지표조사 보고서》 인용)

2단 축대인 석축유구 2호는 석축유구 5호에서 약 9m 들여 남-북 방향으로 낮은 축대를 마련하였다. 육안으로 확인되는 축대의 길이는 약 16m이고, 높이는 0.7m이다. 자연석 막돌로 허튼 층으로 쌓았다. 중간에 출입 시설로 추정되는 계단시설이 남아 있다. 이 출입 시설은 남동쪽 묵계사로 내려가는 산로와 연결된다. 즉 2기의 석축 유구를 통해 사역을 2개 공간으로 구분한 것이다. 석축 유구 1호는 남쪽에 치우쳐 북-남 방향으로 쌓았다. 잔존한 전체 길이는 6m, 높이 0.6m 정도로 자연석을 이용해 막돌 허튼 층으로 쌓았고, 상부 1~2단은 횡으로 긴 석재를 이용해 횡평적하였다. 석축 유구 1호는 위치와 공간으로 보아 건축물을 위한 축대는 아니고 '나무아미타불(南無阿彌陀佛)'이 새겨진 암면을 접하고 있다.

따라서 예배공간 및 약수터가 있는 상부 암벽으로 올라가는 노면 축대라고 판단된다.

석축유구 4호는 사역 남쪽으로 만들어진 것으로, 석축의 잔존길이는 3m, 높이 0.5m로 자연석으로 막돌 허튼 층으로 단을 마련하였다. 미륵암지 입구부로 보인다. 석축유구 5호는 석축유구 4호에서 약 6m 북쪽으로 떨어져 동-서 방향으로 쌓았다. 육안으로 확인되는 길이는 약 8m이고, 지표에 자연석이 줄지어 1단 노출되어 있다.

건물지로 추정되는 유구는 건물지 1호 · 2호 · 3호이다. 건물지 1호의 석단의 잔존규모는 남-북 방향 6m, 동-서 방향 4.4m이다. 자연석으로 쌓았으며, 1단 정도 남아 있다. 건물지 2호는 석축유구 5호와 석축유구 2호 사이에 위치한다. 잔존길이 북-남 3m, 동-서 3m 정도로 건축물의 서면과 남면 일부 기단부가 확인된다. 건물지 3호는 석축유구 3호 밖에 위치한 부속 건물지로 추정된다. 잔존길이 북-남 2m, 서-동 3m이다. 크기로 보아 정면 1칸, 측면 1칸의 소형 건물지로 판단된다. 석축 유구와 건물지 외에 사역 북편으로 곡부 방향을 따라 동-서로 폭 0.6m 규모의 배수로가 설치되어 있다. 이외 사역 배면의 바위면 4곳에 명문이 있다. 명문 1은 '미륵암중수기념(彌勒庵重修記念)', 명문 2는 '김기필(金基弼), 명문 3은 '나무아미타불(南無阿彌陀佛), 명문 4는 '산왕대신 한산주배(山王大神韓汕住拜)라고 각서(刻書)되어 있다.[543]

■ 용소(龍沼)와 너른 바위[廣巖]

용소의 비경. 오른쪽 절벽 위는 미륵골, 진주암, 가는골 등으로 통하는 길이 있고, 그 길섶에 '어거정'이 있다. 또 길을 사이에 두고 약간 비켜서 '열쇠바위'가 서 있고, 그 뒤 언덕에 '농바위'도 있다.

543) 동국대학교 경주캠퍼스 박물관, 《하동 미륵사지 문화재 지표조사 보고서》, 2021, p.31~33.

1990년대, 청학동에 지금과 같은 도로가 생기기 전에는 초등학교가 있는 묵계리의 중심마을인 삼거리에서 섬들, 아랫몰, 새터, 상불지를 지나 가는골, 내원재 방면과 미륵골과 진주암 방면 등 각 마을로 이어진 오솔길은 주로 계곡을 따라 형성되어 있었다. 상불지에서 가는골(내원재 방면)이나 미륵골, 진주암 방면으로 가는 길이 갈라지기 직전의 오솔길에 '어거정'이라고 불리는 평평하고 넓은 바위가 있다. 이 바위 절벽 아래 묵계천에 비경 용소가 있다. 이 용소 일대에 흘러드는 묵계천의 유역 면적은 대단히 넓다.

먼저 미륵골, 밝단골, 가는골, 터골 등의 각 계곡에 유입되는 우수(雨水)의 분수령 해발고도가 대략 1,300m 전후로 높다. 또, 필자가 묵계천의 발원지를 특정할 수는 없으나 앞서 소개한 〈하동 미륵암지문화재 지표조사 보고서〉에 따르면 외삼신봉(1286.7m) 아래 미륵암지(해발고도 1,190m)에서 음양수가 확인되었다.

용소 앞 '너른 바위[廣巖]'(약 4m×10m)

그리고 삼신봉 등산로의 해발 1,020m 지점, 갓걸이재 아래에서 약수터 '삼신샘'의 존재가 확인되고 있으니 묵계천의 발원지는 적어도 해발 1,190m 이상에 있을 것으로 추정된다. 그런데 이들 여러 골짜기의 물이 합수(合水)하는 합소(合沼)의 해발고도는 650m 전후에 불과하므로 이곳 용소 일대의 묵계천 유로가 급경사임을 확인할 수 있다. 또한 이 일대는 유로가 불과 약 3km 이내로 매우 짧은 최상류의 산간지이므로 강바닥과 하안(河岸)의 침식(侵食)작용은 물론 운반작용도 좋아서 작은 자갈이나 모래는 거의 보이지 않는다. 따라서 용소 근처 상・하류의 수백 미터 구간은 층암절벽과 기암괴석이 병풍처럼 둘러 있고, 그 하이라이트가 바로 명주 꾸리 3개가 들어갔다는 전설적인 용소이다.

또한 이 용소 바로 아랫자락에는 동·서 양쪽에 큰 바위 두 개가 버티고 있다. 이 동쪽의 바위에 대해 오헌 양삼준의 은사이자 장인인 회천 이규진 선생은 〈모춘에 용소에 모여[暮春會龍湫]〉라는 시에서 "반석이 넓어 백여 명이나 놀겠네[盤石平如此 能容百許人]"라고 읊었다. 필자가 대략 그 크기를 측정해 본 결과 가로 약 4m, 세로 약 10m 정도였다. 이 암반이 자연적인 제방 역할을 하고 있어서 용소에 많은 퇴적작용을 가져온 원인이라고도 보인다. 이 바위로 인하여 용소 끝자락 서쪽(어거정 반대쪽)에는 이 일대에서 낙차가 가장 큰 폭포가 형성되어 있고, 그 아래에는 매우 폭이 좁은 또 하나의 용소가 형성되어 있다. 필자가 직접 용소를 방문해본 결과 용소의 위용은 아직 건재하지만 이미 퇴적작용이 상당히 일어난 것으로 판단된다.

이 바위에 서서 용소 상류를 올려다보면 용소 상류에는 10개 이상의 크고 작은 층층와폭(層層臥瀑)이 한눈에 들어오는 명승이다.

《청암(하복도 편저)》에서는 이 용소를 학연(鶴淵)이라고도 하는데, 이 용소는 서애(西厓) 류성룡(柳成龍)의 친형인 류운용(柳雲龍)이 제작했다고 알려진 청학동비도(靑鶴洞祕圖)에도 적혀있다고 하며, 김일손(金馹孫)이 '학연'의 존재를 기록으로 남겼다고는 하나 그 학연이 이 용소를 가리키는 학연인지는 확인할 수가 없다고 했다. 또, 옛날 용이 살면서 굴을 뚫어 악양의 개치를 내왕했다고 하여 용소(龍沼)라고 불리었단다.

■ 어거정[544)]

어거정(약 4m×8m). 이 바위 끝은 절벽, 그 아래가 용소.

어거정 뒤의 열쇠바위와 농바위

어거정은 앞서 '용소'에서도 소개한 것처럼 상불지에서 가는골(내원재 방면)이나 미륵골,

544) 회천(晦川) 이규진(李圭鎭) 선생은 '어기정(語期汀)'이라고 했다. 그러나 현재, 지역 사람들이 '어거정'이라고 부르므로 여기서는 '어거정'으로 표기했다.

진주암 방면으로 가는 오솔길 옆에 있는 반석(盤石)을 말한다. 필자가 대략 측정해 본 결과 가로 약 4m, 세로 약 7m 정도의 넓고 평평한 자연석 바위이다. 이 어거정의 바로 아래는 용소이니 풍광 또한 뛰어나고, 이곳은 동네 어귀이니 지나가는 길손들의 쉼터이자 손님을 멀리 떠나보내는 동구 밖 별리(別離)의 장소이기도 하다. 특히 1947년 겨울, 회천 선생이 고향 남원(南原)의 큰아들 집에 다니러 떠나면서 제자들에게 "내 정월에 돌아오리라."라며 송별한 곳이 바로 이 어거정이었다. 회천 선생은 결국 학동으로 되돌아오지 못하고 이듬해 무자(戊子)년 정월 24일에 별세한다.

어거정 바위 바로 아래는 비경 용소가 있고, 바로 앞에는 높이가 10m 정도 되는 엄청난 규모의 기암괴석인 열쇠 바위가 턱 버티고 있다. 또 이 열쇠 바위 바로 위에는 농바위가 있다. 이 농바위를 어거정 바위에서 바라보면 마치 2층으로 된 농이 가로로 누워있는 듯, 아니면 큰 문짝이 두 개인 큰 장롱이 가로 놓인 듯한 느낌을 받는다. 저 화초장 속에 이상향 청학동을 실현할 비기(祕記)가 가득 들어 있을지도 모르겠다. 언젠가 이 열쇠로 쇠통바위의 비밀을 열 수 있을지 상상만 해도 가슴 설렌다. 어거정은 비경(祕境) 용소를 가장 잘 내려다 볼 수 있는 묵계동천 최고 명소 중의 하나이다.

한편, 회천(晦川) 이규진(李圭鎭) 선생은 이곳을 '어기정(語期汀)'이라고 했는데 그렇게 명명한 이유를 《회천유고(晦川遺稿)》의 〈학동 어기정기(鶴洞 語期汀記)에 다음과 같이 남겼다.

〈학동 어기정기(鶴洞 語期汀記)〉[545]

청학동 단천(밝단골)에서 얼마 안 되는 지점에 층층 바위가 둘러 있는 그 아래에 용소(龍沼)가 있다. 그 용소 왼쪽 언덕에 이른바 '어기정(漁磯亭)'이라는 곳이 있다. 그러나 나무나 돌로 지은 정자도 없는데 일찍이 그 이름을 어느 때, 누가, 왜 그렇게 지었는지 알 수 없다.

청학동 단천지구 미수궁허 층암병립하 임룡추 추지좌 유소위 어기정 자
靑鶴洞 檀川之口 未數弓許 層岩屛立下 臨龍湫 湫之左 有所謂'漁磯亭'者
역무목석지건조 이증미지하대인 소이소흥이명지야
亦無木石之建造 而曾未知何代人 所以所興而名之也

내가 산에 들어오면서부터 사사로이 '어기정(語期汀)'이라 바꾸어 불렀는데 괜찮을까? 대개 천연산수(天然山水)는 시대(時代)에 따라 자연적으로 얻게 되는 경우가 있으니,

545) 이규진, 《회천유고(晦川遺稿)》에서 인용

그것을 처음에 이름하지 못하면 그 취지와 의미를 얻을 수 없는 것인가!

자 여 입 산 래 인 여 지 사 이 개 칭 왈 어 기 저 가 호 개 천 연 산 수 인 시 대 이 자 유 명 명 자
自余入山來 因余之私而改稱曰 語期汀可乎 蓋天然山水 因時代而自有命名者
미 가 위 기 초 지 부 득 기 취 부 득 기 의 야
未可謂其初之 不得其趣 不得其義也

나는 못이 깊고 움푹하며 산(山)이 깊고 물이 차가워서 용이 있는지 없는지를 알 수 없다고 생각했다. 비늘이 있는 생물은 (새끼나 알을) 많이 낳기에 적합한 장소가 아니면 그곳을 벗어나 물의 흐름을 따라간다. 물의 근원지를 찾아가는 경우라도 또한 험난한 곳을 부여잡고 올라가서 무사히 도달한다는 기대를 할 수는 없다. 집을만한 물고기가 없는 것이 저절로 밝혀졌으니 '기(磯)[낚시터]'가 어찌 이 장소에 있었겠는가!

여 즉 이 위 추 심 고 요 산 심 류 한 용 지 잠 부 불 가 상 야 인 족 무 성 산 지 의 후 자 외 이 연 류
余則以謂湫甚高凹 山深流寒 龍之潛否 不可詳也 鱗族 無盛産之宜 候自外而沿流
심 원 자 역 부 득 등 험 반 부 무 사 저 달 지 망 야 어 무 가 어 자 심 의 기 하 족 유 무 어 차 지 재
尋源者 亦不得登險攀付 無事抵達之望也 魚無可漁自審矣 磯何足有無於此地哉

매번 우리 집을 방문하는 경우, 집안 조카들과 친구나 손님들이 언제 올지 몰라 나가서 맞이할 수는 없지만, 그들이 갈 때는 이별의 말을 서두르고도 스스로 못한 말이 있어, 한걸음, 또 한걸음 이곳에 어떻게 왔는지도 살피지 않고 나의 쓸쓸한 생활만 헤아리며 함께 이별을 아쉬워한다. 또 와서 다시 방문하겠다는 기약을 말하기 때문에 '어기(語期)'라 이른 것이다.

매 유 방 여 가 즉 아 질 지 왕 래 자 빈 붕 지 종 축 자 미 도 기 기 고 불 능 출 영 우 차 당 기 거 야
每有訪余家 則兒姪之往來者 賓朋之從逐者 未度其期 故不能出迎于此當其去也
즉 총 총 여 설 자 유 부 진 일 보 우 일 보 불 성 하 이 도 차 자 규 아 잠 적 여 지 석 별
則悤悤餘說 自有不盡 一步 又一步 不省何以到此者 揆我潛寂 與之惜別
어 기 중 래 갱 방 지 기 고 운 야
語其重來更訪之期 故云也

또 정(亭)[546]을 고쳐 정(汀)[547]이라 한 이유는 다음과 같다. 정(亭)은 옛날 역(驛)이 있는 곳으로 십리(十里)에 1정(一亭)을 두고, 정(亭)에는 정장(亭長)을 두었던 곳이다. 요즘에는 그늘 밑 쉬는 곳, 목욕하며 옷 벗어 놓는 곳, 길가다가 유숙하는 곳들도 흔히 정(亭)이라 하니 이 말이 진실로 의미가 없다.

차 소 이 개 정 위 정 자 정 시 고 지 역 후 이 십 리 일 정 정 치 정 장 자 야 금 속 인 수 음 휴 게
且所以改亭爲汀者 亭是古之驛候 而十里一亭 亭置亭長者也 今俗因樹陰休憩
척 한 피 금 지 지 급 도 도 유 숙 지 참 역 다 칭 정 언 시 고 무 미
滌汗披衿之地 及道途留宿之站 亦多稱亭焉 是固無味

내 반드시 떠나려 할 때마다 이 골짜기에 사는 사람들도 응당 이곳을 손님 전송의

546) 정[亭, 정자 정]은 정자(亭子)나 역참(驛站)이 있는 마을, 즉 역마을을 의미한다(네이버 한자 사전).

547) 정[汀, 물가 정]은 "물가(물이 있는 곳의 가장자리) 혹은 모래섬을 의미한다(네이버 한자 사전).

'정(汀)'으로 삼고서, 서로 언제 다시 와서 만나자는 기약을 서로 말하였으니 또한 내 말을 잊지 않을 것이다.

여필장거 이거서어차동자 역응이차위송객지정 이상어기하견하래 갱봉지기
余必將去 而居捿於此洞者 亦應以此爲送客之汀 而相語其何見何來 更逢之期
즉역불망여언의
則亦不忘余言矣

■ 회남재 숲길 걷기[548)]

하동군은 지리산 힐링 여행 제1회 '회남재 숲길 걷기 행사'를 2014년 10월 25일(土)에 처음으로 실시했다. 하동군이 지리산 청학동과 소설 〈토지〉의 무대 악양면을 이어주는 황토 숲길을 널리 알리고, 슬로시티 하동의 이미지에 걸맞은 맨발 걷기의 세계적 명소로 육성하고자 마련한 것이다. 맨 첫해에는 행사명이 '회남재 황토 숲길 걷기대회'였다. 하동군에서 세운 회남재 안내판에 의하면 '회남(回南)재는 경의 사상(敬義 思想)을 생활 실천철학으로 한 조선 시대 선비 남명(南冥) 조식(曺植, 1501~1572) 선생이 산청 덕산에서 후학을 양성하던 중 악양이 명승지라는 말을 듣고 1560년경 이곳을 찾았다가 돌아갔다고 해서 붙여진 이름이다.'라고 되어 있었다.

그러나 이 고갯길은 조선 시대 이전부터 지리산과 섬진강의 악양 개치 시장, 하동시장을 연결하는 산업 · 경제활동의 통로였다. 즉 목기나 약초 등 지리산의 물산과 소금을 비롯한 섬진강과 남해 바다의 물산이 유통되는 물류의 통로였으며, 산청·함양 등 지리산 주변 주민이 널리 이용하던 소통의 길이었으며, 지금은 주변의 뛰어난 풍광을 즐기며 등산과 트래킹을 하는 동호인들로부터 사랑받는 곳이기도 하다.

제1회 행사는 2014년 10월 25일(土)에는 전국에서 3,000여 명의 트래커가 '삼성궁→회남정→악양면 등촌리 청학선사'까지 약 8km를 신선한 가을바람을 맞으며 울긋불긋한 단풍 숲길을 걸었다. 댕기 머리를 한 지리산 청학동 주민에서부터 윤상기 군수를 비롯한 공무원, 향우, 학생, 직장인, 가족 단위, 친구, 연인, 전문 산악인에 이르기까지 참가자들의 분포도 다양했다.

제2회 행사는 2015년 10월 31일(土), '지리산의 가을, 하동에 물들다. 지리산 회남재 숲길 걷기' 행사를 3개 코스로 나누어 실시함으로써 참가자의 형편과 상황에 맞게 선택할 수 있도록 코스를 다양화했다. 즉, 제1코스: 삼성궁→회남정→악양면 등촌리 청학선사(8km), 제2코스: 삼성궁→회남정→묵계초등학교(편도 10km), 제3코스:

548) 하동군 홈페이지-군정소식-군정뉴스-하동포커스-'트래커 3,000명 회남재에서 가을을 걷다'

삼성궁→회남정→삼성궁(왕복 12km)로 확대했다. 특히, '지리산 국제 트레일러닝 대회'도 동시에 개최하여 하동 알프스 웅장한 자연을 국제적으로 알리는 계기가 되었다. '트레일러닝'이란 '도로가 아닌 산이나 오솔길 등 포장되지 않은 길을 달리며 자연을 느끼고 자신의 한계에 도전하는 산악레포츠의 하나'이다. 이 대회는 '삼성궁→회남재→악양 형제봉→평사리'로 이어지는 총 30km의 코스에서 실시했는데, 국내외 트레일 러너 100여 명이 참가했다.

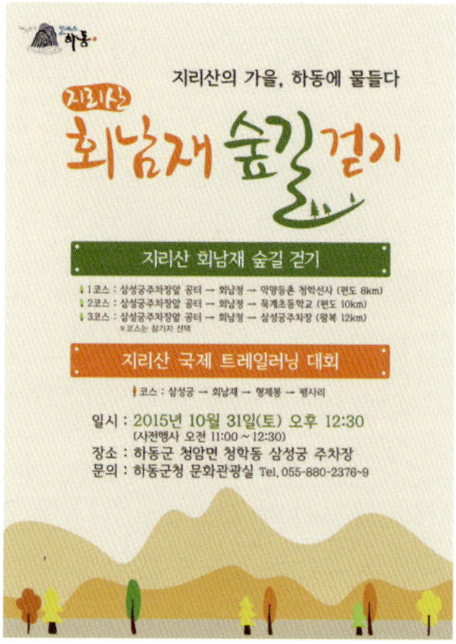

'회남재 숲길 걷기' 포스트(하동군 자료에서 인용)

김다현길 안내 표지판

제3회 행사는 2016년 10월 29일(토), 제2회와 같이 3개 코스에서 실시했다.

제4회 행사는 2017년 10월 28일(토), 제2회와 같이 3개 코스에서 실시했다.

제5회 행사는 2018년 10월 27일(토), 삼성궁→회남정→등촌리 청학선사(편도 8km) 코스에서 실시했다.

제6회 행사는 2019년 10월 26일(토), 제2회 때와 같이 3개 코스에서 실시되었다.

제7회 행사는 코로나로 2020년 10월 24일(토)부터 11월 8일까지 31일(토)까지 15일 동안 비대면 자율참여 걷기 행사였다. 코스는 삼성궁 주차장→회남정→삼성궁 주차장 왕복 12㎞ 1개 코스. 이 기간 중인 10월 31일 오전 10시에는 트롯 가수 '김다현길 선포식'이 열렸다.

제8회 행사는 코로나로 2021년 10월 23일(토)부터 11월 7일(토)까지 15일 동안 비대면 자율참여 걷기 행사로 시행했는데, 코스는 기존의 3개 코스에서 실시했다.

제9회 행사는 2022년 10월 22일(토), 삼성궁 주차장→회남정→삼성궁 주차장 왕복 12㎞ 1개 코스에서 실시했다.

■ 김다현길[549)]

2020년 MBN 〈보이스 트롯〉 준우승을 차지한 청학동 국악 소녀 김다현(2009~)의 이름을 딴 길이 지리산 청학동에 생겼다. 이는 〈미스터트롯〉 출신 정동원길에 이어 하동군에 생긴 트로트 경연 출신 가수의 두 번째 길이다. 하동군은 2020년 10월 31일 오전 10시 청암면 청학동의 회남재 입구(삼성교 옆)에서 명예 도로 〈김다현길(kimdahyeon-gil)〉 선포식을 열었다. 〈김다현길〉은 다현양이 청학동 국악 소녀로 MBN '보이스트롯'에 출연하면서 하동군을 전국에 널리 알리는데 이바지한 데 따른 것으로, 부친 김봉곤 훈장의 본가가 있었던 도인촌 입구~회남재 정상 팔각정 8㎞ 구간으로 이뤄졌다.

김다현길은 명예도로명 부여 절차에 따라 2025년 10월까지 5년간 사용할 수 있으며, 사용기간 만료일 1개월 전 도로명위원회를 거쳐 연장할 수 있다. 군은 김다현 길 8㎞ 구간에 명예 도로 안내표지판과 관광안내판 등을 설치해 방문객이 '김다현길'을 쉽게 찾아갈 수 있도록 했다. 그리고 〈지리산 회남재 숲길 걷기〉 개막식이 열린 이 날 김다현길 선포식을 함으로써 트래킹의 명소 회남재를 다시 한번 전국에 알리는 계기가 됐다. MC 소유담의 사회로 진행된 김다현길 선포식은 홍보대사 위촉식, 선포문 낭독, 핸드프린팅 및 기념사인, 청학동 주민들의 선물 전달, 축하 떡 나눔 순으로 진행됐다. 하동군은 이날 김다현양을 23번째 하동군 홍보대사로 위촉했다. 앞서 2015년 김봉곤 훈장이 홍보대사로 위촉됨에 따라 부녀가 동시에 홍보대사로 위촉되는 첫 사례가 됐다.

김다현 길 선포문

이 길은 MBN 보이스 트롯에서 당당히 우승같은 준우승을 차지한 청학동 국악트롯 요정 김다현 양을 기념하는 길입니다.

이곳 회남재의 수려하고 청아한 경관은 다현 양의 맑고 고운 목소리와 닮았으며, 고즈넉한 산기운은 사람들의 희노애락을 보듬은 다현 양의 신이 내린 목소리와 결을 같이 합니다.

이에 하동군에서는 도인촌 입구부터 회남재 정상까지 8km를 김다현길로 선포합니다.

김다현길 선포를 계기로 회남재와 다현양의 명성이 더욱더 전 세계로 퍼져나가길 바라며, 이 길을 찾는

549) 하동군 홈페이지-군정소식-군정뉴스-하동포커스에서 인용

모든 사람들에게 희망과 행복의 기운이 동시에 넘쳐나길 기원합니다.

2020년 10월 31일 하동군

하동군은 홍보대사 위촉과 함께 김다현길 명예도로명 부여로 아름다운 우리 고장 알프스 하동을 널리 알리고 하동군의 관광 활성화에 이바지할 것으로 기대하고 있다. 군은 앞서 지난 5월 24일 '미스터트롯' 출신의 정동원 고향인 진교면 백련리 안심마을 정군 본가를 중심으로 메타세쿼이아 길을 따라 옛 남해고속도로 백련마을 회전교차로~금남면 하삼천 회전교차로 이어지는 7.2㎞ 구간을 정동원길로 선포했다. 윤상기 군수는 "문화·예술의 고장 알프스 하동에 트로트 경연대회에서 우수한 성적을 올린 두 명의 소년·소녀 가수 길이 연이어 생김으로써 이들의 팬들은 물론 많은 관광객이 찾아 관광 시너지 효과가 배가될 것으로 기대한다."라고 말했다.

한편 김다현은 2021년 TV조선 〈미스트롯 2〉 미(美, 3위), 2024년 MBN 〈현역가왕〉 TOP3에 뽑혀 트로트 국가대표로 〈한일가왕전〉에 출전하여 MVP로 뽑히는 등 '차세대 트롯 퀸'을 넘어 'K-트롯 퀸'으로 비상하고 있다.

(아) 청학마을 기타 지명

▣ 상불지(上佛地) 절터: 상불지 마을 뒤에 있는데 주초와 맷돌, 기왓장이 흩어져 있고, 주위에 절 꽃이 만발한다.

▣ 쇠통바위와 열쇠바위: 밝단재 옆 능선 위에 있는 바위가 자물통 모양이고 어거정 위에 있는 용소(혹은 학연) 옆의 바위가 열쇠 모양인데, 열쇠로 쇠통을 열면 세계에 평화가 오고 청학동에 운이 돌아올 것이라는 이야기가 있다.

▣ 밝난새: 화개 밝단과 묵계 밝단을 오가는 재의 이름으로 진주암과 터골 사이의 골짜기에 있다. 청암면 명호리 절골에 있던 애국지사 습재(習齋) 최제학(崔濟鶴) 선생의 묘를 1991년 겨울에 밝단골의 부인 묘 옆으로 이장하였다.

▣ 신선대: 진주암 뒷산인 송정봉 옆에 있는데, 높이가 수십 길이 넘는 높은 대(臺). 옛날 신선이 놀았다고 해서 신선대라고 하는데 주위 경치가 절경이다.

▣ 갓거리 골: 삼신봉 바로 아래에 있는 골짜기이다. 고운(孤雲) 최치원(崔致遠) 선생이 지나다니던 유적지라고 하는데 당시 고운 선생이 화개 쌍계사 쪽에서 갓거리 재를 경유하여 고운동을 왕래했다고 전한다. '갓거리'라는 지명의 유래는 고운 선생이 갓을

벗어서 걸어놓고 시름을 내려놓은 곳이라고 해서 생긴 이름이란다.

▣ 탕건 바위, 송곳 바위: 갓거리에 있으니 바위가 꼭 탕건처럼 생겼다. 송곳 바위는 탕건 바위 뒤에 있다.

▣ 미륵바위, 코끼리바위, 외뿔 바위: 내삼신봉 아래에 있는 거대한 바위로 그 바위의 생김새가 미륵의 형상이라고 하는데, 이 바위 주변에는 코끼리바위, 외뿔바위 등 여러 바위가 있고, 그 일대가 가히 신선 세계를 이룬다고 한다.

▣ 웃 가는골: 가는골의 위쪽으로 상불재(上佛峙)를 거쳐 불일폭포로 갈 수 있다.

▣ 버드내 골과 내원재: 웃 가는골에서 개울을 건너 올라가다 보면 지대가 넓고 평탄한 지대가 나타나는데, 이곳을 버드내라고 한다. 그 서쪽이 쌍계사로 갈 수 있는 '내원재'이다. 필자는 묵계초 6학년 때, 이 재를 넘어 쌍계사로 1박 2일 가을소풍을 갔던 추억이 있다. 또, 버드내에서 서남 간의 재가 '원강이 재'인데, 이 재 너머는 화개 땅이다.

▣ 곰덫골과 도덕골: 웃 가는골에서 상불재 가는 길 서쪽 편의 큰 골짜기를 곰덫골이라 하고, 상불재 바로 아래의 골짜기를 도덕골이라고 한다.

▣ 웃터골: 독바위 아래 골짜기로 왼쪽은 아래터골이고, 오른쪽은 웃가는골이다. 이곳에 삼성궁이 있다.

▣ 아래터골: 웃터골의 왼쪽 골이고 밝단골의 오른쪽 골짜기이다.

▣ 밝단내: 진주암의 서쪽 골이고 아래터골의 동쪽 골짜기인데, 이 골짜기에 난 길을 따라 오르면 밝단재에 이르고, 이 재를 넘으면 화개 밝단골이다. 6.25전까지 6~7호가 거주하였으나 소실되고 지금은 마을 앞에 한말(韓末) 애국지사 습재 최제학 선생의 묘소와 묘전 비석이 있다.

▣ 산막골(山幕): 청학동 미륵골에서 삼신봉 등산로를 따라 오르다 보면 서쪽에 보이는 큰 골짜기이다. 옛날 이곳에 산막을 짓고 목기와 같은 임산물도 생산하고 산신 기도도 지냈다고 한다.

▣ 지와골: 산막골과 갓걸이골 사이에 있는 골짜기인데, 옛날 미륵암절을 지을 때, 이곳에서 기와를 구워 썼다고 한다.

▣ 갓걸이골: 삼신봉 아래에서 청학동에 이르는 골짜기를 말하는데, 이곳의 물이 횡천강의 원류가 된다.

▣ 갓거리재: 갓걸이골 능선에 있는 재이다. 이 재를 통해 삼신봉, 외삼신봉, 산청군 시천면 내대리 거림 마을로 갈 수 있다. 옛날 최고운선생이 이 재에서 갓을 벗어 걸어놓고 시름을 풀었다는 전설이 있다.

▣ 탕건(宕巾)바위: 삼신봉에서 동쪽을 바라보면 탕건같이 생긴 바위가 있는데, 그 아래

골짜기 일대를 탕건바위골이라고 한다.
▣ 상불암터: 상불지 마을 뒤에 있다.
▣ 게바위: 상불암터 앞에 있다.
▣ 철매밭골: 청학동 마을회관 뒤에 있는 골짜기인데, 천마밭골이라고도 한다.
▣ 고깔바위: 청학동 공동주차장 뒤에 있는 골짜기에 있는 바위이다.
▣ 너벙바위: 청학동 윗 주차장 아래에 있다.
▣ 미륵봉: 미륵골 뒷산에 있다. 그 위에 미륵암 사지가 있다.
▣ 괴사름(고사암)재: 밝단에서 화개 고사암으로 넘어가는 재. 쇠통바위 아래에 있다.
▣ 원강재: 버드내에서 화개면 원강이로 넘어가는 재이다.
▣ 쌍계번덕: 가는골과 거사골 사이에 논이 있는 곳이다. 쌍계사 소유의 논이 있었다고 한다.
▣ 요강소: 미륵골 물과 밝단골 물이 합쳐지는 곳에 있다.
▣ 도깨비소: 도인촌으로 들어가는 입구 다리인 청학교 아래에 있다.
▣ 뒷골: 상불지 뒤에 있다. 옛날에는 마을이 있었다.
▣ 큰솔나무거리: 어거정 건너편에 있다.
▣ 거사골 몬당: 거사골에서 가는골로 가는 재에 있다.
▣ 흰 독바위: 독바위 아래에 있는데 바위가 흰빛을 띠고 있다.
▣ 상불재: 웃 가는골에서 화개 불일폭포로 넘어가는 재이다.
▣ 왼골재: 삼신봉 아래에서 화개 왼골로 넘어가는 재이다.
▣ 밀감(미리감. 미륵암)재: 회동 전골에서 미륵암으로 넘어가는 재이다.
▣ 소(沼), 바위, 재: 난바위, 회강재.

〈참고 문헌〉

[지역 자료]

- 강재헌(姜在憲), 《우정유고(愚亭遺稿)》, 2011
- 노용제(盧庸齊), 《운당유고(雲堂遺稿》, 2016
- 양삼준(梁三俊), 《오헌유고(旿軒遺稿)》, 2013
- 이규진(李圭鎭), 《회천유고(晦川遺稿)》, 2001
- 정준영(鄭俊泳), 《자학유고(子鶴遺稿)》, 1995
- 최제학(崔濟學), 《습재실기(習齋實紀)》, 1963
- 하복도(河福島), 《청암(靑岩)》, 청암정우회, 1992
- 하동문화원, 《추억의 하동 사진집》, 2001
- 하동문화원, 《삼포 불이향 옛 하동》(강태진 사진집), 2023
- 하동문화원, 《하동군지명지(河東郡地名誌)》, 1999
- 하동향교, 《속수하동향교(續修河東鄕校)》, 1963
- 함양문화총람편집위원회, 《함양문화총람(咸陽文化總覽)》
- 악양면지 편찬위원회, 《악양면지(岳陽面誌)》, 2004
- 시천면지 편찬위원회, 《시천면지(矢川面誌)》, 2014
- 하동군지 편찬위원회, 《증보하동군지(增補河東郡誌)》, 1972
- 여종엽, 《하동지속수(河東誌續修)》
- 여재규(余宰奎), 《하동군사(河東郡史)》, 1978
- 진양군사 편찬위원회, 《진양군사(晋陽郡史) 상》, 1991
- 진양문화원, 《진주목정사(晋州牧正史) 1권》, 1994
- 진주시사 편찬위원회, 《진주목지리지(晋州牧地理志》, 1994
- 김삼주 편역, 《청백사 시집(靑白社 詩集)》, 2019
- 하동정씨 〈덕원재(悳元齋) 연혁〉
- 학로계, 《묵계리 학로계록-신축년판》, 1961
- 학로계, 《묵계리 학로계록-임술년판》, 1982
- 학로계, 《묵계리 증보 학로계록-기묘년판》, 1999

[고문헌-실록 · 문집 · 지리지 · 읍지]

- 《비서감일기(祕書監日記)》, 광무10년 병오 5월 3일
- 《승정원일기(承政院日記)》, 1683년(숙종 9) 8월 5일 자
- 《승정원일기》, 고종 43년 5월 3일
- 《조선왕조실록-인조실록》,
- 《조선왕조실록-정조실록 38권》, 정조 17년(1793) 8월 16일 병자, 2번째 기사, 〈전라도 관찰사 이서구가 사폐하다.〉
- 기대승, 《고봉집(高峯集)》, 〈퇴계 선생 묘갈명〉
- 김규태(金奎泰) 지음, 박완식 옮김, 《고당집(顧堂集)》(2권), 구례문화원
- 김대명(金大鳴), 《백암선생유고(白巖先生遺稿)》, 〈행장(行狀)〉, 〈가장(家狀)〉, 〈묘갈명〉
- 김일손(金馹孫), 《속동문선(續東文選)》, 〈속두류록(續頭流錄)〉
- 김일손(金馹孫), 《탁영선생 문집(濯纓先生 文集)》, 〈두류기행록(頭流紀行錄)〉
- 김종직(金宗直), 《점필재집(佔畢齋集)》, 〈유두류록(遊頭流錄)〉
- 김진호(金鎭祜), 《물천집(勿川集)》, 〈백운동각남명선생유적기(白雲洞刻南冥先生遺蹟記)〉
- 남효온(南孝溫), 《추강집(秋江集)》, 〈지리산 일과(智異山日課)〉
- 문후(文後), 《연강재선생문집(練江齋先生文集)》, 〈연보〉
- 박지서(朴旨瑞), 《눌암선생문집(訥菴先生文集)》, 〈백암수석기(白巖水石記)〉
- 성여신(成汝信), 《부사집(浮查集)》
- 성채규(成采奎), 《회산문집(悔山文集)》
- 송병선(宋秉璿), 〈두류산기(頭流山記)〉
- 안익제(安益濟), 《서강유고(西岡遺稿)》(3권), 〈두류록(頭流錄)〉
- 양대박(梁大樸), 《청계집(青溪集)》(4권), 〈두류산기행록(頭流山紀行錄)〉
- 오장(吳長), 《사호집(思湖集)》(2권)
- 유몽인(柳夢寅), 《어우야담(於于野譚)》
- 이규경(李圭景), 《오주연문장전산고(五洲衍文長箋散稿)》, 〈청학동변증설(青鶴洞辨證說)〉
- 이상필, 《송정선생문집》, 〈해제〉
- 이륙(李陸), 《청파집(青坡集)》, 〈유지리산록(遊智異山錄)〉
- 이이(李珥), 《율곡선생전서(栗谷先生全書)》(제1권), 〈송이가겸증유두류산(送李可謙贈遊頭流山)
- 이인로(李仁老), 《파한집》
- 이중환(李重煥), 《택리지(擇里志)》

- 이정(李楨), 《구암선생속집(龜巖先生續集)》
- 이택환, 〈유두류록〉, 《회산선생문집》(9권), 〈잡저〉
- 이원조, 《응와선생문집(凝窩先生文集)》(19권), 〈의금부도사 남계이공묘갈명(南溪李公墓碣銘)〉
- 정경운(鄭慶雲), 《고대일록(孤臺日錄)》
- 정기(鄭琦), 《율계집(栗溪集)》
- 정문헌(鄭文獻), 《성호전집(星湖全集)》, 〈옥천서문(玉川集序)〉
- 정여창(鄭汝昌), 《일두선생유집(一蠹先生遺集)》
- 정원호(鄭源鎬)가 펴낸 《嶠南誌(교남지)》(경상도지리지)
- 정종엽(鄭鍾燁), 《국역 수당유고(修堂遺稿)(진안문화원)》, 〈유두류록(遊頭流錄)〉
- 정종엽(鄭鍾燁), 《수당유고(修堂遺稿)), 〈유두류록(遊頭流錄)〉
- 조식(曺植), 《남명집(南冥集)》, 〈유두류록(遊頭流錄)〉
- 최치원, 《고운집》(제1권)
- 하겸진(河謙鎭), 〈유두류록〉
- 하달홍(河達洪), 《월천선생문집(月川先生文集)》
- 하봉운(河鳳運), 《죽헌유고(竹軒遺稿)》
- 하수일(河受一), 《송정선생문집(松亭先生文集)》
- 하수일(河受一), 《송정세과(松亭歲課)》
- 하천일(河天一), 《수긍재유집(守肯齋遺集)》
- 허목(許穆), 《기언(記言)》, 〈산수기(山水記)〉, 〈지리산청학동기(智異山靑鶴洞記)〉
- 《광여도(廣輿圖)》
- 《대동지지(大東地志)》
- 《대동지지 3 경상도》(제3권 경상도 23읍 12 하동도호부 산수), 경인문화사
- 《동국여지승람(東國輿地勝覽)》
- 《동국여지지(東國輿地志)》
- 《신증동국여지승람(新增東國輿地勝覽)》
- 《여도비지(輿圖備志)》
- 《여재촬요 (輿載撮要)》
- 《여지도서(輿地圖書)》
- 《해동지도(海東地圖)》
- 《영남읍지(嶺南邑誌)》
- 《진양지(晉陽誌)》, 《국역 진양지(國譯 晉陽誌)》

- 《진양속지(晋陽續誌)》
- 《진주통지(晋州通誌)》
- 《국역(國譯) 천령지(天嶺誌)》

[현대 도서]

- 강동욱, 《남명의 숨결 칼을 찬 선비》, 나남출판, 2003.
- 강동욱, 《강우 유맥 계승에 평생을 바친 눌암 박지서(訥庵 朴旨瑞)》(남명학 교양총서 28), 경인문화사, 2016.
- 강정화, 《남명과 지리산 유람》(남명학 교양총서 22), 경인문화사, 2013.
- 고원규, 《청학동의 상품화와 전통의 창출 상상의 이상향에서 관광 명소로》, 민속원, 2016.
- 김아네스, 《지리산과 이상향》, 〈한국인의 이상향 지리산 青鶴洞〉, 도서출판 선인, 2016.
- 류정수, 《한국의 예언》, 한울, 2007.
- 문찬인, 《한국인의 이상향 青鶴洞》, 하동문화원, 2016.
- 오이환, 《남명학의 새 연구》(상, 하), 한국학술정보(주), 2012.
- 전병철, 《세찬 바람 속 푸른 소나무, 송정 하수일》, 경인문화사, 2010.
- 정약전 · 이청 지음, 정명현 역, 《자산어보 최초의 해양생물 백과사전》, 서해문집, 2016.
- 정우락, 《남명문학의 현장》(남명학교양총서 06), 경인문화사, 2006.
- 정우락, 《남명과 이야기》(남명학교양총서 10), 경인문화사, 2007.
- 정헌식, 《진주시민과 茶 생활》, 강우차회, 2001.
- 조식, 오이환 옮김, 《南冥集(남명집)》, 지식을 만드는 지식, 2009.
- 조식, 《조식의 지리산 유람기, 유두류록》, 이상영 옮김, 뜻있는 도서출판, 2023
- 지리산권 문화연구단, 《지리산과 이상향-지리산 인문학 대전 11》, 도서출판선인, 2016.
- 진주강씨 진산회, 《진주강씨 종사 대관(晉州姜氏宗史大觀)》, 1994.
- 최석기 외, 《선인들의 지리산 유람록》, 돌베개, 2000.
- 최석기 외, 《지리산 유람록 용이 머리를 숙인듯 …》, 보고사, 2008.
- 최석기 외, 《선인들의 지리산 유람록 3》, 보고사, 2009.
- 최석기 외, 《선인들의 지리산 유람록 4》, 보고사, 2010.
- 최석기 외, 《선인들의 지리산 유람록 5》, 보고사, 2013.
- 최석기 외, 《선인들의 지리산 유람록 6》, 보고사, 2013.

- 최석기 외, 《지리산과 유람문학》, 보고사, 2013.
- 최석기 외, 19세기 경상우도 학자들〈상〉, 보고사, 2012.
- 최석기, 《남명과 지리산》(남명학 교양총서 22), 경인문화사, 2017.
- 최원석, 《지리산과 이상향》(지리산 인문학 대전 11), 도서출판선인, 2016.
- 한글학회, 《한국지명총람 10(경남 · 부산편 Ⅲ)》, 1986.
- 허권수, 《남명의 한시선》(남명학 교양총서 3), 경인문화사
- 허권수, 《조선의 유학자, 조식》, 뜻있는 도서출판, 2022.

[학위 논문 및 연구 논문]

- 강동의, 《지리산 묵계 청학동의 형성 과정》, 경상대학교 한문학과 석사논문, 2012.
- 고원규, 《문화의 관광 상품화를 통해 본 전통의 재구성-청학동의 사례연구-》, 영남대학교 대학원 문화인류학과, 박사학위논문
- 곽재용, 《하동문화》(제40호), 〈하동의 방언이 나타난 지리산 지명〉, 2021.
- 김상곤, 《한문학》, 〈이상향-청학동에 대한 전거〉, 전주대 한문학연구회, 1984.
- 김은정, 《사호집의 해제》, 〈행력〉
- 노재현, 《문화재(Vol.47, No.1)》, 〈함양 용유담, 전래명승으로서의 가치 구명〉, 2014.
- 동국대 경주캠퍼스 박물관, 《하동 미륵사지 문화재 지표조사 보고서》, 2021.8.
- 류정자, 《김종직의 유두류록 탐구》, 지리 99, 2020.
- 문수현, 〈정기의 시 세계〉, 《배달말》(57), 2015.12.
- 박영제, 《남명원보(15호)》, 〈지리산 용유담을 찾아서〉, 1999.8.10.
- 손성필, 《남도문화연구》 제36집, 〈16세기 후반~17세기 전반 寺刹의 존립 실태(1)-경상도 지역 私撰邑誌 '佛宇' 조의 검토〉, 2019.
- 오이환, 《남명원보(南冥院報)》(제25호), 〈자유기고 지리산과 남명학관〉, 2002.3.15.
- 오이환, 《南冥學硏究》(第10輯), 〈南冥遺跡 三洞辨證〉, 남명학연구소, 2001.2.28.
- 오카노 타케오(岡野武雄), 《地質ニュース 403号》, 〈한국의 비금속 광물 자원 2(韓国の非金属鉱物資源 2〉
- 오카모토 타모츠(岡本保), 《조선광업회지(朝鮮鉱業会誌)》, 〈조선의 광물질 요업원료에 대해서(朝鮮に於ける鉱物質窯業原料に就いて)〉
- 윤호진, 〈성광(醒狂) 문할(文劼)과 매촌(梅村) 문홍운(文弘運)의 생애(生涯)와 문학(文學)〉, 《남명학연구(南冥學硏究)》(제26집)

- 이상원, 《남명학 연구논총 제1집》, 〈남명 조식에 관한 야승의 연구〉, 2003.10.
- 이상필, 《남명학연구 제21집》, 〈물천 김진호의 남명학 수용 양상〉, 2006.6.
- 이정한, 《바위 글씨를 통해 본 '장구지소'의 현황 및 장소성에 관한 영구》, 우석대 박사학위 논문, 2015.8.24.
- 정우락, 《남명 문학의 현장》, 〈김해지역 산해정〉
- 정우락, 《고대일록 해제》, 〈어느 시골 선비의 전쟁 체험과 위기의 일상에 관한 기록〉
- 이영숙, 《남명학연구》(제63집), 〈守肯齋 河天一의 생애와 시 세계〉, 2020.
- 최광민 외, 〈반도체 웨이퍼 제조공정 클린룸 구조, 공기조화 및 오염제어시스템〉, 《한국산업보건학회지》(제25권 제2호), 2015
- 최원석, 《대한지리학회지》, 〈한국 이상향의 성격과 공간적 특징-청학동을 사례로-〉, 제44권 60호, 2009.
- 하동군, 〈삼신봉 주목나무 출장 결과 보고서〉, 2011.8
- 허권수, 《남명의 산문선》(경상국립대 남명학연구소 남명학 교양총서 04), 〈을묘사직소(乙卯辭職疏)〉의 〈해설〉
- 히사이 아츠요(久井貴世), 〈에도시대 두루미(단학)와 황새의 식별 실태-박물지 사료에 의한 검증〉, 山階鳥学誌(야마시나 왕실 조류연구소 연구지), 50-89-123, 2019.

[신문 기사, 홈페이지, 블로그, 기타]

- 권오길, 《교수신문》, 〈생물읽기 세상읽기-174. 갯버들〉, 2017.02.27.
- 김정환, 《산청문화》(제8호), 〈백운동각남명선생유적기(白雲洞刻南冥先生遺蹟記)〉
- 김영진, 《인터넷 불교뉴스 주간불교》, 〈중국 거사 불교의 현장을 가다〉-절강성 천태산〉
- 박성섭, 〈용유담 석각〉(유튜버)
- 《법보신문》, 〈불상은 왜 황금 빛인가요〉, 2004. 8. 10
- 허권수, 《경남신문》, 〈장구지소-허권수의 한자로 보는 세상 (363)〉, 2010.12.21.
- 조종명, 《산청시대》, 〈남명, 세상을 일깨우다(22) 백운동, 천하 영웅이…〉, 2022.3.1.
- 이기순, 《경남일보》, 〈남명 조식의 회남재(回南岾)에 대한 오해〉, 2023.8.31.
- KBS 뉴스7(창원), 〈오방색과 전통문화의 조화…단청장 전승 교육사 이욱〉(2022. 5. 17)
- 국립국어원 홈페이지, 〈한국어 어문규범〉
- 묵계초등학교 홈페이지, 묵계초등학교 청암분교 홈페이지
- 사단법인 숲길 홈페이지, 〈생명 평화 지리산 둘레길〉

- 진양하씨 대종회 홈페이지
- 일본 가속기분석 연구소(加速器分析研究所) 홈페이지
- 우리 역사넷, 〈오주연문장전산고〉
- 하동군보건소, 하동소방서, 하동군, 함양군 홈페이지
- 블로그 《강한 샌디's 휘파람》, 〈송정굴〉
- 블로그 《곡주님의 블로그》, 〈이서구(李書九)와 갈처사(葛處士)〉
- 블로그 《그날에 솟아오른 해-박태무》, 〈중유두류(重遊頭流)〉
- 블로그 《덕전(德田)의 문화 일기》, 〈한시의 이해〉
- 블로그 《무학의 블로그》, 〈외삼신봉에서 바라본 천왕봉〉
- 블로그 《빅리스의 산책》, 〈단청〉
- 블로그 《삶의 향기/차 한잔의 여유》, 〈도연명 도화원시〉
- 블로그 《새소리 바람 소리》 〈우리 옛 뿌리 옛날이야기 6-이서구 설화〉
- 블로그 《세상의 모든 이야기들》, 한맹, 〈경상남도 산청군 시천면 반천리〉
- 블로그 《어이무사의 게으른 공부방》, 〈겸재정선화첩9: 일출송학도〉에서 인용
- 블로그 《오인교의 녹색 건강》, 〈전주의 정자-벽옥한류 한벽루〉
- 블로그 《옛 님의 숨결. 그 정취를 찾아》, 〈묵계사 팔각원당형 부도(승탑)〉
- 블로그 《전북특별자치도 정읍시 대표 블로그》, 〈정읍 문화재 창동서원(사진)〉
- 블로그 《주유천산님의 블로그 여행 같은 산행》, 〈지리산 삼신봉 쇠통바위…〉
- 블로그 〈청학동 다소랑정원〉
- 블로그 《치치부(秩父) · 야마사토의 기억(山里の記憶) 125》
- 블로그 《포산(苞山) 이름에 길을 묻다》, 〈양택풍수, 문필봉이냐? 일자문성이냐?〉
- 블로그 《푸른 물결》, 〈숙종대왕과 갈처사〉
- 블로그 《yncninetwob》, 〈회장석(Anorthite)의 특성과 산업적 활용에 대해 알아보기〉

《네이버 사전》, 《네이버 지식백과》, 《나무위키》, 《디지털하동문화대전》, 《위키백과》, 《일본 위키피디아》, 《한국민족문화대백과》, 《표준국어대사전》 《한국향토문화전자대전》, 구글지도, 네이버지도, 카카오지도, 《디지털 투데이》, 《한시어 사전(네이버)》, 《조선 시대 차자 표기 사전》 등

《묵계동천과 학로계》 편찬위원회 명단

순	주요 업무	성 명	비 고
1	위원장 · 기획 · 자료 수집 · 편찬자문	김 삼 주	학로계 계장 하동문화원 하동학연구소 고문
2	부위원장 · 편찬자문	하 인 선	이사
3	위원 · 편찬자문	박 용 원	감사
4	위원 · 편찬자문	김 만 석	감사
5	위원 · 편찬자문	양 호 영	이사
6	위원 · 편찬자문	노 병 모	이사
7	위원 · 편찬자문	강 점 석	이사
8	위원 · 편찬자문	강 춘 근	이사
9	위원 · 편찬자문	김 옥 식	이사
10	사무국장 · 기획 · 자료 수집 · 편찬자문	양 점 동	총무
11	편저자 · 편집자 · 사진 촬영 및 사진 편집	오 세 현	계원
12	윤독 · 사진 촬영 · 편찬자문	양 영 욱	계원

〈편집 후기〉

청학동 사총사의 열정으로 이룬 작은 결실

불일폭포를 방문한 청학동 사총사(사진에는 '양점동' 총무가 빠졌다)

자료 수집과 컴퓨터 자판과 씨름한 지 5년이 넘었다. 200자 원고지로 약 6,000장, 글자 수로 약 100만 자(字)에 사용한 한자가 32,000자를 넘었고, 1,000여 장의 사진에 본문만 1,000페이지가 넘는다. 대부분의 한자에 토[루비]를 달았고, 아마 찍은 사진도 수 천장에 버린 원고도 이에 못지않을 것이다. 그런데도 여전히 막바지 교정으로 씨름 중이다. 이제 을사년 새봄과 함께 그동안 '청학동 사총사의 열정으로 뿌린 작은 씨앗이 꽃을 피우려 하고 있다. 참 긴 레이스였다.

지리산 영신대에서부터 범상치 않게 뻗은 '남부능선'이 삼신봉에 이르러 뿌리를 내리고 낙남정맥(좌청룡)과 삼신지맥(우백호)으로 가지를 치며 둥글게 제비집 같은 둥지를 튼 길지가 바로 우리 묵계동이다. 이렇게 높은 산맥으로 둘러싸인 묵계동은 오랜 세월 지리산 아흔아홉골 가운데서 외지인의 발길을 쉽게 허용하지 않는 금단(禁斷)의

땅이었다. 그러니 문헌상 남은 기록 또한 찾기 어려웠다. 그래서 무엇으로 엮어갈지 엄두가 나지 않았다. 이에 후배 휴암(休岩) 양영욱은 "인간의 세계에는 역사의 기록을 남기지만, 신선의 세계에는 원래 기록이 없는 것이 아니겠습니까?"라며 위로해 준다. 그러나 항상 선배인 고산 김삼주 학로계 회장님과 사무국장 후배 양점동이 가까이 있었고, 작년 봄부터 휴암까지 응원군으로 합세해 큰 힘이 되었다.

주변의 도움도 많이 받았다. 경상국립대 한문학과, 남명학연구원, 동방한학연구원을 비롯하여 진주향교, 단성향교 등 서부 경남의 유림사회는 한문학의 보고(寶庫)이다. 무엇보다 동방한학연구원의 실재서당(實齋書堂), 경상국립대 남명학연구소, 진주향교 충효교육원, 경남유도대학 등에서 허권수, 이상필, 최석기 교수님은 든든한 버팀목이 되어 주셨다. 진심으로 감사드린다. 또한 IT 강국답게 한국고전번역원, 서울대 규장각, 경상국립대 고문헌도서관, 한국학중앙연구원, 국사편찬위원회, 전국문화원, 국립중앙도서관 등 방대한 정보를 언제든지 검색할 수 있으니 이 얼마나 다행인가?

무엇보다 묵계동의 신비스러운 자태를 순간 포착한 감동적인 사진을 아낌없이 제공해 준 청파(青波) 강태진 하동문화원장님께 감사드린다. 이 작품만큼 지리산에서 묵계 청학동의 위상을 웅변(雄辯)해 주는 자료는 없다. 특히 어려운 가운데서도 선뜻 나서준 '도서출판 실천'의 이어산 사장님과 제자(題字)를 디자인해준 '아트앤서령' 이진욱 대표님께도 감사드린다. 더 나아가 사공예원 편집디자인 팀장님 덕분에 새로운 날개옷이 완성도를 높여가고 있다. 여기에는 후배인 이종수 이병주문학관 관장님의 역할도 컸다. 진심으로 감사드린다.

끝으로 항상 응원해준 편찬위원회 위원 여러분들과 한문(漢文)을 깨알같이 감수해 준 권난희 박사님, 자신의 석사학위 논문을 제공해 준 청학동 풍교헌 강동의 훈장님과 청학동 관련 연구자들, 묵계초 11회 양동석, 이상길, 조병래를 비롯한 여러 친구와 12회 강대근, 14회 노병곤, 김명곤 후배, 묵계사와 삼성궁, 청학서당 관계자를 비롯한 여러 선후배 묵계 향우님들의 적극적인 응원과 협조는 큰 힘이 되었다. 이 자리를 빌려 모든 분께 고개 숙여 감사드린다.

乙巳 早春 明原齋에서 吳世現 謹書

〈편저자 소개〉

오세현 (吳世現, 乙未生, 1955~),

- 1955. 5. 20　지리산 빨치산의 준동으로 피란 생활 중에 청암면 평촌리에서 태어남
- 1956　봄, 첫돌을 지낸 후 묵계리로 귀환, 이후 '삼거리'에서 자람
- 1962. 3.~1968. 2　묵계초등학교 졸업(제11회)
- 1968. 3.~1971. 2　하동종합고등학교 병설중학교(현재 하동중앙중학교) 졸업(제8회)
- 1971. 3.~1974. 2　하동종합고등학교 인문과 졸업(제22회)
- 1974. 3.~1978. 2　경상대학 사범대 물리교육과 졸업(이학사)
- 1975. 3.~1978. 2　〈5.16 장학재단 장학생〉 (1학년 2학기에 선발 당시, 신입생 중 1명 선발)
- 1990. 3.~1993. 8　경상대학 대학원 물리학과(입자물리학 전공) 수료(이학석사)
- 2003. 4.~2007. 3　일본 동북대(東北大)대학원 교육학연구과 박사과정 수료(교육학박사)

- 1978. 3　합천군 쌍책중학교 교사(초임발령), *1학기 근무 후 입대, 제11사단 화학지원대, 육군 병장 제대
- 1980. 11　함양군 마천중학교 교사(군 제대 후 복직)
- 1982. 3　함양종합고등학교 교사
- 1984. 3　금남고등학교 교사
- 1985. 3　하동종합고등학교 교사
- 1989. 3　진주기계공업고등학교 교사
- 1991. 3　경남과학고등학교 교사
- 1994. 10　과학 교사 해외 현장 연수(영국 런던대학 킹스 칼리지)
- 1996. 9　경남교육청 제1기 특별연구교사 선정(3년간), 경남과학교육원 겸임 교사 발령
- 1998. 1　경남교육청 중등교육전문직(장학사 · 교육연구사) 승진 임용시험 합격

- 1998. 3　경남과학교육원 교육연구사(교감급) 승진
- 2000. 12　교육부 공무원 국외 교육 훈련(유학) 파견 선발 시험 합격
- 2001. 10　해외파견(1차), 일본 동북대학 대학원 연구생 유학(2년)

本貫: 海州, 父: 泰煥, 母: 경주김씨 '홍골띠기(댁)', 형: 世和(묵계초 7회)

- 2003. 4 일본 동북대학 대학원 교육학연구과 박사 후기 과정 입학(03. 10. 유학 기간 만료로 일시 귀국)
- 2003. 11 교육부 해외 파견공무원(한국교육원장) 선발 시험 합격
- 2003. 12 국가정보대학원 외교관 교육과정 수료(제184기)
- 2004. 2 해외파견(2차), 일본 니이가타(新潟) 한국교육원장(교육부 재외동포 교육기관장)(4년)
- 2007. 3 일본 동북대학 대학원 교육학연구과 박사 후기 과정 수료(교육학박사 학위 취득)
- 2008. 2 해외파견 복귀(경남과학교육원 교육연구사)
- 2008. 10 경상대학 개교 60주년 기념 '자랑스러운 경상인'에 선정

- 2009. 3 경남교육청 장학관(교장급 승진)
- 2010. 4 미국 메릴랜드주 정부 감사장(CERTIFICATE OF APPRECIATION in honor of OH SEI HYUN)
- 2011. 3 금남고등학교 교장(하동화력 장학재단에서 20억 원을 지원받아 기숙사 신축)
- 2014. 3 경남과학고등학교 교장(2017. 8. 31 정년퇴임, '홍조근정훈장' 수훈)

- 약 40년 동안 재임 중, "과학 영재교육", "교육 발전 공로" 등으로 경남교육감 표창 등 11회(표창: 3회, 수상: 8회), 교육부장관 등 장관급 표창 8회(표창: 5회, 수상: 3회), 국무총리 표창 1회 및 훈장 1회 수훈.

- 현재 도서출판 지호락희 대표, 사단법인 과학사랑방 대표, 락희물리써클(전국 물리 교사 모임) 대표
- 물리교육 블로그: '락희물리교실' (https//blog.naver.com/oh5094) 운영
- 저서(번역): 《물리발상법》, 《락희물리 100시간(상/하)》, 《최난관고교입시 기출 문제 수학》, 《즐거운 수업 사상》

- 경상국립대 사범대학 총동창회장 역임
- 재진주시하동군향우회장 역임(2014~2016)
- 해주오씨 행정공파 어은문중 종회장, 산청군 생비량면 봉산서원 내임

꽃이 피면 봄인줄 알고
낙엽지면 가을인줄 아는 이상향

묵계동천과 학로계

제1부 묵계동천과 청학동

발행일	2025년 5월 15일		
기획·편집	오세현		
	도서출판 지호락희(제2020-000019호)		
	52804 경남 진주시 돗골로 94번길(상평동) 010-2468-6636		
자료수집 제공	학로계(계장 김삼주, 총무 양점동) 및 각 마을 이장		
표지사진 제공	하동문화원장 청파 강태진		
본문사진 제공	오세현, 영영욱 외		
드론사진 제공	이영근		
한문 감수	권난희 한문학박사, 경상국립대 한문학과 강사		
펴낸이	청학동 학로계(대표 김삼주)		
	52309 경남 하동군 청암면 묵계리 578-1 청학루		
편저자	오세현(청학동 학로계 계원)		
인쇄·발행	도서출판 실천 | 경남 진주시 동부로 169번길 12, 윙스타워 지식산업센터 A동 705호		
	055)763-2245, 010-3945-2245 팩스 055)762-0124		
발행인	이어산		
디자인 팀장	사공예원		
등록번호	서울 종로 바00196호	**등록일자**	2018년 7월 13일
	진주제2021-0000009호		2021년 3월 19일

ISBN 979-11-92374-78-9

묵계동천과 학로계

* 이 책은 국립중앙도서관 출판도서목록(CIP)은 서지정보유통지원시스템(http://seoji.nl.go.kr)과 국가자료종합목록시스템(http://www.nl.go.kr/kolisnet)에서 이용하실 수 있습니다.